D0296126

# Vlieggedrag

BARBARA KINGSOLVER

# Vlieggedrag

Vertaald door Lidwien Biekmann en Maaike Bijnsdorp



*Uitgeverij* Atlas Contact
Amsterdam/Antwerpen

Bij de productie van dit boek is gebruikgemaakt van papier dat het keurmerk Forest Stewardship Council (FSC) draagt. Bij dit papier is het zeker dat de productie niet tot bosvernietiging heeft geleid. Ook is het papier 100% chloor- en zwavelvrij gebleekt.

FSC
www.fsc.org
MIX
Papier van verantwoorde herkomst
FSC® C009076


Oorspronkelijke titel *Flight Behavior*
Oorspronkelijke uitgave HarperCollins, New York
Published by arrangement with Lennart Sane Agency AB
Omslagontwerp Roald Triebels
Omslagbeeld Gallery Stock
Foto auteur Annie Griffiths
Typografie binnenwerk Wim ten Brinke
Drukkerij Bariet, Steenwijk

ISBN 978 90 204 1288 8
D/2012/0108/719
NUR 302

www.atlascontact.nl

Voor Virginia Henry Kingsolver en Wendell Roy Kingsolver

I

# De waarde van een man

Het ingooien van je eigen glazen geeft een gevoel dat iets weg-heeft van verrukking. Dat vond in elk geval de vrouw met het vlammend rode haar toen ze met vastberaden pas heuvelop-waarts haar ondergang tegemoet liep. Met onschuld had het niets te maken. Ze was zich bewust van haar roekeloosheid en verwonderde zich erover dat een kortstondige scherpe sensatie kon opwegen tegen de doffe, verstikkende nasleep van langdurige ongenade. Het ergste was dat de schande en het verlies van aanzien ook haar kinderen zou treffen in dit dorp waar iedereen elkaar kende. Hierna zouden zelfs de tieners achter de kassa van de winkel niets dan minachting voor haar hebben, ze zouden met hun gelakte nagels op de toonbank trommelen terwijl zij een cheque uitschreef, ze zouden naar de havermout en diepvrieserwten van het ontwrichte gezin kijken en een blik wisselen met de inpakhulp: *dat is dat mens.* Wat zouden ze trots zijn op hun eigen brave bestaan. Tot aan de dag waarop alle soorten van hoop waren uitverkocht, inclusief de waardeloze B-merken, en het hart nog maar één opdracht kende: vluchten. Net als bij een opgejaagd dier of een renpaard voelde winnen of verliezen in dit stadium precies hetzelfde, het veroorzaakte in beide gevallen een bonzend hart en kortademigheid. Ze rookte te veel, dat kon ook worden bijgeschreven op de lijst van haar zondes. Maar ze had de stap gezet, ze kon niet meer terug. Er waren mensen zat die deze uitweg kozen, die de rampzalige gevolgen op de koop toe namen en ze een andere naam gaven. Nu was het haar beurt. Het gespannen gevoel in haar borst kon ze gelukzaligheid noemen in plaats van de kortademigheid die haar zou overvallen als ze op dit moment thuis met de zware wasmand zou sjouwen en zich zou gedragen als de verstandige moeder van twee kinderen.

De kinderen waren bij haar schoonmoeder. Ze had die kleintjes daar vanochtend met een nauwelijks geldige reden gebracht en daar moest ze nu vooral niet te lang bij stilstaan. Hun gezichtjes doemden op als twee madeliefhartjes: ze houdt van me, ze houdt niet van me. Al die hoop, met zo'n onzekere basis. Het gezin zou total loss raken. Daar kwam het wel op neer; als een auto die om een telefoonpaal gevouwen zit en alleen nog goed is voor de schroothoop. Geen man die de moeite waard is zal overspel vergeven als puntje bij paaltje komt. Maar toch werd ze deze berg op gelokt door de hand die met zijn streling haar hele leven overhoop zou halen. Misschien smachtte ze wel naar die ondergang met een verlangen dat groter was dan haar gezonde verstand.

Boven aan de wei leunde ze tegen de afrastering om even op adem te komen en voelde het gaas in haar rug een beetje meegeven. Maar een vangnet was het niet. Ze maakte haar tas open, telde haar sigaretten en kwam tot de conclusie dat ze op rantsoen moest. Ze had vandaag geen vooruitziende blik gehad. Die suède jas was niet goed, te warm, en stel dat het ging regenen? Ze keek bezorgd naar de novemberlucht; hetzelfde grauwe plafond als de vorige week, de afgelopen maand, de hele zomer. Degene die over het weer ging, had het blauw uit de lucht gehaald en er deze vuilwitte gipsplaat tegenaan gespijkerd. De poel in de wei leek nog meer licht te reflecteren dan de lucht zelf te bieden had. De schapen dromden dicht om dat schijnsel heen, alsof ook zij niet meer op de zon hoopten en genoegen namen met deze tweede keus. Kleine plassen water twinkelden het hele eind naar beneden tot aan de weg naar Feathertown en voorbij het dorp in de richting van Cleary; een lang spoor van kuilen die het waterige licht weerkaatsten.

De schapen in het veld beneden, het land van de familie Turnbow, het witte houten huis waarin ze na haar trouwen meer dan tien jaar lang zonder uitzondering elke nacht had doorgebracht: dat was het wel zo ongeveer. De breedbeeldversie van haar leven sinds haar zeventiende. Afgezien van een paar uitstapjes naar het ziekenhuis, in verband met de bevallingen. Vandaag was blijkbaar de dag waarop ze het beeld uit wandelde. En zich onderscheidde van de onfortuinlijke schapen die daar in de modder stonden, omringd door de diepe stilettogaten van hun pootafdrukken, en lijdzaam hun armzalige lot ondergingen. Ze hadden de hele benauwde zomer lang hun zware wollen vacht gedragen en nu het bijna winter werd, zouden ze worden geschoren. Het leven was niets anders dan een beproeving waar ze niet op voorbereid waren. Hun weiland zag er drassig uit. In het naastgelegen veld stonden de fruitbomen die hun buren een jaar eerder zo zorgvuldig hadden geplant te verkommeren in de regen. Hiervandaan zag alles er onwrikbaar en vreemd uit, zelfs haar huis, waarschijnlijk door de ongewone hoek van waaruit ze het zag. Ze keek alleen door die ramen naar buiten, nooit naar binnen, waar ze in het gezelschap verkeerde van personen die plastic vrachtwagens over de vloer lieten rijden. En ze ging al helemaal nooit hiernaartoe om de toestand van het huis te inspecteren. De staat waarin het dak verkeerde zag er niet erg bemoedigend uit.

Haar auto stond op de enige plek in de wijde omtrek die geen geroddel kon veroorzaken, namelijk haar eigen oprit. De mensen kenden die stationwagen en beschouwden hem nog steeds als de auto van haar moeder. Dat was het enige wat ze na haar dood had weten te redden: een onbetrouwbare kar waarmee ze boodschappen kon doen met de kinderen. De prijs die ze daarvoor moest betalen was het verontrustende gevoel dat haar moeder nog steeds meereed, dat ze met haar tengere gestalte tussen de kinderzitjes op de achterbank zat en zich zo nu en dan voor hen langs boog om door het geopende raampje de as van haar sigaret te tikken.

Maar vandaag dacht ze daar niet aan. Toen ze de kinderen vanochtend bij Hester had afgeleverd, was ze plankgas teruggereden naar huis, achthonderd meter verderop, zo bibberig en broodDronken als een vlieger. Ze was alleen even naar binnen gegaan om haar tanden te poetsen, haar bril af te zetten en eyeliner op te doen; meer was niet nodig, waarna ze er via haar eigen achterdeur vandoor was gegaan om haar reputatie te grabbel te gooien. Een stroomstoot van verlangen joeg door haar lichaam als een wekker die bij het ochtendgloren afgaat en alle dingen die niet meer gestopt kunnen worden in beweging zet.

Nu baande ze zich voorzichtig een weg door de omgewoelde modder langs de afrastering, tilde de ketting op waarmee het ijzeren hek vastzat en glipte erdoorheen. Achter de afrastering begon de gebruikelijke wildernis van vernonia en doornstruiken. Een oud karrenspoor, dat sinds lange tijd niet meer werd gebruikt, liep er dwars doorheen, overwoekerd door een wirwar van wilde frambozenstruiken die hoge bogen vormden over het pad. Ze was hier lang niet geweest, de laatste keer was alweer twee zomers geleden, toen ze hier bessen waren gaan plukken met Cub en een paar vrienden van hem, wat beslist niet haar idee was geweest. Ze was toen hoogzwanger van Cordelia en had een tonronde buik; ze was nog bang geweest dat ze ter plekke in de braamstruiken zou moeten bevallen. Daardoor wist ze nog welke zomer het was geweest. Preston was toen dus vier. Ze wist nog dat hij zich aan haar hand had vastgeklampt toen die rouwdouwers van vrienden van Cub hun de stuipen op het lijf joegen met hun verhalen over slangen. Die frambozentakken hadden een rare kleur voor een plant, viel haar nu op, al had ze de ballen verstand van de natuur. Maar felroze? Precies de kleur van lippenstift die meisjes van dertien mooi vinden. Die fase had ze waarschijnlijk zelf overgeslagen, zij was meteen overgegaan op Romantisch Rouge en Brutaal Bloedrood.

De jonge boompjes maakten plaats voor een dicht bos. De bomen hielden de laatste bladeren van de zomer in hun vuisten geklemd, wat haar deed denken aan de vrouw van Lot uit de Bijbel, die nog één keer achteromkijkt naar haar huis. Het arme mens, om voor zo'n kleine ongehoorzaamheid in een zoutpilaar te worden veranderd. Zij keek niet achterom, maar liep het bos in over het uitgesleten karrenspoor dat de familie van haar man altijd 'het pad omhoog' noemde. Het pad omhoog, dat in haar geval eerder omlaag leidde, naar haar ondergang. De ironie daarvan was haar ontgaan toen ze met hem had afgesproken. Dit pad dat de berg op liep was waarschijnlijk lang geleden vrijgemaakt voor de houtkap. Sindsdien was het bos weer aangegroeid. Cub en zijn vader reden soms met de terreinwagen over dit pad naar het schuurtje op de top als ze op kalkoenenjacht gingen. Vroeger tenminste, lang geleden, toen de mannen Turnbow senior en Turnbow junior samen zo'n dertig kilo minder wogen dan tegenwoordig; toen ze hun voeten nog voor iets anders gebruikten dan als omlijsting van de tv. In die tijd was dit pad waarschijnlijk ook al slecht onderhouden, want ze wist nog dat ze meestal de kettingzaag meenamen voor de jonge zaailingen die in de weg stonden.

Cub en zij gingen hier in die tijd zelf ook wel eens heen, zogenaamd om te picknicken. Maar sinds de geboorte van Cordie en Preston hadden ze dat niet meer gedaan. Het was een belachelijk idee geweest om die schuilhut voor te stellen als ontmoetingsplek. *Op vrijersvoeten*, dacht ze, woorden uit een verhaal. En: *Vlag op een modderschuit*, woorden van haar schoonmoeder. Maar waar hadden ze dan moeten afspreken? In haar eigen slaapkamer, die vol lag met binnenstebuiten gekeerde werkhemden en een eenbenige Barbie die je lag aan te staren terwijl je in de stemming probeerde te komen? Welterusten. Het Wayside langs de hoofdweg was op zich al treurig genoeg, en dan rekende ze het loon der zonde nog niet eens mee. Mike Bush zou haar van achter de balie begroeten: *Goeiedag, mevrouw Turnbow, alles goed thuis met de kids?*

Het pad werd versperd door de bovenste helft van een omgevallen boom die zo enorm was dat ze erdoorheen moest klauteren, tussen de zijtakken door waar nog klamme bladeren aan kleefden. Zou hij hier wel doorheen komen, of zou hij bij deze muur van bladeren omkeren? Haar hart begon te bonzen bij de gedachte dat ze dit buitenkansje zou mislopen. Toen ze erdoorheen was, overwoog ze even om daar op hem te wachten. Maar hij kende de weg. Hij had een paar jaar geleden vanuit die schuilhut zelf op kalkoenen gejaagd, zei hij. Met zijn eigen vrienden, geen mensen die Cub en zij kenden. Veel jonger, waarschijnlijk, die vrienden.

Ze klopte het vochtige zand van haar handen en keek naar het kadaver van dit gevallen monster. De boom was nog helemaal intact, niet geknakt of afgeknapt door de wind. Zonde. Hij had daar misschien wel eeuwen gestaan, maar had nu zomaar de grond losgelaten, de dikke vuist van wortels was uit de grond getrokken en rustte naakt boven een gapende wond in de aarde van de berghelling. Net als zij leek die boom zomaar te zijn ontworteld. Door al die regen van de laatste tijd gebeurde dat overal in het land, ze had er in de krant over gelezen: reusachtige bomen kieperden 's nachts zomaar om en verwoestten het dak van een woonhuis of verpletterden de auto op de oprit. De grond nam water op tot hij zo zacht was als een spons, waardoor de bomen hun grip verloren. In de buurt van Great Lick was een hele berghelling met volwassen bomen door een aardverschuiving veranderd in een chaos van versplinterde stammen, keien en scheuren. Iedereen was daar erg van geschrokken, zelfs mannen zoals haar schoonvader, die bij het horen van slecht nieuws altijd opmerkten dat het niks voorstelde en beweerden dat ze zoiets al zo vaak hadden meegemaakt. Maar dit hadden ze nog nooit beleefd en dat gaven ze ook eerlijk toe. Ze dachten zeker dat God persoonlijk de hand had in dit soort vreemde verschijnselen en dat Hij ze op een leugen zou kunnen betrappen.

Het pad draaide scherp omhoog naar de bergkam en werd nog smaller. Het was nu nog zo'n anderhalve kilometer, schatte ze. Ze probeerde flink door te stappen en stelde zich voor dat ze er met haar lange rode haar dat op haar rug danste heel atletisch uitzag, maar in werkelijkheid werd ze gek van de pijn in haar voeten en haar longen. Nieuwe laarzen: nóg iets voor op de lijst van dingen die ze verpestte. Het waren roodbruine laarzen van echt kalfsleer, met glimmende punten en schachten die met de hand waren bewerkt; ze waren zo mooi dat ze bijna had moeten huilen toen ze ze had gevonden bij Second Time Around, de tweedehandswinkel waar ze wat fatsoenlijke kleren zocht die Preston aan zou kunnen naar de kleuterschool. De laarzen waren zes dollar, zo goed als nieuw, met nog bijna maagdelijke zolen. Er bestonden dus mensen die zoiets konden doen: een klein stukje op peperdure nieuwe laarzen lopen en ze dan zomaar weer afdanken. De laarzen pasten haar niet precies, maar ze stonden prachtig, dus kocht ze ze: het was voor het eerst in een jaar dat ze iets voor zichzelf aanschafte, toiletartikelen niet meegerekend. Of sigaretten, die telde ze al helemaal niet mee. Ze hield de laarzen verborgen voor Cub, zomaar, alleen maar om ze bijzonder te houden. Iets van haarzelf. Alles werd haar dagelijks uit handen gegrist: haar borstel, de afstandsbediening, het zachte middelste stuk van een boterham, het laatste flesje cola dat ze de hele middag had bewaard. Ze had een keer gedroomd dat de vogels het haar van haar hoofd trokken om er rode nesten van te bouwen.

Niet dat het Cub zou opvallen als ze die laarzen aanhad, en niet dat ze er eerder een gelegenheid voor had gehad. Waarom had ze ze dan uitgerekend deze ochtend aangetrokken om er in de natste herfst sinds mensenheugenis mee door de modder te gaan sjouwen? Zwarte bladeren plakten als donkere schubben tot halverwege haar kuiten op het bewerkte leer. Omdat deze dag zich al eindeloos vaak in haar hoofd had afgespeeld, als een film die permanent werd herhaald, daarom. In de geestdodende omgeving die naar urine en geprakte banaan rook, was dagdromen het enige wat ze overvloedig kon. En wat niets kostte. Als ze eens rustig ging zitten voor een serieuze fantasie, was het vooral zoenen dat ze voor zich zag, maar vervolgens kwamen er ook andere details in haar naar boven, over de omgeving, over haar kleren. Misschien was dat wel het verschil tussen mannen- en vrouwenfantasieën, dacht ze. Wel of geen kleren. De kalfsleren laarzen hoorden erbij, net als het suède jasje dat ze geleend had van Dovey, haar beste vriendin, en de rode chenille sjaal om haar hals, dingen die hij haar langzaam zou uittrekken. Ook de kou had ze zich precies zo voorgesteld. Als haar fantasie met haar op de loop ging, vergat ze de ongemakken niet. Haar blozende wangen, zijn warme handen waarmee hij haar rode haar naar achteren streek, dat hoorde er allemaal bij. Ze had die laarzen vanochtend aangetrokken alsof ze daar schriftelijke instructies voor had gekregen.

Inmiddels zat ze tot over haar oren in haar fantasie, hoewel ze tot nu toe nog geen doodzonde had begaan. Ze waren niet langer dan een paar tellen per keer alleen geweest, achter een stal of een golfplaten schuurtje, terwijl haar auto om de hoek geparkeerd stond en haar kinderen in hun autostoeltjes op volle kracht zaten te ruziën. Zolang ik ze hoor, leven ze nog; bepaald geen gedachte die romantische gevoelens opwekte. Toch kreeg ze kippenvel bij het vooruitzicht hem weer te zien. Zijn ogen, zo bruin als het glas van een bierflesje, en zijn lachende gezicht met die kuiltjes in zijn wangen. Zoals hij haar gezicht met beide handen vastpakte, godallemachtig. Zoals hij in haar ogen keek, haar haar tussen duim en wijsvinger wreef alsof hij geld telde. Zulke verrukkingen brachten haar ertoe om op de grond van de inloopkast met hem te zitten bellen en dom met hem te zitten praten, avond na avond, terwijl haar man en kinderen zoet lagen te slapen. Dan zat ze in het donker te fluisteren terwijl de werkhemden van haar man aan hun hangertjes over haar hoofd streelden, bijna net zoals Cub over haar hoofd streelde als ze met de kinderen op de grond zat terwijl hij de hele bank in beslag nam en tv keek. Zonder iets te merken van de storm die in haar woedde. Cub bewoog in slow motion. Vanbinnen was hij een en al zachtaardigheid, als een gewatteerde jas. Zo zat hij nu eenmaal in elkaar, en dat was iets wat je als vrouw zonder klachten moest verdragen. Maar daardoor leek hij zo dom als een koe. Gek werd ze ervan, van alles. Zoals hij zich door zijn moeder liet commanderen, die zei dat hij zijn bord moest leegeten of zijn hemd in zijn broek moest stoppen alsof hij een kind was, een kind van honderd kilo. En dan die gênante naam. Hij kon Burley Junior genoemd worden als hij wilde, maar in plaats daarvan liet hij zich door zijn ouders en door iedereen Cubby noemen, alsof hij nog een kleine jongen was, het berenjong van zijn vader, die Burley Turnbow heette maar Bear werd genoemd. Een berenjong moet groot worden, maar Cub was al achtentwintig, stond nog steeds met een lang gezicht en afhangende schouders bij de ingang van het ouderlijk berenhol; schudde met een kinderlijke beweging zijn te lange lok blond haar uit zijn gezicht. En nu liet hij zich ook al door zijn hardvochtige vrouw te schande maken, of misschien merkte hij dat niet eens. Waarom hield hij nog steeds zoveel van haar?

Ze schrok zelf van haar bedrog. Het was alsof ze een krankzinnige, onstuitbare en iets aantrekkelijkere versie van zichzelf op tv zag, en daar dingen deed die je in het dagelijkse leven zonder filmscript nooit zou kunnen. Cordelia vroeg in bed leggen voor haar middagslaapje als Preston op school was zodat ze intieme gesprekken kon voeren met een man die niet haar echtgenoot was. Het verlangen om hem te bellen was heviger dan het verlangen naar een sigaret, het was alsof het in haar beide oren krijste. Ze was meer dan eens langs zijn huis gereden, met als smoes voor haar kinderen op de achterbank dat ze iets was vergeten en nog even naar de winkel moest. Ze gingen ijs of lollies kopen, zei ze om ze stil te houden, maar zelfs een kind van vijf zag dat ze een andere weg namen. Preston uitte zijn vermoedens vanaf zijn stoelverhoger, terwijl hij van daaraf weinig meer kon zien dan de voorbijschietende bomen en telefoonpalen.

De telefoonman, zoals ze de man noemde die haar obsedeerde – zijn echte naam was te gewoontjes, je ging je leven toch niet vergooien voor een Jimmy – was nog maar nauwelijks een man. Tweeëntwintig, had hij gezegd, maar dat geloofde ze niet. Hij woonde met zijn moeder in een stacaravan en hield zich in het weekend bezig met dingen die jongens van die leeftijd leuk vinden: bier en kettingzagen, bier en schietwedstrijden. Het was onvergeeflijk dat ze als een blok viel voor iemand die misschien nog niet eens oud genoeg was om dat bier zelf te mogen kopen. Ze wilde niets liever dan verlost worden van die idiote hunkering. Ze was wel eens eerder verliefd geweest, maar dit voelde levensbedreigend, vooral als ze naast Cub in bed lag. Ze had haar toevlucht genomen tot valium; een van de drie of vier pillen die nog in het tien jaar oude potje zaten dat ze had gekregen nadat ze haar eerste baby had verloren. Maar die pil werkte niet, was waarschijnlijk over de datum, zoals alles in huis. Een week geleden had ze zich expres in een vinger geprikt toen ze een gat in Cordies pyjama aan het stoppen was en had ze naar het bloed gekeken dat uit haar huid opwelde als een donkerrood oog dat haar aanstaarde. Dat wondje deed nog steeds pijn. Zelfkastijding. Maar niets kon haar ervan weerhouden om aan hem te denken, hem te bellen, plannen te maken, ergens langs te rijden waar hij had gezegd aan het werk te zullen zijn alleen om hem in zijn leren tuig in een telefoonpaal te zien klimmen. Hij was door een vreemde wending van het lot op haar pad gekomen: op een windstille dag was de boom voor hun huis omgevallen en op de telefoondraad terechtgekomen. Cub en zij hadden geen vaste telefoon, dus het was hun probleem niet, maar een kapotte draad moest wel worden gerepareerd. 'Gelukkig staat de paal nog overeind,' had hij met een ondeugende grijns gezegd, en daarop volgde de ene flauwe grap na de andere, als een stortbui bij mooi weer die de gewassen op het veld platslaat en alle mooie plannen in het honderd stuurt. Dat kun je de regen en de modder niet kwalijk nemen, dat is gewoon de natuur. De ramp zit hem in de onuitgekomen verwachtingen.

En nu zette ze alles op het spel, liep met opgeheven hoofd de berg op, en ging ongewapend het duel tegemoet, hoe dat ook mocht eindigen. In elk geval met verdriet, met een gezin zonder vader. En zonder geld. Hoe ze rond zou moeten komen als Cub haar zou verlaten, was haar een raadsel. Ze had geen werk meer gehad en was zelfs nauwelijks nog gewend aan het voeren van een gesprek sinds de Feathertown Diner was gesloten, lang geleden, toen ze zwanger was van Preston. Niemand zou haar nog als serveerster aannemen. Ze zouden de kant van Cub kiezen en het halve dorp zou zeggen dat ze het wel hadden zien aankomen, alleen maar omdat ze smullen van elk type ondergang. *Ze was op school al zo'n wilde, zo gaat dat met die mooie meisjes, vroeg rijp, vroeg rot.* Ze zouden hetzelfde vinden als haar schoonmoeder, die ze een keer tegen Cub had horen zeggen dat ze een lastig portret was. Alsof ze voor een portretschilder een onmogelijke opdracht vormde omdat ze verkeerd in elkaar stak, of omdat er iets ontbrak. Maar welk deel dan?

Daar zou iedereen wel een mening over hebben. Wat in elk geval ontbrak was een vooruitziende blik. Een huisvrouw zonder opleiding die haar gezonde verstand verloor en achter een knappe jongen aan liep die niet voor haar kinderen kon zorgen. Een vrouw die deed alsof er geen volgende dag zou komen. En toch. Zoals hij naar haar keek, leek het alsof hij gouden appels voor haar wilde halen. Of de Mississippi. Als hij zijn vingers als een armband om haar polsen sloot, of om haar enkels, en zich erover verwonderde dat die zo dun waren, had ze het gevoel dat ze een duur juweel was in plaats van een onverantwoordelijke volwassen vrouw. Niemand had ooit eerder naar haar geluisterd zoals hij. Of zo naar haar gekeken, zo eerbiedig haar haar aangeraakt en een naam voor de kleur proberen te bedenken: ergens tussen een stopbord en een zonsondergang in, had hij gezegd. Een kruising tussen tomaten en lieveheersbeestjes. Snoes, noemde hij haar.

Niemand had ooit eerder een naam voor haar bedacht. Een andere dan de naam die haar moeder in een wazige toestand na de narcose had genoemd in de veronderstelling dat hij uit de Bijbel kwam. Dellarobia. Later had ze zich herinnerd dat dat niet klopte: hij kwam niet uit de Bijbel, ze had hem gehoord tijdens een knutselmiddag van de Vrouwenclub. Op een dag had ze een plaatje gezien in een damesblad en naar haar dochter geroepen dat ze moest komen kijken. Dellarobia was toen een jaar of zes, maar ze kon zich de dellarobiakrans nog steeds voor de geest halen: een mengeling van dennenappels en eikels die waren vastgelijmd op een krans van piepschuim. 'Dus toch iets moois,' zei haar moeder beslist, maar het was alsof deze afgang een voorbode was van toekomstige gebeurtenissen. Haar levenswandel was nou niet bepaald volgens de voorschriften van de Messias geweest. Behalve dan dat ze jong getrouwd was. Dat was zoals de Here het wilde als een meisje toekomstdromen had maar nog geen concrete plannen, vooral als ze in verwachting raakte. Van een kind dat nooit echt zou bestaan, dat ze nooit te zien kreeg, een monster. De verpleegster had gezegd dat de baby vreemd, fijn haar over het hele lichaam had dat net zo rood was als dat van Dellarobia. Preston en Cordelia, die daarna kwamen, waren allebei blond, uit Turnbowhout gesneden, maar die eerste met dat rode vachtje was een wilde geweest, net als zij; die had twee verbluften pubers in de val gelokt en was er toen ze eenmaal getrouwd waren lachend vandoor gegaan en had hen met de brokken laten zitten. Waarna ze vijf jaar lang hadden geprobeerd om nog een kind te krijgen, alleen maar om het gat op te vullen dat niemand van plan was geweest te graven.

Ze zag vanuit haar ooghoeken iets bewegen en haar blik schoot omhoog. Hoe kon je aandacht door zoiets kleins worden getrokken? Het was bijna niets, een oranje vlekje dat trillend boven een van de bomen hing. Het bewoog over haar heen, naar links, waar de berghelling naast het pad steil naar beneden liep. Ze trok een gezicht en dacht aan roodharige spoken. Het was niets voor haar om dingen te zien die er niet waren. Ze richtte haar blik weer op het pad en keek met opzet niet meer omhoog. Het was bijna een verloren strijd om tegen deze berg op te komen en ze liep te puffen als een schaap. Bij een uitnodigende populier naast het pad bleef ze even staan. Ze leunde tegen de stam, die tussen haar schouderbladen paste, en stak de sigaret op waar ze al een halfuur hevige trek in had; ze beschermde het vlammetje met haar handen en inhaleerde de rook. Ze telde tot tien, kon het toen niet laten en keek omhoog. Zonder haar bril was het lastig om dat ding in de smiezen te krijgen, maar daar was het weer, er zweefde iets boven het glooiende bos naar beneden: een oranje vlinder op een regenachtige dag. De onbeschaamde misplaatstheid deed haar denken aan van die maffe combinaties in kinderboeken: Wat hoort er niet bij? Een appel, een banaan, een taxi. Een aardige boer, een moeder van twee kinderen, een sexy telefoonman. Ze keek naar het felgekleurde vlekje dat nu boven de bomen in de diepte fladderde, rookte haar sigaret op en trapte de peuk met de hak van haar laars zorgvuldig uit. Toen ze doorliep, en haar sjaal om haar hals wikkelde, hield ze haar ogen strak op de grond gericht. Als die jongen het maar waard was. Dat vroeg ze zich opeens af. Zo supersexy was hij nou ook weer niet. Misschien dat ze eindelijk haar verstand terugkreeg.

Het laatste stuk van het pad was het steilst, voor zover ze zich tenminste nog kon herinneren van de uitstapjes uit haar middelbareschooltijd. Die enkelzwikkende klim vergat je niet zo gauw. Rotsachtig, steil en pikkedonker. Ze kwam nu in een gedeelte van het bos dat het kerstbomenland werd genoemd; het stond vol sparren die ooit waren aangeplant met een doel waar nooit iets van was terechtgekomen. De lucht was hier opeens kouder. Het sparrenbos had een eigen, spookachtig klimaat, alsof die torenhoge naaldbomen nog steeds een wrok koesterden omdat ze waren vergeten. Wat ontzettend achterlijk van haar om die schuilhut voor te stellen als ontmoetingsplaats. Er viel daar even weinig romantiek te halen als thuis op een gemiddelde dag als ze met de kinderen rondsjouwde en poppen van de grond viste. Ze had het zichzelf veel gemakkelijker kunnen maken door haar leven te gronde te richten in een motelkamer, zoals ieder weldenkend mens zou doen, maar nee. Haar benen waren moe en haar kont deed pijn. Ze had blaren op beide voeten. De laarzen die ze vanochtend nog zo prachtig had gevonden, leken nu belachelijk; die gladde hakjes waren geschikt om op rond te paraderen in een strakke spijkerbroek, niet om een fiks eind op te lopen. Ze keek goed uit waar ze liep, want een gebroken enkel kon ze al helemáál niet gebruiken. Het pad was slecht, lag vol losse stenen en liep hier en daar steil omhoog. Ze moest zich aan de takken en bomen vasthouden om haar evenwicht te bewaren.

Ze voelde opluchting toen ze op een horizontaal stuk kwam met een dikke laag bruine naalden. Totdat ze een eindje verderop iets donkers zag opdoemen aan de tak van een boom. Een horzelnest, was haar eerste gedachte, of een bijenvolk dat op zoek was naar een nieuwe nestplaats. Dat had ze al eens vaker gezien. Maar ze hoorde geen gezoem. Ze kwam langzaam dichterbij en was van plan er snel onderdoor te rennen, of ze nu kon zien wat het was of niet. Het donkere gevaarte was stekelig als een berg dode bladeren of een openstaande dennenappel, maar dan veel groter. Alsof er een gordeldier in de boom hing, ook al wist ze niet hoe groot die waren. De ronde vorm had overal schubben, maar liep onderaan uit in een punt, alsof het iets nattigs was wat kon gaan druppen. Ze had geen zin om eronderdoor te lopen. Opnieuw wenste ze dat ze haar bril niet had thuisgelaten. Het was niet erg om een beetje ijdel te zijn, maar hier in de wildernis zag ze geen moer. Ze tuurde naar de donkere takken die zich aftekenden tegen de bleke lucht. Door dat omhoogturen werd ze een beetje duizelig.

Haar hart bonsde. Die dingen zaten overal, ze hingen als reusachtige druiventrossen aan de takken van alle bomen die ze zag. Zwammen was het woord dat in haar opkwam, en haar mondhoeken zakten naar beneden. Die bomen kregen tegenwoordig allemaal nieuwe ziektes. Daar had Cub het al over gehad. Door de natte zomers en de milde winters van de afgelopen jaren kwamen er nieuwe soorten ziektes en ongedierte die het bos kaalvraten. Ze deed haar jas verder dicht en liep snel onder het borstelige geval door, gebukt, ook al hing het ruim drie meter boven het pad. Anderhalve meter boven haar. Toch huiverde ze en streek met haar vingers door haar haar, terwijl ze het kinderachtig van zichzelf vond dat ze zo bang was voor boomschimmel. De dag leek te aarzelen of hij warmer zou worden of niet. In de diepe schaduw van de naaldbomen was het koud. Door die schimmel moest ze denken aan het schoonschrobben van het douchegordijn, een van de steeds terugkerende mijlpalen in haar leven. Ze probeerde daar niet aan te denken en zich te concentreren op haar beloning aan het einde van de klim. Ze stelde zich voor dat ze hem zou verrassen als hij bij het schuurtje op haar stond te wachten, dat ze van achteren naar hem toe zou lopen, de achterkant van zijn spijkerbroek zou zien. Hij had beloofd dat hij al vroeg zou komen, zodra hij kon, en had gesuggereerd dat hij misschien al wel naakt zou zijn als zij kwam. Met een grote zachte deken en een fles Cold Duck. *Lord love a duck*, dacht ze. Ze had jaren geteerd op restjes peutermaaltijden en pakjes sap, dus ze zou van die zoete rosé binnen de kortste keren dronken zijn. Ze huiverde opnieuw; hopelijk was het een huivering van verlangen, niet een rilling door het koude weer of door de angst voor die zwammen. Was het zó moeilijk om het verschil te voelen?

Het pad liep vanuit het donkere bos naar een open deel van de berghelling. Ze hield abrupt halt, want daar was iets mis. Of in elk geval was er iets vreemds. De bomen boven haar hoofd hingen vol met nog meer van die bruinachtige klonten, maar dat was nog niet alles. Het uitzicht over de vallei was vreemd en onwerkelijk, iets uit een sciencefictionfilm. Vanaf dit punt kon ze de berghelling aan de overkant van de vallei helemaal overzien, van boven tot onder, en het bos daar was helemaal bedekt met die stekelige dingen. De sparren in de wazige verte zagen er anders uit dan ze ooit had gezien; hun takken waren dik en hingen zwaar naar beneden. De stammen en de dikke takken waren gespikkeld en geschubd alsof er een laag cornflakes op zat. Ze had kleine kinderen, ze had dus wel eens iets gezien dat onder de cornflakes zat. Hiervandaan had ze uitzicht op bijna het hele bos, en het zag er vanaf de vallei tot aan de bergtop anders uit, bleek, de lichtbruine kleur van dode bladeren. Dit waren groenblijvende bomen, die moesten donker zijn, maar wat ze zag waren geen takken met naalden. Alles bewoog. Die takken leken te wriemelen. Instinctief deed ze een stap naar achteren, weg van het uitkijkpunt en de angstaanjagende bomen, ook al waren ze ver bij haar vandaan, aan de overzijde van de vallei. Ze stak haar hand in haar tas om een sigaret te pakken, maar verstijfde.

Door een kleine verschuiving tussen wolken en zon veranderde het licht en de hele omgeving werd intenser van kleur, klaarde voor haar ogen op. Het bos vlamde door een eigen, interne gloed. 'Jezus,' zei ze, niet omdat ze Hem om bijstand vroeg – op zulke goede voet stonden ze niet – maar alleen om iets te zeggen. De zon kwam onder een andere hoek tevoorschijn, straalde zijn warmte over het land, en de berg leek van licht uit elkaar te spatten. Licht van een ongekende intensiteit rimpelde door de vallei, als een verstoord wateroppervlak. Elke tak vlamde op in een oranje gloed. 'Godsallejezus,' zei ze. Iets zinnigers wist ze niet te bedenken. Bomen die in vuur veranderden, een brandend bos. Ze dacht aan Mozes, en Ezechiël, woorden uit de Heilige Schrift die nog een plek in haar hoofd innamen, maar geen echt gewicht meer hadden, voor zover ze dat ooit hadden gehad. *Brandende, vurige kolen gingen heen en weer tussen de levende wezens.*

Het vuur leek nu in een sproeiregen omhoog te schieten, als vonken uit een brandend houtblok waar je met een pook op slaat.

Ze werden in trechtervormige opwaartse spiralen omhoog gezogen. Felgekleurde wervelwinden tegen een grijze lucht. Ze stond met stomme verbazing toe te kijken. Uit de top van de wervelwinden schoten de vonken hoog de lucht in en zweefden zonder duidelijk doel boven het donkere bos.

Als het een bosbrand was, zou ze wel gebulder horen, maar bij al deze consternatie bleef de berg in doodse stilte gehuld. De lucht erboven bleef koud en helder. Geen rook, geen geloei en geknetter. Ze hield haar adem even in en sloot haar ogen om beter te kunnen luisteren, maar hoorde niets. Alleen een vaag gespetter, als regendruppels op bladeren. Geen vuur, dacht ze, maar als ze keek, zeiden haar ogen dat het wel vuur was, dat het bos in de fik stond. Ze zeiden dat ze moest maken dat ze wegkwam. Omhoog of omlaag, dat wist ze niet goed. Ze keek naar het donkere, onduidelijke pad en de ontoegankelijke kloof van de vallei. Het zag er overal hetzelfde uit, elke boom had dezelfde gloed.

Ze sloeg haar handen voor haar gezicht en probeerde na te denken. Ze was kilometers ver bij haar kinderen vandaan. Cordie met haar duim in de mond, Preston met zijn neergeslagen ogen en die lange wimpers, schuld opzuigend als een spons ook al had hij niets verkeerds gedaan. Ze wist precies hoe hun leven zou verlopen als haar hier iets overkwam. Tijdens haar zondige missie. Hester zou ze voor altijd met schande overladen. Of erger nog: stel dat ze dachten dat hun moeder zomaar was weggegaan en hen in de steek had gelaten? Niemand wist dat ze haar hier moesten gaan zoeken. Haar hoofd liep vol met woorden uit nieuwsberichten: gebitsgegevens, naaste verwanten, stoffelijke resten.

En Jimmy. Ze dwong zichzelf om aan zijn naam te denken: hij was een persoon, niet alleen maar een bestemming. Jimmy, die daar misschien al was. En in een oogwenk was die zorg als een asdeeltje verdwenen en zag ze voor het eerst wat deze dag in werkelijkheid was. Voor haar het einde van alle veiligheid en gerieflijkheid. Voor hem iets heel anders, een spelletje. Niets wat zijn leven zou veranderen. We gaan er samen vandoor, had ze zichzelf voorgehouden. Maar waarheen? De stacaravan van zijn moeder? Op de een of andere manier was die man alles voor haar geworden, maar ze had hem nooit op waarde geschat. Hij was kind noch vader, kon in telefoonpalen klimmen en weer verdwijnen. Op het moment dat hij problemen rook, zou hij via de achterzijde van de berg de benen nemen. Dat stond vast. Hij had het instinct van een jongen. Hij zou weer terug zijn op zijn werk voordat iemand had gemerkt dat hij zich ziek had gemeld. Als zij als verkoold lijk op het nieuws kwam, zou hij hun verhaal stilhouden om haar familie te sparen. Dat zou hij zichzelf tenminste voorhouden. Ongelofelijk wat ze bijna had gedaan. Ze verbleekte toen het tot haar doordrong hoe enorm en allesomvattend haar domheid was geweest, hoe slecht haar gedrag was onderbouwd en gestut. Alles had als een circustent omvergeblazen kunnen worden.

Terwijl ze naar de gloeiende bomen keek, besefte ze dat ze er alleen voor stond. Maar haar angst werd overspoeld door fascinatie. Het was helemaal geen bosbrand. Ze voelde een stille opgetogenheid om deze ontsnapping, om dit plotselinge inzicht, om de blik die haar in deze eenzaamheid op zichzelf werd vergund. Ze kon zich niet herinneren wanneer ze ooit eerder zoveel ruimte in haar bestaan had gevoeld. Dit was niet zomaar iets onechts in de aaneenschakeling van goedkope gebeurtenissen in haar leven, tot en met dit rondsluipen op laarzen die iemand anders had afgedankt. Dat was nu afgelopen. Een onaardse schoonheid werd haar geopenbaard, een visioen van glorie om haar tot staan te brengen. Alleen voor haar rezen die oranje takken omhoog, werden die lange schaduwen een opstijgend licht. Het leek op het binnenste van vreugde, voor zover je dat kon zien. Een vallei van licht, een etherische wind. Het moest iets betekenen, dat kon niet anders.

Ze kon zichzelf bevrijden. Zichzelf en haar kinderen met hun zachte wangen en hun melkadem, die geloofden in wat ze hadden, ook al was hun hele goedheid en genade een moeder die in opperste verwarring verkeerde. Het was nog niet te laat om deze puinhoop op te ruimen. Ze moest de berg afdalen, die kinderen ophalen. De brandende bomen waren hier om haar te redden. Ze had nog nooit zoiets vreemds geloofd, maar ze was er vast van overtuigd. Aan bijgeloof deed ze niet, ze had al zo vaak een ongelukkig pad bewandeld dat ze net zo goed onder een ladder door kon lopen als eromheen gaan, en ze beschouwde zichzelf niet als een uitzondering. Ze was in geen geval zo bijzonder dat God speciaal voor haar tekens gaf of wonderen verrichtte. Wat haar heel even had onderscheiden was een krankzinnige, satanische obsessie. Om zoiets te bestrijden was een brandend bos nodig, het vuur moest met vuur bestreden worden.

Haar ogen zonden waarschuwingssignalen naar haar hersenen, als een autoalarm dat ergens op een verlaten parkeerterrein afgaat. Het lukte haar niet om erop te reageren, want heel even doorzag ze een formule voor het leven die uitsteeg boven angst en veiligheid. Ze vroeg zich alleen af hoelang ze naar dit spektakel kon blijven kijken voordat ze zich omdraaide. Het was een zee van vuur, veel heviger en wonderlijker dan die twee afzonderlijke elementen. Het was het onmogelijke.

Toen ze het dak van haar huis weer zag, zaten er nog steeds donkere vlekken op de beschadigde dakbedekking, en daar was haar auto, op de oprit, waar ze hem had geparkeerd. Met een hoofd vol vlammen en met slappe knieën door wat ze had gezien probeerde ze op een soort van herboren manier naar hun met kunststof platen betimmerde boerderij te kijken. Wat het ook was dat daarboven bezit van haar had genomen en haar visioen had veroorzaakt; het voelde heftig, als een vloedgolf die sterk genoeg was om dat donkere dak en de witte vierkante vlakken van haar veilige huis te doen bezwijken. Maar nee, het was er allemaal nog. Het leven dat ze nog maar net voor dood had achtergelaten, was er nog steeds. De schapen waren op hun post, stonden in groepjes van twee of drie bij elkaar. De perzikbomen van de buren stonden nog steeds in keurige rechte rijen te verrotten, als symbool van het doodgebloede geluk van het zoveelste gezin. In Gods schepping was niets veranderd, of misschien toch. Misschien droomde ze? Ze was in de helft van de tijd die ze nodig had gehad om de berg te beklimmen weer beneden, en dat was lang genoeg om aan alles van deze dag te gaan twijfelen: wat ze van plan was geweest, wat ze had gezien, wat ze niet had gedaan. Stuk voor stuk immens. Maar als het allemaal op niets uitliep, wat dan? Een leven afgemeten in kleingeld en uitgeknipte kortingsbonnetjes en ijdele hoop die werd vermorzeld tussen de niet-geïsoleerde muren. Ze had verlies en verwoesting als alternatief gezien, maar misschien waren er andere mogelijkheden. Een zee van vuur had haar teruggevoerd.

Maar waarheen? Naar een erf vol verweerd plastic speelgoed en armetierig gras, een erf zonder fatsoenlijke laag teelaarde dankzij haar schoonvader, die het perceel voor hun huis wat al te haastig met de bulldozer had vrijgemaakt. Een verwaarloosde rozenstruik bij de veranda, een moederdagcadeau van Cub, die was vergeten dat ze verdrietig werd van rozen. De zilverkleurige Taurus op de oprit, in de haast slordig geparkeerd, met de sleuteltjes zoals altijd in het contact, want geen mens in deze buurt zou ermee willen wegrijden. Het vage metalige geluid van een ijzeren pijp die op de grond valt wanneer ze schakelde. Vervelender of vertrouwder kon bijna niet. Ze werd vervuld van verdriet, dat als water door haar heen stroomde terwijl ze de hoofdweg op reed en de radio aanzette. Kenny Chesney stond in de startblokken, zong zalvend met zijn suikerzoete sentimentele stem dat hij wilde weten hoe de eeuwigheid voelde en spoorde haar aan ervandoor te gaan. Ze zette Kenny meteen weer uit. Ze reed de oprit naar het huis van haar schoonouders in en keek naar hun oude boerderij, waarvan de twee ramen op de bovenverdieping geen gordijnen hadden en haar deden denken aan de oogkassen van een schedel. Hesters bloembedden stonden er verflenst bij door de eindeloze regen van die zomer, net als de rest van de tuin. Er waren nauwelijks tomaten geweest om te wecken. Van Hesters veelgeprezen rozenstruiken was niet veel meer over dan een doornige wildernis vol schimmelklonten. Hester was wél dol op rozen. Als Dellarobia hun weeïge geur rook en de uiteenvallende bloemblaadjes zag, was ze in één klap terug op de begrafenissen van haar ouders.

Toen ze uitstapte, zag ze voor het huis maar één kleur, van een kleine, felgroene sok op de stenen treetjes naar de voordeur; die moest ze hebben verloren toen ze vanochtend de kinderen hier bracht. Ze raapte hem op en stopte hem in haar zak, beschaamd door de confrontatie met de vrouw die ze een paar uur geleden nog was en die aan een ziekte dreigde te bezwijken. Ze deed de deur open zonder aan te kloppen.

Benauwde geuren sloegen haar tegemoet: hond, kleed, gemorste melk. Haar hart sloeg van pure opwinding op hol toen ze haar kinderen weer zag, zoals na een auto-ongeluk dat ternauwernood was voorkomen. Ze zaten dicht tegen elkaar aan op de grond in de woonkamer: een tafereel van twee dappere, verwaarloosde kinderen. Preston had zijn arm om Cordie heen geslagen, zijn kin rustte op haar pluizige hoofd en hij hield een prentenboek voor haar neus. De collies lagen uitgestrekt maar alert aan weerszijden naast hen als twee wakende sfinxen. De ogen van beide kinderen schoten omhoog toen ze binnenkwam, smachtend om te worden gered. Hun oma was nergens te bekennen. Prestons donkere, smekende wenkbrauwen waren identiek aan die van zijn vader; recht, alsof ze met een liniaal op zijn voorhoofd getekend waren. Cordelia stak haar beide armpjes naar Dellarobia op en barstte in tranen uit, waarbij haar mondhoeken zó ver naar beneden trokken dat haar ondertandjes te zien waren. Het geluid van de tv in de keuken hield abrupt op en Hester kwam de kamer in, nog steeds in haar ochtendjas en met roze piepschuim krulspelden in haar lange grijze haar. Dellarobia keek haar namens haar kinderen gekwetst aan, trok waarschijnlijk net zo'n gezicht als Cordie, maar dan zonder zoveel zichtbare tanden. Ze vroeg haar schoonmoeder bijna nooit om even op de kinderen te passen. Nog niet één keer per maand.

Hester sloeg haar armen over elkaar. 'Zoals jij bezig was dacht ik dat je niet zo snel terug zou zijn.'

'Nou, fijn dat je zo goed op ze hebt gepast, Hester.'

'Ik was maar een minuutje weg, hoor,' zei ze met nadruk, waarbij ze naar de keuken knikte.

'Tuurlijk, hindert niet.' Dellarobia wist dat elke toon in Hesters oren de verkeerde zou zijn. Ze werd al moe van deze gesprekjes voordat ze waren begonnen.

'Ik wou alleen even wat kipfilet en groente opwarmen voor het eten.'

Eten voor wíé, dacht Dellarobia. Het klonk als iets waar meer voor nodig was dan melktandjes, om nog maar te zwijgen van het vermogen om met een mes om te gaan. Ze keken beiden naar Cordelia, die wankel ging staan, brullend en met een rood gezicht. Ze had een volle luier, waarschijnlijk al de hele ochtend. Het leek wel of er een dikke, ronde pompoen in haar pyjamapakje zat. Geen wonder dat dat kind haar evenwicht niet kon bewaren. Dellarobia nam een hijs van haar bijna opgerookte sigaret en aarzelde of ze Cordie hier zou verschonen of dat ze 'm meteen zou smeren.

'Je moet niet roken waar die kinderen bij zijn,' verklaarde haar schoonmoeder met haar hese stem. En dat zei iemand die al rook in Cubs gezicht had geblazen toen hij amper geboren was.

'Jeeminee, dat zou ik nóóit doen! Ik rook alleen als ik aan het zonnebaden ben aan de Rivièra.'

Hester keek verbijsterd op, zag Dellarobia's blik en bekeek haar laarzen en haar chenille sjaal. 'Moet je jezelf eens zien. Wat heb jij?'

Dellarobia vroeg zich af of ze er net zo uitzag als ze zich voelde: als een vrouw die op de vlucht was voor een brand.

'Preston, schat, zeg oma eens gedag.' Ze klemde de filter van haar sigaret tussen haar tanden zodat ze Cordelia op haar heup kon zetten, Prestons hand kon vastpakken en haar kinderen kon meenemen naar waar het beter was dan hier.

## 2

# Familieterritorium

Op schaapscheerdag was het mooi, koel weer. Een paar graden temperatuurverschil, meer bleek er niet nodig om de wolken als een troep boerderijkatten op de vlucht te jagen naar onbekende oorden. De klus om negentig ooien en hun ontelbare halfwassen lammeren door de scheerstal te jagen was in een dag geklaard en draaide niet uit op de ellende die iedereen ervan had verwacht. Dellarobia kon zich niet herinneren dat het scheren in de herfst ooit eerder zo prettig was verlopen. Na maanden van vochtig weer leek de lucht in de schuur onnatuurlijk droog. Losse plukjes vacht zweefden door de banen licht die via de hoge ramen binnenvielen en het rook er voor de verandering eens naar wolvet in plaats van naar modder en urine. De vachten waren droog genoeg om te worden bijgewerkt als ze nog warm van het schaap kwamen. Dellarobia stond tegenover haar schoonmoeder aan de woltafel, waar ze met vier andere vrouwen de witte vachten bijwerkten die voor hen uitgespreid lagen. Ze stonden met zijn zessen op gelijkmatige afstanden om de ronde tafel heen, als de cijfers van een klok met hun armen als naar binnen gerichte wijzers.

Het viel niet te ontkennen dat het heldere weer een meevaller was. Als de schapen de hele ochtend in de regen en de modder op hun beurt hadden moeten wachten, zou een groot deel van de wol te smerig zijn geweest voor de verkoop. Een groot deel van hun inkomen hing af van een klein verschil in de vochtigheidsgraad. Dat ze geluk hadden met het weer was voor Hester echter een te simpele verklaring; zij beweerde dat God er de hand in had. Dellarobia kon het niet laten om een opmerking over die zelfgenoegzaamheid te maken. ‘Dus jij denkt dat God het gisteren speciaal voor ons heeft laten ophouden met regenen?'

'Weet dat de Here God almachtig is,' antwoordde Hester, die voor alles in haar leven wel een Bijbelcitaat paraat had. Ze zag er indrukwekkend uit in haar roodgeruite bloes met paarlemoeren knopen en witte biesjes op de schouders. Iedereen had oude kleren aangetrokken, maar Hester zag er bijna altijd uit alsof ze naar een linedance-avond ging. Van een feestelijke stemming viel echter zelden iets te bespeuren.

'Oké, dan heeft Hij dus de pest aan de familie Cook.' Dellarobia werd een beetje duizelig van haar eigen brutaliteit, alsof ze op haar nuchtere maag een tweede biertje achteroversloeg. Als Hester bedoelde dat God medeplichtig was aan een succesvolle of een mislukte oogst, dan moest ze daar maar eens voor uitkomen. Van de tomatenoogst van de buren restte door de aanhoudende regen die zomer niets dan een stinkende smurrie, en in hun boomgaard woekerde een grijs schimmelig vlies dat de bomen en de vruchten verstikte.

Valia Estep en haar dochter Crystal, die een enorme haardos had, keken allebei naar hun handen, net als de dames Norwood. Ze kamden distels en stro uit de witte vachten alsof het voortbestaan van de wereld afhing van het verwijderen van dergelijke ongerechtigheden. Op schaapscheerdag kwamen de buren altijd helpen; dan begonnen ze om zes uur 's ochtends met broodjes ham en koffie. Behalve de onfortuinlijke familie Cook natuurlijk: die waren hier vijf jaar geleden komen wonen, maar konden nog steeds niet Hesters goedkeuring wegdragen. De Norwoods waren de buren aan de andere kant van de berg; de beide families woonden er al generaties lang en hielpen elkaar altijd op schaapscheerdag. Valia en Crystal leken het alleen uit vriendschap te doen, of misschien was er een of andere vage, onuitgesproken schuld die moest worden ingelost. Ze gingen allemaal naar dezelfde kerk als Hester, die in Dellarobia's ogen een ingewikkeld piramidespel was van morele schuld en beloning dat uiteindelijk op de schouders van de Heer rustte, maar barstte van het middenkader.

'Ik had het helemaal niet over de Cooks,' zei Hester, die dit niet over haar kant liet gaan. 'Valia, heb jij mij wat over de Cooks horen zeggen?'

'Volgens mij niet, nee,' antwoordde de timide Valia. Dellarobia wist dat haar schoonmoeder op de grenzeloze steun van die vrouwen kon rekenen. Hesters vertrouwen in haar eigen gelijk was ronduit onvrouwelijk. Ze twijfelde nooit aan zichzelf, zelfs niet aan haar kleren. Ze bezat cowboylaarzen in allerlei kleuren, waaronder een paar van felgroen hagedissenleer met ronde neuzen. Maar wat Dellarobia op dit moment vooral ergerde was haar egocentrische logica: als het Hester en Bear tegenzat, zoals vorige winter toen ze verschrikkelijk verkouden waren geweest, gaven ze de schuld aan een ander, in dat geval de reparateur die de kachel niet goed had gemaakt en toch een rekening had gestuurd. Maar toen het zoontje van de familie Cook tijdens dezelfde winter kanker bleek te hebben, suggereerde Hester dat God daar iets mee te maken had. Dellarobia had zulke praatjes jarenlang over haar kant laten gaan en had net zo weinig ruggengraat getoond als Valia of een van die andere slijmjurken.

Tot nu toe dan. 'Het klonk anders wel alsof je het zo bedoelde,' zei ze. 'Dat God het wel voor ons laat ophouden met regenen, maar niet voor de Cooks. Dus dat Hij meer van ons houdt.'

'Ik weet niet wat er in jou gevaren is, juf, maar het is niet veel goeds. Vraag jij je maar eens af wat jouw schepper zegt over respect voor de ouderen onder ons,' zei Hester hautain. Ze gebruikte haar lengte om nog baziger over te komen, iets wat haar zoon, die toch bijna veertig centimeter langer was dan Dellarobia, nooit deed. Alleen Hester kreeg het voor elkaar dat Dellarobia zich zo klein voelde als ze werkelijk was: een vrouw die haar truien op de jongensafdeling kocht omdat ze daar goedkoper waren.

'De Cooks zijn ook ouder dan ik,' zei Dellarobia zacht. 'En ik heb met ze te doen.'

Er was inderdaad iets in haar gevaren, ja. De opmerkingen die ze altijd had ingeslikt als haar dagelijkse verplichte portie kiezelstenen, lagen haar voor op de tong en sprongen er als kikkers uit. Haar vreemde ommekeer op de berg had een soort schokeffect op haar gehad. Ze had Dovey, haar beste vriendin, verteld dat ze die dag een afspraakje had, maar zelfs Dovey wist niet waar ze getuige van had mogen zijn. Een machtige vuurzee in een doodgewoon bos, daar had ze geen woorden voor. Geen woorden die ze in een stenen tafel kon beitelen, zoals Mozes toen hij van zijn berg kwam. Maar net als Mozes was ze wakker geschud en vol ongeduld over de onbenulligheid van het alledaagse leven teruggekeerd van de berg. Ze schaamde zich voor haar ingebeelde hartstocht en het kwaad dat ze bijna had aangericht. Hester was niet de enige die in een fantasiewereld leefde waarin ze het gelijk altijd aan haar kant had; zo waren mensen nu eenmaal, niet alleen in deze familie, maar misschien wel overal. Ze bouwden een keurig huisje van gewichtigheid en speciale zegening, gingen naar binnen en sloegen de deur achter zich dicht, maar merkten niet dat de berg achter hen in brand stond. Dellarobia was haar zelfingenomenheid in één klap kwijtgeraakt, alsof ze een auto-ongeluk had gehad, en had het vuurdal met een krachtig maar treurig gevoel verlaten. Het was zelfs nog erger dan jaren geleden, toen haar doodgeboren kindje haar had achtergelaten met gecompliceerde verwondingen waar ze niet over kon praten. Zowel toen als nu was Hester niet het type vrouw om naar persoonlijke problemen te informeren. Het leek wel alsof zoiets volstrekt niet in haar hoofd opkwam.

Valia schraapte haar keel. 'Hebben jullie die aflevering van *Jackass* gezien waarin ze probeerden te waterskiën op een bevroren meer? Die jeep zakte dwars door het ijs en zonk!' Van onderwerp veranderen kon je rustig aan de Esteps overlaten.

'Ik snap echt niet dat je met zulke dingen op tv kan komen,' zei Crystal, Valia's dochter, en ze schudde haar waterval van krullen. 'Dan zouden die jongens van mij ook wel wereldberoemd kunnen worden.'

Crystal had haar school niet afgemaakt, ze had twee zoons, geen man, en een drankprobleem waar iedereen van wist, maar ze was na haar redding door de AA en de Mountain Fellowship met een schone lei begonnen. Sindsdien beet ze altijd op haar onderlip alsof ze zich moest inhouden om niet iemand de hersens in te slaan. Er moest kennelijk een prijs voor haar bekering worden betaald.

Hester rechtte haar rug, verdeelde het dunne grijze haar van haar paardenstaart in tweeën en gaf aan beide kanten een harde ruk om hem strakker te trekken. Dat was een van haar circa vijfduizend gewoontes waar Dellarobia knettergek van werd. Waarom gebruikte ze niet gewoon een strakker elastiek? Haar schoonmoeder leek met die haartrekkerij iets te willen zeggen: ik zal jóú eens even in het gareel trekken. Als Dellarobia van plan was haar leven tot haar dood bij deze familie te slijten, dan zou ze met haar nieuwe voornemen om altijd te zeggen waar het op stond zichzelf wel eens flink in de vingers kunnen snijden. Iedereen kreeg er de zenuwen van en wilde er het liefst vandoor gaan, zijzelf incluis. Maar het was alsof ze geen keus had. Er was iets in haar opengegaan en het leek alsof ze daardoor verzwolgen dreigde te worden, net als die jeep op het ijs. Jimmy was weer verdwenen, en ze moest toegeven dat er vóór hem wel meer waren gekomen en weer gegaan. Ze had Cub technisch gezien nog nooit bedrogen, maar sinds ze was getrouwd probeerde ze te stoppen met verliefd worden op andere mannen, zoals andere mensen probeerden te stoppen met roken. Het standaardgrapje daarover was ook op haar van toepassing: dan moest ze er inmiddels dus wel goed in zijn. Ze beantwoordde Jimmy's telefoontjes niet meer en Jimmy had verder niet aangedrongen. Ze lag 's nachts nog steeds wakker; dan zag ze voor haar geestesoog niet meer de minnaar die ze bijna kon aanraken, maar vlammen in wervelende, golvende patronen. Een zee van vuur.

Dellarobia snoof de geur van wolvet op, zuchtte, en zette het vuur en de vloed uit haar hoofd. Ze hield de boel op. Het was haar taak om steeds een nieuwe vacht te gaan halen aan de andere kant van de schuur. Ze liep langs het grote houten krat dat ze als box voor Cordie had neergezet, bukte zich om even over haar pluizige bolletje te aaien en stak over naar het domein van de mannen. Bij de ingang van de felverlichte scheerstal stond haar man met zijn handen om de beide hoorns van een grote witte ooi te wachten tot het dier aan de beurt was, terwijl hun magere buurman, Peanut Norwood, bij de deur ertegenover stond te wachten tot hij het schaap dat nu werd geschoren naar buiten kon begeleiden. Ze glimlachte toen ze haar lange echtgenoot met zijn roze flanellen overhemd zag. Ze had dat hemd na talloze wasbeurten in de loop der jaren zien verkleuren van bordeauxrood naar fel flamingoroze, maar hij noemde het nog steeds zijn rode overhemd. Waarschijnlijk zág hij het ook nog steeds als rood, want Cub was er de man niet naar om met opzet roze kleren te dragen.

Hij wenkte haar en sloeg zijn ene arm om haar heen, maar dat was misschien ook een manoeuvre om te zorgen dat ze de schaapscheerder niet in de weg liep. Het nerveuze geblaat maakte een vreselijk kabaal, dus het was niet het moment om te kletsen. Toch bleef ze even staan om naar de schaapscheerder te kijken, Luther Holly. Niet dat Luther een lust voor het oog was. Hij had een vrouw en al kleinkinderen, was het type voormalig highschoolworstelaar, achter in de vijftig of misschien al zestig, kort, sproetig en met enigszins kromme benen. Maar als hij aan het scheren was, kon je als vrouw door die bewegingen op bepaalde gedachten worden gebracht. Hij nam de wollige ooi over van Cub; ze stribbelde een paar seconden tegen maar gaf zich toen met een schaapachtige zucht aan Luther over en liet zich op de scheermat zetten. Hij sloeg zijn linkerarm in de houdgreep om haar borstkas en bewoog de vibrerende tondeuse met lange halen van haar keel naar haar buik, zo voorzichtig als een man die zijn wangen scheert. Het elektrische apparaat zag er oud uit; een hoge driepoot met een trillende stalen cilinder en een scheerkop, maar in Luthers handen werd het een verfijnd instrument.

Ze zag dat elke ooi die de fuik binnenliep om haar plicht te vervullen bij de ingang bleef staan en haar achterste liet zakken om te plassen, wat haar de tijd gaf om de situatie eens goed in zich op te nemen voordat ze naar binnen liep. Oplettende beesten, dacht Dellarobia, die opeens een ongewone sympathie voor de schapen voelde, terwijl ze haar met hun domme hulpeloosheid meestal ergerden. Maar vandaag vond ze die schapen pienterder dan mensen. Als het bos achter hen platbrandde, zouden ze zich binnen de kortste keren in hun lot schikken. Ze zouden vluchten of terugdeinzen en er het beste van maken door voor de zekerheid hun buik rond te eten. Ze waren in alle opzichten veel realistischer over de situatie waarin ze verkeerden. Datzelfde gold voor de bordercollies. Die zouden met gespitste oren en de kop op de voorpoten geduldig liggen te kijken naar de puinhoop die de ongedisciplineerde mensen ervan maakten terwijl hun wereld instortte.

Haar schoonvader bewaarde afstand tot de imponerende Luther; hij bleef bij de schuurdeur waar hij de hoeven bijkapte en de geschoren dieren omstandig controleerde op scheerwondjes, waarna hij ze met een tik op hun kont liet gaan. Luther was veel te ervaren om de dieren te verwonden, maar ze zag dat Bear met veel misbaar de grote fles jodium openmaakte en er wat van op een schrammetje of een imaginair wondje deed. Bear Turnbow was erg goed in het opmerken van onbeduidende kwetsuren. De collies, Roy en Charlie, draaiden plichtsgetrouw om de mannen heen en letten onafgebroken op de schapen en de wensen van de mannen. Op een fluitsignaal van Bear veranderden ze in een zwart-witte vlaag van hondse autoriteit en joegen de kudde door het doolhof van smalle hekken als zand door een zandloper. Hester wilde dat de schapen per kleur geschoren werden omdat dat gemakkelijker was met het sorteren van de wol; eerst de witte, dan de grijze badgerfaces, daarna de bruine moorits en tot slot de zwarte. De IJslanders had je in elke rotkleur, zei Cub wel eens, maar Dellarobia vond hun ratjetoe van kleuren op het veld en de onverschilligheid van de beesten daarover juist wel leuk. Bruine ooien wierpen witte lammeren of andersom, soms zelfs tweelingen in verschillende tinten, en dat was nooit een schandaal. De witte ooi die Cub nu naar binnen bracht, had een groot duifgrijs lam bij zich van een halfjaar dat nog steeds bij zijn moeder probeerde te drinken. De ergste plakkers waren de kleine rammen, die onverzadigbare jongens. Preston was net zo geweest, die smeekte nog om de borst toen hij drie was en zijn zusje werd geboren, en jammerde toen hij zag dat de baby zijn plek innam. Dellarobia voelde zich blijvend beschadigd door die jaren dat het ene kind de melk uit haar wilde zuigen en het andere haar volledig monopoliseerde. Het doelwit van een dieptebom en een landmijn tegelijk. De jonge rammen werd die strijd met hun opvolgers bespaard, die gingen over tien dagen naar het slachthuis. De melk van de moeders moest opgedroogd zijn voordat de rammen ze kwamen bevruchten, en de jonge rammen konden niet bij de kudde blijven zonder te worden gecastreerd. Het slachthuis had dus welbeschouwd zo zijn voordelen.

Luther knikte naar Dellarobia en schopte een berg buikwol van zijn mat; die hoofdknik betekende 'Goeiedag, vrouw Turnbow' of 'Opvegen!' of allebei. Ze pakte de bezem en veegde de resten wol naar de gestaag groeiende berg afval in de hoek. Nu de onbruikbare wol was afgeknipt, draaide Luther het schaap om en begon de rest van de vacht in één keer af te scheren, van kop naar staart en van poot naar poot, waarbij hij zichzelf en zijn tegenstander in allerlei worstelhoudingen manoeuvreerde. Die voorovergebogen houding zou een normaal mens tot tranen brengen, maar hij leek er geen moeite mee te hebben en deed het dag in, dag uit.

Een vrouw behoorde echter niet onder het werk naar Luther te staan gapen. Dellarobia pakte een armvol wolresten die Luther in de weg lagen en gooide ze bij Cordie in het krat. 'Hé, kleine meid, moet je kijken!' zei ze, en ze liet plukjes wol als sneeuw over haar hoofd dwarrelen. Ze wist nog dat ze als kind had gevonden dat sneeuw eigenlijk zo zou moeten zijn: zacht en donzig in plaats van koud en nat zoals in werkelijkheid. Cordie vond het prachtig, pakte handenvol pluizige wol en gooide die met zoveel kracht de lucht in dat ze ervan op haar billen viel, steeds weer opnieuw.

Dellarobia liep haastig terug naar Luther, pakte de vacht die hij had afgeschoren, rolde die als een grote badmat op en liep er haastig mee terug naar de woltafel. Aan het einde van de dag zouden er zo'n tweehonderd vachten door hun handen zijn gegaan waar ze stro en losse restjes wol die per ongeluk waren afgeschoren uit hadden geplukt. De vrouwen vlogen steeds op de nieuwe vachten af, als zorgzame dieren die hun jongen wilden vlooien. Ze gooiden het afval op de grond, waar een massa veelkleurige vlokken zich rond hun voeten verzamelde. Dit was de tweede scheerbeurt van het jaar. Luther kwam de schapen ook altijd in het voorjaar, na het lammeren, van hun vuile, vervilte wintervacht verlossen, om te zorgen dat hun kostbare zomervacht zo schoon en mooi mogelijk werd. Deze vachten, die aan het einde van het najaar werden geoogst, brachten het meeste op. Als de rommel eruit was gehaald, werd de wol in zakken geperst die Cub en Bear in grote kratten deden die vervolgens naar de wolspinnerij werden gebracht.

Ze wist dat Luther na een paar minuten klaar zou zijn met het lam dat hij onder handen had, dus liep ze snel terug om de zachte, duifgrijze vacht te halen en die apart te leggen. De wol van deze eerste en enige scheerbeurt van de lammeren was fijner en kostbaarder dan gewone wol. Hester verkocht de lamsvachten via internet aan handspinners voor het verbijsterende bedrag van vijftig dollar per stuk, en vorig jaar had ze daarmee de aanschaf van haar nieuwe computer in één seizoen terugverdiend. Het vlees van de lammeren was al verkocht aan een supermarktketen en zou met Kerstmis op tafel worden gezet, maar hun wol zou mensen nog jaren warm houden.

Toen Dellarobia terug was bij de woltafel, was ze net op tijd voor het einde van een van de talloze verhalen die allemaal tot dezelfde conclusie leidden: *Waar halen ze het lef vandaan!* De schuldige was in dit geval een vriendin van Crystal, maar wat er precies was gebeurd bleef vaag. De vriendin was op bezoek gekomen en de kinderen van Crystal hadden iets gedaan waar zij schade van had ondervonden.

'Dus ze zitten zeg maar gewoon een beetje te klieren met waterpistolen. Jazon probeert zeg maar bij zijn broer weg te komen en zij probeert denk ik bij hun allebei uit de buurt te blijven. Dus toen slaat Mical hem opeens dicht. Zij de hele tijd zo van: hé, die jongens verpesten mijn jas! En toen dus opeens bám, boehoe! Ze was bang voor een spatje water op d'r suède jas, wie ze niet eens naar mijn huis had moeten aantrekken, ja hállo, ik heb kínderen hoor!'

Dellarobia was gewend aan Crystals stopwoordjes en eeuwige taalfouten, maar ze kon de draad van het verhaal niet te pakken krijgen. Ze keek vragend van Crystal naar de dames Norwood, twee ietwat overrijpe dames met zwartgeverfd haar dat bij beiden in het midden in tweeën werd gedeeld door een witte streep uitgroei.

'Wat sloeg hij dicht?' vroeg ze toen niemand reageerde.

'Het autoportier, met haar hand ertussen,' antwoordde Crystal vermoeid, alsof ze dat al zo vaak had gezegd. Ze scheen het verhaal beu te zijn, hoewel ze het met veel enthousiasme vertelde.

'O. Ai!'

'Ik vind het best wel rot dat Brenda d'r vingers heeft gebroken,' ging Crystal verder, 'maar het was gewoon een ongelukje. Het had ook kunnen gebeuren als die jongens van mij er niet bij hadden geweest.'

'Brenda heeft aan Crystal gevraagd of dat zij de rekening van de dokter wil betalen en dat wil Crystal dus niet,' zei een van de dames Norwood op fluistertoon tegen Dellarobia, als iemand in de bioscoop die een laatkomer bijpraat over de film.

'Je kent Brenda wel, haar moeder en haar doen altijd de zondagsschool,' zei de andere. Een van de twee dames Norwood was getrouwd met Peanut, en de andere was zijn zus, dus Dellarobia vroeg zich af hoe het kon dat ze zo op elkaar leken. Waarschijnlijk was het dat uitgegroeide geverfde haar, wat ze merkwaardig genoeg altijd schenen te hebben waardoor ze een beetje op stinkdieren leken. Dellarobia noemde ze in gedachten altijd de Stinkwoods.

'Even voor de duidelijkheid, Crystal,' zei ze. 'Jij denkt dus dat als Mical er niet bij was geweest, Brenda zelf haar vingers tussen de deur had gekregen?'

'Het was gewoon een ongelukje! Dat kan gebeuren!' herhaalde Crystal nadrukkelijk.

'Ja, dat klopt. En velen van ons hebben kinderen die daar het levende bewijs van zijn.'

Hester keek Dellarobia aan met een blik die nog ziedde na hun eerdere woordenwisseling. Ze kon elk moment weer aan haar paardenstaart gaan trekken. 'Let jij nou maar op die van jezelf,' zei ze.

Dellarobia was verontwaardigd. Haar dochter zat heel tevreden te spelen in haar krat vol buikwol, als een kleine krankzinnige in een gecapitonneerde isolatiecel, en Preston rende in de buurt rond met het suizende geluid van jongetjes die doen alsof ze heel hard gaan. Maar de twee jongens van Crystal waren in de schuur aan het klieren; twee sproetige, uit de kluiten gewassen schooljongens met kortgeschoren haar en strakke T-shirts die net iets te klein waren. Jazon en Mical. Wat voor moeder maakte er nou expres een spelfout in de namen van haar kinderen? Dellarobia had de twee jongens voor het laatst gezien toen ze van de zolderladder sprongen met een lege voederzak als een wapperende heldencape op hun rug. Nu waren ze nergens te bekennen, wat geen goed teken was. Roy, de collie, hield de kinderen meestal in de gaten, maar stond nu sip en bezorgd te kijken.

'Preston, kom eens hier?' riep Dellarobia. 'Waar zijn je vriendjes?'

Hij kwam dramatisch hijgend aangerend. Zijn rechte pony plakte op zijn voorhoofd en zijn kleine ronde bril stond een beetje scheef. 'Buiten. Ze wilden over de keutels lopen, maar dat mocht niet van meneer Norwood. Kijk!' Hij draaide zich met een sprongetje om en liet de witte schapenvacht zien die hij als een cape over zijn rug droeg.

'Straks verpest je die vacht nog,' zei Hester.

Hij draaide zich weer om en zei met een tekenfilmstemmetje: 'Ik ben Wolman!'

'Wow, en wat voor speciale superkrachten heb jij?' vroeg Dellarobia, maar Wolman was alweer weg, rende rondjes om de tafel en gaf al vliegend antwoord, onder andere dat hij sluw was en gras kon eten. Door zijn capriolen lag de vacht binnen de kortste keren uit elkaar, zoals Hester al had voorspeld, en dat was voldoende aanleiding voor haar om ze met z'n allen bij het werk weg te sturen. Ze droeg Dellarobia op om met Preston en Cordie en de twee jongens naar binnen te gaan en daar de rest van de dag te blijven.

Dellarobia was gekwetst en wilde ertegenin gaan, maar het was Hesters feestje. Crystal werd direct gedegradeerd tot de functie die Dellarobia had bekleed, namelijk die van loopjongen, en ging meteen de volgende vacht halen. Naar Luther Holly's spierbundels gluren zou dus pas de volgende lente weer kunnen. Ze ging op zoek naar de jongens en zei tegen Cub dat ze verbannen waren, voor het geval hij zich afvroeg waar ze gebleven was. Haar woede sloeg om in de bekende, bodemloze treurigheid. Het was maar een schapenvacht, en nog niet eens een erg kostbare. Een vergevingsgezindere grootmoeder zou Preston daar een dag mee hebben laten spelen omdat hij er zoveel plezier mee had. Dat mens had geen enkel gevoel voor de pret van kinderen. Bij haar was de lol overal snel van af, of het nu ging om ijsjes, modder, vissen met levende wormen, of wat dan ook. Als ze bij Hester waren, had Dellarobia vaak te doen met Cub vanwege de jeugd die hij had gehad, en zou ze hem het liefst optillen en meenemen. Waarschijnlijk waren haar problemen daardoor begonnen.

Om halfzes lag ze plat op de ongemakkelijke bank van haar schoonouders met Cordie slapend op haar borst. De boterham met jam die Mical had besteld maar niet had opgegeten, lag geplet op het bord op de grond omdat Jazon erop was gaan staan, waarna hij zich hevig tegen haar had verzet – met zijn vuisten – toen ze zijn schoen had willen uittrekken. Met Jazon viel niet te spotten; hij zat pas in de derde klas van de lagere school, maar was al bijna even groot en zwaar als zij. Waarschijnlijk hadden ze hem lang laten kleuteren in een poging het onvermijdelijke nog even uit te stellen. Ze had het maar opgegeven en had een groot deel van de middag op haar knieën met een vochtige theedoek in haar hand het spoor van de kleverige profielafdruk van zijn linkerschoen gevolgd over de kleden, de vloer, en de kussens van de bank, uit angst voor Hesters woede wanneer ze er een over het hoofd zou zien. Toen Jazon door de kamer was gaan rennen en tegen de muur op was gesprongen om te kijken hoe hoog hij een jamafdruk kon achterlaten, was het die arme, gehoorzame Preston te veel geworden; hij was in tranen uitgebarsten, en daarna was Cordelia ook begonnen. Dellarobia had uiteindelijk uit wanhoop een spel kaarten gepakt en was een potje met ze gaan pesten om geld, waarbij de kinderen schoenen mochten inzetten in plaats van geld; ze had natuurlijk gewonnen en had zo eindelijk de plakschoen te pakken gekregen en hem in de wasmand verstopt.

Ze was met haar hoofd ver weg van het kabaal toen ze opschrok van de maniakale ringtoon van haar mobieltje, dat ergens onder de kussens van de bank lag. Het moest uit haar zak gegleden zijn in een poging te ontsnappen uit dit gekkenhuis. Ze probeerde Cordie voorzichtig te verplaatsen zonder haar wakker te maken, maar kon haar mobiel niet meer op tijd te pakken krijgen. Het was Dovey. Ze belde haar terug.

'Help,' kreunde ze. 'Ik zit gevangen in die aflevering van *Twilight Zone* waarin kinderen volwassenen de baas zijn en ze er eentje veranderen in een driekoppig monster.'

'O ja, vreselijk,' zei Dovey. 'Hoe werkt dat trouwens met die drie koppen, heb je dan ook drie poepgaten?' In de eerste klas van de lagere school waren Dovey en Dellarobia, die de achternamen Carver en Causey hadden, op alfabet naast elkaar gezet. Sindsdien waren ze onafscheidelijk. 'Waar zit je dan?' vroeg Dovey.

'Bij Hester en Bear. Op de kinderafdeling van de hel. Kun je hierheen komen? Ik word hier knettergek.'

'Nee. Ik heb pauze, ik moest invallen. Drie mannen hebben zich ziek gemeld.'

'Dríé? Dus je moet ook afsluiten, op een zaterdag? Waardeloos.' Dovey werkte op de vleesafdeling van de Cash Club, een echte mannenwereld, en ze was zo klein van stuk dat ze op een krat moest staan om bij de gehaktmolen te kunnen. Maar ze hield dapper stand. Vriendelijk lachen, maar altijd een mes achter de hand houden, dat was haar motto.

'Vandaag speelt het UT-team,' zei Dovey. 'Vandaar die afmeldingen, denk ik. Basketbalziek. Dus ik moet inderdaad afsluiten en het is hier stervensdruk. Daarom kon ik niet reageren op die, wat was het, zestien sms'jes van je. Jezus, Dellarobia.'

'Sorry.' Ze ging weer liggen en legde Cordie terug op haar buik, zonder dat het kind wakker werd uit haar diepe slaap.

'Die twee engeltjes van jou kunnen onmogelijk het probleem zijn,' zei Dovey. 'Je bent het vast zelf.'

'Nee, het zijn die twee jongens van Crystal Estep, die is hier met Valia om te helpen met het schaapscheren. Hester maakt van de gelegenheid gebruik om me mijn plaats te wijzen.'

'Jezus, heeft ze je opgescheept met die twee, hoe heten ze ook alweer? Jazzbo en Microphone?'

'Inderdaad. Twee kleine dwergen die me met een plastic AK-47 tot slavenarbeid dwingen.'

'Ik vraag me wel eens af waarom ze zulk speelgoed maken.'

'Volgens Crystal willen Jazon en Mical zich met Halloween verkleden als terrorist.'

'Daar hoeven ze dan weinig moeite voor te doen. Oké, luister, je moet op zoek gaan naar je agressie. Dat zeggen ze op de instructievideo van kickboksen. Op het kruis mikken.'

Dellarobia ging zachter praten. 'Eerlijk gezegd ben ik een beetje bang voor die jongens van Crystal. Ze vertelde net nog dat haar zoons de hand van een vriendin die langskwam tussen het autoportier hebben geslagen waardoor haar vingers nu gebroken zijn.'

'Oké, luister. Ren voor je leven. Misschien moet je eerst een hele lange video opzetten zodat jij tijd hebt om bij de grens te komen.'

'Een video, dat had je gedroomd. Jazon en Mical haten me als de pest omdat er hier bij Hester in huis geen Xbox is. Het enige vermaak hier voor kinderen is één dvd die ze steeds opnieuw kijken, waarschijnlijk om mij te pesten. Van die muppet met rood touwhaar en een piepstem.'

'Zal ik je eens wat vertellen? Dat monster is precies de reden dat ik geen kinderen wil. Die stem is volgens mij uitgevonden door de farmaceutische industrie die wil dat alle ouders aan de kalmerende middelen gaan.'

'Mijn eigen kinderen hebben een betere smaak, dat moet ik ze nageven. Luister maar.' Ze hield haar mobieltje omhoog. Preston had zijn vingers in zijn oren gestopt en liep als Max rondjes door de kamer en riep: 'Nu gaan we een wild feest vieren, Maximonsters!'

'Hoor je dat? Dat is mijn zoon. Ontoerekeningsvatbaar wegens krankzinnigheid. Zijn zusje heeft een tijd op een speelgoedhond liggen kauwen en is toen onder zeil gegaan.'

'Oké, schat, doe jij dat dan ook maar. Ik moet hangen, mijn pauze is voorbij.'

'Doe ik. Hoor je dit, ik kauw op een speelgoedhond.'

'Dellarobia?'

'Ja?'

'Moeten we het er niet nog eens over hebben?'

'Waarover?'

'Over jou.'

'Hoezo?'

'Over wat er twee weken geleden is gebeurd. Met die man van de telefoon.'

'Er is helemaal niks gebeurd. Dat heb ik toch gezegd? Het is over en uit.'

'Maar jij was helemaal hoteldebotel! Hoe kan dat opeens voorbij zijn?'

Ze had Dovey in grote lijnen over haar geheime verliefdheid verteld toen het haar allemaal zo was aangevlogen dat ze dacht dat ze zou stikken. En als Dovey daar al iets van had gevonden, dan had ze tot nu toe haar mond gehouden. Misschien hoorde dat wel bij een goede vriendschap: dat je je mond hield als iemand een puinhoop van zijn leven ging maken. Dovey had zelf ook het een en ander te verduren gehad op het gebied van vreemde lotgevallen, onder meer met exemplaren van het mannelijk geslacht, en zelfdestructief gedrag scheen haar niet vreemd te zijn. Ze begon zich pas te verbazen toen Dellarobia tot inkeer kwam. En dat snapte Dellarobia wel. Van de twee dingen die haar waren overkomen, was het tweede verreweg het bizarst.

'Als ik het zelf snapte, zou ik het je meteen uitleggen, Dovey. Het enige wat ik kan zeggen is dat het niet mijn eigen keus was. Er is iets gebeurd. Ik was blind en opeens kon ik zien.'

'Doe niet zo idioot. Of heeft het soms iets met godsdienst te maken?'

Dellarobia wist niet wat ze moest zeggen. Ze had in die twintig jaar nog nooit iets voor Dovey geheimgehouden, maar hier had ze geen woorden voor. *Gaat gij door rivieren, zij zullen u niet wegspoelen; als gij door het vuur gaat, zult gij niet verteren.* Dat stond in het boek Jesaja. 'Nee, niet met godsdienst,' zei ze.

'Ik kén jou,' zei Dovey. 'En dit snap ik niet.'

'Ik ook niet.'

'Oké, maar hier zijn we nog niet over uitgepraat.'

'Goed, maar nu aan je werk. Ik hoor de reddingsbrigade al naderen.'

De scheerploeg was kennelijk klaar; ze stampten buiten hun laarzen schoon. Dellarobia wist dat ze snel overeind moest komen zodat Hester haar niet voor luilak zou uitmaken, maar ze kon zich niet bewegen met het zoet slapende lijfje van haar dochtertje op haar buik. De bordercollies stormden naar binnen en renden rondjes over de met speelgoed bezaaide vloer alsof ze een indianenkamp omcirkelden in een oude western, en vlogen daarna naar boven. De roffelende hondenpoten op de trap klonken als een omgekeerde waterval.

Vanaf haar liggende positie op de bank zag ze dat Bear zich intimiderend over Luther heen boog; ze hadden kennelijk een meningsverschil over de betaling. Bear zou vast niet lang voet bij stuk houden. Alle schapenboeren waren doodsbang dat Luther niet meer voor hen wilde werken als ze hem een of andere streek flikten, bijvoorbeeld door minder schapen te rekenen bij de betaling. Luther was de enige schaapscheerder in de buurt en was door zijn vaardige handen gewilder dan een dokter of een drugsdealer. Dellarobia en Cub hadden zelfs hun inderhaast geplande bruiloft verzet toen bleek dat Luther die dag had ingeroosterd om de schapen van de Turnbows te doen. Ze had er wel wat van gezegd tegen Hester, en ze voelde zich nog steeds vernederd omdat de schapen voorrang hadden gekregen, maar uiteindelijk was de bruiloft verzet van oktober naar november: van de derde naar de vierde maand van haar zwangerschap. Niet dat je al iets aan haar had kunnen zien, maar de oplossing zat haar toch dwars. Dat was nu meer dan tien jaar geleden en zelfs toen al was Luther de laatste der Mohikanen. Jonge kerels wilden niks weten van zulk hard werk, ze zaten liever achter het stuur van een tractor of achter een beeldscherm.

Ze keek of ze Cub ook zag, maar hij was er nog niet. Hij moest vast van Hester de vloer aanvegen. Die stond nu met de andere vrouwen handen te wassen bij het aanrecht. Crystal was nergens te bekennen, waarschijnlijk was ze plannen aan het smeden voor nog zo'n rotkind waar ze Dellarobia mee zou kunnen opschepen. Een dankjewel kon er vast niet af, voorspelde ze. Ze ging rechtop zitten, legde Cordie op de bank en zei tegen Preston dat hij die rouwdouwers bij haar uit de buurt moest houden. Jazon en Mical waren legosteentjes aan het lanceren met de rand van een cd. Ze strekte haar stijve rug en wachtte tot iemand die de jaren des onderscheids had bereikt haar zou bedanken.

'Graag gedaan,' zei ze ten slotte zelf maar. 'Ik ga kijken of mijn man hulp nodig heeft.' Alle vier de vrouwen aan het aanrecht draaiden zich gelijktijdig om als in een slecht toneelstuk. 'De kinderen hebben honger,' voegde ze eraan toe. 'Als jullie zo zelf gaan eten, geef hun dan ook wat.'

Het was buiten schemeriger dan ze had verwacht. De avond viel 's winters al vroeg. De jachthonden van Bear liepen in hun hok te snuffelen en gromden zacht. Misschien roken ze een wasbeer in de bergen en verlangden ze ernaar die op te jagen en te verscheuren. De wind sloeg met de metalen deuren van de werkplaats van Bear, achter de boerderij, waar het wel een vrachtwagenkerkhof leek. Dellarobia was nog nooit in die werkplaats geweest, want ze wist zeker dat ze dan heimwee zou krijgen naar die van haar vader, die meubelmaker was geweest. Maar alleen al door die vluchtige gedachte, en de klapperende deuren, herinnerde ze zich met een schok weer hoe het was om op zijn schouders te zitten en aan de kogelronde knoppen te voelen van de ledikanten die hij op zijn draaibank maakte.

Ze viste een verfrommeld pakje sigaretten uit de kontzak van haar spijkerbroek en stak een sigaret op. Als iemand tegen haar had gezegd dat ze nog een minuut moest wachten, zou ze moordneigingen gekregen hebben. Ze deed erg haar best om niet in het bijzijn van de kinderen te roken. Ze had in meer dan zes uur tijd maar een paar snelle sigaretjes kunnen roken, waaronder eentje toen ze naar boven ging om Jazons sneaker te verstoppen. Ze moest toegeven dat de opmerking die Hester laatst had gemaakt haar aan het denken had gezet. Na een paar trekjes werd ze alweer wat helderder in haar hoofd. Ze liep voorzichtig tussen de modderplassen door over het erf naar de schuur, waar het in het felle licht van de tl-lampen leek alsof het had gesneeuwd. De bezem stond nog op precies dezelfde plaats waar ze hem had achtergelaten, naast de bladhark en de kist met afvalzakken. Als Cub hier aan het schoonmaken was, dan deed hij dat zonder hulpmiddelen. Waar was hij? Toen ze iets wilde zeggen, had ze het merkwaardige gevoel dat er een pieperig muppetstemmetje uit haar mond zou komen. En dat hij met een kinderstem zou antwoorden. Ze was niet op deze boerderij geboren, dus haar plek onderaan in de pikorde was te begrijpen, maar ze hadden geen enkel excuus om Cub zo te behandelen. Hoe kon je als man ooit iets voorstellen als je ouders niet veel meer van je verwachtten dan dingen als het opvegen van restjes wol? Dellarobia vroeg zich af of zij veel initiatief zou hebben als ze was opgevoed door een moeder als Hester. Dat mens had bij iedereen de wind eronder. Ze was zelfs uitgevallen tegen de schaapscheerder over onbruikbare stukjes vacht die twee keer waren geschoren, maar hij had haar genegeerd, net zoals hij zich niets had aangetrokken van Bear. Misschien dat die trillende metalen buis vlak naast Luthers hoofd alles wat haar schoonouders zeiden had overstemd. Zoiets kon Dellarobia ook wel gebruiken.

'Cub?' riep ze. Ze hoorde een zacht antwoord. Of dat van een mens of een dier was, wist ze niet. Ze tuurde in de lege hokken. De scheerstal lag tot aan haar knieën vol met buikwol, dus Crystal, die dat had moeten opruimen, was kennelijk vrijwel meteen gedeserteerd. Ze had mazzel, want zij kon dat doen zonder voor de krijgsraad te worden gesleept. Dellarobia riep een paar keer Cubs naam en kreeg steeds antwoord, maar ze had pas na een tijdje in de gaten dat het van boven kwam. Ze klom via de smalle trap naar de hooizolder, waar hij op zijn rug op een paar hooibalen lag. In deze tijd van het jaar zou deze grote zolder propvol hooi moeten zitten, helemaal tot aan de nok, maar hij was nu voor meer dan de helft leeg. Het hooien aan het einde van de zomer was mislukt, want ze hadden niet de vereiste drie droge dagen gehad om te maaien, het gras te laten drogen en er balen van te persen. Alle boeren die ze kenden hadden ingespannen naar de weerberichten geluisterd, als pokeraars die aasden op een *straight flush*: sommige waagden de gok en maaiden het gras, maar toen het voortijdig begon te regenen, hadden ze er niets meer aan. Anderen hadden afgewacht en zaten uiteindelijk ook met lege handen.

'Hé, Cub, wat is er, lieverd? Leef je nog?'

'Nauwelijks.'

'Ik heb je wel eens verder heen gezien en toen kwam je weer tot leven door een koud biertje.'

Hij kwam overeind. 'Heb je d'r een meegebracht?'

'Uit de keuken van je moeder zeker.'

Hij liet zich weer terug in het hooi vallen en schoof zijn John Deere-pet over zijn gezicht. Ze ging tegenover hem zitten op de laagste rij van hooibalen, die als een brede trap waren opgestapeld tot aan de balken. Er waren niet veel boeren die nog rechthoekige balen maakten; de meeste hadden liever van die enorme ronde pakken hooi die gemakkelijker met een tractor en een vorkheftruck te vervoeren waren. Maar op de rechthoekige kon je lekker zitten. Ze schoof er een naar voren als voetensteun, zwaaide haar korte benen erop, leunde achterover tegen de kriebelende muur van hooi en wachtte op een volgend levensteken van haar man. Hij leek een beetje op een berg zoals hij daar lag: hoog in het midden en aflopend aan de uiteinden. Hij schoof zijn pet nog wat verder over zijn gezicht.

'Je bent gewoon doodop,' zei ze.

'Nee, dat niet alleen.'

'Wat dan, ben je ziek?'

'Ja, ik ben er doodziek van.'

'Waarvan?'

'Van de boerderij.'

'Oké.' Ze keek naar haar half opgerookte sigaret; alleen een idioot of een stadsmens was zo gek om te roken op een hooizolder waar alles binnen de kortste keren in de fik kon vliegen. Behalve dit jaar, waarin zelfs de bijtschildpadden uit de plassen kropen en over de drassige grond een goed heenkomen zochten op hoger gelegen grond. Misschien dat het hooi zelfs wat droger werd door een beetje tabaksrook. Cub maakte in elk geval geen bezwaar en bleef rustig liggen zwijgen. Na een tijdje zei hij van onder zijn pet: 'Pa gaat een contract tekenen met een houtkapbedrijf.'

'Om bomen te kappen? Waar?'

'Achter ons huis. Helemaal tot bovenaan, zei hij.'

'Hoe komt hij daar nou opeens bij? Die bomen staan er al best lang.'

'Hij moet meer belasting betalen en hij heeft een toplening op zijn gereedschap. Wij lopen trouwens ook achter met de hypotheek. En dit jaar verdienen we nog minder dan vorig jaar. Hij zei dat we van de winter misschien hooi uit Missouri moeten laten komen na die slechte oogst.'

Ze keek naar de rug van haar handen. 'Wij lopen anders maar één maand achter.'

Ze had gehoopt dat Bear en Hester niet zouden merken dat ze een betaling hadden gemist, maar elke stuiver die op de boerderij werd verdiend of uitgegeven werd bijgehouden. Bear en Hester waren van elk detail van hun leven op de hoogte, evenals de buren en uiteindelijk iedereen in het stadje, dankzij de tamtam van de kapper.

'Ik heb die man van de bank gesproken over onze hypotheek. Ed Cameron, die ken je wel. Hij zei dat het geen probleem was, zolang we aan het einde van het jaar maar weer bij zijn.'

'Nee, maar een mogelijke beslaglegging vanwege die lening van pa is wel een probleem.'

Ze schrok. 'Daar is toch helemaal geen sprake van?'
'Ze hebben het er wel over.'
Ze had zin om ergens mee te gooien, maar niet speciaal naar Cub. Ze had er zo de pest aan dat zijn ouders hen altijd in het ongewisse lieten, zelfs als het om zulke belangrijke dingen ging. Bear verdiende net zoveel met het reparatiewerk en de metaalbewerking in zijn werkplaats als met de hele boerderij, misschien nog wel meer. Hij had al jaren vaste contracten voor het maken van reserveonderdelen voor een paar fabrieken, en met het ministerie van Transport voor een soort vangrailhaken, als ze het tenminste goed had begrepen. Dellarobia bemoeide zich daar niet mee. Bear, die in het leger had leren lassen, vond die contracten waardevoller dan het gewone werk op de boerderij. Hij had erg veel geld geleend om zijn werkplaats uit te breiden, maar een paar maanden later had het ministerie zonder geld gezeten omdat de overheid opeens moest bezuinigen. De lening voor het gereedschap en de machines was afgesloten met de boerderij als onderpand.
'Maar hoe moet dat dan met ons als de boerderij opeens wordt opgedoekt?'
Cub bleef zwijgend op zijn hooibed liggen. Zijn enige andere bron van inkomsten was het geld dat hij zo nu en dan verdiende als chauffeur van een grindwagen, maar het bedrijf waar hij voor reed had de laatste tijd niet veel klandizie meer. Sinds de economie in het slop zat, gaf niemand meer geld uit. De mensen stelden zich tevreden met hun slechte oprit en kochten geen nieuw grind.
Cubs matte reactie op deze crisis was wel voorspelbaar. Bij brand: doe een dutje. Ze gooide het over een andere boeg. 'Hoe ben je dat eigenlijk aan de weet gekomen?'
'Gewoon gehoord. Hij zegt in een dag meer tegen Peanut Norwood dan tegen mij in een heel jaar.'
'Jezus, als hij al tegen de buren zegt dat het water hem aan de lippen staat, dan ziet het er niet best uit. Je kent je pa toch.'
'Kun je wel zeggen, ja.'
'Slecht nieuws zal je van Bear Turnbow niet gauw te horen krijgen, hij bijt nog liever zijn tong af.'

'Weet ik, dat dacht ik ook al. Voor de Norwoods is het nog erger. Peanut wil zijn land ook laten doen. Ze zeiden dat het voordeliger is om de hele boel in één keer om te kappen.'

'Alles? Cub, lieverd, zou je alsjeblieft kunnen gaan zitten om hier even normaal over te praten? Bedoel je dat ze alle bomen willen omkappen, grote en kleine?'

Cub ging zitten en keek haar verontschuldigend aan. Er zat hooi in zijn haar en zijn broek zat onder de pluizige wol. Het was geen gezicht. 'Ja, daar betalen ze het meest voor. Volgens pa is het gemakkelijker als ze de bomen niet stuk voor stuk hoeven uit te kiezen.'

Ze staarde Cub aan en probeerde zich weer voor de geest te halen hoe hij vroeger was, voordat ze met hem trouwde, en wat ze toen in hem had gezien. Ze keek naar dat smalle gezicht met die lange kin, waarmee hij een magere indruk wekte, ondanks zijn uitdijende buik. Naar de dikke wimpers en de donkere, kaarsrechte wenkbrauwen die als twee strepen over zijn voorhoofd getrokken leken, onder de lichte lok haar die voor zijn ogen hing. De aanleiding voor hun huwelijk was op de bruiloft al zichtbaar geweest, maar over haar achterliggende motieven tastte ze nu in het duister. Ze herinnerde zich zijn mooie pick-up, andere plannen die niet doorgingen, plus misschien een tikje medelijden. Een jongen genaamd Damon had haar halfdood gekust en had haar toen in de steek gelaten, waarna ze weer moest zien op te krabbelen. En toen kwam Cub, met zijn rotsvaste geloof dat zij meer over alles wist dan hij, behalve dan over het repareren van auto's. Zijn verbijstering en dankbaarheid op seksueel gebied; het grootste, bijna religieuze ontzag dat een meisje zoals zij ooit bij een jongen kon opwekken. Dat jongensachtige vond ze lief en aandoenlijk. Maar 'jongensachtig' kon je enorm de keel uit gaan hangen. Dat zou in de trouwring van elke vrouw gegraveerd moeten staan.

'Dus het is al afgesproken,' zei ze ten slotte. 'Heeft hij het al met dat houtbedrijf vastgelegd?'

'Wat te klein is voor de houtzagerij, hakselen ze voor de papierfabriek.'

'O, Cub. Dan ziet het er straks uit als een slagveld, net als bij Buchman. Heb je die berg gezien nadat ze daar hebben gekapt? Het is net een vuilnisbelt. Alleen maar modder, zaagsel en houtafval.'

Cub plukte witte draden wol van de knieën van zijn spijkerbroek, een voor een. De lucht was zo droog dat ze door de statische elektriciteit aan hem bleven plakken. Vreemd dat de vochtigheidsgraad in een dag zó sterk kon dalen. Ze maakte een plekje vrij op de vloer en trapte met haar schoenzool zorgvuldig de sigarettenpeuk uit. 'Ik kom daar altijd langs als ik naar de Food King rij,' zei ze. 'Het is net alsof ze er een bom op hebben gegooid. Daarna is die halve berg door de regenbuien over de weg gespoeld. Ze hebben er zelfs wegwerkers heen gestuurd om de modder op te ruimen. Dat heb ik sinds juli al minstens zes keer gezien.'

'Nou, je hoeft in elk geval niet langs het omgekapte stuk van pa als je boodschappen doet.' Cub klonk mat en verslagen. Hij verloor nu alweer zijn belangstelling voor dit onderwerp, net zoals elke avond als hij onophoudelijk langs de televisiezenders zapte. Een of andere chique dame in een zijden mantelpakje stond over een imitatiesmaragden halsketting te vertellen en opeens werd de grootste vis van de Amazone gevangen. Of Fox News veranderde plotseling in een komiek die grappen maakte over christenen en Amerikanen uit het Zuiden. Cub zei dat hij dat gezap ontspannend vond. Dellarobia ergerde het mateloos.

'Ik moet weer naar binnen,' zei ze. Hester gaf Preston en Cordie te eten, waarschijnlijk verscheidene onderdelen van de lijst etenswaren met stikgevaar: druiven, erwten, dwars doorgesneden hotdogs. Het had geen zin om een discussie met Cub te voeren over die houtkap, want ze hadden er toch geen van beiden iets over te zeggen. Ze waren net kinderen die op de achterbank van een auto zaten te kibbelen over de onbekende bestemming waar ze heen gereden werden.

Ze stond op, maar liep in een opwelling naar het einde van de hooizolder in plaats van naar de trap. Daar was een grote deur die was opengezet om het hooi te luchten. Je zou over de hele hooizolder kunnen rennen en dan zo door die deur naar buiten kunnen springen. Voor het eerst van haar leven begreep ze hoe iemand zo'n sprong zou willen wagen: als je zó hard op zoek was naar een alternatief voor je leven, was zo'n hoog raam soms de enige uitweg. Ze had het bijna zelf gedaan, althans iets vergelijkbaars. De gedachte aan haar roekeloosheid beangstigde haar; ze deed een stap naar achteren, weg bij die hooideur, sloot haar ogen en probeerde te kalmeren.

Toen ze haar ogen weer opende, zag ze de schapen die in de schemering samendromden en zonder hun wollen vacht verrassend dun en glad waren. Bobby, de dominee in Hesters kerk, had het soms over Jezus die vanuit de hoogte neerkeek op zijn kudde. Dat was een treffend beeld: een alwetende schepper vond de mensen waarschijnlijk net zulke kleine onnozele sukkels als die schapen. Ze zaten elkaar nu als een stel idioten kopstoten te geven. Volgens Hester was dat een manier om te bepalen wie de baas was in de kudde, dus het was tot op zekere hoogte normaal, maar het was Dellarobia opgevallen dat de schapen elkaar na het scheren totaal niet meer herkenden. Ze had wel eens gevraagd hoe dat kwam, maar niemand in de familie kon daar een antwoord op geven. Ze stond er nu vreemd gefascineerd naar te kijken. Nukkige ooien lieten hun gehoornde kop zakken om lammeren weg te duwen die niet van hen waren als die arme beesten per ongeluk tegen de verkeerde uier ramden; vooral een van de ooien ging hevig tegen de spichtige jaarlingen tekeer om goed duidelijk te maken hoe de verhoudingen lagen. De schapen waren opeens vreemden van elkaar geworden, ook al behoorden ze al heel lang tot dezelfde kudde. In de stille avond hoorde ze het doffe gebonk van koppen die tegen elkaar werden geduwd, van hoorns tegen schedels. Ze moesten er wel een goede reden voor hebben, want het gedrag van dieren leek altijd een duidelijk doel te dienen. In tegenstelling tot dat van mensen.

Opeens snapte ze het: het was hun geur. Daar herkenden ze elkaar aan. En al die speciale geurtjes waren met hun vacht verdwenen. Ze waren blind voor elkaars identiteit tot ze weer een eigen geur hadden gekregen. Dellarobia was trots dat ze het mysterie zelf had opgelost. Misschien zou ze het een keer aan Hester vertellen.

Ze liep terug en ging tegenover Cub zitten. 'Wanneer zouden je ouders ons dat hebben verteld, denk je? Van die inbeslagname?'

'Weet ik niet.'

'Dus op een dag zouden ze ons opbellen en zeggen: "Hé, neem je kinderen mee en begin ergens anders opnieuw, want wij zijn jullie helft van de familieboerderij kwijt." Of zouden ze soms bij ons moeten intrekken, of wij bij hen? Want ik kan je wel vertellen dat ik nooit meer met je moeder onder één dak wil wonen. Dan kan je net zo goed gelijk de politie bellen, want dat draait uit op moord en doodslag.'

'Weet ik, schat.'

'Als hij de lening niet meer kan betalen, waarom nemen ze dan niet gewoon zijn machines in beslag?'

'Die zijn al afgeschreven, denk ik. Niet meer genoeg waard. Daarom hadden ze ook de boerderij nodig als onderpand.'

Hier schrok ze van. Die spullen waren nog bijna nieuw. Ongelofelijk hoe de bank de poten onder je stoel kon wegzagen en dure spullen in het niets kon laten verdwijnen, alleen door te verklaren dat ze niets meer waard waren. 'Dus jij denkt dat het echt doorgaat, met die houtkap?'

'Hij zei dat het al min of meer rond is. Hij gaat een contract tekenen.'

'Zijn ze van hier?' vroeg ze.

'Wie?'

'Dat kapbedrijf. Of de eigenaar ervan.'

'Doe even normaal. De mensen hier in de streek hebben nog geen nagel om hun gat te krabben.'

'Bedankt voor het smakelijke detail.' Ze dacht aan een artikel dat ze eens in een tijdschrift had gelezen waarin werd geadviseerd om de wc-deur achter je dicht te doen als je je huwelijksleven opwindend wilde houden. Ze wist niet meer zeker of ze dat echt had gelezen, of dat ze wilde dat iemand het zou opschrijven.

'Neuh, een of andere kerel uit Knoxville is hier wezen kijken. En dat is nog niet eens het hoofdkantoor, die hele handel is weer eigendom van Warehouser of zoiets. Die zitten in het westen.'

'Logisch. Die lui komen hier, pakken de spullen van arme mensen af en nemen ze mee om weet ik veel wat van te maken. Pleepapier voor stadslui, denk ik.'

'We hebben dat geld nou eenmaal nodig.'

'Weet ik. Alle boeren hier zingen hetzelfde liedje. Wees blij met wat je kan krijgen.'

'Jammer dat je er zo over denkt, maar we hebben gewoon geen keus. Sorry.'

Hij keek treurig. Door dat gesorry van hem kreeg ze de neiging om ergens mee te gaan gooien. Werd hij nou maar eens kwaad. Maar in plaats daarvan zat hij pluisjes wol van zijn broek te plukken op die trage, passieve manier die haar razend maakte. Met zo nu en dan een uitzondering in de slaapkamer, deed Cub alles in zijn leven met een slakkengangetje. Hij deed er soms drie kwartier over om zijn broekzakken leeg te maken. Op de middelbare school noemde Dovey hem altijd Flash. Ze was woedend toen Dellarobia verkering met hem kreeg. Ze hadden een vluchtplan gemaakt, wilden een jongen die ouder was en een woordenschat en een bankrekening had, iemand die overal vandaan mocht komen behalve van hier.

Ontoelaatbare gedachten. Dellarobia dwong zichzelf om te proberen iemand anders te worden, een vrouw van Mars met een vriendelijker karakter. Toen ze van die berg gekomen was, had ze zo zeker geweten dat er iets nieuws te ontdekken viel. Ze ging rustiger ademen en keek naar de statische draadjes wol die Cub van zijn spijkerbroek plukte. Vanavond was het voor het eerst sinds maanden tintelend fris en vol belofte. Vonkweer noemde ze zulke avonden in de herfst, als de lucht opeens zó droog was dat haar pyjama knetterde als ze hem aantrok. Waarom werd de lucht bij kouder weer altijd zo droog? Zulke dingen vroeg ze zich vaak af, maar ze kreeg er altijd domme antwoorden op: beerrupsen voorspellen wat voor weer het wordt en de wegen van de Heer zijn ondoorgrondelijk. Halleluja. Ze wist dat ze geduld moest hebben met mensen die bij het uitdelen van intelligentie achteraan hadden gestaan, maar het was toch niet mogelijk dat iedereén onder het gemiddelde zat? De meesten deden gewoon geen moeite, vermoedde ze.

Op de berg had ze bomen in brand zien staan. Om de een of andere reden was dat iets wat alleen zij wist. Waar had ze met haar hoofd gezeten? De consequentie ervan beklemde haar en bezorgde haar een gevoel van paniek. 'Ze kunnen daar niet gaan kappen,' zei ze.

'Waarom niet?'

'Dat weet ik niet.'

Een zee van vuur, wat zou Cub zich daarbij voorstellen? De vuurpoel van het einde der tijden, de levensechte moralistische voorstelling waarover hij al zijn hele leven hoorde en waarin hij waarschijnlijk echt geloofde. De Openbaringen. Zij zat heel anders in elkaar. Vlammen en een overstroming waren tegengestelden, ze sloten elkaar uit. 'De wereld zit vol verrassingen,' zei ze na een tijd. 'Er zou daarboven wel eens iets heel bijzonders kunnen zijn.'

Cub trok zijn rechte wenkbrauwen op. 'Hij verkoopt gewoon zijn bomen, Dellarobia.'

Ze schrok terug, want ze wist dat hij op zijn hoede was voor mensen die bomen wilden redden. Kon je makkelijk doen, als het niet jouw bomen waren, of jouw beslaglegging. 'Maar wát voor bomen?' ging ze door. 'Zijn ze groot, klein, rood of blauw? Als Bear ze laat kappen, vind ik dat hij eerst eens daar ter plekke moet gaan kijken om te zien wat hij nu precies verkoopt. Jullie allebei.'

Cub hield op met aan zijn spijkerbroek plukken en keek haar aan alsof hij opeens een compleet andere vrouw zag. Hij verbaasde zich plotseling over iets wat hij goed kende, net als die schapen buiten. Hij zette zijn pet af, streek zijn haar dat rechtop stond glad en zette de pet weer op, waarbij hij haar voortdurend aankeek. Voor het eerst in een lange tijd van onzichtbaarheid had ze het gevoel dat ze echt werd gezien.

'Waarom?' vroeg hij ten slotte.

'Waaróm? Is het zo raar om eens op je eigen land te gaan kijken?'

'Dat is mijn land nog niet.'

Ze had de bladerhark mee naar boven genomen en ze zag even voor zich dat ze naar de hooideur liep om het ding naar buiten te smijten, alleen om het metalen gekletter te horen. Cub reed nog steeds in dezelfde pick-up die hij had toen ze verkering kregen, maar de motor was al voor de derde keer gereviseerd en hij had zóveel kilometers op de teller dat je zou denken dat Cub al heel wat van de wereld had gezien. Maar hij was zelfs nog nooit de staat uit geweest en dat interesseerde hem ook niks. Wat moest je doen om een man in beweging te krijgen die geen puf meer had, waarvan hij toch al nooit veel had gehad, en die steeds meer op een berg begon te lijken?

'Als het jouw land niet is, wat zijn wij dan, pachters?' vroeg ze. 'Wij werken hier, hier verdienen we ons brood, dus je kunt net zo goed zeggen dat het ook ons land is, ook al is je vader voorlopig nog niet dood. Waarom doe jij nooit eens wat als het gaat om iets wat van jou is?'

'Die keer dat de ram was ontsnapt, ben ik alle afrasteringen nagelopen.'

'Godallemachtig, dat was toen ik zwanger was van Preston.'

'Je hoeft de naam van de Heer niet ijdel te gebruiken.'

'Jij hebt in vijf jaar tijd bijna geen stap buiten deze schuur gezet. Dat is gewoon zo, Cub. Dus hoe weet jij nou hoe het er daar in die bergvallei uitziet? Er kan daar wel van alles zijn. Jullie gaan iets verkopen, maar je weet niet eens wat.'

'Nou, ik denk niet dat daar een goudmijn is. Gewoon bomen. Van die groene dingen, je weet wel.'

'Bomen, ja, oké. Maar je zou ze eens kunnen gaan bekijken. Misschien gaat dat houtkapbedrijf jullie wel enorm afzetten. Misschien zeggen ze wel dat er veel minder goeie bomen tussen staan dan echt zo is.'

'Maar wat weet jij daar nou van?'

'We zijn daar toch geweest, wij tweeën? We hebben daar wel eens een fles Ripple gedronken in die kalkoenschuur.' Ze bloosde; haar lichte huid verraadde haar zoals gewoonlijk meteen. Maar Cub was nooit achterdochtig. Hij dacht waarschijnlijk dat ze bloosde vanwege hun eigen zondige gedrag destijds.

Hij glimlachte. 'Misschien moeten we daar binnenkort nog eens naartoe gaan, schatje.'

'Oké, doen we. Dan gaan we daar nog één keer kijken voordat je alle bomen laat omhakken met die *shock and awe*, en het land van je familie verandert in een tweede Irak.'

'Er zitten daarboven anders echt geen Arabieren, hoor.'

'Dat bedoel ik niet. Trouwens, weet jij veel of er daar op die berg geen terroristen kamperen? Wie zou ze daar ooit vinden? Geen mens hier uit de buurt komt ooit z'n pick-up uit. Die berg is waarschijnlijk de veiligste schuilplaats ter wereld.'

Cub trok een gezicht en Dellarobia werd overmand door een zinloze energie, als een hond die z'n eigen staart achternazit. Dit ging weer net zoals met al hun ruzies: het begon met een zinvolle klacht, maar verzandde in een onbenullige onzindiscussie. Met alle gerechtvaardigde woede van dien. 'Je vader en jij zouden zo nu en dan eens een kijkje op jullie eigen land moeten nemen, dat bedoel ik alleen maar.'

'Waarom begin je daar opeens zo over te zeuren?'

'Weet ik niet. Gewoon. Misschien dat er meer schatten verborgen zitten in je eigen achtertuin dan je denkt.'

Hij schudde zijn hoofd. 'Je bedoelt gewoon wat je altijd zegt. Werk eens wat harder, Cub, schiet eens op, Cub.'

'Niet waar.'

'En hoe moet ik daar dan komen? Vorige maand is de as van de terreinwagen kapotgegaan.'

'Helemaal vanzelf, heb ik begrepen. Zonder hulp van jouw dronken vrienden.'

'Er was niemand echt dronken.'

Daar gaan we weer, dacht ze. Het drijfzand der domheid. Ze ging staan. 'Ik ga naar binnen. Ik wilde je er alleen even aan herinneren dat je van God twee benen hebt gekregen en dat je het ene been voor het andere kunt zetten, als ik het me tenminste goed herinner. Dus ik zou daar naar boven gaan en eens kijken wat jullie precies gaan verkopen voordat het te laat is. Uit zakelijk oogpunt.'

'Uit zakelijk oogpunt? Sinds wanneer heb jij gestudeerd voor zakenvrouw?'

Ze schrok van zijn minachtende toon. Dat was niks voor Cub, hij praatte zijn vader na in een laatste poging zijn mannelijkheid te redden. Ze liep zonder om te kijken naar de trap. 'Je bedoelt zeker dat het mijn zaken niet zijn. Succes ermee dan maar.'

Een kluwen van redenen dreef hen de berg op, en Dellarobia's aandringen was een van de draadjes daarin. De andere werden gevormd door het wantrouwen dat Bear en Peanut tegen het houtkapbedrijf en misschien ook jegens elkaar hadden. Vier mannen met veiligheidshelmen hadden de grenzen afgebakend van het stuk bos dat gekapt zou gaan worden en hadden verklaard dat het aan de families Turnbow en Norwood zelf was om erop toe te zien dat de juiste eigendomsgrenzen werden gerespecteerd. De gehelmde mannen, die onderaannemers waren van de mensen in Californië die de echte beslissingen namen, kwamen vanuit Knoxville in een bestelwagen waarop MONEY TREE INDUSTRIES stond. Dat was genoeg reden tot wantrouwen.

Cub riep de hulp van zijn vrienden in om de terreinwagen te repareren zodat ze niet te voet de berg op hoefden. Hij was samen met vier van zijn maten bijna een week lang elke avond bezig om de kapotte as te vervangen. Dat ontlokte Dovey de opmerking dat mannen ook echt niets uit de weg gingen als ze zich daarmee een kleine inspanning konden besparen. Op vrijdagochtend ging de expeditie van start, met Cub achter het stuur van de terreinwagen, Bear voorin, en Peanut Norwood in de laadbak met zijn armen om zijn knieën geslagen in een poging de vorm van een baal hooi aan te nemen, wat niet helemaal lukte. Dellarobia stond voor het keukenraam te kijken naar het logge voertuig dat als een brede, gedrongen pad met drie mannen op zijn rug door het steile weiland omhoog kroop. Haar leven was veranderd in een soort sprookje waarin haar familieleden een voor een via het Pad Omhoog hun lot tegemoet gingen. Ze wist niet goed wat ze hoopte dat de mannen daar zouden ontdekken, maar ze kon nergens anders aan denken en was verschrikkelijk verstrooid. Tien minuten na hun vertrek stond ze kleren op te vouwen uit de mand met vuile was en had ze de schone, droge was in de wasdroger gestopt.

Er was nog geen uur voorbijgegaan toen de mannen verbijsterd terugkwamen om hun vrouwen te halen, die getuige moesten zijn van wat ze hadden gezien.

Ze zouden nooit met z'n allen in de wagen passen, dus moesten ze lopen. Dellarobia vroeg tot haar eigen verbazing of ze mee mocht, hoewel Cordelia in haar kinderstoel cornflakes zat te eten en Preston om twaalf uur uit school moest worden gehaald. Toch vroeg ze het. Dovey was die middag vrij en kon wel op de kinderen komen passen. Ze zou er binnen tien minuten kunnen zijn, en Cub zei tegen zijn ouders dat ze even geduld moesten hebben. Hij trad in Dellarobia's belang opeens verrassend doortastend op.

Haar hart bonsde toen ze even later de berg op liepen, en daar waren verschillende redenen voor. Het kwam vooral door de vreemde gewaarwording dat ze deze tocht, die ze nog maar zo kortgeleden en met zo'n schandelijke bedoeling had ondernomen, nu opnieuw maakte, deze keer met haar echtgenoot en zijn ouders. Het leek wel een realityshow, waarin al haar tekortkomingen zouden worden onthuld en uitvergroot. De echtgenote met al haar ongepaste verliefdheden die uit het huwelijksbootje valt, al was het maar in gedachten. Ze liepen om de ergste modder heen die de schapen in het hoogste gedeelte van het veld bij de afrastering hadden gemaakt door daar steeds heen en weer te banjeren, gekweld door de gedachte dat het gras aan de andere kant groener was. Net zoals zij toen ze de vorige keer door dit hek kwam, dacht ze. Net zoals een hond die langs de erfafscheiding loopt met maar één gedachte: haal me hieruit. Toen Cub het hek voor haar openhield, durfde ze hem niet aan te kijken.

De stevige, blozende Bear liep als de leider van een peloton voorop. Hij had vroeger in het leger gezeten, wat aan bepaalde dingen nog te merken was: zijn kapsel, zijn spierballen en zijn bloeddruk. Dat gespierde lichaam had hij nog steeds, ondanks zijn overgewicht en zijn leeftijd, evenals de natuurlijke superioriteit van iemand die een meter negentig lang is. Hester kocht zijn broeken in een zaak die Man of Measure heette, de zeldzame keren dat ze naar Knoxville ging om te winkelen. Cub was bijna net zo lang, maar paste in een gewone Wranglers, maat 38-36, wat Dellarobia meer vond klinken als de afmeting van een televisie dan die van een broek. De diensttijd van Bear in Vietnam was volgens haar waarschijnlijk de oorzaak van het verschil met zijn zoon, die een vergelijkbare lichaamsbouw maar een totaal andere houding had. Twee identieke verpakkingen, maar met een verschillende inhoud. Ze hoorde dat Cub achteraan liep te puffen en te hijgen, en weinig zei. De twee oudere mannen trokken zich niets van hem aan. Ze zeiden veel, maar legden niets uit, spraken elkaar vooral tegen of zeiden dat er geen verklaring was. Cub was de eerste van de drie die zei dat ze dachten dat het insecten waren.

Hester draaide zich naar hem om. 'Als jij mij die hele berg op laat sjouwen om naar een paar beestjes te kijken, dan krijg je een draai om je oren zoals je nog nooit hebt gehad.'

Cub liet zich ondanks de bedreiging niet afschrikken. 'Niet zomaar beestjes, mama. Ze zijn mooi. Vind je ook niet, pa?'

Bear en Norwood, die het nooit ergens over eens konden worden, zeiden allebei dat dat zo was, dat het hartstikke mooi was. Of zou zijn, als het er niet zoveel waren dat alles onder zat.

'Je gelooft je ogen niet,' waarschuwde Cub. 'Het lijkt wel alsof ze de wereld hebben overgenomen.'

Ze liepen achter elkaar over het pad omhoog en de mannen kalmeerden, hadden hun energie nodig voor de klim. Een kalkoenhaan riep vanaf de bergtop en een vrouwtje antwoordde; wilde kalkoenen die zich voorbereidden op het stichten van een gezin. Normaal gesproken zou een van de mannen hardop hebben gewenst dat hij een geweer had, maar dat deden ze vandaag niet. Dellarobia kon zich geen triestere novembermaand herinneren. De bomen hadden door de onophoudelijke regen al vroeg hun bladeren verloren. Na een korte uitspatting van herfstkleuren waren de bladeren bij bosjes uitgevallen zoals de plukken haar van een kankerpatiënt. Een paar roodbruine bladeren van de braamstruiken hielden nog stand, maar de blauwe asters waren al veranderd in wit pluis en de wereld leek weggespoeld. De bladerloze perenbomen in Hesters tuin hadden onlangs nog een poging gedaan om weer te gaan bloeien, heel bizar, met kleine, puisterige bloesemknoppen. De zomerse warmte was uitgebleven, evenals de kou die daarop moest volgen, en alles wat leefde leek nu smartelijk als een onbeminde naar de zon te verlangen. De wereld van de degelijke seizoenen was uit zijn voegen geslagen.

In elk geval regende het niet. Dellarobia was blij dat ze door haar jas heen de warmte op haar schouders voelde en de kracht van het daglicht dat ze bijna vergeten was, zelfs nu ze dieper in het bos kwamen. De lucht was niet blauw, maar kil wit door de hoge, dunne sluierbewolking. Ze had haar zonnebril op sterkte wel mee kunnen nemen, als ze tenminste wist in welke la met troep die lag. Ze had in elk geval haar gewone bril opgezet, want ze wilde scherp kunnen kijken, wat er ook te zien zou zijn. Ze zag al een paar slierten oranje afzetlint in de bomen bungelen, maar de mannen waren nu niet geïnteresseerd in de grenzen tussen hun land. Bear hield het tempo er flink in. Dellarobia kwam als een-na-laatste, achter haar schoonmoeder en voor Cub. Ze smachtte naar een pauze of een sigaret, het liefst allebei, maar ze mocht doodvallen als zij degene was die daarom vroeg. Ze was nauwelijks uitgenodigd om mee te gaan. Peanut Norwood greep al op een veelbelovende manier naar zijn borst, dus misschien zou hij even willen stoppen. Bij de pezige Hester met haar gele cowboylaarzen kon je dat wel vergeten. Voorwaarts Christenstrijders. Dellarobia wendde haar blik af van Hesters magere kont in haar afgezakte Levi's spijkerbroek en vertrouwde erop dat Cub haar eigen achterwerk prettiger vond om naar te kijken. Als ze zich erover beklaagde dat ze zo klein was, zei Cub altijd dat ze net een sportwagen was: geen rommel in de kofferbak en een snelle motor. Misschien hield dat hem wel op de been. Voordat ze getrouwd was, had ze geweten wat een machtig gevoel het was om bewonderd te worden, hoe de sfeer in een kamer kon veranderen als zij binnenkwam. Misschien was dat wel haar probleem, dat ze dat miste. Misschien viel ze daarom wel op mannen die haar vleiden. Wat was dat eigenlijk oppervlakkig en bespottelijk; ze hoopte dat het niet iets over haar zei. Ze tuurde tussen de bomen door, maar zag geen verandering sinds ze hier twee weken geleden was geweest, behalve dan dat alles nog kaler was geworden. Zelf was ze wel veranderd, elke minuut dat ze wakker was voelde anders, en in haar dromen was er steeds dat vreemde vuur.

Ze kwamen om een bocht in het pad en zagen de donkergroene bergrug boven hen, rafelig door de sparren die langs de hobbelige ruggengraat stonden. Hier en daar braken kalkstenen kliffen als grijzige tanden tussen de donkere bomen door. De toppen van de heuvels kregen een vage gloed als het zonlicht erop viel. De kleur zou een speling van het licht kunnen zijn. Maar dat was het niet. Ze draaide zich om en wierp een voorzichtige blik op Cubs gezicht.

'Bedoelen jullie dat?' vroeg ze zacht. 'Die gloed op de bomen?'

Hij knikte. 'Je wist het, hè?'

'Hoe had ik dat nou kunnen weten?'

Hij zweeg. Ze liepen door. Haar hoofd tolde door haar schuldige gedachten. Wat insinueerde hij nou? Wist hij dat ze hier geweest was? De manieren waarop hij dat te weten kon zijn gekomen leken haar allemaal even onwaarschijnlijk: dat hij haar gedachten kon lezen of dat ze praatte in haar slaap waren dingen die alleen in films voorkwamen. Ze had het wel aan Dovey verteld, maar die zou het zich zelfs op de pijnbank nog niet laten ontfutselen. Ze liepen het kille, donkere sparrenbos in, dat ondoordringbaar was in vergelijking met het loofbos, waar de bomen veel dichter op elkaar stonden.

'Wie heeft hier in vredesnaam al die sparren aangeplant?' vroeg Dellarobia, die de stilte niet kon verdragen.

'Niet alleen Bear z'n pa, hoor,' zei Hester. 'Er waren d'r wel meer die ze hier neergezet hebben. Jouw pa toch ook, Peanut?'

Dellarobia had wel begrepen dat het nogal een gevoelig onderwerp was, maar nu snapte ze pas hoe het precies zat. Het was de mop van de familie. Het kerstbomendebacle. Ze had er waarschijnlijk beter niet over kunnen beginnen.

'Die lui van landbouwvoorlichting hadden tegen hem gezegd dat-ie dat moest doen,' zei Norwood. 'De kastanjes hadden last van meeldauw en ze wilden iets anders in plaats daarvan. Voor de kerstbomenmarkt.'

'De kerstbomenmarkt,' riep Bear schamper. 'In de jaren veertig zeker, toen iedereen nog een gratis boom uit het bos kon halen. Die kerstbomen waren geen stuiver waard. Niet eens de moeite om ze om te kappen.'

De oude naaldbomen waren inmiddels vijftien meter hoog; geesten van de voorbije kerstfeesten. Ze kreeg een beeld in haar hoofd bij die woorden, het skelet met een kap die naar grafstenen wees en haar als kind de stuipen op het lijf had gejaagd. In een bibliotheekboek, van Charles Dickens. Maar dat was de geest van de toekomst en dit waren gewoon bejaarde geesten. Geesten van slechte timing, dat vooral. Ze begon er maar niet over, maar ze wist dat er boeren waren die nu weer kerstbomen aanplantten, in de winter, met hulp van Mexicaanse arbeiders. Waarschijnlijk dezelfde kerels die 's zomers in de tabak werkten. Vroeger gingen die 's winters naar huis, maar nu bleven ze het hele jaar, net als de ganzen in Great Lick die om de een of andere reden niet meer naar het zuiden vlogen. Ze had zulke mannen wel eens gezien bij de treurige Kredietbank in Feathertown, ofwel de Verdrietbank zoals Dovey en zij het noemden, waar ze soms een voorschot moest nemen op Cubs loon als de rekeningen elkaar te snel opvolgden. Kerstbomenkwekerijen waren het bewijs dat alles van vroeger weer terugkwam, maar dan slechter betaald.

Het gesprek stokte toen ze op een steiler stuk van het karrenspoor kwamen, en daarna op het vlakkere stuk dat ze herkende als de plek waar ze een sigaret had gerookt. Ze speurde de grond af, want Cub zou het merk van haar filtersigaret herkennen als hij de peuk zag liggen. Ze was afgepeigerd van de zenuwen en de vermoeidheid. Straks kwamen ze aan de andere kant van de berghelling, waarvandaan ze uitzicht hadden op de vallei, en wat zou er dan gebeuren? Aan een paar bomen langs het pad zag ze al de stekelige klonten die ze de vorige keer ook had gezien, die zwammen, of wat het ook maar waren, maar de mannen schenen het niet op te merken. Ze keken voor zich uit en gingen sneller lopen.

Hester leek steeds meer van slag te raken nu ze uit haar gewone doen was. Ze neuriede zacht een iel, monotoon deuntje. Een of andere psalm. Of iets van een tv-serie, bij Hester wist je het maar nooit. Dellarobia kon zich niet voorstellen dat ze zelf nog iets zou kunnen doen waar extra zuurstof voor nodig was, zoals neuriën. Ze hadden geen van allen een goede conditie, behalve Hester, die wonderbaarlijk fit bleef op een dieet van Mountain Dew en Camel Light. Dellarobia telde de passen om de tijd door te komen en keek naar haar voeten. Ze zag pijltjes op de grond, eerst een paar, maar daarna meer; ze lagen als strooisel over het pad verspreid. Ze hadden dezelfde oranje kleur als het afzetlint, maar ze waren broos en kraakten onder haar voeten. Kleine v-vormige pijlen die alle kanten op wezen, alsof ze hier waren gestrooid om verwarring te zaaien. Om je in de bossen te laten verdwalen.

Ze kwamen de bocht om bij het uitkijkpunt waar ze een volledig zicht hadden op de bergvallei. De lucht was vol met die gouden pijltjes, als wervelende blaadjes in een hevige storm. Vleugels. Die pijltjes op de grond waren ook vleugels. Vlinders! Hoe had ze dat niet kunnen zien? Ze voelde zich dom en blind, op een manier die niets met haar bijziendheid te maken had. Niet-ontvankelijk voor de waarheid. Ze was bereid geweest om open te staan voor de emoties die haar kippenvel hadden bezorgd, voor de verwondering, maar had oogkleppen opgehad en gekeken zonder te zien. De vlinders in de lucht vlogen zo dicht op elkaar dat ze het gevoel had dat ze onder water was, dat ze in een diepe vijver was gegooid tussen felgekleurde vissen. De hele lucht was er vol van. Verderop, in de vallei, hing een gouden gloed. Elke boom op de berghelling aan de overkant was bedekt met een flakkerend vuur, en dat waren natuurlijk die vlinders. Ze had dit beeld dagenlang in onwetendheid voor zich gezien, als een zwangerschap die nog niet bekend was. Dat vuur leefde, het was onbegrijpelijk immens, een onbeteugelde, ontelbare gemeenschap van vlammend-oranje insecten.

Deze keer lieten ze door hun beweging zien wat ze waren: vliegende schepselen. Dat was het verschil. De boomtoppen en ravijnen kregen door de zichtbaar geworden lucht een ongewone diepte. Lucht vol trillend vlinderlicht. De ruimte tussen de bomen glinsterde en was echter en levendiger dan de bomen zelf. In het geschubde bos zag ze ook nu weer de zware bollen aan de takken hangen, zo mogelijk zelfs nog meer. De takken leken verder dan hun breekpunt onder het gewicht door te buigen. Van vlínders. Haar adem stokte toen dat tot haar doordrong. Miljoen keer niks weegt niks. Ze probeerde er een wiskundige berekening op los te laten, hoewel ze wiskunde altijd had beschouwd als iets vernuftigs wat alleen leraren konden.

'Krijg nou wat!' zei Hester geschrokken.

'Dat bedoelen we nou,' zei Bear. 'Wat dat ook mag wezen, het lijkt me allejezus slecht om hier te gaan kappen.'

'Volgens mij loopt hun gereedschap dan vast,' stemde Norwood in. 'Of misschien krijgen we dan wel een proces van de overheid aan de broek vanwege een of andere wet. Over beschermde diersoorten.'

'Vergeet het maar,' zei Bear. 'Niks beschermd, zo te zien zijn er daar meer van dan van ons mensen.'

Over de aantallen viel niet te twisten. De vlinders zaten of kropen zelfs over het pad om hun voeten heen als nerveuze, automatisch voortbewegende dode bladeren die door het bos marcheerden. Dellarobia ging op haar hurken zitten en zwaaide met haar hand over een van de vlinders in de verwachting dat hij zou schrikken en opvliegen, maar hij bleef zitten, met dichtgeklapte vleugels. Die opeens wijd openklapten en hun kleur prijsgaven: oranje. Vier vleugels, zo symmetrisch als een gestrikte veter. Preston had laatst een hele ochtend geprobeerd om een veter te strikken, waarbij hij geconcentreerd op zijn onderlip had gebeten, maar dit was van een moeiteloze perfectie. Wat zou hij dit prachtig vinden. Ze liet de vlinder op haar hand kruipen en hield hem vlak voor haar gezicht. De oranje vleugels waren versierd met mooie zwarte lijntjes; het leek wel vakkundig opgebrachte eyeliner. Ze kon zich niet herinneren dat ze in de bijna dertig jaar dat ze op de aardbol rondliep ooit eerder zo lang zo dicht bij een vlinder was geweest.

Hij vloog weg. Ze stond op en ving de onverholen blik van zowel Hester als Bear. Ze keken verwachtingsvol, of zelfs beschuldigend, alsof het aan haar was om dit bizarre schouwspel in iets gewoons en echts om te toveren. Maar zij begreep het ook niet. Cub stond haar ook aan te kijken, in dat bewegende licht, en maakte haar daarna aan het schrikken door haar naar zich toe te trekken en zijn arm om haar schouders te slaan.

'Pa, ma, moet je horen. Dit is een wonder. Zij heeft hier een visioen van gehad.'

Bear fronste zijn wenkbrauwen. 'Bullshit.'

'Nee pa, echt waar. Ze heeft het voorspeld. Na het scheren zaten we in de schuur te kletsen en toen verklaarde ze plechtig dat we hierheen moesten gaan. Daarom zei ik ook steeds tegen jou dat we dat moesten doen. Ze zei dat er iets groots was, hier in onze eigen achtertuin.'

Dellarobia vreesde voor haar geheimen. Ze herinnerde zich alleen haar ongeduld, en dat ze die avond boos tegen Cub had gezegd dat hier wel van alles kon zijn. Terroristen, of blauwe bomen.

Hester tuurde naar haar gezicht alsof ze bij slecht licht probeerde te lezen. 'Waarom zegt hij dat? Dat jij het hebt voorspeld.'

De wolken verschoven waardoor het licht veranderde, en als reactie daarop openden alle vleugels in de hele vallei zich tegelijk in de zon. Een opstijgend licht streek over het landschap en golfde langs de berg omhoog. Dellarobia opende haar mond en liet een zacht hijgen horen, een anticiperende ademtocht die kon uitmonden in spraak, gelach of gejammer. Ze wist er geen vorm aan te geven.

'Ik snap dat visioen al. Ik zie een bemoeizuchtige vrouw.' Bear schudde zijn hoofd uit lusteloze afkeer, een gebaar dat typerend voor hem was, net zo typerend als het identiteitsplaatje dat hij nog steeds droeg, ook al was zijn oorlog voor iedereen allang voorbij. Toch marcheerde hij nog steeds als een groot en machtig man door het land der onaanzienlijken. 'Jullie moeten eens een toontje lager zingen,' zei hij. 'We spuiten die dingen gewoon plat en dan kunnen ze aan de slag. Ik heb nog wat DDD bewaard in de kelder.'

'Wát heb jij in je kelder?

'DDT,' zei Cub tegen hem. 'Dat spul was al verboden voordat ik geboren werd, pa. Ik wil niet eigenwijs zijn, maar dat zal dus wel wat anders zijn wat je daar nog hebt liggen.'

'Waarom denk je dat ik het zolang heb bewaard? Ik wist wel dat je daar niet meer aan zou kunnen komen.'

'Dat spul is natuurlijk allang bedorven,' zei Hester. 'Na al die jaren.'

'Mens, hoe kan gif nou bederven? Het kan moeilijk giftiger worden dan het al is.' Bear moest lachen om zijn eigen grapje. De anderen lachten niet. Cub droop meestal met zijn staart tussen de benen af als zijn vader zo'n toon aansloeg, maar nu gaf hij vreemd genoeg geen krimp.

'Zoveel beestjes sproei je met al het gif van de wereld nog niet weg, pa. Ik denk niet dat we het zo moeten aanpakken.'

'Dus jij hebt wel geld om die lening voor de machines af te betalen.' Bears ogen hadden de kleur van ongeverfd metaal en waren net zo kil. Dellarobia hield haar mond. Ze wist dat ze een voorschot hadden gekregen van het houtbedrijf, waarvan al een deel was betaald aan de bank en de belasting. Twee instellingen die net als het graf niets teruggaven als je spijt kreeg.

'Overal is een reden voor, pa.'

'Dat is waar, Bear,' zei Hester. 'Misschien is dit wel de hand van God.'

Cub leek te schrikken en keek naar Dellarobia. 'Dat zei zíj dus ook al. Dat we hierheen moesten gaan om te kijken omdat God er de hand in had.'

Dellarobia pijnigde haar hersens af, maar kon zich niet herinneren wat ze precies tegen hem had gezegd. Hij had haar in bed een keer gevraagd waarom ze lachte met haar ogen dicht, en toen had ze iets gezegd over kleuren die als vuur bewogen. Meer niet. Nu stond Cub naar de lucht te staren.

'Het lijkt wel het tiende wereldwonder,' zei hij. 'De mensen zouden vast willen betalen om hier te mogen kijken.'

'Zou best kunnen,' stemde Norwood in.

'We moeten gewoon wachten tot ze wegvliegen,' verklaarde Cub alsof hij zoiets al eerder had beslist. 'We kunnen van dat bedrijf vast wel tot die tijd uitstel krijgen, pa.'

Bear pufte alsof hij dat betwijfelde. 'En wat nou als ze niet wegvliegen?'

'Weet ik niet.' Cub hield Dellarobia nog steeds bij haar schouders vast. 'Jullie moeten hier gewoon de hand van God in zien en vertrouwen op Zijn gebod. Net wat zij zei.'

Dit was voor zijn doen zo ongewoon vrijpostig dat ze zich afvroeg of Cub misschien een toneelstukje opvoerde om wraak op haar te nemen. Maar bedrog lag niet binnen het vermogen van haar echtgenoot. Hij hield haar nog steeds als een schild voor zich. Hester en Bear stonden op nog geen armlengte naast hen, en zelfs die kleine afstand stroomde nu vol met vlinders, als water in een bergspleet. Dellarobia nam rond haar schoonvaders grote gestalte een soort diagram van windweerstand waar dat zichtbaar werd gemaakt door de vlinders, die via soepele rechte lijnen over en om hem heen vlogen. Zij – en ook de anderen – waren als menselijke stenen in de vlinderstroom. Ze waadden door een rivier van vlinders en de stroom sloeg geen acht op hen, de stroom denderde voort, de vallei in, was alleen verantwoording verschuldigd aan zijn eigen kracht. De vlinders vlogen voortdurend vlak voor haar gezicht langs; zwart-oranje vlekken waarvan ze moest knipperen en die in de verte overgingen in een wanordelijke waas. Ze vond het werkelijk onmogelijk om te geloven wat ze met eigen ogen zag. En met haar oren hoorde: een onophoudelijk geritsel, als een jurk van tafzijde.

Hester liet haar blik zakken van het gezicht van haar zoon naar dat van Dellarobia, die er geen idee van had wat er nu zou gaan gebeuren. Ze had jarenlang in een hoekje van deze boerderij gezeten zonder zich echt op het territorium van de familie Turnbow te begeven, en nu stond ze hier, midden in het centrum ervan. Ze voelde zich een beetje als een gijzelaar in de greep van haar echtgenoot, alsof er elk ogenblik een politieagent door een megafoon zou gaan roepen en de kogels hun om de oren zouden vliegen. Toen ze naar haar voeten keek, werd ze duizelig door de vlinderschaduwen die voortbewogen als steentjes die over de bodem van een snelstromende beek rolden. De illusie van stroming deed haar bijna haar evenwicht verliezen. Daarom keek ze naar de lucht, wat aanstekelijk werkte op de anderen; ze keken allemaal omhoog, zelfs Bear. Samen zagen ze het licht door de gloeiende vleugels stromen. Net sintels, dacht ze, een vuurvloed, de warmte waar ze zolang naar had gesmacht. De lucht in haar borst explodeerde opnieuw met scherpe lachende of snikkende uithalen van haar stem die ze niet kon onderdrukken. De geluiden die uit haar kwamen, gingen de kant op van waanzin.

De twee oudere mannen deinsden terug alsof ze hun een klap had gegeven.

'Here God Almachtig, dat kind ontvangt de Genade,' zei Hester, en dat kon Dellarobia niet tegenspreken.

# 3
# Gezamenlijke ruimte

Dellarobia voelde meteen nattigheid bij het betreden van koffiebar In Christus. Crystal Estep had zich aan een tafeltje vooraan in het midden geposteerd en was op haar paasbest uitgedost voor de kerkgang, met een waterval van stijf in de gel zittende krullen die zich over haar schouders stortte. Een ware Niagara van blonde highlights was ze, zoals ze daar alleen aan haar ontbijt zat, waar ze zo geconcentreerd naar zat te staren dat je bijna zou denken dat ze een eerste afspraakje had met die Pepsi en die geglazuurde donut. Een dergelijk vertoon van onschuld moest wel een reden hebben, leek Dellarobia. Ze keek om zich heen en vond de rest van het verhaal bij de sapautomaat, waar twee tafels bezet werden door ex-vriendin Brenda, van de tussen het autoportier beknelde hand, en haar posse van woedend kijkende vriendinnen. Opeens wist Dellarobia weer dat deze Brenda, een van de drie zussen die de kinderopvang van de kerk samen met hun moeder runden, de benadeelde partij was. Brenda had vandaag blijkbaar ziekteverlof, gezien de metalen spalk aan haar twee middelste vingers, waarmee ze zat te pronken en Crystal in de kerk als het ware de vinger gaf.

Dellarobia paste ervoor zich erin te mengen. Haar belangrijkste reden om naar de kerk te gaan was dat ze Preston en Cordie bij de kinderopvang kon droppen om even verlost te zijn van de ruzies over wie de ander als eerste een klap had gegeven. Blijkbaar had Crystal Jazon en Mical daar al heen gebracht en bij Brenda's familie gedumpt. Dat moest interessant zijn geweest. Dellarobia goot staand haar gloeiend hete koffie in een paar slokken naar binnen, wierp het piepschuimen bekertje in de afvalbak en liep door de gang naar de gebedszaal. De hakken van haar roodbruine laarzen maakten veel lawaai op de geboende vloer en gaven luid en duidelijk als een gps aan waar ze zich bevond. Een teleurgesteld ogende Jezus keek toe vanaf de muur. Ze had zich dan ook op die laarzen onteerd door ze vorige maand aan te trekken om overspel te gaan plegen. *Kijk, kijk*, verkondigden haar stappen, *hier loopt een roodharige zondares*. Ze voelde zich op een heel nieuwe manier stuurloos. Onherstelbaar, tenzij ze haar leven weer terug zou kunnen vouwen in de oorspronkelijke vorm: die van voor het Turnbow-familiecircus, voor haar trouwen, toen ze alleen nog maar een meisje was dat haar eigen weg zocht. Het was doodvermoeiend om steeds maar spijt te hebben van alles. Spijt dat ze net uit de koffiebar had moeten weglopen. Diepbedroefd zelfs daarover. Die koffiebar had haar qualitytime bij de Mountain Fellowship sinds de opening in september een stuk aantrekkelijker gemaakt. De kerk was een bloeiend dorp op zich waar nieuwe samenkomstruimtes altijd een onderwerp van discussie of in aanbouw waren. Het prefablokaal waarin de zondagsschool aanvankelijk gehuisvest was, was afgelopen jaar vervangen door een rood schoolgebouwtje, en sinds de opening van de nieuwe vleugel kon je hele einden lopen zonder formeel gesproken de kerk te verlaten. De gebedszaal was door een overdekte gang verbonden met de zaal van de Men's Fellowship en met de zonnige, betegelde koffiebar waar ze even alleen kon zijn met een bosbessenmuffin, samen met andere kerkgangers die hun preek net zo lief via een scherm volgden. Dominee Ogles enorme, gepixelde gezicht op de vele beeldschermen was ook daar zo dichtbij als je je maar wensen kon, zolang je geen prijs stelde op de live-beleving, wat bij haar het geval was. Kerkbezoek was een huwelijkse voorwaarde. Cub had het idee dat als ze op zondag verstek lieten gaan zijn moeder ofwel ter plekke dood neer zou vallen of hem zou onterven, en hij had er geen behoefte aan te weten te komen welke van de twee het zou zijn. Dellarobia had het best eens willen uitproberen, maar nee, ze gingen en daarmee uit.

Het bood haar wel de gelegenheid onder de mensen te komen. Vriend of vijand, dat maakte haar weinig uit; ze aten tenminste met hun mond dicht en hadden schoenen zonder klittenband. Na de sluiting van de Feathertown Diner zes jaar geleden was ze nauwelijks meer de deur uit geweest. Ze had zich destijds serieus voorgenomen nooit terug te zullen verlangen naar die eindeloze dagen waarop ze nooit eens even kon zitten, noch naar het loon waarvan ze net het gas had kunnen betalen. Maar huismoeder zijn bleek het eenzaamste soort eenzaam te zijn, waarbij ze altijd en nooit alleen was. Er gingen dagen en soms weken voorbij waarin ze nauwelijks de kans kreeg om zich aan te kleden, niets anders las dan de opschriften op pakken cornflakes en Cheerios, niet één volledige zin produceerde, haar tanden poetste of ook maar één voetafdruk buitenshuis achterliet. Dagen waarop ze alleen maar moeder was, tegen de vaste prijs die bestond uit het voorzien in een grootsheid die haar fysieke omvang overtrof. Ze had wel eens schapen in de wei zien lopen met dertig kilo zwaar nageslacht dat zich met twee tegelijk onder ze stortte en met harde opwaartse kopstoten tegen de uiers ramde om aan melk te komen, waarbij het achterwerk van de moeders van de grond werd geduwd. Dat idee, enigszins overdreven. Een leven van liefde die haar murw beukte, geheiligd door het dak en de muren die haar omsloten en de lucht die ze kreeg om te ademen.

Maar dan de kerk. Een uur in de koffiebar, de verkwikking van een stevige bak troost, stilte, schoenen aan haar voeten, een schone, betegelde vloer, even vrij wegens goed gedrag. De verzekering dat ze bij een groep kon horen van deze omvang, als ze haar tenminste wilden hebben. Ze was niet helemaal een buitenstaander in het domein der gelovigen. Ze had zelf ook haar periodes gehad. Toen haar vader in één klap alles was kwijtgeraakt – zijn meubelmakerij, zijn gezondheid en zijn innerlijke kracht – had ze tot Jezus gebeden om alles weer goed te laten komen. Toen hij doodging had haar moeder het helemaal gehad met God en mocht Dellarobia dubbele diensten draaien. Toen haar moeder eveneens ziek werd, sloeg ook bij haar de twijfel aan de hele onderneming toe. Cub had haar in de jaren dat het maar niet lukte om zwanger te raken weten te bepraten om het bidden nog een kans te geven en die smeekbedes waren uiteindelijk beantwoord, dubbelop zelfs, met Preston en Cordie, en dat was voorlopig even voldoende.

Ze was dus wat Hester een slechtweerchristen noemde: bij slecht weer, bel de Heer. Dit in tegenstelling tot al diegenen die dagelijks een gesprek met Jezus aanvroegen, weer of geen weer, om over hun dag te praten en te voelen dat er iemand was die van hen hield. Vroeger had ze daar haar moeder voor gehad, maar Jezus was duidelijk een stuk betrouwbaarder als steunpilaar, die zou zich niet zo snel lam drinken of leverkanker oplopen. Geen wonder dat mensen Hem als beste vriend kozen. Maar als het niet klikte, wat moest je dan? Dellarobia stond te kritisch in het leven, dat wist ze. Een jaar lang was ze samen met Cub elke woensdag naar Bijbelles gegaan en had ze genoten van het gevoel weer op school te zitten, maar haar vele vragen hadden haar niet erg geliefd gemaakt bij de juf. Ze waren koud begonnen met Genesis of er bleken al twee compleet verschillende versies te zijn van hoe alles was begonnen. Misschien waren Bijbelverzen meer iets waar je een bepaald gevoel bij moest krijgen als je ernaar luisterde, net als muziek, had ze geopperd, en niet een handleiding van het soort dat je bij een naaimachine kreeg. Een standpunt dat op weinig bijval kon rekenen van vaste gespreksleidster Blanchie Bise, cheerleader van de er-staat-wat-er-staat-richting. Terwijl iedereen potdomme toch wist dat als je geloofwaardig wilde zijn je in elk geval geen twee verschillende verhalen moest vertellen. Hester had Dellarobia daarna verboden nog naar Bijbelles te gaan.

Ze bleef in de deuropening van De Lichtende Voorbeelden staan, de naam die de gebedsruimte had gekregen en de plaats waar iedere aanwezige door dominee Ogle tot lichtend voorbeeld kon worden uitgeroepen. De pas verbouwde gebedsruimte was gigantisch. Deze kerk was verreweg de grootste in Feathertown. Bobby Ogle wist mensen van heinde en verre op zondagochtend hun bed uit te krijgen, zelfs uit de grotere stad Cleary, drieëntwintig kilometer verderop. Dellarobia bleef naar alle achterhoofden staan kijken, die van de vrouwen afwisselend met hun zelfgekozen kleuren, die van de mannen verbazingwekkend uniform. Driehonderd mensen die tot rust kwamen en zich opmaakten voor wat ze op het punt stonden te ontvangen. Het profijt dat ze ervan hadden was zo onmiskenbaar dat Dellarobia een steek van afgunst voelde, alsof iedereen hier een wekelijkse looncheque kreeg en alleen de hare ongedekt bleek. De logica ontging haar. Die eerste dag op de berg had het haar geen enkele moeite gekost te geloven in een soort voor haar op maat gemaakte genade, maar hier, in de schoot van de kerk, worstelde ze met een eeuwige twijfel omtrent haar positie. De enige genade die ze zich op dat moment kon voorstellen was de bosbessenmuffin die ze van plan was geweest te kopen. Ze snakte ernaar als naar een sigaret: zo'n overdadig gerezen muffin waarvan de kleverige massa over de rand van het geplooide papieren bakje bulkte, de hele tafel bekruimelde en aan de binnenkant van haar keel een zoet laagje achterliet van wat er ook in die dingen zat. Waarschijnlijk iets wat je aderen verstopte zoals spekvet een gootsteenafvoer. Ze woog de voor- en nadelen tegen elkaar af: de muffin, Crystal, Brenda. Nee. Ze lokaliseerde Cubs achterhoofd, dat boven dat van zijn moeder uittorende, en liep door het middenpad op hen af, waarbij ze elk oogcontact met de vaste bezoekers van de gebedsruimte vermeed.

Ze schoof naast Cub in de bank. Hij wist niet wat hem overkwam, greep haar hand en vlocht zijn grote vingers door haar kleine. Het was een tikje pijnlijk maar ook wel geruststellend, zoals hij haar voor zich opeiste voor de ogen van Hester en God, mocht een van hen toevallig kijken. Dat was tenminste één ding waar ze goed in was: Cub gelukkig maken, als ze er tenminste haar best voor deed. Dat nam ze zich net zo regelmatig voor als ze ademde, en steevast werd dat voornemen lekgeprikt door het stekende gevoel dat ze iets beters verdiende. Iets, iemand. Ze leunde tegen zijn schouder en zuchtte vanwege het ontbijt dat ze aan haar neus voorbij had zien gaan. Ze zou het nog wel een uurtje volhouden, als haar maag zich maar stilhield.

Ze zag dominee Ogle het podium op komen in zijn dagelijkse kleding, spijkerbroek en overhemd met het bovenste knoopje los. Niks bijzonders. Toch veranderde de stemming in de zaal meteen, alsof het weer omsloeg. Afgemeten aan de ingehouden adem en de verwachtingsvolle blikken had Bobby Ogle wel die mythische bosmarmot kunnen zijn die al dan niet zijn schaduw zou gaan zien. Als zij ooit zoveel aandacht kreeg, al was het maar tien seconden, stond ze niet in voor wat ze zou zeggen. Bobby was ongelofelijk. En hij had de gelovigen nog niet eens om aandacht gevraagd, stond alleen maar wat te overleggen met de koordirigent over het openingsgezang. Ze had wel eens tv-predikanten gezien met overdadig gekapte haren en in de studiolampen vonkende diamanten ringen en vroeg zich af hoe iemand dat soort showfiguren zijn kerkbijdrage kon toevertrouwen. Dominee Bobby was het tegendeel en bezat dezelfde slordige aantrekkingskracht als Jezus waarschijnlijk had gehad. Misschien zou Jezus vandaag de dag zijn kleren bij dezelfde outlets kopen als de Ogles en zijn hippiekapsel hebben ingeruild voor een recht afgeknipte pony zoals die van Bobby. Hij zag eruit als een jongetje dat je voor het eten zou willen uitnodigen. Hoewel Bobby, in tegenstelling tot Jezus, je ijskast makkelijk leeg zou kunnen eten. Hij moest minstens honderdvijfentwintig kilo wegen. Hij had football gespeeld bij de Feathertown Falcons, net als Cub vijf jaar later toen hij naar de middelbare school ging. Ze had wel eens gehoord dat ze hem daar Tieten-Ogle noemden vanwege zijn lichaamsbouw. Kinderen zijn wreed. Wie van deze kerkgangers zou dat nog weten? Ze durfde er iets onder te verwedden dat sommigen van deze vrome lieden ooit om Bobby Ogle hadden staan lachen als hij in zijn footballtenue met die borsten van hem langs de fifty-yardlijn had gehopst. Maar hij had iets van zijn leven gemaakt, was naar het seminarie gegaan, had deze kerk gesticht met zijn vrouw, en een meisjestweeling grootgebracht zonder zijn ziel te laten bederven door verbittering. Dat was allemaal van zijn gezicht af te lezen, zoals hij daar naar Nate Weaver, de koorleider, stond te luisteren: een en al geduld. Terwijl de meeste mensen dat toch een vervelende dikdoener vonden. Nate zag eruit alsof hij zich voor een heel ander soort optreden had gekleed. Zijn glimmende bruine pak omhulde hem als een worstvel en zijn nieuwe sikje kon zijn dubbele kin niet verhullen, als dat zijn bedoeling was geweest. Dellarobia wist dat die gedachten haar een klein mens maakten.

Dominee Ogle was niet zo bekrompen. Hij gaf Nate een vriendelijk schouderklopje en liep naar het midden van het podium, waar hij even met gebogen hoofd in de felle schijnwerpers bleef staan, zonder aantekeningen in de hand. Zonder preekstoel. Gewoon alleen maar Bobby die in de kring van zijn eigen schaduw stond. Toen gebaarde hij dat de aanwezigen konden gaan staan voor het eerste gezang, 'What a Friend I Have in Jesus'. Weaver sloeg met zijn hand de maat op die veel te overdreven manier van hem die Dellarobia op de zenuwen werkte. Hester eiste het gezangboek op door met Cub mee te kijken, waardoor ze zelfs in het huis van de Heer liet doorschemeren dat drie te veel is. Ze zag er even apart uit als altijd, in een blauwe jurk met een geplooide opstaande kraag van het soort dat Loretta Lynn beroemd had gemaakt in de Grand Ole Opry. Dominee Ogle had Hester weggelokt bij een strengere gemeenschap van baptisten, en Dellarobia wist dat er sprake was van een of ander huwelijkscompromis. Bear had daar niet meer naar de kerk gewild en hier kon hij de dienst uitzitten in de zaal van de Men's Fellowship, waar damborden waren en countrymuziek die zo zacht stond dat je de preek nog op de televisieschermen kon horen als je dat zou willen. Dominee Bobby had de sleutel tot de moderne gelovigen gevonden van wie velen hun verlossingsbeleving het liefst met afstandsbediening geleverd kregen.

Dellarobia vond de Men's Fellowship ook zo z'n voordelen hebben, zeker op dit moment, nu de zaal collectief inademde voor het vierde couplet van 'What a Friend', dat klonk alsof het met een ploeg door de zware klei werd getrokken. Daar hoefde je tenminste niet mee te zingen. Ze wilde alleen dat ze er wat meer openstonden voor de vrouwelijke helft van de soort. Ze was er een keer of twee doorheen gelopen om een cola light uit de automaat te halen en had toen gezien dat je er zelfs mocht roken. De familie splitste zich altijd in vieren, Bear naar de mannen, de kinderen naar de zondagsschool, zij naar de koffiebar en Hester naar de gebedszaal met Cub in haar kielzog. Ze liet haar zoon spartelen als een forel aan de lijn om hem ten slotte altijd binnen te halen. Dellarobia had wel eens geprobeerd Cub mee te krijgen naar de koffiebar, waar voornamelijk jongere vrouwen, maar ook wel stelletjes zaten. 'De liefde van Christus is overal in gelijke mate aanwezig' was tenslotte het devies van de kerk van Ogle. Maar tegen Hester viel niet op te boksen. Die was gemaakt om te winnen: gespierd, overtuigd van haar gelijk, onverslaanbaar.

De zachtaardige, bolle Bobby was precies het tegendeel. Hij won mensen op een heel andere manier voor zich en gebruikte zijn handen om de kerkgangers te trekken en te duwen alsof hij deeg kneedde en genade liet rijzen. Als een deemoedige bakker die brood bakte. Hij was zelf een vondeling, werd gezegd, achtergelaten bij de geboorte en geadopteerd door een oudere predikant en zijn vrouw die intussen al lang waren overleden. Dellarobia vroeg zich af hoe het zou voelen om geen idee te hebben wie je familieleden waren. Die van haar waren ook allemaal dood, maar ze wist tenminste wel wat voor vlees ze in de kuip had gehad. Bobby stond in zijn moederdagpreek elk jaar stil bij de engelachtige vrouw die hem in huis had genomen en gehoor had gegeven aan Gods oproep om de verworpenen en afgewezenen in de armen te sluiten. Bobby was de verpersoonlijking van liefde, en dat ging zelfs zover dat er in het stadje werd rondverteld dat dit een kerk zonder hel was. En dat in Bobby Ogles versie van de hemel iedereen op dezelfde plaats zou eindigen, inclusief de boeven en de moslims. Dellarobia kon de aantijgingen bevestigen noch ontkennen; bij Bobby leek alles mogelijk. Zoals hij zich daar nu stond te koesteren in de warmte van de in zijn richting uitgezongen blijdschap en liefde leek zijn lichaam de blikken van de gelovigen op de een of andere manier in vitamines om te zetten. Hesters paardenstaart sloeg bijna aan het wapperen in de hallelujabries.

Na het gezang zei Bobby zacht: 'Wilt u dan nu weer plaatsnemen', zonder vraagteken en met een gebaar van zijn hand naar de grond, alsof hij een hond maande te gaan zitten. Ze gingen zitten. Dellarobia hield haar ogen open tijdens het gebed, een oude gewoonte, ze was van nature nogal waakzaam. Zachtjes klikte ze haar tas open om te controleren of haar telefoon echt wel op de trilstand stond, aangezien Dovey de gewoonte had om haar op zondagochtend voor haar eigen lol te sms'en. Er was er nu ook al een binnen: KOMT BIJEEN MENSENVISSERS: U VANGT, GOD MAAKT SCHOON. Doveys voorliefde voor christelijke slogans was onuitputtelijk, ze schreef ze over van de verlichte reclameborden die voor kerken stonden. Toen sms'jes nog niet bestonden, had ze ze tijdens de geschiedenisles of bij gezondheidskunde doorgegeven op dichtgevouwen briefjes. Dovey was Italiaans katholiek net als haar vijf broers, die net zulke heerlijke donkere krullenbossen hadden, en beweerde in haar jeugd genoeg kerkuren te hebben geklokt om de rest van haar leven toe te kunnen. Dellarobia viste haar bril uit haar tas en zette hem op, misschien wel om haar schoonmoeder te pesten. *Jongens willen... geen meisjes met brillen* was een rijmpje dat Hester graag te berde bracht, een grap die zo uitgekauwd was dat ze het wel uit kon schreeuwen. Als jongens die echt niet wilden, zou het mens intussen niet de kleinkinderen hebben die ze had. Mensen konden soms blind zijn voor de meest voor de hand liggende dingen als het zo uitkwam, tot het maken van Gods kinderen aan toe.

Bobby besloot zijn gebed met de oproep de zieken en zwaarbeproefden te gedenken en ging de namen van de gemeenteleden af die dat soort hulp goed konden gebruiken. De lijst was indrukwekkend. Hij gebruikte nooit aantekeningen. Ze probeerde de op het nippertje gemiste muffin uit haar hoofd te zetten, maar hij bleef dreigend hangen in de gedachtewolk boven haar hoofd, die tot het formaat van een flinke zeppelin was uitgegroeid. Bobby's geruite overhemd was van de Target; ze had met precies hetzelfde exemplaar in haar handen gestaan toen ze voor Cub op klerenjacht was geweest. Voor dominee Ogle geen glimmende pakken; hij ging niet voor wereldse zaken. Alleen voor liefde. Ze ving nog net op dat hij hen herinnerde aan de op de agenda staande thanksgivingsdienst voor ze weer afdwaalde. Haar brein zapte de kanalen langs zoals Cub dat elke avond met de afstandsbediening deed, een vorm van hardnekkig gebrek aan aandacht waar ze gek van werd, maar moest je haar nu zien. Die rotmuffin bleef maar door haar hoofd spoken. Ze zouden zo dadelijk bij Hester gaan eten. Bij de aanblik van het koor bedacht ze opeens dat ze de donkerblauwe blouse nog steeds in huis had die ze in juni van Dovey had geleend voor de begrafenis van Eula Ratcliffs moeder. Eula was een van de koorleden. De blouse had makkelijk in Dellarobia's veel te kleine kast weggestopt kunnen blijven tot er iemand anders was gestorven. Niet dat dat veel uitmaakte; haar kast en die van Dovey waren intussen min of meer uitwisselbaar geworden. Ze hadden al sinds hun veertiende dezelfde maat. Nog steeds dezelfde maat, welteverstaan. Dovey noemde dat een hele prestatie van Dellarobia, na drie zwangerschappen, maar zelf kon ze het niet echt een prestatie vinden dat ze nog steeds in maatje 36 paste. Het klonk meer alsof ze niet geleefd had. Ze vroeg zich soms wel eens af of ze onbewust juist voor Cub was gevallen om hun gezamenlijke huwelijkse massa op te krikken.

Er slopen twee laatkomers naar binnen die in de bank naast haar plaatsnamen en meteen de ogen sloten, zodat Dellarobia uitgebreid de kans kreeg ze te bestuderen. De man had een sportieve zonnebril op die hij naar boven had geschoven, alsof hij zojuist uit zijn cabrio was gestapt. Maar als degene naast hem zijn vrouw was, kon er geen sprake zijn van een cabrio. Ze was waarschijnlijk twee uur lang in de weer geweest om haar haar in model gespoten te krijgen, waarbij ze de lokken van haar pony stuk voor stuk tot speertjes had gemodelleerd die allemaal in de richting van haar ogen wezen, wat Dellarobia de rillingen bezorgde. Ze had iets met ogen. Preston kon haar gek maken met zijn gewoonte om met een potlood op zijn voorhoofd te tikken als hij nadacht over wat hij zou gaan tekenen. Elk prikje met de punt voelde ze in haar eigen vlees en automatisch knipperde ze dan met haar ogen. Ze had zijn potloden er bijna om verstopt.

De assistent-voorganger las een Bijbelpassage over de Heer die de wildernis door elkaar schudde en de eikenbladeren liet wervelen, vermoedelijk om iedereen eraan te herinneren dat het herfst was. Ze had het idee dat de man met de sportieve zonnebril haar heimelijk zat te keuren. Dellarobia had een fase gehad waarin ze in minirok naar de kerk was gegaan, opgejut door Dovey, die haar een keer een eng antiek vossenbontje had gegeven met de kop en de staart er nog aan en haar had uitgedaagd dat hier te dragen. Dat was voordat ze kinderen had gehad. Nu was ze allang blij als ze alles dichtgeknoopt en geritst kreeg en mikte ze alleen nog op bedekken en niet meer op tonen, wat vandaag tot een groene coltrui en spijkerrok had geleid. Maar die laarzen... Ze had ze in de rivier moeten smijten.

Het koor zette een rockversie in van 'Take My Life and Let It Be', begeleid door een elektrische gitaar, keyboard en drum. De gelovigen mochten meezingen, maar bij de speciale nummers van het koor zorgde het geluidssysteem voor een makkelijke voorsprong, en het klonk altijd even fantastisch als de gezangen op de radio. In weerwil van de opgeblazen Nate Weaver maakte het koor de indruk enorm veel lol te hebben. Alle leden, op één wat oudere man na die veel te serieus was en zijn hand tegen zijn borst gedrukt hield alsof hij Jezus ten huwelijk vroeg en het verkeerde antwoord vreesde. De rest zong vol overgave, met opgetrokken wenkbrauwen, en plaatste achter elke zin een uitroepteken: '*Take my feet and let them be! Swift and beautiful for thee!*' Ze zag de meiden staan die bij haar in de klas hadden gezeten: Wilma Cox met haar omvangrijke boezem in het geruite truitje. Tammy Worsham, die even als Squier door het leven was gegaan, maar nu Banning heette, met haar blauwe oogschaduw en iets meer decolleté dan strikt noodzakelijk ten overstaan van de Heer, kon je wel stellen. Quaneesha Williams, het enige Afro-Amerikaanse koorlid, die met haar hele lichaam meebewoog op de muziek en er duidelijk naar hunkerde om alles echt los te gooien. Dellarobia voelde met haar mee. Alles zou hier flink opknappen van een potje dansen. Er waren dingen in het leven, en niet de minste, waarbij je je niet door je hoofd maar door je lichaam moest laten leiden. Dat was ook precies waardoor ze zich steeds in de nesten werkte natuurlijk, onlangs nog met de telefoonman. Wie was zij om een oordeel te vellen over Tammy's exenverzameling en haar decolleté? Haar stemming maakte een duikvlucht en stortte te pletter als een doorgesneden vlieger.

Dominee Bobby begon zijn preek met een citaat uit Korinthiërs: 'We maken iedere gedachte krijgsgevangene om haar aan Christus te onderwerpen.' Nou, dacht Dellarobia, kom maar op, lees mijn gedachten maar. Ze had zich maandenlang nog net niet lijfelijk gegeseld om haar zondige gedachten uit te bannen en uiteindelijk was de enige remedie een brandende doornstruik geweest die een zwerm vlinders was gebleken. Nu probeerde ze in gedachten vaak terug te keren naar dat visioen van die brandende heuvels, vooral 's nachts, in de hoop dat ze zou inslapen met het idee dat ze een waardevol mens was.

'Jeremia 17:9 gaat over ongehoorzame gedachten,' zei Bobby. '"Niets is zo onbetrouwbaar als het hart, onverbeterlijk is het." Dat is misschien moeilijk om toe te geven, omdat dat best eng is, maar het is wel waar. Ieder van ons hier, mezelf niet uitgesloten, is in staat met open ogen iets te bezien en het een andere naam te geven die ons beter uitkomt.' Hij had wijd uit elkaar staande ogen en een smekende manier waarop hij zijn handen met de handpalmen naar boven voor zich hield. Het was moeilijk voor te stellen dat er bij hem thuis veel drama plaatsvond. Maar serieus, wie loog er niet tegen zichzelf? 'We kunnen het ambitie noemen,' zei Bobby. 'We kunnen het een grote passie noemen. Terwijl het werkelijke woord voor waar het om gaat inhaligheid is, of lust. We hebben allemaal dat ene talent om te geloven in een onwaarheid, er met overgave in te geloven, als we graag willen dat die waar is.'

'Zo is dat, broeder,' zei iemand zachtjes vanuit het donker.

'Zo heeft onze Schepper ons gemaakt. Hij weet dat we die neiging hebben.'

Wederom kreeg Bobby voorzichtige bijval. Hij bezag zijn kudde met de mildste blik die hij in huis had, als een vader die een belangrijk gesprek met zijn jonge zoons voert. 'De Heer wil dat we ons hart stalen tegen de dingen die ons het verkeerde pad op lokken. Als we worstelen met jaloezie, met schuld, met ongeduld, met de hardheid van ons hart, met lust, wil Hij dat we ons verstand gebruiken en die dingen bij de naam noemen. We willen allemaal graag verstandig zijn en niet onverstandig. We willen onze hersens goed gebruiken. Hoe doen we dat?'

Dellarobia vroeg zich af hoeveel anderen het idee hadden dat hij daar hun persoonlijke levensbeschrijving voorlas. Als Bobby met een goed voorstel kwam, had ze daar wel oren naar.

'Het is zinloos je te concentreren op een slechte gedachte en te proberen die uit te bannen,' zei hij. 'Zoiets werkt gewoonweg niet. Je kunt aan niets anders denken dan aan dat ene dat je juist probeert te verjagen. De jager ziet niets anders dan dat waar hij op jaagt. Begrijpen jullie waar ik heen wil? Ja, dat begrijpen jullie. Er is een ander pad dat je kunt nemen. Filippenzen geeft ons de raad een slechte gedachte te vervangen door een goede. "Broeders en zusters, schenk aandacht aan alles wat waar is, alles wat zuiver is, alles wat lieflijk is, alles wat eervol is, kortom alles wat deugdzaam is en lof verdient. Dan zal God met u zijn."'

Dellarobia was onder de indruk van de opbouw van zijn betoog en zijn gebruik van toepasselijke verwijzingen. Ze vroeg zich af of hij op school het serieuzere Engels I had gekozen in plaats van het verwaterde vak dat ze speciaal hadden verzonnen voor de footballspelers, waarvoor je eigenlijk alleen hoefde te komen opdagen om ervoor te slagen. Ze durfde te wedden dat hij bij mevrouw Lake in de klas had gezeten, net als zij. In dat geval zou hij op de hoogte zijn van het verband tussen de *Odyssee* van Homerus en *Ulysses* van James Joyce en weten hoe hij metaforen in kon zetten om iets duidelijk te maken. Een techniek die zij bij de Bijbellessen van Blanchie had geprobeerd toe te passen, waarbij ze jammerlijk had gefaald. Maar hier vond Dellarobia een vorm van verlossing waar ze iets aan had: een wekelijkse rustpauze waarin ze niet hoefde aan te horen hoe volwassenen de ene taalfout na de andere produceerden en de eenvoudigste grammaticale regels aan hun laars lapten.

Alleen gebruikte Bobby 'convenant' als werkwoord, daar kon ze niet goed tegen. Dat was haar al eerder opgevallen en nu deed hij het weer. 'Begrijpen jullie hoe de Verlosser ons probeert te helpen?

Ik zou graag willen dat iedereen hier met mij convenant om de wijsheid van Zijn raad te erkennen.'

Wat was er in vredesnaam zo moeilijk aan 'een convenant sluiten'? Maar mevrouw Lake, die misschien wel de enige was wie het nog iets had kunnen schelen, was intussen overleden. De aanwezigen gingen uit hun dak en riepen in koor: 'Ja, broeder Bobby, ja!'

In de koffiebar kon je die interactiviteit tenminste overslaan. Ze maakte zich klein in haar groene coltrui. Maar dominee Ogle zou niemand voor gek zetten, wist ze. Hij zweepte hun enthousiasme op, spoorde mensen aan de last van nare dingen die hen bezwaarden te delen, maar niemand hoefde zich bloot te geven. 'Ik ben verstrikt geraakt in kwalijke zaken.' Veel explicieter werd het niet. Of: 'Ik heb niet altijd de waarheid verteld.' Ze kon zich de kwalijke zaken in kwestie wel voorstellen, de pornovideo's die de mannen stiekem hadden bekeken, de slokken whisky waarvan de vrouwen zo dolgraag wilden dat ze er niet elke middag naar snakten zodra ze hun kinderen in bed hadden gelegd. Iedereen in de zaal had niet-aan-denken-ballonnen boven zijn hoofd hangen, die Bobby, goedhartig als hij was, voorwendde niet te zien.

'Jullie hebben heel eerlijk verteld wat er in jullie hoofd omgaat,' zei hij. 'Maar wat ik jullie nu wil vragen is waar jullie liefde naar uitgaat.' Hij schoof de vraag nog eens zachtjes hun kant op en nog eens, op dezelfde manier als waarop Roy en Charlie de schapen hoedden en een uit elkaar geslagen kudde zachtjes tot een collectief besluit porden om een nieuwe richting in te slaan. 'Wat heeft de goede Heer jou en je gezin geschonken dat je leven een gunstige wending heeft gegeven?'

Iemand riep: 'Mijn kleindochtertje Haylee!'

Een lange stilte volgde, waarin velen zichzelf ongetwijfeld gelukkig prezen dat ze minder impulsief waren dan de verliefde oma. Buiten de zaal was tumult te horen op de gang. Geroep van vrouwen dat niet te verstaan was, maar dat zeker niet liefdevol klonk.

Bobby overbrugde het ongemakkelijke moment door de hartstochtelijke grootmoeder te feliciteren en gerust te stellen. 'Gezegend zijn de kleine kinderen,' zei hij, 'en het is heel mooi dat de kleine Haylee je zoveel vreugde schenkt. Ik wil graag dat iedereen hier convenant met onze zuster Rachel en haar tot lichtend voorbeeld uitroept. Ik wil dat jullie haar dat laten weten.'

Ze lieten het haar weten. 'Gezegend zijt gij, zuster Rachel.' De zaal begon opgewarmd te raken. Dellarobia had nooit zoveel aandacht besteed aan het aanwijzen van de voorbeelden, maar het was hartverwarmend. Een oude man met een ingevallen borst onder zijn ruimvallende witte overhemd kwam moeizaam overeind. 'Onze Jill heeft de kanker overwonnen en haar haar is heel mooi teruggegroeid. Ik dank de Heer voor Jills mooie blonde haar.'

Dellarobia betrapte zich erop dat ze meedankte voor het haar van zuster Jill en voelde een verraste dankbaarheid opwellen waarvan ze zelfs bang was dat die tot tranen zou leiden. Het was niet te geloven waar mensen allemaal blij om waren; de ene verrassing volgde op de andere bij het aanhoren van al het moois in die levens: een nieuw terras achter een stacaravan waarvandaan de zonsondergang te zien was. Het huwelijk van een gehandicapte neef. Een zuiver wit kalf. En opeens sprong Cub naast haar op om een bijdrage te leveren. Dellarobia voelde zich van haar stuk gebracht door zijn harde, bijna in gezang uitbarstende stem. Er was een hemelse legerschare over hun berg neergedaald, zei hij, en die bestond uit vlinders. 'Je kunt het je gewoon niet voorstellen, het is een wereld op zich. Ik wou dat jullie er allemaal naar kwamen kijken om het met ons te delen.'

'Bedankt voor die uitnodiging, broeder Turnbow,' zei Bobby. 'Het klinkt waarachtig als een wonder, wat je ons daar vertelt.'

'Prijs de Heer,' riepen een paar mensen instemmend, een tikje lauw, zoals mensen 'prettige dag nog' zeiden als het hun weinig kon schelen of dat het geval zou zijn. Ze leken minder overtuigd dan Bobby dat er zich een wonder had voltrokken op het terrein van de Turnbows.

Cub schoot in de verdediging. 'Je moet het zien om het te begrijpen,' zei hij. 'Mijn vader en moeder kunnen getuigen. Het is heel anders dan alles wat je ooit hebt gezien. En zij had het al voorspeld, wil ik maar zeggen. Mijn vrouw had het voorspeld.' Tot haar afgrijzen trok hij Dellarobia overeind. 'Mijn vrouw heeft een soort visioen gehad. Ze zei dat we onze ogen moesten openen en goed om ons heen moesten kijken voor we daar zouden gaan kappen. Ze had het gevoel dat er op ons land iets heel bijzonders te gebeuren stond.'

Dellarobia wist niet of Bear zijn kapplannen al aan de openbaarheid had willen prijsgeven en ze vroeg zich af of hij dit bij de Men's Fellowship had gehoord of dat hij gewoon zijn vis- en jachttijdschrift zat te lezen. De ontboezeming kwam zo onverwacht dat ze haar evenwicht dreigde te verliezen. Bobby stond roerloos naar de familie te kijken met zijn wijd uiteen staande ogen. Zijn blik bleef op Hester rusten. 'Zeg me dat het waar is, zuster Turnbow,' zei hij vriendelijk. 'Dat je familie door God gezegend is.'

Dellarobia had Hester nog nooit zo stilletjes gezien. Ze zou Bobby nooit willen teleurstellen. 'Het is waar,' zei ze met een zachte grom omdat ze haar keel moest schrapen. 'Mijn schoondochter heeft het ons verteld. Ik geloof dat ze het had voorzien.'

Dellarobia kreeg een draaierig gevoel. Cub greep haar stevig bij haar schouders, alsof ze anders door haar benen zou zakken, wat niet onmogelijk leek. Zijn overtuigdheid verbijsterde haar en ze vroeg zich nogmaals af of dit een gemene grap was om haar te straffen. Maar dat waren schuldbewuste gedachten, de leugens van een misleide geest waar Bobby het over had gehad, die haar bij de waarheid vandaan lokten. Cub had het vertrouwen van een kind, was niet in staat tot wreedheid, in de kerk of waar dan ook. En al was dat op zichzelf niet genoeg om een huwelijk te doen slagen, het was wel iets waard.

Steeds harder klinkende stemmen leidden de aandacht van Cubs gehoor af. Crystal en Brenda, dat kon niet anders, stonden op de gang te bekvechten. 'Zo spreek je niet tegen mijn zoons!' gilde de een en de ander krijste terug: 'Ik sla die jongens verrot als ze nog een vinger naar me uitsteken.'

Alle ogen waren op Cub gericht, alsof zijn aanzienlijke omvang hen overeind zou houden in de storm die voor de deur woedde. Hij liet zich niet van zijn à propos brengen en sprak met gefronst voorhoofd door. 'We dachten, het moet wel de Here zijn die daarboven bezig is,' zei hij. 'We hadden plannen om daar te gaan kappen, maar nu weten we het even niet meer.'

Dellarobia voelde hoe er vol twijfel naar haar werd gekeken. Ze had week in week uit in de koffiebar boodschappenlijstjes zitten maken en verdiende niet zomaar een wonder. Toch brak er een waterig applaus uit, als een handjevol grind op het golfplaten dak van een schuurtje. Iemand die vlak bij hen zat riep: 'Prijs de hemel, zuster Turnbow heeft een wonder gezien!' Het was de man met de zonnebril op zijn hoofd die te laat was binnengekomen. En zij maar denken dat hij haar had zitten keuren. Genade bestaat, in haar donkerste uur was een flakkerend licht uit het niets op die berg tot haar gekomen. Ze voelde de duizeligheid weer opkomen. Dat ze het ontbijt had overgeslagen hielp ook niet echt. Cub sloeg zijn armen achterlangs onder de hare door, wat er misschien uitzag als een wat ongebruikelijke uiting van genegenheid, maar het enige was dat haar nog overeind hield. Het laatste wat ze deze ochtend of wanneer dan ook wilde was als een oefenpop op de grond in de kerk liggen, maar Cub leidde haar met zachte hand naar het begin van de rij en plaatste haar in het middenpad, als een heiligenbeeld.

'Zuster Turnbow,' zei Bobby, 'je familie is een bijzondere genade ten deel gevallen. Zijn jullie het met me eens, vrienden? Zuster Hester, convenant je dat met ons?'

Het leek een uitdaging. Hester keek alsof ze een kippenbotje had ingeslikt. Ze was gewend om bij alles wat met de kerk te maken had vooraan te staan, en het was ondenkbaar dat zij tweede viool zou moeten spelen naast Dellarobia. Maar dat kon ze hier niet gaan uitvechten. Ze gaf zich gewonnen. 'Ja.'

Dominee Ogle keek eerst Hester stralend aan en toen Dellarobia, alsof hij een enorm boeket van de een doorgaf aan de ander. Welkom bij de kudde. Hij vroeg alle aanwezigen met hem te convenanten ter viering van dit prachtige visioen van de weelderige tuin van de Heer.

De deuren achter in de zaal vlogen open en lieten Brenda en

Crystal binnen, samen met de straatvechterssfeer die ze meebrachten. Om precies te zijn was het Crystal contra de hele familie van Brenda, met gebroken vingers en al. Ma voorop, gevolgd door Brenda en de twee andere dochters en daarna Crystal, haar dekselse jongens en een meute kleuters uit de crèche die om de volwassenen heen zwermden als bijen die op mensenzweet afkomen.

'Het spijt me dat we storen, Bobby,' zei Brenda's moeder. Zoals ze daar met haar hand op haar heup stond, leek ze niet bepaald het toonbeeld van iemand met spijt. Het gezin deed Dellarobia denken aan de Judds, met een moeder die mooier en slanker probeerde te zijn dan haar dochters. Alleen zat haar haar vreselijk. Kennelijk was de ruzie op handtastelijkheden uitgelopen. Dominee Ogle sloeg zijn handen in elkaar en zijn mond vormde een kleine 'o'.

'Het spijt me,' zei ze, 'maar mijn dochters en ik moeten hier voor Brenda's veiligheid zo snel mogelijk weg. We zien ons dus genoodzaakt deze kinderen bij de ouders achter te laten.' Ze keek om zich heen en maakte een uitdagend opzij knikkend gebaar met haar hoofd, zoals je sexy meisjes in videoclips wel eens ziet doen. 'Sorry. Hopelijk was u toch bijna klaar.'

De kinderen vlogen met Preston aan de leiding, door het middenpad op Dellarobia af. Hij klampte zich aan de zoom van haar sweater vast en trok er hard aan, alsof ze een boom was waar hij in wilde klimmen. Cordie kwam achter hem aan, luid jammerend en met gestrekte armpjes. De andere kinderen renden als katten in paniek achter haar aan en hingen binnen een paar tellen met z'n allen ook aan Dellarobia's benen. Cub hield haar stevig vast en zorgde dat ze niet viel. Ze voelde zich de stok van dat beroemde standbeeld van die soldaten die de vlag in Iwo Jima vastgrijpen.

'Laat de kinderen tot mij komen,' zei dominee Ogle met een innemend grinnikje toen hij zijn kalmte hervonden had. 'Vrienden, ik wil dat u net zo blij bent als die kleintjes daar. Volgens mij voelen zij dat onze zuster de genade van God heeft ontvangen.'

Brenda's moeder beende heup voor heup naar buiten met haar gevolg. De zware dubbele deuren vouwden zich achter hen dicht als in stil gebed. Alle ogen keerden zich van achter in de zaal naar voren als een enorme zwerm spreeuwen die verjaagd van de ene plaats nu op de andere neerdaalde: het spektakel van zuster Turnbow.

En dat was niet Hester. De familie had een nieuw lichtend voorbeeld.

# 4
# Gesprek van de dag

Hester noemde de vlinders 'King Billy's'. Ze leek te denken dat ze elk als de koning zelf dienden te worden aangesproken. 'Daar gaat King Billy,' zei ze als ze er een zag.

Ze zei het nu ook in haar keuken. Dellarobia keek op van haar werk, maar zat met haar rug naar het raam en zag hem daardoor alleen indirect langs vliegen in de naar het ochtendlicht gewende gezichten van Hester, Crystal en Valia, die de beweging met hun ogen volgden. Zelfs de collies kwamen met gespitste oren overeind in reactie op de ongebruikelijke aandacht van de mensen. Als iemand haar er later naar zou vragen, zou ze zo kunnen denken dat ze de vlinder zelf had gezien, bedacht Dellarobia. Voor een valse getuigenis was maar weinig nodig.

King Billy werd intussen al dagelijks bij het huis van Hester gesignaleerd. Toen Cub en zijn neven op Thanksgiving hun footballverleden aan het herbeleven waren in de tuin, zagen Dellarobia en Preston vanaf hun zitplaats op het verandatrapje wel elf vlinders voorbijkomen. Dellarobia verdacht ze ervan de hele zomer al heimelijk langs te vliegen, op weg naar hun bijeenkomst in het bergdal. Misschien wel al jaren. Ze hadden ze makkelijk over het hoofd kunnen zien, omdat hun ogen altijd op de weg voor hen en de nog onbetaalde rekeningen gericht waren. Bear was van mening dat de insecten uit de bomen gevlogen waren nadat ze uit het ei waren gekropen, maar Dellarobia wist dat dat onzin was. Als dat zo was, had toch eerst iets die eieren moeten komen leggen. Zelfs wonderen kwamen niet zomaar uit de lucht vallen.

'Waar komt die naam eigenlijk vandaan, "King Billy"?' vroeg Valia. Ze zat te frutten met natte strengen wol in alle kleuren van de regenboog die over een oud houten droogrek hingen uit te druppen op een zeil dat eronder uitgespreid lag. Ze beklopte en verschoof de draden wol als een kapster die de ragebol van een klant onder handen neemt.

'Gewoon iets wat ik van mijn oude moedertje heb geleerd,' zei Hester. 'Valia, schat, je moet nu echt van die strengen afblijven, anders vervilten ze.'

Valia trok haar handen terug alsof ze zich had gebrand. Hester stond in haar verfpannen te roeren en zag het niet. Ze oogde vandaag nog hekseriger dan anders in haar meest afgetrapte cowgirllaarzen en met haar schort vol vlekken achter drie enorme ketels die op het oude bakbeest van een fornuis stonden te pruttelen. Een heks met een country-and-westerntintje. Dit was een van Hesters wintertradities: alle wol verven die na de zomer niet was verkocht op de boerenmarkt in Feathertown. De natuurlijke kleuren liepen altijd wel goed, maar de kopers trokken duidelijk een grens bij grijs en bruin. Hesters oplossing was om die met een kleurtje op te fleuren en dat had ze goed gezien, want elk voorjaar als de kraam weer openging, waren de mensen de winter zo zat dat ze op alles afkwamen wat kleur had. Als zombies op een kloppend hart.

Dellarobia legde aan tafel strengen klaar voor het verven, met Cordelia naast zich in de houten kinderstoel waar haar vader en misschien zelfs haar grootvader nog in hadden gezeten. Het huis stond vol Turnbow-antiek van het soort waar altijd wel een schroefje aan ontbrak. Dellarobia zette dan ook geen kind van haar in die stoel zonder eerst de poten te controleren en had Cordie bovendien nog met een theedoek vastgebonden, aangezien er geen riempjes in zaten. De stoel stamde nog uit de tijd dat kindveiligheid een onbekend begrip was. Cordie zat appelmoes te eten en hield zich braaf bezig met het speeltje dat ze 'diejeboedejij' noemde, een rode plastic schuur met hefboompjes waarmee je dieren naar buiten kon laten komen waarbij ze geluid voortbrachten. Stadskinderen zouden er weinig van opsteken, aangezien de koe, het paard, de hond en de kip allemaal ongeveer even groot waren en hetzelfde hijgerige geluid maakten. Maar voor Cordelia maakte dat niets uit. 'Boeeee!' riep ze in het gezicht van de frêle koe die uit het prullerige deurtje tevoorschijn kwam.

Dellarobia had Hester ook al eens naar de oorsprong van die naam gevraagd, King Billy. Haar schoonmoeder had zich kennelijk ooit in vlinders verdiept, want ze bleek wel meer namen te kennen: koninginnenpage, distelvlinder, koolwitje. En King Billy dus, die sinds kort over hun grondgebied regeerde.

'Ik zou het niet erg vinden als er alleen maar mensen van de kerk kwamen,' klaagde Hester tegen Valia, 'maar sinds het in de krant heeft gestaan wil Jan en alleman een rondleiding. De vrijdag na Thanksgiving waren het er wel een stuk of dertig. Nou vraag ik je! Dat is toch niet normaal voor de dag na Thanksgiving?'

'Echt niet,' zei Valia instemmend. 'Dan ga je winkelen.'

'Hondje zegt woewoewoe!' deelde Cordie mee, terwijl ze heftig knikte. Dellarobia had haar vlassige haar in twee ongelijke blonde staartjes weten te vangen en ze had een scheiding gemaakt die zo kronkelde dat je er een ontzegging van je rijbevoegdheid voor zou kunnen krijgen wegens rijden onder invloed, maar dat was wel zo'n beetje het uiterste wat het kind tegenwoordig aan uiterlijke verzorging toestond. Stiekem vond Dellarobia dat wel leuk. Zelf had ze haar rebelse neigingen al lang voor de geboorte van haar dochter onderdrukt om ze nu bij Cordie weer te zien verschijnen, als een bron die alleen bij nat weer opborrelt.

'Trouwens wel een goed stuk in de krant, hè?' zei Valia. 'Ik heb het uitgeknipt en er ook een voor jou bewaard. Help me daaraan herinneren, Crystal. Het zit in mijn tas.'

Crystal, die zich van de wereld had teruggetrokken, keek alleen maar stuurs naar het schermpje van haar telefoon. Ze was gekomen om te helpen met de wol, maar had nog geen streng aangeraakt.

Dellarobia wist hoe Hester over het artikel dacht. De verslaggeefster was een vrouw uit Cleary, een stad twintig kilometer verderop, waar mensen doorleerden na school en ze de Feathertowners als boeren beschouwden. Toen die vrouw met haar puntschoenen en haar broek in de vouw bij Hester had aangeklopt, had ze haar in de terreinwagen de berg mee op genomen om haar de vlinders te laten zien, maar de vrouw had het alleen maar over Dellarobia gehad. Niet de echte Dellarobia, maar degene die een visioen had gehad, die de toekomst kon zien en die vermoedelijk dode bloemen weer kon laten bloeien door erop te plassen. Dellarobia had geen idee gehad dat het al zo uit de hand was gelopen. Ze was nog nauwelijks bekomen van het feit dat ze opeens het middelpunt van een familieruzie was, toen ze in de kerk in de schijnwerpers werd gezet. En nu was ze plotseling hét onderwerp van gesprek in de wijde omgeving. De verslaggeefster had zich door Hester rechtstreeks naar Dellarobia's huis laten rijden voor dertig hoogst ongemakkelijke minuten. De vrouw had een camera bij zich gehad en Dellarobia was gekleed in joggingbroek, met haar haar in het universele walvisfonteinkapsel van de uitgeputte moeder. Cordie had haar middagslaapje overgeslagen en liep met nog maar één schoen aan door de woonkamer te stieren onder het uitstoten van een vulkanische eruptie van eisen, spuug en tranen. Niet bepaald een gunstige omgeving voor het plegen van journalistiek. Dellarobia had het liefst willen vluchten voor de merkwaardige vragen van de krantendame.

Cub was zo trots als een pauw geweest toen het artikel was verschenen en had het naar zijn werk meegenomen om aan de jongens van het grindbedrijf te laten zien. Hij vond elke vorm van beroemdheid even indrukwekkend en had vroeger uitgeknipte foto's van voetballers, Jezus en de meest gezochte misdadigers van Amerika boven zijn bed hangen. Hij had opgebiecht dat hij had gehuild toen hij op zijn twaalfde te horen had gekregen dat superhelden niet echt bestaan. Dellarobia was zijn Wonder Woman. Maar Hester was schijnbaar furieus om het stuk, waarin Dellarobia 'Onze-Lieve-Vrouwe van de Vlinders' werd genoemd. Een van Hesters bezwaren was dat het zo net klonk alsof ze katholiek waren.

Buiten werd het donker en in de verte donderde het, een geluid dat ze begin december niet vaak hoorden. Van het ene op het andere moment striemde de regen tegen het raam, wat de keuken iets beslotens gaf en Dellarobia's kregelige ongeduld er niet bepaald beter op maakte. Dat ze tot heilige was uitgeroepen liet haar koud, maar stel nou dat deze winter haar enige kans op iets groots betekende en ze in plaats daarvan alleen maar wol in strengen had zitten verdelen met radio Hester op de achtergrond? Ze hoorde dat Cordie het onderwerp van haar monoloog van 'boe' in 'bah' had veranderd.

'Daar kan ik het alleen maar mee eens zijn,' kreunde Dellarobia inwendig toen ze de armvol strengen zag die Valia tussen haar en Crystal op tafel dumpte. De berg grauwe wol voor haar was al zo gigantisch. Ze voelde zich net een kieskeurige kleuter met een spaghettinachtmerrie. Er waren dit jaar meer restanten dan anders, wat ook wel logisch was gezien de crisis. Haar taak bij de productie van vandaag was om elke kleurloze streng in een losse acht te winden, zodat hij in het verfbad niet in de knoop zou raken, en hem daarna in de synthrapol te weken in afwachting van de make-over. Hester mengde de verfpoeders op basis van het gewicht van de wol en hield de ketels in de gaten. Valia woog de strengen voordat ze werden verwerkt en Crystal deed hoegenaamd niets.

'Zijn we al in de buurt van een natuurlijk pauzemoment?' zei Dellarobia, die zich afvroeg of Crystal de hint zou snappen en zou aanbieden haar af te lossen. 'Ik kan niet veel langer meer blijven.'

Hester en Valia negeerden haar. Ze hadden het over de voorwaarden voor het aanstaande bezoek van dominee Ogle. 'Vind je dat ik de tafel hier moet weghalen en er een mooiere voor in de plaats moet zetten?' vroeg Hester zich bezorgd af. 'Mama's antieke tafel staat nog op zolder, die zouden we naar beneden kunnen halen. Hij is wel kleiner, maar niet zo beschadigd als deze.'

De beschadiging die ze bedoelde was een donkerkleurige maanvormige plek in het midden van de tafel, die Dellarobia als een oog aanstaarde. In de korte tijd dat Cub en zij in dit huis hadden gewoond, tussen hun overhaaste huwelijk en de versnelde afwerking van hun huis in, had Dellarobia de keukentafel ontsierd met een hete pan. Zeventien was ze toen verdorie geweest. Ze had haar handen door de pannenlappen heen aan de hete pan gebrand. De afgelopen jaren was die brandplek voor Hester wat je gevoeglijk een geliefd gespreksonderwerp kon noemen geweest.

'Je kunt ook een tafelkleed gebruiken,' zei Valia. 'Wat ga je hem aanbieden?'

'Ik dacht aan koffie met taart. Jamtaart leek me wel wat.'

Valia knikte bedachtzaam, alsof het buitenlandbeleid ervan afhing. 'Die karamelfondant is vreselijk om te maken, maar ik denk inderdaad dat Bobby die wel heel lekker vindt. Je kunt ook placemats op tafel leggen. En een bloemetje in het midden. Zoiets.'

'Zou koffie met taart genoeg zijn?'

'Attentie, attentie,' mompelde Dellarobia, waarmee ze Crystal eindelijk zover kreeg dat ze haar ogen van haar telefoon afwendde. 'Hester vroeg je moeder zojuist om advies.'

Crystals wenkbrauwen gingen de hoogte in. 'Dus?'

Dus... dacht Dellarobia, dus heeft ze een persoonlijkheidsverandering ondergaan. Het idee dat de dominee op bezoek zou komen had haar in de hoogste versnelling gezet. Vreemd eigenlijk dat hij nog nooit eerder bij Hester langs was geweest. Bobby was een fervent bezoeker van gemeenteleden en hun jamtaarten. Maar de grootste schok was wel dat Hester zo overdonderd leek door het vooruitzicht.

'Bah! Bah!' riep Cordie weer, en ze schopte wild met haar beentjes om haar moeders aandacht te trekken. Ze stak haar handjes met de vingers zo wijd als ze konden, als zeesterretjes, naar de tafel uit.

Dellarobia volgde haar blik naar een potje verfpoeder. 'O, paars?' vroeg ze.

'Paas,' antwoordde Cordelia met een vermoeide blik van opluchting naar haar moeder.

'Sorry, liefje. Jeetje, je probeert me gewoon wat te vertellen.' Ze gaf haar een kus op haar vingertoppen en raakte even haar koddige neusje aan, waarvoor ze beloond werd met een brede grijns. Dellarobia pakte een ander potje. 'En wat is dit?'

'Hoen!'

'Hoor je dat, Hester? Cordelia kent de kleuren.'

Hester negeerde haar geniale kleinkind, zoals alleen Hester dat kon. Blijkbaar had ze alleen oog voor Bobby Ogle. Dellarobia bestudeerde het etiket op het potje. Er stonden zoveel waarschuwingen op dat je, als je ze allemaal las, het waarschijnlijk alleen nog maar op een lopen wilde zetten. Ze keek naar Hesters reusachtige pannen en vroeg zich af of het dezelfde waren als die waar ze in de zomer altijd haar tomaten en augurken in weckte. 'Denk je dat het kwaad kan dat Cordie appelmoes eet in de nabijheid van...' Ze tuurde naar de kleine lettertjes. '... tri-fenyl-methaan?'

'Cub drónk dat spul vroeger zowat als we de wol verfden,' antwoordde Hester kortaf. 'En moet je hem nu zien.'

Niemand reageerde. Op dat ongemakkelijke moment zwiepte Cordie haar lepel over tafel en liet een reeks klinkers ontsnappen waar beide honden vragend bij opkeken om te zien of ze misschien wat hadden gemist. Dellarobia boog zich over de tafel om de lepel te pakken. 'Misschien moeten we eens wat andere kleuren proberen,' stelde ze voor. Hoe kleurrijk Hester ook was, haar ververij was nogal ongeïnspireerd. Ze bleef bij de potjeskleuren, die aantrekkelijke namen hadden als Amazone en Robijn, maar die als doodgewoon groen en rood uit de pan kwamen. Net het leven zelf eigenlijk.

'Wat is er mis met mijn kleuren,' vroeg Hester, zonder dat het echt een vraag was.

'We zouden er een paar kunnen mengen. Je kunt die poeders vast wel door elkaar roeren om mengkleuren te maken.'

*Iets tussen tomaten en een lieveheersbeestje in*, had hij gezegd, en hij had over haar haar gestreken alsof de kleur alleen al van uitzonderlijke waarde was. Soms overviel die herinnering haar opeens weer, het clandestiene compliment. En alle schaamte die het achteraf gezien opriep als ze zich afvroeg hoe ze er zo makkelijk ingetrapt kon zijn. Voor de zoveelste keer. Het was haar al vaker overkomen, niet zo heftig misschien, maar wel even stom. De man met de hemelsblauwe ogen van Rural Incorporated, bijvoorbeeld, die haar twee jaar geleden weken achtereen had geholpen met haar ziektekostenpapieren toen ze zwanger was van Cordie. En daarvoor de postbode, Mike, die af en toe inviel op hun route. En Cubs oude vriend Strickland met zijn gespierde armen en zijn eigen boomsnoeibedrijf. Ze wist dat er iets mis was met haar. Een of andere aangeboren zwakte van haar hart of van haar standvastigheid waardoor ze zich steeds weer met open ogen door een zelfgeblazen luchtbel liet verleiden.

Hester en Valia waren weer teruggekeerd naar hun eerdere onderwerp, de bezoekers die zich hadden aangediend om naar de vlinders te komen kijken. Hester werd meteen weer de oude, die de aanwezigheid van een wonder in haar directe omgeving niet kon waarderen. Bobby's aanstaande bezoek had de sluisdeuren voor zijn volgelingen opengezet, en Bear en Hester lagen schijnbaar in de clinch over de te nemen stappen. Een wonder was mooi, maar een kapcontract betekende geld in het laatje.

Cordie had intussen het spelletje 'volwassenen laten schrikken' ontdekt. Ze gooide haar lepel vlak naast Crystals groene Crocs op de grond en keek aandachtig naar Crystals gezicht om te zien wat het effect zou zijn. Crystal weigerde zich te laten afleiden van het miniatuurtoetsenbordje van haar telefoon en zat zo ingespannen te communiceren met haar twee duimen dat het gebaar in Dellarobia's ogen iets aapachtigs kreeg. Ze bedacht dat er trouwens geen bereik was in huis.

'Zou je, als je een gaatje in je agenda kunt vinden, misschien die lepel even voor Cordie kunnen oprapen, Crystal?'

Crystal keek naar de grond. 'Wil je dat ik hem omspoel?'

'Van een beetje vuil ga je heus niet dood,' kwinkeleerde Valia zonder op te kijken van haar berekeningen. Ze mocht de tel niet kwijtraken bij het wegen van de strengen en noteerde de getallen met potlood in keurige kolommen, waarbij ze in Dellarobia's ogen een zekere wanhoop uitstraalde, alsof ze de score bijhield van een wedstrijd die ze aan het verliezen was. Dat die twee moeder en dochter waren! Valia had geen eigen mening, verontschuldigde zich nog tegenover haar eigen schaduw en deed precies wat haar gezegd werd, drie eigenschappen die haar ideaal maakten voor de functie van beste vriendin van Hester. Crystal daarentegen leidde de hele blunderparade van haar leven als een majorette die boog voor het applaus en immer bereid was tot het uitdelen van handtekeningen met een zelfvertrouwen dat nergens op gebaseerd was. Hoe konden uit dezelfde bouwstenen twee zulke verschillende mensen gefabriceerd zijn? Maar je moest natuurlijk ook rekening houden met opvoeding. Wat kon een deurmat anders voortbrengen dan een stel schoenen?

'Weet je wat je moet doen met al die mensen die hierheen komen?' verkondigde Crystal opeens. 'Entree heffen.'

'Dat zei ik ook al tegen Bear,' zei Hester. 'Dat vond hij ook.'

'Waarom doe je het dan niet?' vroeg Valia.

Hester trok haar wenkbrauwen op en wees met haar kin naar Dellarobia, alsof haar schoondochter een kind was en niet op de hoogte van de codes van de volwassenen.

'Je hoeft niet naar mij te kijken. Je zoon is degene die zijn mond niet kon houden in de kerk. Hij is de schuldige.' Dellarobia stond op en kwakte een lading strengen in de gootsteen. *Broeders en zusters, richt uw ogen op de waarheid.* Bobby's woorden schoten haar vanuit het niets opeens weer te binnen en ze had ze bijna hardop gezegd. Maar in plaats daarvan zei ze: 'En laten we vooral ook Bobby Ogle niet vergeten, nu we toch bezig zijn. En Jezus, waarom Jezus niet ook meteen? Ere wie ere toekomt.'

'Let je een beetje op je woorden, juf?'

'Het is mevrouw, en als je het weten wilt: ík heb nooit gezegd dat dat daarboven het werk is van de Heer. Van mij mag je entree heffen, als je dat zo graag wilt. Waarom niet?'

Hester keek haar aan en even hielden hun ogen elkaar in de houdgreep. Het woord 'wedergeboren' kwam bij Dellarobia op en ze zag een wereld voor zich waar Hester haar niet langer angst aanjoeg. Haar eeuwige verwijten de rug toekeren en andere beweegredenen zoeken in haar leven, dat zou wat zijn. Een leven zonder hel en verdoemenis, zoals over Bobby's geloofsovertuiging werd gezegd. Na de gebeurtenissen van de laatste tijd leek dat Dellarobia wel wat. Ze wendde zich af om de theedoek los te maken waarmee Cordie vastzat en gebruikte die meteen om de ergste appelmoesresten uit de plooien rond haar mollige polsjes te vegen. 'Sorry, maar ik moet rennen,' zei Dellarobia. 'Ik moet om zeventien over twaalf voor het huis staan voor de schoolbus.'

'Laat je Preston met de bus naar school gaan?' vroeg Hester op uitdagende toon.

'Ja. Hij wil bij de Grote Jongens horen en vandaag was het zover. Ik moet dus wel op tijd aan de straat staan om hem op te vangen. Ik neem Roy mee, goed? Preston vindt het vast geweldig als Roy hem staat op te wachten.'

'Neem dan allebei de honden maar mee,' zei Hester.

'Nee, daar worden de kinderen te druk van.' Ze gaf de stoel een snelle aai met de doek en tilde Cordelia er aan haar oksels uit, terwijl ze haar zoetzure babyluchtje diep opsnoof als reukzout, een waar opkikkertje. Met Cordie op haar heup floot ze zachtjes en riep Roys naam, terwijl ze de keuken uit liep en tegen Charlie zei dat hij moest blijven liggen. Tot haar ongenoegen stond Crystal ook op, alsof ze háár gefloten had, en kondigde aan dat ze haar jongens ook moest gaan halen. Ze liep achter Dellarobia aan naar buiten en bleef erbij staan toen die de achterklep van haar stationwagen opendeed voor Roy en vervolgens Cordie vastgespte in haar zitje. Voorovergebogen over de achterbank voelde Dellarobia ijzige prikjes regen op het blote stukje huid tussen haar sweater en jeans.

'Zet je haar voor dat kleine stukje naar huis helemaal vast?' vroeg Crystal.

'Negentig procent van de ongelukken gebeurt in een straal van anderhalve kilometer rond het huis.' Dellarobia had geen idee of dat waar was, en ze zou als ze heel eerlijk was misschien de moeite van het vastgespen niet hebben genomen als de meest lakse moeder van de wereld niet had staan toekijken. Iemand moest toch het goede voorbeeld geven.

'Het is geen anderhalve kilometer naar je huis. Het is nog geen honderd meter.'

'Wat moet je, Crystal? De eerste en derde klas zijn vanmiddag pas uit. Je maakt me niet wijs dat Jazon en Mical zijn teruggezet naar de peuters.'

Crystal herschikte haar gezicht en koos voor wijd open ogen en brutaal. 'Ik had gewoon zin om even te kletsen.'

'Waarover dan?'

'Niks. Gewoon zomaar.'

Dellarobia stapte in en bleef met het portier open en haar handen op het stuur zitten wachten. Ze wist dat Crystal iets van haar wilde; het mens stond permanent op binnenhalen afgesteld. Dellarobia koos de preventieve aanpak. 'Ik ga niet op je kinderen passen.'

'Dat vraag ik toch ook niet!'

'Mag ik dat zwart op wit?'

Het begon harder te regenen, maar Crystal liet zich niet verjagen. Regen werd vaak weggelachen met de uitdrukking dat je 'er heus niet van smelt', maar Crystals lichaamsmassa bestond waarschijnlijk voor vijfendertig procent uit make-up en haarproducten. Bij haar leek smelten geen onmogelijkheid. Dellarobia zuchtte. 'Stap maar in.'

Crystal liep naar de andere kant, liet zich op de voorbank ploffen en klikte nadrukkelijk de veiligheidsriem vast. 'Waarom doe je altijd zo...'

Maar het negentig seconden durende ritje naar Dellarobia's oprit was al voorbij voor Crystal goed en wel over het onderwerp in kwestie had kunnen beginnen. Roy stormde met zijn zwart-witte lijf de auto uit en draaide achtjes op het gras, popelend om erachter te komen wat ze voor hem in petto had.

'Liggen, Roy,' zei Dellarobia, en hij lag al plat op het doornatte gras voor ze haar zin had kunnen afmaken. Het gras was nog een beetje groen, niet helemaal winterdor. Ze hadden nog geen sneeuw gehad, zelfs geen serieuze vorst. Cordie had nog niet eens een winterjas, alleen maar een extra trui, en dat was geen kwestie van verwaarlozing. Ze had de kinderen tot nu toe echt nog niet hoeven inpakken. Het weer had nog geen aanleiding gegeven voor een bezoekje aan de Target of de tweedehandswinkel. December leek nog erg ver weg. Het was al een paar keer voorgekomen dat mensen haar hadden gevraagd of ze al klaar was voor kerst en dat ze even niet had geweten waar ze het over hadden. Klaar waarvoor? Natuurlijk had ze zich vervolgens een idioot gevoeld. Mensen gingen er automatisch van uit dat het IQ van een moeder gelijk is aan dat van de leeftijd van haar nageslacht, misschien gedeeld door het aantal kinderen en afgerond naar de dichtst in de buurt liggende pyjamamaat. Maar het bizarre weer had iedereen tot op zekere hoogte van zijn stuk gebracht. Als ze naar buiten ging, moest ze soms eerst een paar seconden haar best doen om te bedenken welke maand van het jaar het was, en dat had Cub ook, had hij gezegd. Het voelde niet als een bestaand seizoen. Het seizoen van de gescheurde en lekkende wolken.

Dellarobia concentreerde zich op de zorgen van het moment: Prestons eerste schoolbusrit. De chauffeur zou niet weten dat hij moest stoppen als zij niet aan de weg stond. Misschien was hij wel aan de vroege kant. De regen kwam nu met bakken naar beneden, maar ze kon het niet riskeren om binnen een paraplu te gaan halen. Een vijfjarige was nog veel te klein voor de bus. Wat had haar bezield? Hem aan vreemden toevertrouwen was al huiveringwekkend genoeg zonder dat er ook nog een boze buschauffeur bij kwam kijken. Ze posteerde zich aan het einde van de oprit tussen de brievenbus en een grote oude esdoorn en liet Crystal de paraplu halen.

Crystal verdween naar binnen en maakte geen haast om terug te komen. Dellarobia ritste haar capuchonvest open en sloeg het om Cordie heen, die al behoorlijk doorweekt was. De schapen in de blank staande wei aan de overkant hieven even de kop om te kijken en haar welkom te heten bij de droeftoeterclub. Haar telefoon zoemde en ze viste hem met haar linkerhand uit haar schoudertas terwijl ze Cordie op haar heup hield. Een sms'je van Dovey: OOK MOZES DREEF STUURLOOS ROND. Dovey bezwoer haar altijd dat die spreuken echt waren en dat ze ze oppikte van borden bij de kerken waar ze langskwam, meestal op weg naar haar werk, en misschien was dat ook wel zo. Die verlichte reclameborden, die ook wel door horecagelegenheden gebruikt werden, leken de kerken te verleiden tot dezelfde gevatte kretologie als in de advertentiewereld gebruikelijk was, maar dit leek haar toch een onvervalste Dovey. Met haar vrije duim sms'te ze terug: U 2.

Uiteindelijk kwam Crystal toch terug met de paraplu en stonden ze opeengepakt in het groenige schijnsel onder het doek. Het paste maar net, door de omvang van Crystals haar. Roy ging braaf voor Dellarobia's knie zitten, maar kroop steeds dichter tegen haar been naarmate het natter werd. Cordie zwaaide vanaf Dellarobia's heup naar langsrijdende auto's en schopte ritmisch met haar modderschoentjes tegen haar dijbeen. Elke spijkerbroek die ze bezat zat onder de voetafdrukken. Als zijzelf al een deurmat was, wat moest er dan van haar kinderen worden?

Een rode Chevy minderde vaart en kwam zo dichtbij rijden dat ze de ruitenwissers konden horen zwiepen en de vent achter het stuur keurend zagen kijken wat daar op de oprit stond. Jezus man, moeders van kleine kinderen die op de schoolbus staan te wachten.

'Dat was Ace Sayers,' zei Crystal toen de pick-up voorbij was. 'Die heeft een darmonderzoek gehad, hoorde ik van iemand.'

'Fijn om te weten.'

'Maar ik wilde je iets vragen,' zei Crystal.

'Wat een verrassing.'

'Jezus, Dell. In de kerk denken ze misschien dat je een heilige bent, maar ik ben echt niet onder de indruk, hoor.'

'Best, maar ik heet geen Dell. Dat is op het schoolplein al te vaak tegen me gebruikt.'

'Hoe dan?'

'Del, del, vieze del, wat je vraagt dat doet ze wel.'

'Getver.'

'Zoiets, ja. En ook geen Dellie, dat is een plaats in India.'

Crystal keek haar verontrust aan. 'Wat heb jij? Moet ik soms ergens tekenen om met je om te mogen gaan?'

'Inderdaad.'

Ze wachtten zwijgend, terwijl er nog twee auto's langsreden, allebei gelukkig bestuurd door oudere dames. Dellarobia wilde dat haar naam niet zo'n gevoelig punt voor haar was. Op school waren de populaire meisjes allemaal beloond met kwieke korte roepnamen als 'Liz' en 'Suze', en zij had ook op iets pittigers gehoopt, maar daar was het nooit van gekomen. Dellarobia was het en zou het blijven, een naam die ze deelde met de kransen die met kerst aan de deur hingen. Geen Bijbelse heldin, gewoon een samenraapsel van van alles en nog wat.

'Nu je er toch over begint, is dat wat ze over me zeggen in de kerk?' vroeg ze Crystal. 'Dat ik een heilige ben?'

'Weet ik veel.'

Ze wist dat Crystal een seconde of tien geheimzinnig zou doen en vervolgens de beerput open zou gooien. Drie, twee, een...

'Er zijn er wel een paar die dat zeggen, ja. Een hele zooi, trouwens. Maar niet de Worshams. De Bannings, de Weavers en de Worshams, die geloven daar echt niet in.'

'Goed dat je het iedereen persoonlijk hebt gevraagd.'

'Nee, weet je, er wordt natuurlijk gekletst. Niet iedereen vindt het even leuk dat je opeens zo goed ligt bij de dominee terwijl...'

'Terwijl wat?'

'Nou ja, ik weet niet, terwijl je helemaal niet zo vroom bent en zo.'

'Terwijl ik dat brutaaltje ben dat uit de Bijbelgespreksgroep getrapt is, bedoel je.'

'Echt?' Crystal leek oprecht verbaasd. Ze was ook nog niet zo heel lang bij de kerk.

'Dat was lang geleden. Ik dacht toen nog dat "gesprek" betekende dat je geacht werd dingen te zeggen, mijn fout. En het was Hester die me eruit heeft getrapt, niet dominee Bobby, dat je het maar weet.'

'Ben je ooit met zo'n vossending rond je nek naar de kerk gegaan? Volgens Tammy was het een soort sjaal waarvan de kop in de staart beet.'

'O, dat vossenbontje. Dovey had dat ergens opgeduikeld. Dat mensen dat nog steeds tegen me gebruiken! Dat geloof je toch niet.

Bestaat er geen verjaringswet voor overtredingen van de kledingwetten?'

'Oké, maar er zijn er ook heel wat zoals zuster Cox. Die is altijd van heb uw naaste lief en zo. Die geloven wel dat er iets op die berg gebeurd is. Een wonder of zo. Daarom willen ze ook allemaal komen kijken.'

'Het is ook echt heel bijzonder. Je zou er versteld van staan.'

Dellarobia was na die keer met haar schoonfamilie de berg niet meer op geweest. Hester had de organisatie van de bezoekersstroom volledig op zich genomen, maar waar had ze dat recht eigenlijk op gebaseerd? Opeens waren de vlinders eigendom van de Mountain Fellowship en hadden de kerk en Hester hun eigen huiswonder. Niet dat voor gids spelen een reëel beroepsperspectief was voor Dellarobia. Ze kon moeilijk met een dreumes om haar nek en een kleuter aan haar rokken komen opdagen. Maar toch trok Dellarobia, als de groepen op weg naar boven langs haar huis kwamen, met een ruk de rolgordijnen naar beneden met het gevoel dat haar iets ontstolen was, waar anderen nu goede sier mee maakten.

'Weet je wat ik je wou vragen?' zei Crystal. 'Het stelt niet zoveel voor, maar ik heb een brief geschreven en ik vroeg me af of jij daar misschien naar zou willen kijken. Jij bent nogal goed in spelling en zo.'

Een eekhoorn sprong van de voet van de boom de berm in, aarzelde even en stak toen met kleine huppeltjes de weg over. Roy keek met grote belangstelling toe en slaakte een zucht van gekwelde zelfdiscipline.

'Een brief? Aan wie?'

'Aan de probleemrubriek van de krant.'

Dellarobia bulderde het uit, zodat zowel Cordie als de hond zich rot schrokken. 'Moet ik een brief aan de probleemrubriek nakijken? Waar gaat die dan over?'

'Over die toestand met Brenda. Zij vindt dat ik...'

'Ik weet het. Brenda met de gebroken vingers en haar familieleden die jou in elkaar willen slaan.'

'Ja. Maar niemand wil mijn kant van het verhaal horen. Ik heb gehoord dat Brenda's moeder ook een brief heeft geschreven om aan die vrouw van de probleemrubriek te vragen wie er gelijk heeft. Die kiest dan natuurlijk haar kant. Dat weet je van tevoren. Dus nu moet ik ook wel schrijven.'

'Wat heeft die vrouw er nou mee te maken? Ik bedoel, jezus, Crystal, een of ander oud wijf dat duizenden kilometers hiervandaan woont. Wat boeit het nou wat die ervan vindt?'

Crystal keek haar aan alsof ze zich maar beter kon laten nakijken. 'Natuurlijk boeit dat. Ze staat niet voor niks elke dag in de krant.'

De bewuste vrouw, Dear Abby, gaf verstandige adviezen en had een goed hart, daarom lazen de mensen haar; die combinatie was zeldzaam. Nog zeldzamer was haar taalgevoel. Dellarobia had haar antwoorden altijd net zo trouw gelezen als de politieberichten en het dagelijkse nieuws, tot Cub vond dat ze hun abonnement op de *Cleary Courier* moesten opzeggen omdat het te duur werd. Daar hadden ze nog stevig ruzie over gehad. Waarom zou je voor nieuws betalen als je het ook op tv kunt zien, was zijn argument. Omdat hij nooit lang genoeg bij een zender bleef hangen om het einde van het verhaal te halen, was het hare.

'Weet je, Crystal. Schrijf jij die brief maar lekker, maar ik geloof niet dat ik me ermee wil bemoeien. Ik bedoel, jeetje man, Brenda's moeder. Die kom je liever niet in een donker steegje tegen.'

'Echt hè, doodeng dat mens,' zei Crystal instemmend. 'En ik zal je maar vast zeggen, voordat je naar mijn brief kijkt: ik heb een paar dingetjes veranderd.'

'Heb je veranderd hoe het gegaan is? Bedoel je dat?'

'Nee, kleine dingen. Het drinken noem ik niet, want dat gaat niemand wat aan. Niet meer drinken betekent met een schone lei beginnen. En verder schrijf ik "mijn man en ik" en niet dat ik een alleenstaande moeder ben.'

Dellarobia vroeg zich af of die bus voor kerst nog zou komen. Cordie probeerde zich uit haar armen te wurmen omdat ze los wilde, maar daarvoor stonden ze te dicht bij de weg. Het asfalt stond ook helemaal blank. De met bladeren gevulde greppel was in een snelstromende beek veranderd waarvan het water steeds hoger kwam te staan. Haar tennisschoenen kon ze wel afschrijven. 'Meen je dat nou? Jokken tegen Abby om haar aan jouw kant te krijgen? Wat wil je daar nou mee bereiken?'

'Ach, jij hebt geen idee hoe de mensen zijn. Jij bent getrouwd.'

'Ik dacht dat ik bij iedereen over de tong ging?'

'Maar jij bent dus wel getrouwd. Ik denk gewoon niet dat Abby me wil helpen als ze weet dat mijn kinderen onwettig zijn. Ik heb ook gezegd dat ik Jezus als mijn Heiland heb aanvaard.'

'Ik denk niet dat Abby dat erg interessant zal vinden. Volgens mij is ze trouwens joods.'

'Krijg nou wat!'

Eindelijk verscheen de bus op de heuveltop. Hij kwam op hen afzeilen als een gouden cruiseschip in al zijn omvangrijke vierkante luister. Dellarobia was bijna opgewonden gaan zwaaien en springen, alsof ze van een onbewoond eiland werd gered. Achter de bus reed de gebruikelijke parade van ongeduldige bestuurders, die ongetwijfeld luidkeels zaten te vloeken op de pech dat ze in deze fuik van traagheid waren gereden, waardoor ze om de dertig meter moesten stoppen, zonder enige hoop dat ze er op deze bochtige weg langs zouden kunnen. Dellarobia liet in gedachten de vloeken nog eens de revue passeren die ze er zelf vanuit die positie uit geslingerd had, en als kersverse moeder van een buskind bood ze alle buschauffeurs ter wereld haar diepgevoelde excuses aan. Ze wist niet zeker of ze haar hand moest opsteken om hem te laten stoppen, maar zag tot haar opluchting dat de oranje lichtjes begonnen te knipperen. Het stopbordje klapte als een fiere rode vleugel uit. Ze zwaaide naar de chauffeur in de hoop dat dat haar punten zou opleveren bij deze vrouw in wier handen Prestons veiligheid lag. Maar ze zat aan het busraampje te sjorren, zo'n glijgeval. Uiteindelijk schoot het omlaag.

'Bent u haar?' riep de chauffeur haar toe.

'De moeder van Preston,' antwoordde ze, terwijl Crystal tegelijk riep: 'Wie?'

'U niet. Zij. Is zij die van dat visioen?'

'Allejezus,' zei Dellarobia. Ze hoopte dat ze dit niet zo hard had gezegd dat het al die oortjes in de bus had bereikt.

'De vlindervrouw,' hield de buschauffeur vol. 'Bent u dat?'

'Ik ben de moeder van Preston Turnbow. Zit Preston in de bus?'

Ze stak snel over en daar kwam hij al de deur uit stuiteren als een kauwgombal uit een automaat, in zijn felgele regenpak met capuchon en met een lach zo breed dat zijn gezicht uitgerekt leek. Ze wachtten tot de bus was opgetrokken en staken toen de weg weer over.

'Roy!' Preston vloog op de collie af en sloeg zijn armpjes om Roys witte bontkraag. Met z'n allen renden ze naar het huis, ook Crystal, die zich als een teek aan hen vastgezogen leek te hebben. Op de droge veranda zette Dellarobia Cordie neer en schudde de regendruppels van de paraplu.

'Ik wil het ook zien,' zei Preston.

'Wat?'

'Het vlinderding.'

'Niks "Dag, mama" of "Hoe was je dag"? Nee, alleen: "Ik wil de vlinders zien."'

Hij keek met zo'n sneu, gespannen toetje naar haar op dat haar hart ineenkromp. Vijfenhalf en nu al een zorgrimpel tussen zijn wenkbrauwen.

'Alsjeblieft?' zei hij.

Ze hurkte neer en zette de paraplu weg zodat ze haar handen op zijn schouders kon leggen en hem in de ogen kon kijken. 'Wanneer wil je er dan heen?'

'Nu.'

'Door de regen?'

'Ja.'

'Het is een heel eind lopen. Écht een heel eind.'

Hij grijnsde. 'Dûh! We kunnen toch met de quad.'

'Echt een kind van je vader.'

Crystal was met Cordie naar binnen gelopen en had de brief al uit haar tas gehaald. Dellarobia pelde alle doorweekte lagen kleding af tot op haar beha en gooide haar regencape met capuchon over haar blote bovenlijf om tijd te winnen en een schoon shirt uit te sparen. Ze vond de sleutel van de quad in de zak van Cubs rode jasje.

'Kun jij even op Cordie passen?' zei ze tegen Crystal. 'Dan kijk ik straks naar je brief. Mijn zoon en ik gaan vlinders kijken in de regen.'

'Ik kan niet goed rijden in dit ding,' waarschuwde ze. Om eerlijk te zijn had ze hem zelfs nog nooit de schuur uit gereden, maar ze begon het door te krijgen. Het was meer alsof je op een grasmaaier reed dan in een auto, maar dan sneller. Ze hield één arm stijf om Preston heen geslagen, die voor haar op het zadel zat en hotste flink met hem rond voor ze in de gaten kreeg hoe ze het ding langzaam over de hellende weide vol hobbels en kuilen kon manoeuvreren.

'Als papa rijdt, hobbelt het ook,' zei Preston tactvol. Cub had Preston al meteen voor ritjes meegenomen toen hij nog heel klein was, al had hij toen van Dellarobia alleen nog maar rondjes over het erf mogen maken. Cub was daar heel lief in geweest, was zelf ook een bezorgde moederkloek met de babydrager over zijn brede borst gebonden terwijl hij de dikke banden van het voertuig met rukjes en schokjes centimeter voor centimeter vooruit stuurde. Het leek weinig zinvol om een kind mee te nemen voor een ritje met een snelheid van nul kilometer per uur dat nergens heen voerde, maar hij was nou eenmaal apetrots dat hij een zoon had.

Boven aan de heuvel was het even zoeken hoe ze hem in zijn vrij en op de rem moest zetten zodat Preston eraf kon springen om het hek open te doen. Ze reed de wei uit en hij sloot het hek weer achter zich met een toewijding alsof al het vee van de wereld aan zijn zorgen was toevertrouwd. Ze graaide onder haar regencape naar een stukje droog T-shirt om Prestons bril mee schoon te wrijven voor ze verder zouden rijden, maar bedacht toen pas dat ze niets aanhad. Het leek wel zo'n stunt van Dovey en haar uit de tijd dat ze nog wel eens naakt onder hun regenjas de straat op gingen voor de kick. Nu bestond de kick er alleen nog maar uit dat ze zichzelf extra was bespaarde. Ze viste een verkreukelde tissue uit de zak van de cape en veegde zorgzaam zijn glazen droog en daarna die van haarzelf om beter te kunnen zien. Sinds het zogenaamde wonder had ze haar bril niet meer afgezet. Of de jongens haar zo wilden of niet zou haar worst wezen, ze moest zien waar dit op uit zou lopen. Tot haar opluchting reed het pad naar boven een stuk makkelijker. De banden voegden zich keurig in het spoor dat door geen enkel ander voertuig was getrokken dan dit, besefte ze.

'Heb je honger?' vroeg ze. 'Het is best koud. Je krijgt sneller honger als je nat en koud bent. Misschien moeten we teruggaan om iets te eten als je nu al trek hebt.' Preston was klein en mager voor zijn leeftijd en kwam makkelijk zonder brandstof te zitten. Geen reserves.

'Op school zijn er mevrouwen die ons eten geven,' zei hij plechtig, alsof hij verslag deed van iets waarvan zij niet op de hoogte was, zoals het leven in de gevangenis.

'Dat weet ik wel, lieverd. Daar krijg je die envelop altijd voor mee. Maar soms heb je als je thuiskomt alweer honger.' Ze vroeg zich af hoelang het zou duren voor hij erachter kwam dat er een gemeenteformulier in die envelop zat en geen geld. Hij was een van de kinderen die in aanmerking kwamen voor een gratis schoolmaaltijd, zoals Dellarobia zelf ook was geweest. Het zat in de familie.

Preston gaf geen antwoord. Ze hoopte niet dat hij dacht dat ze hem zijn naschoolse honger verweet. Toen ze een keer met Cub ruzie had gehad over de elektriciteitsrekening, had ze Preston opeens van kamer naar kamer zien lopen om overal het licht uit te doen.

'Dat is ook helemaal niet erg,' zei ze vriendelijk. 'Eten is goed. Daar groei je van. Ik ben dol op jongetjes die zo'n honger hebben dat ze wel een paard op kunnen.'

Eindelijk brak er een lach door en grinnikte hij. Het kostte altijd wat moeite om Preston zover te krijgen dat hij zich als een gewoon kind gedroeg. Ze gaf gas. 'Als we een paard tegenkomen, maak ik een lekker hapje voor je klaar,' zei ze en nu lachte hij voluit.

'Ik kan wel een hond op!' riep hij. 'Ik kan Róy wel op!'

'Kijk maar uit, arme Roy,' zei ze. Dellarobia voelde zich onverwacht vrij, als iemand die een avondje gaat stappen, ook al had ze formeel het eigen terrein niet verlaten.

'Daar heb je King Billy,' zei Preston.

Haar capuchon sloot de bovenkant van haar gezichtsveld af. 'Meen je dat? Zag je er hier al een?' Ze remde af tot een slakkengangetje voor ze het veilig genoeg achtte om haar ogen van het pad af te wenden en zich voorover te buigen om naar de bomen te turen. En inderdaad, daar vloog zijne majesteit zwalkend door de regen. 'Dat had je goed gezien. Dat zegt oma Hester altijd, King Billy.'

'Wat zeggen wij dan?' vroeg hij.

'Hetzelfde, denk ik.' Ze vroeg zich af wat Hester de mensen vertelde die ze hier rondleidde. Dellarobia wilde dat ze de echte namen van dingen wist voor haar wakkere zoon. Ze had zelf als kind haar juffen en meesters ook tot waanzin gedreven met haar eeuwige vragen, maar Preston lag nu al mijlen op haar voor. Ze duwde haar capuchon af. Het regende bijna niet meer. De kale takken drupten, maar de bewolking begon te breken. Ze kwamen bij het sparrenbos, waar het boven het pad bleek te wemelen van de vlinders.

'Laten we vanaf hier maar gaan lopen,' zei ze, blij dat ze de lawaaierige motor uit kon zetten en te voet verder kon. Ze wilde zijn omhoogturende snoetje zien. Ondanks het natte haar dat tegen zijn voorhoofd plakte en zijn met regen bespikkelde brillenglazen was Preston door het dolle heen. 'Daar-heb-je-King-Billy, daar-heb-je-King-Billy!' riep hij keer op keer op dezelfde ratelmanier waarop hij ook altijd 'vijf-vier-drie-twee-één de lucht in' riep als hij voorwerpen wegschoot. Algauw waren er te veel vlinders om elk hun eigen aankondiging te krijgen, maar Prestons mond bleef geluidloos bewegen.

Er vlogen er vandaag niet zoveel rond als eerst. Geen rivier van beweging, maar verdwaalde zwervers. Zoals ze over het pad fladderden leken ze haast wel dronken of verdwaasd.

'Misschien hebben ze honger,' zei Preston. 'Wat eten ze?'

'Geen idee,' moest ze bekennen. Hij had gelijk. Ze moesten vast eten nu ze dagenlang onafgebroken voor de regen hadden geschuild. Ze vond het gênant dat haar vijfjarige zoon vragen stelde die bij haar nog niet eens waren opgekomen, maar ze weigerde de eerste te zijn van een lange rij mensen die zich er met een schouderophalen van af zouden maken. 'Dat moeten we thuis maar opzoeken.'

'Waar?'

'Googelen, lijkt me.'

'Oké,' zei hij.

Een vlinder googelen. Het klonk komisch, zoiets als het kietelen van forellen, maar ze wist dat Preston dat niet zou vinden. Hij zou achter de computer van Bear en Hester klimmen en op het toetsenbord naar de letters zoeken die nodig waren om te vinden wat hij zocht. Kinderen hebben was heel anders dan je van tevoren verteld werd. Hun alles leren wat je zelf wist kon je wel vergeten zodra ze de bijtring niet meer nodig hadden en de weg naar het internet hadden gevonden. Vanaf dat moment was je alleen nog maar goed als leverancier van schoenen en een winterjas. Maar Preston stelde nog steeds vragen. Dat ontroerde haar. Ze vormden nog een team. En hier, in het donkere woud, hield hij haar hand stijf vast, alsof ze een straat moesten oversteken, terwijl ze op de bomen af liepen waar de vlinders in bundels aan de bomen hingen. De grond lag er vol vleugels. 'Kijk daarboven,' zei ze, en ze wees naar de bruine trossen die van de takken omlaag hingen. De bomen hingen bom vol. Zelfs de stammen waren voorzien van een vlinderjas tot bovenaan, zodat ze op borstelige, harige reuzenbenen leken. Het was een compleet vlinderbos, dat sprookjesachtig vol hing met donkere, hangende trossen die er op het eerste gezicht uitzagen als heksenvlechten of dood blad. Ze wist alleen maar dat ze dat niet waren omdat haar ogen het geheim verklapt hadden gekregen. Die van Preston nog niet. Hem wachtte dat alles nog, volledig roerloos maar levend. Ze zag zijn zwarte pupillen zoekend rondschieten, kijkend zonder te zien. *Van mij, van ons,* bonsde haar hart dat vanbinnen beloftes deed. Dit was beter dan Kerstmis. Ze popelde om hem zijn cadeau te geven: zicht.

'Wat is dat?' vroeg hij.

'Dat zijn ook King Billy's. Ziet er gek uit, hè, zoals ze daar met z'n allen hangen, maar dat hele geval bestaat uit vlinders.'

'Waaa!' riep hij uit en hij rukte zich los uit haar greep. Hij rende op een monsterlijk boeket af dat van boven af bijna tot de grond reikte, een meter of tien hoog, waarnaast het kleine jochie nog kleiner leek. Voor ze hem kon waarschuwen had hij zijn hand al uitgestoken om ze te aaien, wat een siddering veroorzaakte van ontwakende vlinders. Vleugels klapten open en wriemelden in de tros. Het onderste deel van de borstelige keten liet los en viel met een plof op de grond. In slow motion knalde hij uit elkaar in losse vlinders die fladderden, opstegen en zich verspreidden.

Preston keek over zijn schouder naar haar alsof hij een standje verwachtte.

'Geeft niet. Bekijk ze maar, maar wel voorzichtig.'

Ze liep naar hem toe om te kunnen zien wat haar zoon zag. Ze had de trossen nog niet van dichtbij bekeken en zelfs zo was het lastig te zien hoe ze waren opgebouwd. Het zag er niet uit alsof de vlinders elkaar pletten of zich aan elkaars vleugels vasthielden, niet als een kettingbotsing van honderden auto's, zo simpel was het niet. Ze leken zich met hun naalddunne voorpootjes aan een stukje van de boom zelf vast te houden, bast of tak of naald, met de uiterste puntjes. De basisvorm van de boom was daaronder nog zichtbaar, de zuil van de stam en de bezemvorm van de takken, maar dan vergroot en aangedikt door de aanhangsels. Alleen aan het einde van de bungelende trossen leken de vlinders zich aan de pootjes van soortgenoten vast te klampen. De onzekeren en wanhopigen, dacht ze. Die heb je in alle samenlevingen.

'Ruik je ze ook, mama?' vroeg Preston.

Ze snoof diep en bedacht dat ze al uren geen sigaret had gehad, maar ze rook niets. 'Vies of lekker?' vroeg ze. 'Hoe ruiken ze?'

Heel langzaam bewoog Preston zijn gezicht naar voren om het

gat tussen hem en deze levensvorm te overbruggen tot hij hem met zijn neus raakte. Hij snoof en gaf zijn oordeel: 'Lekker. Een kruising tussen vuurvliegjes en zand.'

Crystal stond hen al met haar jas aan en haar tas over haar schouder bij de achterdeur op te wachten, klaar om ervandoor te gaan. Ze had haar brief in de hand, maar had hem wel teruggestopt in de envelop.

'Sorry, hoor. Als ik nog eens voor jou moet oppassen, vraag je het maar. Echt. We zijn langer dan een uur weg geweest, hè? Je mag mijn auto wel lenen om je jongens op te halen. Waar is Cordie?'

'In bed. Ik laat je auto wel bij Hester achter, oké?' Crystal keek de gang in en zei fluisterend: 'Er staat iemand voor de voordeur.'

Dellarobia zag dat Roy zich vlak bij de deur had geposteerd en ernaar keek alsof hij door het hout heen kon zien. Hij blafte niet, maar maakte jankerige geluidjes en zwaaide de witte vlag van zijn staartpunt langzaam rond. Als iemand een betrouwbare mensenkenner was, was het Roy wel. Geen directe dreiging daarbuiten, maar het verdiende wel aandacht.

'Wie is het?'

'Geen idee! Ze staan daar al een kwartier of zo.'

'Staan ze daar gewoon te staan? Mannen of vrouwen?'

'Een gezin. Een man en een vrouw en een meisje.'

'Jeetje, Crystal. Als ze een kind bij zich hebben, zijn het heus geen bijlmoordenaars. Misschien hebben ze hulp nodig of zo. Waarom heb je niet opengedaan?'

Crystal wierp een steelse blik op Preston en schermde de zijkant van haar mond af met de envelop. 'Het zijn buitenlanders,' fluisterde ze.

Dellarobia was even te verbijsterd om iets te zeggen, wat Crystal opvatte als het sein dat ze via de keukendeur kon vertrekken. Preston liep naar de voordeur en ging bij Roy staan, maar ze wist dat hij niet open zou doen, gedrild als hij was in oppassen voor vreemden. Ze keek door de raampjes in de bovenhelft van de deur, maar zag niets. Pas toen ze op haar tenen ging staan om naar beneden te kijken zag ze hen op de veranda staan, een man en vrouw die ongeveer even groot waren als zij, misschien zelfs kleiner. Ze zagen er Mexicaans uit, in elk geval heel donker, vooral de man. Jehova's getuigen? Reisden ze de wereld rond om de boodschap te verkondigen?

Ze deed meteen open. 'Kan ik u ergens mee helpen?'

Het kleine meisje was degene die antwoord gaf. 'Preston!'

'Hoi, Josefina,' zei hij hartelijk, alsof hij de heer des huizes was.

Dellarobia keek van haar zoon naar het meisje en haar ouders. 'Is zij een vriendinnetje van je, Preston?'

'Ze zit ook bij juf Rose in de klas,' zei hij. Ze omhelsden elkaar op een gehoorzame, rituele manier, als kinderen op een familiereünie, terwijl Dellarobia de ouders hulpeloos aankeek. De man had een grote snor en droeg werkkleren, een jack met een rits en een pet met een klep. De vrouw was iets netter gekleed in een zomerse hemdjurk met bloemetjes onder haar blauwe vest. Dit gezin had zich zo te zien ook nog niet beziggehouden met winterjassen. Ze schudden haar allebei krachtig de hand en noemden hun naam, Lupe en Reynaldo en een achternaam die ze meteen weer vergat.

'Kom binnen,' zei ze. Het kind zei iets tegen haar ouders en ze liepen behoedzaam achter haar aan. Ze veegden hun schoenen en kwamen zo aarzelend binnen dat het Dellarobia enige moeite kostte de deur achter hen dicht te krijgen. Ze had haar jas al half losgeknoopt toen ze zich opnieuw tot haar schrik realiseerde dat ze daaronder halfnaakt was. De natte kleren die ze eerder had uitgetrokken lagen nog in een plasje op de grond. Die mensen dachten vast dat ze in een zwijnenstal beland waren.

'Sorry dat u zo lang moest wachten. We waren er niet. Ga maar even in de woonkamer zitten, ik kom er zo aan. Preston, wees een grote jongen en haal voor allemaal een glaasje water uit de keuken, wil je?'

Het meisje begon weer in het Spaans tegen haar ouders te praten, dit keer meer dan één zin. Wat ze ook zei, het werkte wel, want ze liepen direct door naar de bank en gingen zitten. Dellarobia keek snel even bij Cordie, die lag te slapen, en haastte zich toen naar de slaapkamer om een borstel door haar haar te halen en iets fatsoenlijks aan te trekken. Toen ze terugkwam in de woonkamer zag ze dat Preston het water in de plastic bekers had gedaan die ze altijd voor hem gebruikte. Lupe had Shrek en Reynaldo had SpongeBob SquarePants. Ze hielden ze vast alsof het een officiële gelegenheid was. Dellarobia zag dat de vrouw pantykousjes aanhad in haar zomersandalen en had met haar te doen. Ze wist precies hoe het voelde om een seizoen achter te liggen met al je rekeningen. De man had zijn pet afgezet en op de leuning van de bank gelegd. Zijn snor vormde twee bochtjes als haakjes om zijn mondhoeken, alsof alles wat hij zou zeggen fluisterstil en bijkomstig zou zijn. Josefina was hun prinsesje in haar ruitjesbloesje en haar bloemetjesbroek met wijd uitlopende pijpen. Ze zat tussen haar ouders in en lachte verlegen naar Roy, terwijl haar vader de rug van zijn hand naar de hond uitstak om hem eraan te laten snuffelen en haar aanmoedigde dat ook te doen. Roy liet zich onder zijn kin kriebelen en ging toen in de hal liggen, tevreden dat hij het terrein had bewaakt.

'Zo,' zei Dellarobia, terwijl ze zich afvroeg of ze hun een koekje moest aanbieden. Ze haalde een berg kleren uit de leunstoel om te kunnen zitten en Preston kwam schuchter op het kleed aan haar voeten zitten. 'Wat leuk om eens een van Prestons klasgenootjes te zien. Hij is mijn oudste, dus het is allemaal nog erg nieuw voor me, zo'n school waar hij een hele nieuwe wereld ontdekt waar ik niets van weet.'

Meteen had ze spijt van dat 'hele nieuwe wereld', dat ze misschien verkeerd zouden kunnen opvatten, maar het was al te laat. Het meisje had het al doorverteld. Ze knikten met een lach en leken niet beledigd. Het werd Dellarobia duidelijk dat deze ouders echt geen woord Engels spraken. Ze moesten wel in Feathertown wonen als hun kind daar op school zat, maar ze leidden hun leven blijkbaar met een kleuter als tolk. Zou ze ook meegaan naar de winkel en de bank? Ze kon het zich nauwelijks voorstellen. Maar wat het kind daarna zei, verbijsterde haar pas echt.

'Mijn vader en moeder willen de vlinders zien.'

'Dat meen je niet!'

Het kind begon al te vertalen, waar Dellarobia snel een stokje voor stak. 'Nee, niet zeggen. Vertel me liever hoe ze het weten van de vlinders.'

'De vlinders we weten heel veel van,' zei Josefina, dit keer zonder haar ouders te raadplegen. 'Het zijn *mariposas monarcas*. Ze komen uit Mexico.' Dat sprak ze uit als Mèhiko, een korte terugval naar haar moedertaal.

'Oké,' zei Dellarobia verbaasd.

'De monarcas komen uit Michoacán en wij ook uit Michoacán.' Josefina lachte een mondvol witte tanden tevoorschijn en leek met de minuut zelfverzekerder. Ze was iets groter dan Preston, maar leek veel ouder. Misschien had ze in een lagere klas moeten beginnen vanwege de taal, bedacht Dellarobia. Of misschien had ze gewoon twee keer zoveel van het leven gezien als de andere kinderen hier. Dat leek waarschijnlijk.

'O, monarchvlinders,' zei Dellarobia. 'Die naam heb ik geloof ik al eens eerder gehoord.' Ze pijnigde haar hersenen. Ongetwijfeld Animal Planet.

'Monarchvlinders,' herhaalde het meisje.

'Wil je zeggen dat ze vroeger daar leefden en nu met z'n allen hierheen verhuisd zijn?' Dellarobia besefte dat in diezelfde bewoordingen vaak over immigranten werd gesproken en maakte zich opnieuw zorgen dat ze onbedoeld iets kwetsends had gezegd, maar het meisje had alleen maar aandacht voor de vlinderkwestie.

'Nee,' zei ze. 'Ze wonen goed in Michoacán. In de bomen. Ze wonen in grote, grote...' Ze tekende met haar handen een grote vorm in de lucht en zocht naar het juiste woord, waarna ze zei: '*Racimos*. Net als *uvas*. Ik bedoel druiven.'

Dellarobia's mond viel zowat open. 'Ja, precies. Als grote trossen druiven die in de bomen hangen. Heb je dat al eens gezien?'

Het meisje knikte. Ze zei heel snel iets tegen haar ouders, die ook heftig begonnen te knikken.

'Mijn moeder, iemand tegen haar zei dat ze hiernaartoe zijn gegaan. Haar vriendin las in de krant. We gingen eerst naar een ander huis voor de monarcas te zien. Die mevrouw zei dat we geld moesten betalen voor ze te zien, dus we gingen niet.'

'Bedoel je mijn schoonmoeder? Hester? Een vrouw met een lange grijze paardenstaart?' Dellarobia tekende met haar hand een paardenstaart aan haar achterhoofd.

Josefina knikte. 'Ja.'

'Wilde ze jullie geld laten betalen om de vlinders te zien? Wanneer was dat?'

'Veel eerder.'

'Rond Thanksgiving?'

Het meisje vroeg wat aan haar moeder, die iets terugzei dat als november klonk. 'Was in november,' antwoordde Josefina.

De feeks, dacht Dellarobia. Alleen gratis voor leden van de kerk die hiervandaan komen. Laat het maar aan Hester over om het wonder voor zichzelf te houden. 'Hoe wisten jullie dat jullie hier moesten zijn?'

'Preston zat in de bus en ik weet u bent een lieve mevrouw.'

'Dank je wel. Jullie mogen zo vaak als je wilt naar boven om naar de vlinders te kijken. Gratis. De vlinders zijn niet het eigendom van die vrouw die jullie hebben gesproken.'

Het meisje vertaalde het en ze begonnen allemaal te lachen. Dellarobia vroeg zich af of ze nu meteen wilden.

'Ik heb alleen een kindje dat ligt te slapen, dus het is nu geen geschikt moment. Maar we kunnen later deze week wel een keer gaan. Geef anders jullie telefoonnummer maar even, dan bel ik nog wel.'

Ze scheurde een blaadje uit Prestons tekenblok en gaf het aan het meisje, dat het weer doorgaf aan haar vader en vertelde wat de bedoeling was. Hij haalde een potlood uit zijn zak, noteerde een nummer en gaf het weer terug: tien cijfers, netnummer van het dorp, maar de keurige cijfertjes zagen er buitenlands uit. Hij zette dwarsstreepjes door zijn zevens, zoals bij de t.

'Zo,' zei ze, en ze vouwde het papiertje in vieren. 'Dus jullie hebben al eens zoiets gezien in de plaats waar jullie vandaan komen? Waar al die vlinders samenkomen?'

'In Michoacán mijn vader is een *guía* voor de mariposas monarcas.' Het meisje werd steeds enthousiaster. Ze wipte op en neer op de bank en klonk een beetje ademloos. 'Hij neemt mensen op paarden mee naar het bos voor de monarcas te bekijken. Hij vertelt de mensen over de vlinders en telt de mariposas en andere dingen voor de... voor de *científicos.* En mijn moeder maakt tamales voor de heel veel mensen.'

Dellarobia nam Preston bij de kin en duwde zijn hoofdje zo dat hij haar aankeek. 'Heb jij hierover verteld op school? Over de vlinders?'

'Juf Rose heeft er iets over tegen juf Hunt gezegd, maar niet tegen ons,' zei hij. 'Josefina vroeg of ik de vlinders al eens had gezien, want zij had ze wel al gezien. Ze zei dat ze die grote dingen maken in de bomen.' Hij keek van Josefina naar Dellarobia en keek zoals wel vaker alsof hij bang was dat hij iets verkeerds had gedaan. 'Toen wilde ik ze ook zien.'

'Jeetje! Ongelofelijk,' zei Dellarobia, die nauwelijks wist waar ze moest beginnen met haar vragen. 'Hebben jullie die vlinders altijd in Mexico? Of komen ze alleen maar af en toe aanvliegen?'

'In de winter,' zei het meisje. 'In de zomer de monarcas vliegen overal heen voor van de bloemen te drinken. Dan vliegen ze ook naar deze land. En in de winter zij terugkomen naar Angangueo, mijn stad. Elk jaar zij komen zelfde tijd.'

'En daar verdienen jouw ouders hun geld mee? Met hun werk met de vlinders en de mensen die komen kijken?'

'Ze komen, ze komen...' Josefina keek strak voor zich uit terwijl ze nadacht over de woorden. 'De mensen uit alle plaatsen. Alle landen.'

'Bedoel je toeristen uit de hele wereld? Hoeveel waren het er dan? Honderd?' Ze vroeg zich af of een kind van die leeftijd al het verschil zou weten tussen tientallen en honderden.

'Duizenden mensen. Honderd miljoen vlinders.' Dat was duidelijk.

'Hoe weet je hoeveel vlinders er zijn?'

Het meisje keek een beetje gepikeerd. 'Mijn vader een guía. Ik hem helpen met de paarden.'

'Kun jij paardrijden?' fluisterde Preston op eerbiedige toon. Hij zag waarschijnlijk de wederkomst van de Powerpuff Girls in haar.

'Waarom zijn jullie daar dan niet gebleven, als ik vragen mag?' zei Dellarobia.

'Niet meer. Allemaal weg.'

Dellarobia leunde voorover met haar handen tussen haar knieën gedrukt. Ze had een angstig voorgevoel over wat ging komen. Wonder of geen wonder, die toestand op de berg was een geschenk. Vooral aan haarzelf, had ze zich durven inbeelden. Niet één keer had ze erbij stilgestaan dat het misschien wel van iemand anders was gestolen. 'Bedoel je dat de vlinders opeens niet meer kwamen?' vroeg ze. 'Of kwamen de toeristen niet meer?'

'Álles is weg!' riep het meisje, duidelijk ontzet, uit. 'Het water kwam en overal was modder... *Un diluvio*.' Ze keek naar haar ouders, aan wie ze een paar dingen vroeg waar ze antwoord op gaven, maar ze zei verder niets meer.

'Een overstroming?' vroeg Dellarobia voorzichtig. Ze dacht aan de aardverschuiving in Great Lick van september die een deel van Highway 60 had weggeslagen. Op het nieuws hadden ze het een maalstroom genoemd. Het hele dal had vol gelegen met keien, modder en versplinterde bomen. Ze maakte een naar beneden rollend gebaar met haar handen. 'Een aardverschuiving?'

Josefina knikte ernstig en haar lijfje leek wel weg te zakken in de bank. '*Corrimiento de tierras*.' De moeder nam het meisje op schoot en sloeg allebei haar armen beschermend om haar heen. Het hele gezin leek op het punt te staan in tranen uit te barsten.

'Wat erg,' zei Dellarobia.

De vader zei zachtjes iets in het Spaans, en alles wat Josefina daarna zei was: 'Alles weg.'

'Wat was er weg?'

'De huizen. De school. De mensen.'

'Zijn jullie je eigen huis ook kwijtgeraakt?'

'Ja,' zei het meisje. 'Alles. De berg. En ook de monarcas.'
'Wat moet dat vreselijk zijn geweest.'
'Vreselijk, ja. Er waren ook kinderen dood.'
Lieve hemel, dacht ze. Vreselijk was een woord met veel betekenissen. De aardverschuiving bij Great Lick had alleen maar een stuk weg weggeslagen, verder niets. Geen school, geen levens.
Opeens bedacht ze wat. 'Wanneer was dat?' vroeg ze. 'In welk jaar?'
Het meisje stelde een vraag en de moeder antwoordde met iets dat als februari klonk. Josefina herhaalde: 'Februari.'
'Afgelopen winter? Dus je wéét het allemaal nog? Is het nog maar, wat is het, tien maanden geleden gebeurd? En daarna zijn jullie dus in het voorjaar hierheen gekomen? Naar Feathertown?'
Ze knikte. 'Mijn neven en mijn oom hier al werken.'
'Ik snap het. In de tabak,' zei Dellarobia.
'*Tabaco*,' herhaalden beide ouders. De man wees naar zichzelf en zei: 'Tabaco,' en nog iets. Hij had het gesprek dus tot op zekere hoogte gevolgd. Ze moest haar beeld van het gezin steeds weer bijstellen. Ze hadden een thuis gehad waar ze liever waren dan hier, en banen, wetenschappelijke toestanden of zoiets waar ze bij hielpen. En nu probeerde hij blijkbaar als dagloner de kost te verdienen. Ze schaamde zich voor alles wat ze niet wist. Bergen die over mensen heen instortten. Vanavond zouden Preston en zij naar Hester gaan om samen op de computer te kijken.
Ze gaf het gevouwen papiertje terug en vroeg: 'Zouden jullie misschien de naam van jullie stad willen opschrijven, waar jullie vandaan komen? Zodat ik kan...' Wat wilde ze zeggen? Dat ze hen ging googelen? Dat klonk walgelijk, alsof ze een ramptoerist was. Iets wat om eerlijk te zijn voor veel nieuwsitems gold. Het voelde alleen wat minder onbeschoft als de slachtoffers niet bij je in de woonkamer zaten.
'Zodat ik meer te weten kan komen over jullie stad,' zei ze ten slotte maar.
De man gaf het papiertje terug met verschillende woorden onder het telefoonnummer: Reynaldo Delgado. Angangueo, Mi-

choacán. Die laatste naam was ze alweer vergeten, de stad die er niet meer was.

Ze bleven een tijdje zwijgend bij elkaar zitten. Dellarobia had al veel gebedsbijeenkomsten uitgezeten, maar had geen flauw idee wat ze moest zeggen tegen een gezin dat zijn hele wereld was kwijtgeraakt, inclusief de berg onder hun voeten en de vlinders in de lucht.

# 5
# Nationale omvang

De man kwam aanrijden in een Kever. Zijn auto stond in de lange rij van pechvogels die op maandagochtend achter de schoolbus vastzaten en met wie Dellarobia maar matig meevoelde nu ze Preston op de bus zette. De bestuurders lieten de motor loeien en probeerden elkaar in te halen, maar ze moesten allemaal maar eens wat rustiger aan doen en hun lot accepteren. 'Jullie komen te laat op je werk, nou, nou, wat erg!' mompelde ze vrolijk in de richting van de bestuurders terwijl de buschauffeur het rempedaal losliet en de bus sissend en met een slakkengangetje optrok. Ze wuifde omstandig naar Prestons gezicht achter het vierkante raampje dat het als een schilderijlijst omsloot.

Ze schrok dan ook een beetje toen de oranje vw uit de rij kwam en op de vluchtstrook recht tegenover haar stopte. Had die vent in de gaten gehad dat ze met hem spotte? Ze voelde in haar jaszak naar haar mobiel, wat geen enkele zin had. Het was maar twintig stappen naar haar huis, dus in geval van nood was ze daar zo. Ze keek naar de ongelofelijk lange, dunne man die uit de kleine auto kwam en zich daarbij als een duimstok openvouwde.

'Ik zoek de boerderij van Turnbow,' zei hij met een fascinerend zangerig accent.

'Ik ben Dellarobia Turnbow,' riep ze terug, maar het kwam er te snel uit, als een aaneengesloten serie lettergrepen waar de man om moest lachen.

'Zo,' zei hij. 'Dat allemaal?'

'En dat is nog niet eens alles, ik heb ook nog een tweede voornaam en een meisjesnaam. Catie, Causey.'

Hij stak met grote passen de weg over en schudde haar de hand.

'Kijk eens aan,' zei hij. 'Ovid Byron, ook al zo'n gekke naam. Maar die van jou is de eerste waarbij de mijne verbleekt.'

*Oefit Baajron.* Hij had het accent van een reggaezanger. Ze keek op naar de drager van die twee namen. Ze was gewend aan mannen van formaat, maar deze was zelfs nog een stukje groter dan vader en zoon Turnbow, en dat was niet het enige verschil. Hij was lang, donker en knap, maar dan héél lang en héél donker. Oké, héél alle drie. Hij was zóveel tegelijk, die meneer Byron, dat hij een klein publiek vormde, wat haar ertoe bracht om ter plekke een voorstelling te verzinnen.

'Dus jij bent naar twee dichters genoemd? Lord Byron, en Ovid is zeker van die ene uit de Oudheid, Ovidius.' Ze deed er maar een gooi naar; de literatuurlessen van mevrouw Lake lagen inmiddels ver in het verleden, maar ze zag aan zijn gezicht dat ze de spijker op zijn kop had geslagen. 'Een stuk beter dan mijn naam, ik ben genoemd naar een krans van afval uit de natuur.' Ze maakte een buiginkje.

'Hoe heette je ook alweer?'

'Dellarobia.' Ze streek door haar haar, waarvan de kleur goed bij zijn auto paste: het oranje van de universiteit van Tennessee. Misschien was hij wel fan van het UT-team, maar dat ging ze hem niet vragen. Of misschien vond hij het gewoon een mooie kleur, was het toeval, net zoals zij toevallig met deze kleur haar geboren was. Haar dat vanochtend nog geen borstel had gezien. Ze had haar grijsgeruite pyjama nog aan onder haar jas en ze had haar schoenveters nog niet eens gestrikt. Het was een hele strijd om elke dag op tijd bij de schoolbus te zijn, en daarna was ze altijd geradbraakt.

Gelukkig scheen die pyjama hem niet op te vallen. Hij sprak haar naam aandachtig uit, waarbij hij hem in twee stukken hakte: della robbia. Hij fronste geconcentreerd zijn wenkbrauwen alsof hij verschillende mogelijkheden de revue liet passeren. 'Dat is ook een kunstenaar,' beweerde hij. 'Ik weet het bijna zeker, een Italiaanse renaissanceschilder. Della Robbia. Of misschien een beeldhouwer. Van stillevens, volgens mij. Van afval uit de natuur dus, zoals jij het noemt.'

'Krijg nou wat! Neem je me in de maling of zo?'

'Nee. Maar het kan zijn dat ik er helemaal naast zit.' Hij lachte. 'Je moet het zelf gaan uitzoeken, *woman*. Het is jóúw naam.'

Ze stond paf van de onbevangenheid van deze vreemde. *Woman!* En het idee dat zij naar een kunstschilder genoemd was. Daar kon je je een heel ander mens door gaan voelen. Haar hart bonsde ervan terwijl ze hun merkwaardige gesprek voerden en hij intussen een camera en een rugzak uit zijn auto haalde. Ze liep met hem om hun huis heen en wees hem het pad omhoog, deze verbijsterende Ovid Byron, wiens accent ze eindelijk kon thuisbrengen: hij klonk precies als de krab in *De Kleine Zeemeermin* die 'Diep in de zee' zingt.

Hij was nog niet uit zicht of ze wilde al naar Hester rennen om op de computer te gaan. Ze was nog nooit eerder op het idee gekomen om haar naam te googelen. Maar in plaats daarvan stak ze een sigaret op en bekeek ze het stilleven bij haar achterdeur: modderige laarzen, kartonnen dozen en een driewieler die op zijn kant lag alsof hij bij een botsing bewusteloos was geraakt. Cub moest over tien minuten naar zijn werk, Cordie moest haar ontbijt nog krijgen. Dellarobia koos voor de enige optie die haar in tijden van persoonlijke ontreddering restte. Ze liep naar de zijkant van het huis, waar ze vanuit het raam niet gezien kon worden, en belde Dovey.

'Ho, stop, hoe zei je dat hij heette?' vroeg Dovey nadat Dellarobia vrijwel elk detail van de ontmoeting in één ellenlange zin had gepropt.

'Ik bedoel, hoe ongelofelijk dom kun je zijn?' vroeg Dellarobia, die nog niet helemaal klaar was met haar verslag. 'Ik loop al mijn hele leven rond met het idee dat ik naar een of ander knutselwerkje genoemd ben en nou blijkt het dus een Italiaanse kunstschilder te zijn.'

'Misschien verzint hij het wel gewoon. Om je te versieren. Wie is die vent?'

Over hem kon Dellarobia haar niet veel vertellen. Hij was het hele land door gereisd voor die vlinders. New Mexico, had hij gezegd. De staat, niet het land. Het was een Amerikaan. Iemand had hem het artikel uit de *Cleary Courier* gestuurd via internet. Hij had die journaliste gebeld en gevraagd wat ze precies had gezien en waar. Toen was hij naar Knoxville gevlogen en had daar een auto gehuurd. 'Hij rijdt in zo'n VW kever, had ik dat al verteld? Volgens mij schaamde hij zich er wel een beetje voor. Hij zei dat hij een Prius had gereserveerd, maar dat hij in plaats daarvan die Volkswagen kreeg. Wat voor bedrijf verhuurt er nou kevers?'

'Wacht even,' zei Dovey. 'Dus hij is vanaf de andere kant van het land helemaal hierheen gevlogen en toen naar jouw huis gereden, alleen voor die vlínders?'

'Klopt.'

'Leek hij misschien eh... niet goed snik?'

'Hoe moet ik dat weten? Ik deel mijn leven met mensen die punaises van de vloer willen eten.'

'Hou oud is hij ongeveer?'

'Ouder dan wij, maar niet echt oud. Weet ik veel, veertig of zo.'

'Welke volwassen man gaat er nou door de week geld neertellen voor een vliegticket om naar vlinders te gaan kijken?'

'Weet ik veel? En ik verzin dit heus niet, hoor. Ik heb hem het begin van het pad gewezen en tegen hem gezegd dat hij daar wat mij betreft kan gaan kijken. Als Hester hem maar niet in haar klauwen krijgt. Die zou hem dubbel zoveel laten betalen vanwege zijn kleur.'

'Wat voor kleur? Hoe ziet die vent er nou uit?'

'Als iemand die niet van hier komt. Bijna twee meter lang, zo mager als een lat, Afro-Amerikaans, maar niet heel erg. Aan de lichtere kant, bedoel ik. En zoals hij praat, waanzinnig gewoon. Heel gladjes.'

'Jemig, meid! Dat was Barack Obama.'

Dellarobia lachte. 'Zou kunnen. Incognito.'

'Maar dan zouden er wel meer Volkswagens bij jou op de oprit staan,' zei Dovey. 'Van zijn geheim agenten.'

'Ja, klopt. En die zijn er niet.'

Dovey deed een televisiecommentator na: 'Schandaal van nationale omvang: de president is betrapt terwijl hij flirtte met een sexy vrouw uit Tennessee die buitenshuis slechts in pyjama gekleed was.'

Nationale omvang, dat leek op de een of andere manier wel van toepassing. 'Wie zegt dat ik mijn pyjama nog aanheb?'

'De verleidster uit Tennessee, getrouwd en moeder van twee kinderen, ontkent alles.'

'Drie keer raden wat ik nu ga zeggen.'

'Ik heb geen flauw idee.'

'Hij komt teru-hug!' zong Dellarobia.

'Ja, dat mag ik toch hopen. Dat hij niet op die berg gaat wonen.'

'Nee, ik bedoel hier. Bij ons thuis.' Dellarobia hield de voordeur in de gaten, maar er was nog niemand naar binnen of naar buiten gegaan. 'En dat heb ik niet eens eerst aan Cub gevraagd. Ik heb die man zomaar uitgenodigd om bij ons te komen eten.'

'Je bent een held. Je hebt die vent nog nooit gezien en dan pak je hem gewoon in.'

Ze vrolijkte helemaal op van Doveys bewondering. 'Weet ik. Idioot, hè? Hij zei tegen me dat hij in het Wayside logeert, en toen kon ik het niet laten om hem te redden. Daar is het zo akelig, dat moet je toch toegeven, Dovey. Ben je daar de laatste tijd wel eens geweest?'

'Bedoel je behalve die keren dat ik er drugs ging halen of een hoer kwam oppikken?'

'Precies. Die arme kerel maakt een enorme reis en dan komt hij dáár terecht. Ik heb tegen hem gezegd dat hij daar niet moet gaan eten. Levensgevaarlijk.'

'Dus je gaat voor hem koken?'

'O, jeetje, ik moet nog iets bedenken. Wat zal ik eens maken?'

'Weet ik veel. Die Mexicaanse kip met mais die je wel eens maakt, dat is lekker.'

'Ja, maar straks blijkt dat hij toch uit Mexico komt. Volgens mij is dat recept nep-Mexicaans.'

'Nóg een Mexicaan bij jou op de stoep? Je zei toch dat hij meer...'

'Ja, meer richting zwart. Volgens mij. Zoiets. Of wat is Bob Marley?'

'Oké, nu snap ik het, dus hij heeft dreadlocks?'

'Nee. Hij lijkt op een leukere broer van Bob Marley die niet aan de drugs is en heeft gestudeerd. O, shit, Cub gaat naar z'n werk, ik moet ophangen.'

'Ga je het hem vertellen?'

'Bedoel je Cub? Niet nu meteen, nee. Cub kun je het best kort houden. Ik zeg het wel als hij uit z'n werk komt.'

Cub zag haar vanuit de deuropening en gebaarde dat ze binnen moest komen. Dellarobia zwaaide terug en wees naar haar mobiel. 'Dovey!' riep ze. 'Een persoonlijk noodgeval. Ik kom er zo aan. Zit Cordie in de kinderstoel?'

'In de box.' Hij stopte zijn hemd in zijn broek en liep naar de pick-up. 'Ze hebben grindbestellingen voor de hele dag. Ik ben niet vóór vijf uur thuis.'

'Ik zal jou eens persoonlijk noodgevallen,' beet Dovey haar toe.

'Sorry.'

'Jij bent anders degene die een buitenlandse mysteryguest heeft uitgenodigd voor het eten. Die waarschijnlijk de leider van het vrije westen is.'

'Ja, ik kan beter aan de slag,' zei Dellarobia. 'Mijn huis ziet eruit als de gifbelt van het vrije Westen.'

'Hé!' zei Dovey. 'Jullie zijn net *Guess Who's Coming to Dinner*!'

'Hoezo?'

'Je weet wel, die ouwe film. Over zo'n blank meisje dat haar vriendje mee naar huis neemt en dan schrikken die ouders zich te pletter omdat het Sidney Poitier is.'

'O ja, komt me wel bekend voor. Sidney Poitier.' Dellarobia had het gevoel dat ze dement aan het worden was omdat ze bekende namen en filmtitels vergat. Vroeger haalde ze altijd stapels films uit de bibliotheek, plus alle boeken die niet aan de plank vastgespijkerd waren. Het was maar een kleine bibliotheek in een winkelpand in Feathertown, waar altijd een stoffige sfeer hing en die inmiddels gesloten was, maar er kwamen daar allerlei mensen.

Oude mannen die in boeken over scheepvaart neusden, huisvrouwen die romannetjes of boeken over het opleuken van je huis kwamen halen. Als kind vond ze het geweldig om al die verschillende volwassenen te bekijken; ze gaven haar een idee van alles wat ze in haar leven zou kunnen doen of worden. Nu bewoog ze zich uitsluitend onder mensen aan wie ze door bloedbanden of door religie verwant was, of die, zoals in de supermarkt, geen stom woord zeiden.

Dovey was nog niet klaar met haar dramatische onthulling. '*Guess Who's Coming to Dinner* móét je gezien hebben. Er zijn op tv toch altijd van die Hepburn-marathons?'

'Ja, ik kan me het begin en de aftiteling nog wel vaag herinneren.'

'Hè? Val jij bij films altijd in slaap?'

Dellarobia haalde adem, maar er kwamen geen woorden over haar lippen. Dovey was de baas over haar eigen tv, net zoals over alles wat ze had. En hoe close Dovey en zij ook waren, ze kon vast niet begrijpen dat Dellarobia in een huis woonde waar informatie als rondvliegende granaatscherven bij elkaar geveegd moest worden: film, serie, extreem worstelen en dan weer van voren af aan. Dellarobia keek omhoog naar de lucht en knipperde haar tranen weg. Als haar band met Dovey niet echt was, wat had ze dan nog?

'Ik ga de laatste tijd niet meer zo vaak uit,' zei ze na een tijdje.

'Hoeft ook niet, schattebout, want zo te horen staat de wereld al bij jou op de stoep.'

Om tien over zes schaamde Dellarobia zich voor alles in haar keuken. De plastic borden, de goedkope tafel en stoelen die niet bij elkaar pasten, het waas van snot en appelmoes dat – vreesde ze – nog op elk oppervlak te bespeuren was hoewel ze de hele dag had geboend en gepoetst. De was-droogcombinatie in het hoekje, de bergen wasgoed achter de dunne louvredeurtjes. Cubs koeltas met zijn broodtrommel die hij op het aanrecht had gesmeten en haar echtgenoot zelf, met zijn te lange haar, zijn in elkaar gezakte houding en zijn onvermogen om zelfs maar te zien dat er iets was om je voor te schamen. Zoals hij daar aan tafel achter de sportpagina van de *Courier* zat, leek hij net een illustratie van 'Voor'. Ze was destijds overhaast met hem getrouwd en had niet in de gaten gehad dat dit al het 'Na' was dat erin zat.

'Waar heb je die krant vandaan?' snauwde ze. Ze hoorde dat ze dezelfde toon aansloeg als eerder die dag toen ze Cordie had betrapt met een paar muntjes in haar mond.

Cub keek niet op. 'Van ma.'

Dus zij mocht geen abonnement op de krant, maar hij mocht wel die van zijn moeder lezen. 'Als je toch niet gaat douchen, trek dan in vredesnaam wel even een schoon overhemd aan.'

'Ik heb voor de verandering weer eens een hele dag kunnen werken, schat. We mogen de Heer wel dankbaar zijn.'

'Dank je wel, Jezus, en dat kun je ruiken ook,' zei ze zacht. Ze vond het vreselijk hoe ze zich voelde. Ze was geen haar beter dan Hester door zo tegen hem te doen. Ze kon hem nauwelijks kwalijk nemen hoe hij reageerde op wat ze hem zo plompverloren had verteld: de vreemde ontmoeting van die ochtend en haar uitnodiging. Hij had het allemaal heel welwillend opgevat, wel een beetje verbaasd, maar niet achterdochtig, wat sommige echtgenoten wel zouden zijn als hun vrouw een afspraak met een vreemde man maakte. Ze had tegen Cub gezegd dat het een wat oudere man was, zwart, en misschien zelfs een buitenlander, want ze wilde een onaangename verrassing voorkomen. Misschien dacht Cub zelfs wel dat de man door die kenmerken een onmogelijke concurrent was, zodat hij niet jaloers hoefde te zijn. Zou hij dat wel moeten zijn? Dellarobia kon wel huilen van de zenuwen. Had ze die film waar Dovey het over had gehad maar gezien. Misschien zou ze dan weten hoe ze zich moest gedragen. Ze wilde Cub vragen om de tafel te dekken, maar deed dat bij nader inzien toch maar niet. Ze kon het beter zelf doen zodat Byron in elk geval geen Sponge Bobglas kreeg.

Als de man tenminste kwam opdagen. Van die vraag kreeg ze ook al de zenuwen, want hij leek wel van de aardbodem verdwenen. Ze had de hele ochtend een oogje in het zeil gehouden, maar ze had hem niet door de wei terug zien komen. Ze had verwacht dat hij wel even langs zou komen en iets zou zeggen, wat dan ook. 'Bedankt, mooie vlinders, tot straks.' Zoiets. Halverwege de middag dacht ze dat hij alweer was vertrokken, maar toen ze aan de voorkant keek, zag ze de kever nog steeds staan, met een grote grijns op de achterkant en nog net zo oranje als die ochtend. Er moest iets gebeurd zijn. Ze haalde zich van alles in haar hoofd: hij was de weg kwijtgeraakt, was gevallen, had zijn enkel gebroken. Hij was geen buitenmens, dat zag je zo.

Ze droogde de macaronipan af, knielde om hem op te bergen, en ontweek Cordie, die met een groen babydekentje over haar hoofd de keuken binnenwankelde. Cub boog zich voorover om haar op te tillen en zette het vrolijke kraaiende bundeltje op schoot.

'Wat zit er in deze voddenbaal?' vroeg hij en zwaaide haar heen en weer, waar ze vreselijk van moest giechelen. Cub scheen zich de helft van de tijd niet eens te kunnen herinneren dat hij kinderen had, en dan deed hij opeens weer zoiets. Het waren zijn oogappels. 'Schat, heb jij onze kleine meid ergens gezien?' vroeg hij.

'Nee, al weken niet meer,' reageerde Dellarobia.

'Zullen we deze ouwe voddenbaal maar in de vuilnisbak gooien?' Hij tilde het pluizige groene bundeltje hoog in de lucht, wat een hysterisch gegil opleverde dat een vreemde misschien alarmerend zou vinden, maar Dellarobia wist wel beter. Cordie vond het geweldig om te verdwijnen. En dat was erg grappig, want het was nog niet zo lang geleden dat Preston hetzelfde dekentje wel eens over een speeltje had gegooid waar ze achteraan kroop; dan ging ze zitten en begon wanhopig te jammeren omdat het plotseling weg was. Ze kwam dan niet op het idee om onder het dekentje te kijken en Preston kon het niet laten om dit experiment steeds te herhalen, verbaasd dat zijn zusje dacht dat iets wat ze niet kon zien echt verdwenen was. Ergens tussen toen en nu had Cordie de grootste waarheid van de wereld ontdekt.

'Ik ga de kinderen maar vast te eten geven,' zei Dellarobia.

'Moet je kijken, het wordt al donker. Ik snap niet wat iemand de hele dag op een berg moet.'

Cub zette zijn dochter met haar blote voetjes op het linoleum en ze rende naar de kamer. 'Dat zullen we straks dan wel te horen krijgen,' zei hij.

'Je klinkt niet zo enthousiast.'

'Sinds wanneer plukken wij mensen van de straat om ze te eten te geven?'

Nou krijgen we het, dacht ze. Echt iets voor Cub, hij doet er een heel uur over om zich te realiseren dat hij kwaad is. 'Sinds we hebben besloten om ons christelijk te gedragen,' zei ze. 'Hoezo, had je andere plannen voor vanavond, ADHD-tv kijken zoals gewoonlijk?'

Cub liet met een luidruchtige zucht zijn ongenoegen blijken en richtte zijn aandacht weer op de sportpagina. Het was niet erg aardig, die opmerking over zijn concentratiestoornis. Cub had met veel moeite zijn middelbare school af kunnen maken. Maar ze werd knettergek van dat gezap van hem. Het nieuws, een comedy, een verkoopzender, een show. Wat moest je met zoveel zenders? Zo nu en dan zag ze iets voorbijkomen wat haar nieuwsgierigheid wekte; een vrouw die in haar eentje een zee over zwom, of een blind echtpaar dat voor een paar vondelingetjes zorgde. Maar ze moest Cub de afstandsbediening ontfutselen en erop gaan zitten als ze genoeg tijd wilde krijgen om er een touw aan vast te kunnen knopen.

Ze smachtte naar een sigaret, maar had geen zin in de preek die ze van Cub zou krijgen als ze nu naar buiten zou gaan. In plaats daarvan keek ze in de oven en riep daarna de kinderen. Als ze Cordie in de kinderstoel zette, kon ze rustig verdergaan met tafeldekken. Preston kwam gehoorzaam toen ze riep, loodste Cordie de keuken binnen en probeerde haar op te tillen alsof hij haar in de kinderstoel zou kunnen zetten. Hij had een eindeloos verlangen om te helpen. Net als Roy en Charlie, dacht ze. Mijn zoon heeft de persoonlijkheid van een bordercollie. Ze liep snel naar hem toe om Cordie te redden.

'Lieverd, jij kunt je zusje nog niet optillen. Ze is half zo zwaar als jij.'

'Straks krijg je nog een hernia,' merkte Cub van achter zijn krant op.

Ze was van plan geweest om de kinderen al veel eerder te laten eten en ze voor de tv te zetten als hun gast er was. Die man was misschien niet gewend aan een maaltijd met luidruchtige peuters. Maar Preston had iets opgevangen over dat plan en wilde er niets van weten, zelfs niet toen ze hem probeerde om te kopen met een toetje: een instantpudding met koekjes waar de kinderen dol op waren. Preston liet zich niet gemakkelijk omkopen, zijn toetje was voor hem niet het allerbelangrijkste wat er was. Als er een mysterieuze vreemde op bezoek kwam, dan wilde hij daarbij zijn.

'Ik ga wel op de uitkijk staan!' kondigde hij aan. Hij keek weifelend van de achterdeur naar de voordeur en daarna naar zijn moeder. 'Van welke kant komt hij?'

'Dat weet ik niet, volgens mij is hij nog steeds op de berg. Moeten we niet gaan zoeken, Cub? Hij is daar al sinds acht uur vanochtend.'

'Hij heeft geluk dat het geen pijpenstelen regent,' zei Cub alleen maar.

'Nee, voor de verandering eens een keer niet.' Cub vouwde de krant op, maar deed geen enkele andere concessie aan haar wensen voor deze gelegenheid. Als hij nukkig ging zitten doen, zou het uitdraaien op een ramp. Ze had zijn medewerking nodig. 'Hij is hier in onze stad te gast,' zei ze zacht, 'het is niet zomaar een of andere zwerver. En trouwens, wat dan nog? "Vergeet de gastvrijheid niet, want hierdoor hebben sommigen zonder het te weten engelen onderdak geboden." Dat staat in de Bijbel.'

Cub keek haar berouwvol aan. Soms stond ze paf van de gelijkenis tussen hem en Preston.

'Hij is helemaal hierheen gekomen om onze bijzondere zegening daarboven te zien,' bracht ze voorzichtig naar voren. 'Ik wilde hem wat over die vlinders vertellen. Omdat hij die interessant schijnt te vinden.'

'Ja, kun je doen,' zei Cub. 'Dat is zo.' Ze had Cub de oren van de kop gekletst over alles wat ze op Wikipedia had gelezen over de monarchvlinder. Hij zou het vast niet erg vinden om daar een avondje van verlost te zijn en iemand anders ermee op te zadelen.

Ze schrokken toen er werd aangeklopt. Iedereen was gespannen, zelfs de kinderen. Dellarobia durfde er iets onder te verwedden dat Cordie door de gespannen sfeer zou gaan dreinen. Ze deed haar schort af en ging haastig de deur opendoen.

'Hallo! Wees welkom!' zei ze. Ze vond dat ze klonk als zo'n overdreven enthousiaste huisvrouw uit *The Stepford Wives*. Ze liep met hem naar de keuken en stelde hem voor aan Cub en de kinderen. Daarna pakte ze een paar pannenlappen en dook op de oven af voordat ze nog iets vernederends deed. Ze had haar huisvrouwentenue verwisseld voor een roze gebreide tuniek met een legging en oorringen, maar dat voelde nu ook al verkeerd. Ze zag er veel te opgetut uit. Byron vroeg of hij even van hun sanitair gebruik mocht maken om zich op te frissen.

'Ja, natuurlijk! Zeker! Je bent de hele dag in weer en wind op pad geweest. Preston, lieverd, wil jij meneer Byron even wijzen waar het is?' Ze knielde en tuurde in de oven. Ze was eerst van plan geweest om gehaktbrood te maken, maar toen had ze zich paniekerig afgevraagd of hij misschien vegetariër was. Dat kwam voor, zeker bij mensen uit andere landen. Zou een goede huisvrouw precies weten wat ze moest maken als er een onbekende kwam eten? Uiteindelijk had ze gekozen voor een ovenschotel met macaroni en tonijn, best een chic recept met een zak minifrietjes en twee blikjes Franse sperziebonen. Dat leek wel een veilige keus. Frans was hij in elk geval niet.

Preston sprong van zijn stoel toen hem werd gevraagd om de gast de weg te wijzen, maar liep naar zijn moeder en fluisterde in haar oor: 'Wat is sanitair?'

'De badkamer,' fluisterde ze terug.

Preston knikte en marcheerde de keuken uit, gevolgd door de boomlange bezoeker. Dellarobia keek hem na. Zijn wandelschoenen zagen er duur uit, maar de rest van zijn kleren was vrij gewoon: een veelgedragen jas, een blauw corduroy overhemd en een spijkerbroek. Als je een lengtemaat 38 tenminste gewoon kon noemen. Die kocht hij vast in speciale winkels voor grote maten. Of zijn vrouw, indien van toepassing. Dellarobia zette de ovenschaal op tafel, schepte wat zachte macaroni met kaas in Cordelia's kommetje en blies erop om het te laten afkoelen. Cordie had in elke hand een lepel en probeerde als een ware heavy metal-drummer het blad van haar kinderstoel doormidden te slaan, waarbij ze haar pluizige hoofdje meebewoog op de maat. Toen Preston terugkwam in de keuken wierp hij één blik op zijn zusje en keek toen met grote ogen naar zijn moeder: *zeg alsjeblieft tegen me dat ik nooit zo ben geweest.* Maar ze zat in elk geval niet te dreinen. Cub pakte de kan met ijsthee uit de koelkast, zoals ze hem had gevraagd. Hij dreinde gelukkig ook niet. Tot nu toe ging alles goed. Toen hun gast terug was en iedereen aan tafel zat, zei Cub het gebed: 'Heer wij danken u voor deze maaltijd die wij met elkaar mogen ontvangen amen.' Ze zag dat Ovid Byron zijn ogen onder het bidden ook niet sloot. Dat hadden ze met elkaar gemeen.

'Nou, meneer Byron, vertelt u eens iets over uzelf,' zei Cub.

De man stak als een verkeersagent zijn lange, smalle hand op. 'Zeg maar Ovid, en liever geen "u". Anders voel ik mij net een oude man.' *Een oode mon.*

'Ja, tuurlijk,' zei Dellarobia, al dacht ze niet dat Cub van plan was om zo'n exotische naam uit te spreken. Ze wilde dat zelf ook liever niet, ze was weliswaar vanaf het begin zo vrijpostig geweest om hem te tutoyeren, maar ze was bang dat het liedje van Bob Marley dat ze steeds in haar hoofd had per ongeluk over haar lippen zou komen. *No woo-mon, no cry.* 'Dat geldt niet voor jou, Preston,' zei ze. 'Jij zegt netjes meneer Byron.'

Preston had zijn vork al halverwege zijn mond en knikte braaf.

'En wat vond je ervan,' ging Cub verder, 'van dat gedoe op onze berg?'

Ovid schudde heel langzaam zijn hoofd. Hij nam een grote slok ijsthee. 'Ik weet bijna niet waar ik moet beginnen om uit te leggen wat ik daarvan vond. Van dat gedoe op jullie berg.'

‘Het zijn monarchen,’ zei Dellarobia tegen hem.

Ovid keek haar een beetje bevreemd aan.

‘Die vlinders,’ vulde ze snel aan. ‘Monarchvlinders. Je zult het niet geloven, maar het zijn echt de wonderbaarlijkste insecten ter wereld. Ze zitten altijd met z’n allen op een kluitje.’

De gast lachte breeduit en scheen het nu te begrijpen. ‘Ja, dat klopt. Ze zitten op een kluitje.’

‘Ik bedoel niet alleen hier. Ze komen elk jaar van overal uit de VS en volgens mij ook uit Canada, en dan vliegen ze naar het zuiden om daar te gaan overwinteren. In enorme groepen. Miljoenen! We hebben er plaatjes van gezien op internet, Preston en ik. Precies hetzelfde als wat daarboven zit, van die kluiten vlinders die in de bomen hangen, een compleet bos vol. Kan je je bijna niet indenken, hè? Maar je hebt ze met eigen ogen gezien. Dat zo’n iel beestje dat hele eind kan vliegen!’

‘Mijn vrouw is een expert,’ zei Cub trots. ‘Zij heeft ons ook als eerste daar mee naartoe genomen.’

Ovid luisterde, knikte, en kauwde peinzend. ‘Daar zou ik graag wat meer over willen horen,’ zei hij. Ze zag dat hij kurkentrekkertjes grijs haar had bij zijn slapen en fijne lachrimpeltjes bij zijn ogen.

Ze schudde haar hoofd om Cubs compliment af te zwakken, maar ze was nog lang niet over het onderwerp uitgepraat. ‘Ze vliegen duizenden kilometers naar het zuiden, net als trekvogels. Die vlinders zijn de enige insecten die grote afstanden kunnen afleggen en zelfs de oceaan kunnen oversteken. Ze kunnen wel honderd kilometer op een dag afleggen. Ongelofelijk. Ze wegen nog niet eens zoveel als een kwartje.’

‘Nog niet eens de helft, wil ik wedden,’ reageerde Ovid.

‘Oké. Maar wat ik nu ga zeggen, geloof je nooit.’

‘Nou?’

‘Meestal gaan ze naar Mexico.’ Ze legde haar vork neer en boog zich naar voren. ‘Miljoenen vlinders verzamelen zich op één plek op een berg in Mexico. Altijd dezelfde berg. Ik bedoel: waarom nou net Mexico? En wat is er zo bijzonder aan die ene berg?’

'Goeie vraag,' zei Ovid.

'Er gaan er geloof ik ook een paar naar Californië,' zei ze. 'Ik weet niet precies hoe dat zit. Maar ongeveer negenennegentig procent komt normaal gesproken in Mexico terecht.' Het bezoek van het Mexicaanse gezin en de ramp die ze hadden meegemaakt bedrukte haar even, maar daar ging ze nu niet over beginnen. Ze wilde alleen iets moois vertellen, niet de schaduwkant. Ze deed haar haar achter haar oren en keek hun gast stralend aan. 'Ze zijn jaar in jaar uit naar dezelfde plek gegaan, misschien al wel altijd. Sinds God ze heeft geschapen. En nu hebben ze om de een of andere reden bedacht dat ze hierheen wilden komen in plaats van naar Mexico. Hier!'

'Dit land is al bijna honderd jaar in de familie van mijn vaderskant,' zei Cub, alsof dat er ook maar iets toe deed. Dellarobia nam een hap en probeerde geduld op te brengen met hoe haar man over dingen dacht. Straks begon hij nog over dat kapcontract. Maar misschien was Byron wel geïnteresseerd in zulke mannenpraat. Ze kon niet zo goed hoogte van hem krijgen. Ze boog zich naar voren en probeerde Cordies gezicht af te vegen, maar die wildebras sloeg het servet weg en zong 'nananana'. Het artistieke temperament van de familie. Dellarobia keek naar haar dochter, die met kaassaus aan het verven was op het blad van haar kinderstoel en daarbij rondjes maakte met haar beide handjes. *Landschap met planeet en twee zonnen*, Cordelia Turnbow.

Er viel een stilte. Dellarobia hoorde een zacht applaus vanuit de kamer. Niemand had eraan gedacht om de tv uit te zetten. Het klonk als iets stoms van Spike, wat helemaal niks voor de kinderen was. Ongeveer eens per week dreigde ze de kabel-tv op te zeggen, maar ze hadden een of ander raar pakket samen met Bear en Hester waardoor het bijna gratis was. Bovendien vroeg Dellarobia zich af of hun gezin wel zonder tv kon. Het was net een drugsverslaving. Die bedrijven hielden je aan een infuus.

'En ze eten giftige zijdeplanten,' wist Preston te melden. 'Vertel dat ook maar, mam.'

'Ja, dat klopt, ze eten zijdeplanten, en die zijn geloof ik giftig.

Nou ja, de vlinders niet, die kunnen niet kauwen, die drinken alleen maar nectar uit de bloemen. Maar ze leggen eitjes op de zijdeplant. Dus als er dan rupsen uit die eitjes komen, eten die kleintjes alleen maar giftige blaadjes.'

Preston voegde er opgewonden aan toe: 'En als ze dan, als ze dan dat opeten en groot worden, dan worden de vlinders ook giftig. Dus dan kunnen ze niet opgegeten worden!'

'Giftig of onsmakelijk voor vogels,' bevestigde Dellarobia, die uit haar hoofd citeerde wat ze had gelezen.

Ovid deed zijn armen over elkaar, keek Preston aan met een blik die zei dat hij zeer onder de indruk was en knikte hem bewonderend toe. 'Wat ben jij een slimme knul, zeg. Sst, even luisteren... Een klein vogeltje fluistert iets in mijn oor...' hij draaide met zijn wijsvinger rondjes in de lucht en wees toen naar Preston, 'namelijk dat jij een wetenschapper bent.'

'Ze worden ook wel King Billy's genoemd,' zei Dellarobia. 'Hier in de buurt, tenminste. Ik heb geen idee waarom.' Zat ze nu met haar vijfjarige zoontje te wedijveren om de aandacht van die man? Ze beet op haar onderlip.

'King Billy, die naam kende ik nog niet,' zei Ovid. Hij schoof zijn stoel een beetje opzij, naar Preston toe, en vroeg met zijn zangerige stem: 'Wat denk je, waarom zou een vlinder dat hele eind vliegen om 's winters bij zijn soortgenoten te zijn?'

Preston legde zijn vork neer en deed zijn ogen dicht, zodat hij elke hersencel aan het werk kon zetten. Toen waagde hij een poging: 'Omdat hij eenzaam is?'

'Dat is een redelijke hypothese,' antwoordde Ovid. 'Zijn vrienden vliegen namelijk overal rond. Ze zijn verspreid over een heel groot gebied. Dus als die ene vlinder dan teruggaat naar de groep, heeft hij meer kans om een vrouw te vinden. Een extra goede vrouw, uit een ander land, snap je? Je bent nu nog te jong om over zulke dingen na te denken, man!' Ovid knipoogde naar Cub. 'Maar als je later groot bent, en een auto hebt...' Hij rolde met zijn ogen en floot. 'Dan weet je precies wat ik bedoel.'

Dellarobia was een beetje uit het veld geslagen door de wending die het gesprek nam, maar ze deed er het zwijgen toe. Cub zat zijn calorieën naar binnen te werken. Ze had geen idee wat hij dacht, maar hij maakte een vriendelijke, hongerige indruk en keek alsof hij er niet helemaal bij was. Met andere woorden: net als anders.

Ovid vervolgde: 'Denk je dat er nog een reden is waarom die vlinders zo ver weg vliegen? Helemaal naar het zúíden, om precies te zijn? Naar het zonnige Mexico?'

'Om warm te blijven!' riep Preston, zo haastig als een deelnemer aan een televisiequiz.

'Zodat hij niet bevriest, precies! Goh, ik merk dat jij echt goed over de dingen nadenkt, Preston. Maar bekijk het nu eens van de andere kant. Stel dat hij echt op een warme, zonnige plek thuishoort. Zoals ik. Ik kom ook uit zo'n soort streek. Maar ik ben in staat om naar het noorden te reizen om dingen te bekijken die ik heel interessant vind. Stel dat die vlinder dat ook doet, maar niet tegen de ijskoude winter kan. Wat zou onze vriend dan doen?'

Preston grinnikte en keek even naar zijn moeder. 'Een jas kopen?'

'Als hij dat kon misschien. Maar vergeet niet dat hij een vlinder is.' Wat lachte die man innemend, en zo breed dat je al zijn tanden zag.

'Dat was een grapje,' zei Preston nuffig. 'Dan zou hij 's winters teruggaan. Zodat hij niet bevriest.'

'Precies.' Ovid klapte tot Prestons opperste verrukking in zijn handen. Die man wist wel hoe hij met kinderen om moest gaan. 'Dus wat betekent dat? Misschien is meneer Monarch die hier in deze buurt zit wel helemaal niet onze vlinder. Niet een vlinder die hier thuishoort en 's winters naar het zuiden vliegt. Misschien is hij eigenlijk een Mexicaanse vlinder die in de zomer naar het noorden vliegt en hier alleen maar op bezoek is.'

Preston knikte, zette grote ogen op en leek de gedachtegang te kunnen volgen.

'Maar een wetenschapper gokt niet zomaar wat. Hij mééт dingen. Hij doet experimenten. Hoe zouden we nu de waarheid over meneer Monarch kunnen ontdekken, denk je?'

'Door het aan iemand te vragen?' stelde Preston voor.

'Ja, aan zijn familie bijvoorbeeld.'

'Hoe dan?' Preston tuurde door zijn brillenglazen gefascineerd naar hem.

'Dat kan op verschillende manieren,' zei Ovid. Hij leunde achterover en sloeg zijn lange benen over elkaar, met de enkel op de knie. 'Er zijn mensen die dat gedaan hebben. En weet je wat ze hebben ontdekt? Dat al zijn familieleden tropische vlinders zijn. In die hele familie, de familie Danaus, is meneer Monarch de enige slimmerik die zijn geluk zoekt op plaatsen waar het kouder is.'

Dellarobia stond perplex. Ze voelde zich genept, beschaamd, woedend, overweldigd. 'Een klein vogeltje fluistert in mijn oor,' zei ze, waarbij ze naar Ovid wees, 'dat jíj een wetenschapper bent.'

Hij spreidde zijn handen, betrapt, en lachte zó breeduit dat het leek alsof de zon ging schijnen. Net zoals gebeurde als Cordelia lachte.

'Allemachtig!' Dellarobia verslikte zich en hoestte tot het over was. Ze dronk haar glas ijsthee leeg. 'Dan heb ik mezelf net dus mooi voor schut gezet, je wordt bedankt, hoor.'

Cub leek wakker te worden. Hij sloeg met zijn beide vlakke handen op tafel alsof hij opeens de clou van een mop snapte, en zei: 'Jij bent vlinder-oloog, of niet!"

'Entomoloog, lepidopterist. Bioloog mag ook. Ik hecht niet zoveel waarde aan titels.'

'Maar...' Dellarobia worstelde met de manier waarop ze het moest formuleren. 'Dus je hebt daarvoor doorgeleerd, op de universiteit? Wat zeg ik, misschien geef je daar zelf wel les?'

'Klopt, ik geef les aan de Devary-universiteit in New Mexico. En ik ben afgestudeerd aan de Harvard-universiteit, en daar...' hij keek Preston veelbetekenend aan, 'is het ontzéttend koud.'

'Kom je helemaal uit New Mexico?' vroeg Cub. 'Tjee! Dat is wel, hoe ver? Drieduizend kilometer? Hoelang rij je daar nou over?'

'Ik ben met het vliegtuig gekomen. En dat is in zo'n kleine vliegtuigstoel ook een heel eind, vriend, dat kan ik je verzekeren.'

'Ik heb nog nooit gevlogen, en mijn vrouw ook nooit niet,' zei Cub vol ontzag. Maar nu had hij toch een beetje meegedaan aan die reis, want zijn plekje op aarde stond op de kaart van deze geleerde man. Dit was een etentje van nationaal belang. Maar Dellarobia had het gevoel dat ze een klap in haar gezicht had gekregen.

'Je bent hier omdat jij bij de mensen hoort die de monarchvlinder bestuderen,' zei ze.

'Helemaal goed. Ik heb daar vandaag een snelle telling gedaan.'

Negen uur lang, dacht ze, wat je maar snel noemt. Zou hij ze allemaal hebben geteld? 'En wat doe je dan precies? Observeer je ze, of doe je ook experimenten? En dan schrijf je daar zeker een verslag over?'

Hij knikte. 'Een proefschrift, artikelen, een paar boeken. Allemaal over de monarchvlinder.'

'Een páár boeken,' zei ze. Ze dacht aan wat ze tegen hem had gezegd: 'Dat zijn monarchvlinders', en hoe hij toen had gekeken. Er bestond dus nog iets ergers dan een vegetariër gehaktbrood voorschotelen. Feitjes van Wikipedia oplepelen voor iemand die ze misschien wel zelf had ontdekt. Ze bevond zich op hetzelfde niveau als haar montere, met kaassaus besmeurde dochter, ze gedroeg zich net zo dom als een peuter die haar gezicht vol eten smeerde. Zonder het excuus dat ze ook nog werkelijk een peuter was.

Preston leek juist in staat om bij de man op schoot te klimmen en Cub bleef niet ver bij hem achter. Alleen Cordie hield zich afzijdig en bracht de laatste details aan in haar compositie, waarbij ze nu ook haar haren betrok. Ovid Byron scheen zich nergens iets van aan te trekken en schepte zichzelf nog eens op.

'Wat voor soort dingen bestudeer je dan van de monarchvlinder?' vroeg Dellarobia.

Hij at zijn mond leeg voordat hij antwoordde. 'Dingen die waarschijnlijk erg saai klinken. Taxonomie, de evolutie van het migratiegedrag, het effect van de parasitoïde sluipvliegen, de energetica van het vliegen. Populatiedynamiek, genetische drift. En vanaf vandaag ook de interessantste en alarmerendste kwestie waar niemand in ons vakgebied waarschijnlijk nog over heeft nagedacht: Waarom een groot deel van de monarchpopulatie die al in Mexico overwintert sinds God ze heeft losgelaten, zoals jij al zei, zich in plaats daarvan nu opeens verzamelt in het zuidelijk deel van de Appalachen op de boerderij van de familie Turnbow.'

Ze staarden hem aan, verwonderd dat ze aan het einde van zo'n verhaal hun naam hoorden.

Dellarobia's oog viel op het restant van een roze ballon die aan de lamp boven de tafel hing; het overblijfsel van een verjaardagsfeestje van maanden geleden dat ze bij de grote schoonmaak van vandaag en bij eerdere gelegenheden over het hoofd had gezien. Hij was klein, slap en verschrompeld, als een beledigde testikel, en hoewel ze die natuurlijk niet bezat, had ze wel een idee hoe dat moest voelen. Het leek behoorlijk veel op hoe ze zich nu voelde. Je ligt op de pijnbank, je houdt vol, maar het doet ongenadig veel pijn.

'Meneer Byron,' zei ze. 'Waarom laat je me de halve maaltijd maar door ratelen? Terwijl jij óns eigenlijk alles over die vlinders zou moeten vertellen!'

Hij begon te lachen, liet het hoofd hangen en veinsde berouw; om haar op haar gemak te stellen, dat had ze wel in de gaten. 'Sorry, Dellarobia. Dat is een egoïstische gewoonte van me. Maar als ik alleen maar naar mezelf luister, leer ik nooit iets nieuws.'

# 6

# Overbrugging van een werelddeel

Preston had de hoop op een witte kerst laten varen en zijn moeder gevraagd of de Kerstman ook met de boot kon komen. Zo'n december was het. Met bakken kwam het naar beneden, regelrechte stortbuien, geen gewone regen, maar water dat met emmers tegelijk tegen het raam leek te worden gesmeten. Soms kwam het zelfs door de hordeuren heen, je zag geen hand voor ogen en af en toe leek het of er stormvlagen uit de grond opwoeien die de watervloed omhoog joegen in wervelende stuifwolken nevel. Het grondwater kwam steeds hoger te staan. De voortuin was één drassige watergrasvlakte. Dellarobia kon de kinderen niet meer laten buitenspelen tenzij ze hen er in hun rubberlaarzen in liet spetteren. Als het iets warmer was geweest hadden ze in hun zwembroekjes rond kunnen rennen, zoals ze in de zomer deden onder de sproeier.

Maar het was winter, hartje winter. Johnny Midgeon zong in zijn ochtendshow op de radio 'I'm dreaming of a wet Christmas' en kwam elke dag met nieuwe coupletten waarvan Dellarobia intussen de buik meer dan vol had. Spuugzat was ze die regen. Al dagenlang beukte hij onophoudelijk tegen de raamkozijnen, kwam onder de keukendeur doorsijpelen en vormde plasjes op het linoleum. Ze blééf dweilen en had de kier nu maar dichtgestopt met handdoekrolletjes. Het waren Bijbelse tijden. 'Red mij, God, het water staat aan mijn lippen', vooral die regel uit Psalmen kwam bij haar op, omdat hij zo dramatisch en modern klonk, echt als iets wat Dovey zou kunnen zeggen.

Dellarobia snakte naar een snelle sigaret op de veranda, maar de opgerolde roze handdoek op de drempel lag als een zompige dikke slang in de weg. Ze wist dat het ding kil aan zou voelen, als iets doods. Ze frunnikte aan het pakje sigaretten in de zak van haar sweatshirt en voelde zich opgesloten. Cordie zat op de grond met haar speelgoedtelefoon te spelen. Dellarobia deed haar uiterste best haar kinderen groot te brengen zonder zwarte longen van de tweedehandsrook. Hoe zou mevrouw Noach dat hebben aangepakt? Hun huis was langzaam in een boot aan het veranderen en haar gezin zou naar zee drijven.

Ze trok de deur voorzichtig open waardoor de roze slang vanzelf mee schoof en zag dat de tochtdeur tot een hoogte van zestig centimeter onder de neusafdrukken zat. En niet van de honden. Ze liet de binnen- en buitendeur openstaan zodat ze Cordie kon horen en glipte de veranda op om er een op te steken. Ze inhaleerde en blies de rook langzaam uit in een lang, geluidloos uitroepteken bij wat zich voor haar ogen ontrolde. De vijver was overstroomd en de drainagegeul die midden door de wei liep was aangegroeid tot een continue, snelstromende beek. Na de storm van gisteren was er een nieuw vlot van takken en kleine bomen de wei in gespoeld. Ze lagen over de totale lengte van de helling verspreid en waren her en der blijven steken, zodat ze dammetjes vormden waardoor de geul breder werd en het water werd tegengehouden tot het eroverheen stroomde. Er had hier zolang Cub zich kon herinneren nooit een beek gestroomd, maar nu werd de heuvel door een reeks watervallen beklommen alsof hij een trap was. Ze was niet gewend aan zoveel beweging daar en werd er onrustig van. Aan de randen van het terrein waar het water zich had teruggetrokken lagen bergen bruinzwarte, bebladerde kluiten. Ze wist dat het geen bladeren waren, maar lijken. De nieuwste aflevering van de insecteninvasie die haar leven had overspoeld. Vóór dit jaar had ze nauwelijks vlinders van dichtbij gezien en nu waren ze de hoofdrolspelers in haar eigen huiselijke drama. Dat nu officieel niet langer alleen huiselijk was. Ze keek of ze een teken van leven kon ontdekken in de camper van dr. Byron.

De man die ze twee weken geleden spontaan te eten had gevraagd, bivakkeerde nu naast hun schuur. De regeling had iets onwerkelijks voor Dellarobia, zoals zoveel wat op haar roekeloze actie was gevolgd. Het was Cubs idee geweest om hem zijn camper achter hun huis neer te laten zetten, naast de oude schapenschuur, en het was Cub die de buitenkabel had opgezocht waarmee hij stroom zou kunnen aftappen. Dellarobia zou dat nooit hebben durven voorstellen. Dat was niet aan haar. Zelfs na al die jaren op het land van haar schoonfamilie was de draad waarmee ze zich aan deze plek verbonden voelde veel minder stevig dan een oranje verlengsnoer. Het enige wat zij Ovid Byron die eerste avond aan tafel te bieden had gehad was een waarschuwing voor het motel. Het was er nogal een verlopen toestand, had ze gezegd. Hij kon daar beter niet zijn intrek nemen, als hij terugkwam.

Want terugkomen zou hij, had hij die avond verteld. Zijn semester op de universiteit zat er bijna op en als ze het goedvonden zou hij een klein team meenemen om te onderzoeken wat de vlinders hier op de berg deden. 'De alarmerende kwestie', zoals hij het noemde. Hij sliep altijd in een camper als hij veldwerk deed op afgelegen en verspreid liggende plaatsen, had hij uitgelegd, en Cub had meteen naar buiten gewezen. Daar kon hij zijn camper neerzetten, dan zat hij meteen in de buurt. De oude schuur had elektriciteit en werd 's winters toch niet gebruikt omdat Hester graag vanuit huis een oogje hield op de schapen als er gedekt en geworpen ging worden en ze ze daarom graag bij haar in de schuur had. Dellarobia wist niet wat ze hoorde. Normaal gesproken ging haar man nog niet naar de wc zonder Bear en Hester te raadplegen en nu gooide hij binnen enkele minuten na de kennismaking met Ovid Byron al de rode loper voor hem uit, net als zij had gedaan. Cub had natuurlijk altijd al wel de neiging gehad om alles en iedereen van naam te aanbidden. Ze had een keer meegemaakt dat hij tijdens het opgeven van een bestelling in een snackbar opeens met zijn mond vol tanden had gestaan bij het zien van een bekende coureur in de zaak. En blijkbaar kon hij dus ook geen weerstand bieden aan Ovid Byron, een man die met zijn charme waarschijnlijk zelfs slangen kon bezweren. Mensen die hadden gestudeerd bezaten dat soort krachten.

En die charmante man woonde nu tijdelijk in een witte camper, die als een bult op de laadbak van een Ford-truck was gebouwd, een aftands geval dat zo te zien al een groot deel van zijn leven meeging. Hij had er alles wat hij nodig had om het zich er gemakkelijk te maken: fornuis, ijskast, noem maar op. Hij was er vanuit New Mexico in aan komen rijden met zijn drie jonge medewerkers, Pete, Mako en Bonnie. Hij had het over postdocs of zoiets gehad, het was nu te laat om te vragen wat dat betekende, want ze had bij de kennismaking gedaan alsof ze dat wel wist. Ze had zich laten afleiden door Petes gespierde bovenarmen en het feit dat Bonnie met haar donkere ogen en langgerekte lichaamsbouw veel knapper was dan waar ze recht op had in die slobberbroek en dat fleece vest van haar. De studenten verbleven in het Wayside. Dellarobia vroeg zich af hoe ze dat precies hadden geregeld – twee jongens en een meisje – en had oprecht met hen te doen dat ze daar moesten slapen. Maar ze zouden maar een week blijven. Ze waren jong en kwamen uit de grote stad, hadden gestudeerd. Die zouden zich wel redden.

Ze zaten trouwens toch zolang het licht was op de berg, behalve tijdens de allerergste hoosbuien. 's Avonds zaten ze met z'n allen rond een soort kampeertafeltje in de camper, maar wat ze daar deden, ze had geen flauw idee. Ze had stapels grafieken met getallen zien liggen en wist dat ze pokerden, want ze hadden haar uitgenodigd om daaraan mee te doen. Eén keer was ze op de uitnodiging ingegaan, toen Cordie en Preston in bed lagen. Moest je een cadeautje meenemen als je op bezoek ging in een camper, had ze zich afgevraagd. Ze had een pot *dilly beans*, in azijn ingelegde sperziebonen, meegenomen. De studenten waren nogal uitgelaten geweest bij het kaarten, terwijl Ovid er ijverig bij had zitten tikken op zijn dunne computertje dat als een boek op zijn kant openging en een blauw schijnsel op zijn gezicht wierp. Het licht gaf zijn huid een vreemde kleur in de schemerige camper en veranderde zijn leesbril in twee ondoorgrondelijke rechthoekjes licht.

Ze voelde zich schuldig dat ze deze mensen niet bij hen binnen vroeg in hun vrije uren, maar Ovid wilde absoluut haar gezinsleven niet verstoren. Dat was de afspraak, zei hij. Ze waren dit trouwens gewend als veldwerkers, hadden ze haar stuk voor stuk verzekerd. Ovid leek trots op zijn reisverblijf. Het toilet was een piepklein hokje dat je, als de deur dicht was, in een douche kon veranderen. De kampeertafel kon worden ingeklapt en de zitbanken veranderden uitgeklapt in een riant bed. Dat had hij ook wel nodig met die lengte van hem, dacht Dellarobia. Had hij een vrouw, een gezin? Ze durfde het niet zo goed te vragen. Als hij van plan was hier tijdens de kerstdagen te blijven, voorspelde dat op het vlak van familie weinig goeds, leek haar. Maar gisteren had hij het erover gehad dat hij tussen kerst en oud en nieuw wegging en de camper hier zou achterlaten, zodat hij in januari nog een tijd terug zou kunnen komen. Ze had geen idee of hij familieleden had die hem in hun midden wilden hebben met de feestdagen of dat hij alleen de Turnbows niet in de weg wilde lopen.

Uit haar eigen huis klonk luid gebonk, besefte ze opeens. Snel drukte ze haar sigaret uit in de met peuken gevulde bloempot en vloog naar binnen, waar ze Cordie staand aantrof met de gele hoorn van haar speelgoedtelefoon in haar hand, zodat de rest van de telefoon aan het snoer bungelde.

'Was jij zo aan het bonken?' vroeg Dellarobia.

'Omomoma,' antwoordde Cordie.

Tot Dellarobia's ontzetting stond Hester in de gang.

'Ik heb geklopt,' verklaarde Hester. 'Waar was je?'

'Aan het schoonmaken. Spullen aan het verplaatsen op de veranda,' loog Dellarobia. Ze inventariseerde snel wat Hester haar vanochtend allemaal zou aanrekenen: de ontbijtboel in de gootsteen, Cordie met niet meer dan een luier en een hemdje aan. Ze had haar geprobeerd aan te kleden, maar het kind had haar de hele ochtend met nee-nee-nee bekogeld, totdat ze zich een vrouw had gevoeld die werd gestenigd voor de zonde van het moederschap. 'Ik word zo onrustig van al dat water,' zei ze. 'Kom binnen, dan zet ik even koffie.'

'Heb ik al gehad, maar oké, ik drink wel een kopje mee, als je het niet erg vindt.' Hester keek zoekend om zich heen waar ze haar druipende regenjas kon ophangen.

‘Het is geen weer om naar buiten te gaan, hè?’ Dellarobia nam Hesters jas van haar aan, alsof ze een gast was.

‘“Reik mij uw hand van omhoog, ontruk mij aan de woeste wateren.”’

‘Daar zat ik ook al aan te denken,’ zei Dellarobia verrast. ‘De ondergang van de wereld. En iedereen altijd maar denken dat de psalmen alleen over aangename dingen gaan.’

Hester leek niet onder de indruk van Dellarobia’s denkbeelden over de psalmen. Dellarobia probeerde zich op één ding tegelijk te concentreren: de jas ophangen, de tafel afruimen. Hester kwam bijna nooit bij haar thuis. Alles speelde zich altijd af bij Bear en Hester: schapen scheren, tomaten wecken, familievergaderingen, waken. Dit ranchhuis met zijn twee slaapkamers was slechts een niemendalletje vergeleken met de uit zijn voegen barstende boerderij waar Cub en zijn vader allebei in waren opgegroeid, maar het had niets te maken met afmetingen of het aantal stoelen. Bear wilde nog wel eens zo goed zijn om zijn zoon hier te komen helpen met het ontmantelen en opnieuw in elkaar zetten van een motorblok en Hester kwam tegenwoordig natuurlijk met haar kijkersgroepjes over het nabijgelegen pad naar boven. Maar door de bank genomen kwam het er toch op neer dat het stukje grond waarop het huis van hun zoon stond een dode hoek vormde voor Bear en Hester. Elf jaar geleden hadden ze een hypotheek genomen om het huis te laten neerzetten en hadden ze zelf de indeling daarvan bepaald en de kleuren gekozen. De aanbetaling was hun huwelijksgeschenk geweest toen Cub Dellarobia in moeilijkheden had gebracht, zoals zij het noemden. Het was duidelijk dat ze haar die bruidsprijs nog steeds misgunden.

‘Omoma!’ zei Cordelia opnieuw. Ze liet haar telefoon vallen, hupste met haar kromme beentjes op en neer in een soort dansje. Dellarobia stond ervan te kijken dat Hester zoveel blijdschap opwekte bij het kind, maar besefte daarna pas dat ‘Jingle Bell Rock’ uit de radio schalde. Ze zette de muziek uit waarna Cordie onmiddellijk op de vloer zakte, als een marionet waarvan de touwtjes werden doorgeknipt.

'Sorry, liefje, maar oma en ik willen onszelf kunnen horen denken.'

Cordie nam onmiddellijk wraak door de speelgoedtelefoon te pakken en in de weer te gaan met de draaischijf, wat een spannend kabaal veroorzaakte. Als voorwerpen ergens in hun diepste krochten een gruwelijk lawaai verborgen, kon je er zeker van zijn dat dit meisje dat wist te vinden.

Dellarobia probeerde zich op het koffiezetten te concentreren. Ze was van slag door Hesters aanwezigheid, die alleen maar slecht nieuws kon betekenen. Alles wat met de vlinders te maken had, had tot onenigheid in de familie geleid: het heffen van toegangsgeld voor de rondleidingen, het toelaten van de professor, het wild om zich heen grijpende conflict in de kerk over Dellarobia's rol in het zogenaamde wonder. Er was een tweede artikel verschenen waarin Dellarobia opnieuw de hoofdrol speelde. Als Hester en Bear iemand verantwoordelijk achtten voor dit alles, was het niet Cub. Konden schoonouders namens hun zoon een scheiding aanvragen? Maar wat de reden van Hesters bezoek ook was, ze was voor haar doen sober gekleed. Ruitjesblouse en jeans, een riem met een grote zilverkleurige gesp, oude laarzen. Zo door- en doornat dat haar paardenstaart drupte. Zou ze een handdoek willen?

'Ik zie dat jullie een boom in de kamer hebben,' zei Hester, alsof ze opmerkte dat ze een alpaca op de wc had gespot.

'We zijn al helemaal in kerstsfeer. Preston is dat dennetje gisteren samen met zijn papa in het bos gaan kappen. We moesten de televisie verplaatsen om het kwijt te kunnen.' Dellarobia legde de opgewektheid er in haar zenuwen iets te dik bovenop. Maar haar kinderen hadden nog nooit een kerstboom thuis gehad, nog niet één keer. Die stond altijd bij Hester. Ze deden daar alles, inclusief de kerstcadeautjes uitpakken. Dit jaar had Preston gevraagd waarom de Kerstman eigenlijk niet bij hen thuis wilde komen en dat was de druppel geweest. Ze had zelfstandig de knoop doorgehakt.

'We hebben alleen geen kerstballen,' vervolgde ze, in de hoop dat Hester de hint zou oppikken. Hester had dozen vol, zoveel dat ze ze niet eens aan één boom kwijt kon. Hoorden grootouders dat soort dingen niet te delen? Dellarobia had geen familie meer, dus erfkwesties waren wat haar betreft onbekend terrein. Had ze het handgemaakte houten speelgoed uit haar jeugd nog maar, de dingen die haar vader in zijn werkplaats had gemaakt, eenvoud die ze pas achteraf als armoede had herkend, nadat hij was overleden. Ze was destijds te klein geweest om naar het soort Kerstmis te hunkeren dat andere kinderen hadden, met batterijen. Ze zette het koffiezetapparaat met een besliste klik aan om zich vervolgens pas te realiseren dat ze de kan gevuld met water erin had gezet in plaats van het water in het apparaat te schenken.

'De benedenwei staat vol plassen,' zei Hester.

Oké, dacht Dellarobia, dus het onderwerp kerstboom is blijkbaar afgesloten. Ze herstelde de koffiezetfout en zette het apparaat opnieuw aan.

'Alle drachtige ooien staan daar nu,' vervolgde Hester, 'maar dat bevalt me niks. Het is niet goed voor ze.'

'Het zal toch wel een keer ophouden met regenen?'

'Ze beweren van niet,' antwoordde Hester. 'Dat land beneden is meestal prima voor ze, het gras is daar altijd goed, maar dit jaar niet.'

Cordies telefoon ratelde maar door. Wie dat soort speelgoed ontwierp, verdiende wat Dellarobia betreft bij de eerste gelegenheid een hengst voor z'n kop. Ze telde de seconden tot de koffie begon door te lopen. Wat het ook was dat Hester hierheen had gevoerd, de schapen konden het niet zijn. 'Je zou ze hier in de wei kunnen zetten, boven het huis,' bood ze aan. 'Als je dat zou willen. Ik bedoel, het is jullie land.'

'Dat weet ik wel, maar ze moeten binnenkort geënt worden en voor je het weet komen de lammeren. Ik heb ze graag in de buurt om een oogje in het zeil te kunnen houden.'

'Wij kunnen ze ook in de gaten houden. Preston is dol op lammetjes en ik ook, dat heb ik altijd het leukste onderdeel gevonden. De lammetjes geboren zien worden.'

'Het is geen kinderspel,' zei Hester. 'Je moet weten wat je moet doen.'

Dellarobia stond bij het koffiezetapparaat, met haar rug naar haar schoonmoeder, en stak haar tong uit. Hester deed altijd net alsof alles wat ze deed hogere wiskunde was. Maar voor zover Dellarobia tot nu toe had gezien, hield het aflammeren niet veel meer in dan elke ochtend naar de schuur lopen om te zien wie er nu weer een tweeling had geworpen. Ze zei niets. Hester stond op om over het halve gordijntje voor het keukenraam te kijken, vermoedelijk om te zien of de bovenweide geschikt was voor haar almachtige ooien. In plaats daarvan vroeg ze botweg: 'Zit hij daar nu in?'

'Zit wie waarin? Ik dacht dat we het over de schapen hadden.'

'Je weet best wie.'

'Dr. Byron? Geen idee. Hij overlegt nooit met mij over zijn plannen.'

Er hingen plooigordijntjes voor de ramen van de camper die vergeeld waren als oud krantenpapier en die meestal dicht waren aan de kant van het huis. Er zou weinig te zien zijn voor Hester. Ze liep terug naar de tafel en Dellarobia ging ook zitten, met twee koppen koffie in haar hand, waarvan ze er een samen met de suikerpot naar de andere kant schoof. Ze keek toe hoe Hester de ene lepel na de andere in haar kopje schepte. Waar ze al die calorieën liet was haar een raadsel. En ook hoe ze nog zo zuur kon zijn met al die zoetigheid vanbinnen.

'Is het een buitenlander? Zo ziet hij er wel uit,' verklaarde Hester. 'Is hij eigenlijk wel christelijk? Hij kan wel van alles zijn. Zo dicht bij jou en de kinderen in de buurt. Bear en ik weten niet wat we moeten denken van zijn aanwezigheid hier.'

Dellarobia trok haar pokerface. Als Hester een robbertje wilde vechten, was ze er klaar voor. 'Ik kan me niet voorstellen dat de man van plan is ons te beroven. Hij betaalt ons tweehonderd dollar per maand huur.'

'Betaalt hij huur?'

'Dat is al lang geleden afgesproken, Hester. Heeft Cub daar niets over gezegd?' Ze wist dat Cub dat niet had gedaan. Hij had er niet over durven beginnen. Dellarobia nam een flinke slok van de hete koffie en liet Hester wachten. 'Daar kwam dr. Byron zelf mee.

Hij heeft een beurs van de overheid om zijn onkosten van te betalen als hij veldwerk doet en daar krijgen wij een deel van. Dat heet een per diem, schijnt. Dat geld kunnen we mooi voor Bears lening gebruiken, lijkt me.'

Ze zag Hesters frons dieper worden. 'Werkt hij voor de overheid?'

'Niet direct. Het ligt iets ingewikkelder. Hij werkt voor een instituut en dit soort klussen horen bij zijn werk. Ik denk dat de overheid meebetaalt aan zijn onderzoek.'

Hester snoof. 'Wat een baan. Vlinders in de gaten houden.'

Dellarobia blies in haar mok. 'Vergeleken met schapen in de gaten houden, bedoel je?'

'Schapen zorgen voor eten op tafel en kleren aan je lijf.'

'Tja, ik neem aan dat God ook wel een bedoeling heeft met die vlinders. Hij heeft er in elk geval een hele zooi hierheen laten komen. Misschien moeten we daar wel over bidden tot Hem.' Dellarobia stond zelf te kijken van haar lef. Ze dronk zwijgend van haar koffie en kon ternauwernood een grijns onderdrukken.

Cordie was intussen opgestaan en liep nu onder het uitroepen van 'woe woe woe' door de kamer. Ze had de hoorn weer in haar hand en trok de telefoon aan het snoer achter zich aan. Druk bezig haar hondje uit te laten. Ze keek voortdurend om of hij nog meeliep. Aangezien het een telefoon was zaten er geen wieltjes onder en was hij dus niet erg geschikt als trekspeelgoed. Hij rolde voortdurend op zijn bolle kant en lag dan uitgeteld op zijn rug als een schildpad die aan zijn nek wordt voortgesleept totdat hij het loodje legt.

Toen Dellarobia weer naar Hester keek, zag ze tot haar schrik dat die tranen in haar ogen had. 'Jeetje, Hester, wat is er?'

Hester keek snel weg. Misschien had ze niet in de gaten gehad dat haar gevoelens van haar gezicht af te lezen waren geweest. Toen ze sprak, klonk haar stem schor en dik. 'Ik heb er al voor gebeden. En toch weet ik nog steeds niet wat we eraan moeten doen.'

Dellarobia stak haar hand op om Cordie, die nu had ontdekt dat ze de telefoon aan het snoer kon optillen en hem als een jojo op de grond kon laten stuiteren, tot zwijgen te manen. Op de rustigste toon die Dellarobia voor elkaar kon krijgen vroeg ze: 'Waaraan?'

Hesters gezicht vertoonde de gebruikelijke frons van boosheid en afkeuring, maar de grijze ogen leken van een andere plek afkomstig, twee poelen van verwachting. Dellarobia meende er een glimp in te zien van een jongere vrouw, iemand die kon hopen op dingen en die verliefd kon worden. Het meisje dat die kleren van haar had gedragen naar de feestjes waarvoor ze bedoeld waren.

'Bear heeft het contract getekend,' zei Hester na een hele tijd. 'Met die lui van Money Tree. Hij zegt dat hij er hoe dan ook mee doorgaat. King Billy's of niet. Weet je, ik snap niet waarom ze niet een maand of twee konden wachten om te kijken hoe dit verdergaat. Ik bid er elke dag voor. De Heer zegt dat we oog moeten hebben voor Zijn majesteit. Jij was de eerste van ons die er oog voor had.'

Dellarobia voelde de grond onder zich wegzinken; vanbinnen sputterde ze als een auto zonder benzine. Zonder hun wederzijdse irritatie werd haar relatie met Hester uit het lood geslagen. Ze stond op van tafel en hees Cordelia op haar heup. Die moest nodig verschoond worden. Maar kon ze op een moment als dit de kamer wel uit lopen? Ze ging weer zitten met Cordelia op schoot, die 'die-tee, die-vier' kweelde. Preston had haar leren tellen.

Hester keek Dellarobia zonder de gebruikelijke weerstand aan. 'Cub nam het voor je op,' zei ze. 'Eerst zag ik daar het positieve niet van in. Maar weet je, dat was goed van hem, een goede man doet dat. Die jongen heeft het hart op de juiste plaats. Maar zijn vader is niet van plan toe te geven voor dit allemaal voorbij is.'

'Dus Bear blijft bij zijn kapplannen.' Dellarobia's eigen gedachten over de vlinders waren zo verwarrend dat ze ze was gaan rantsoeneren, als iets wat te mooi en zeldzaam was voor grootverbruik. Het dal van het licht, de oranje vlammende takken. Ze zou nooit aan iemand duidelijk kunnen maken hoe het geweest was. Dat zij ze daar als eerste had gezien. Die dag leek nu al heel onwezenlijk. Hester liet haar adem langzaam ontsnappen en Dellarobia hoorde er een gekwelde trilling in, alsof ze het hoofd moest bieden aan gruwelijke pijnen. Soms ademden ooien zo tijdens het lammeren. Een angstaanjagende gedachte. Ze wachtte nog steeds op de geboorte van het monsterlijke gedrocht dat haar schoonmoeder in haar keuken was komen baren, wat dat ook zou mogen zijn.

'Peanut Norwood en hij geven geen centimeter toe,' zei Hester. 'En ik geloof niet dat het vanwege het geld is. Ik bedoel, het gaat ze natuurlijk wel om het geld, maar die idiote haast, dat niet luisteren naar wie dan ook. Volgens mij hebben ze elkaar lopen opstoken, is het iets van mannen onder elkaar.'

Dellarobia's hersenen hadden het intussen voor elkaar gekregen zichzelf buiten westen te slaan en haar normale gedachtegang volledig stil te leggen. Om de een of andere reden moest ze aan de lessen Engelse literatuur denken, de grote thema's: de ene mens tegen de andere, de mens tegen zichzelf. Kon de mens ooit ergens vóór zijn?

Hester vermeed direct oogcontact met haar. 'Ik denk dat Cub het wel tegen hen zou opnemen, als jij hem zou steunen.'

Opeens werd alles Dellarobia zonneklaar: Hester die morele afwegingen maakte en haar niet geringe, om niet te zeggen gigantische trots inslikte. Om te doen wat ze moest doen had ze Dellarobia nodig – een historisch moment. 'Hester,' zei ze, 'volgens mij kun je wel een sigaret gebruiken.'

Van pure dankbaarheid gleed alle spanning van Hesters gezicht, net als bij de vrouwen die ze vorige week op tv had gezien toen ze te horen kregen dat hun mannen toch nog gered waren na een mijnramp. Wat voor vorm verlossing ook had, de bijbehorende gezichtsuitdrukking was in alle gevallen identiek. Met Cordie nog steeds op schoot rekte Dellarobia zich uit naar de keukenla waar haar asbak verstopt zat. Ze schoof hem naar Hester toe, samen met haar eigen pakje sigaretten. Het verkeerde merk, maar misschien zou Hester daar deze ene keer nou eens niet over vallen.

'Ik moet even een luier gaan verschonen,' zei Dellarobia. 'Sorry. Maak het je gemakkelijk. Ik ben zo terug. Ik zal kijken of ik deze dame nog even een T-U-K-J-E kan laten doen voor het middageten.'

Cordie negeerde het T-woord. Ze had het te druk met het betimmeren van de tafelrand met de bovenkant van haar gele telefoonhoorn. Ze trok een geconcentreerde frons bij het mikken, klop-klop-klop. Ze gebruikte hem als hamer, besefte Dellarobia. Spijkers inslaan. Ze had het haar vader gisteravond zien doen toen die de tochtstrips aan het vervangen was.

Hester leek bijna te lachen. 'Dat kind doet echt van alles met die telefoon. Behalve erin praten.'

Dellarobia bekeek het speelgoed nog eens goed – uit de kluiten gewassen apparaat, snoer, draaischijf – en realiseerde zich dat het in niets leek op de telefoons die Cordelia uit het dagelijks leven kende. Telefoons bevonden zich in de zakken van mensen, je klapte ze open en ze hadden zeker geen draaischijf.

'Waarom zou ze erin praten? Ze weet niet dat het een telefoon is.'

Dat zou Hester natuurlijk niet begrijpen. In haar ogen was het een telefoon en daarmee uit. Dellarobia kon het zelf nauwelijks bevatten. Ze had zo duidelijk iets in dat speelgoed gezien wat totaal onzichtbaar was voor haar kind, twee werkelijkheden die naast elkaar bestonden. Ze kon niet geloven dat zij nu een van de mensen was die de wereld zagen zoals hij vroeger was. Terwijl de kinderen doorstoomden.

Toen de storm ging liggen, was de wereld veranderd. Overal in de wei lagen de platte keien met hun vochtige glans, verspreid over de helling, die net een vingerverfschilderij leek. Het zich terugtrekkende water had grote slibslierten achtergelaten die langs de helling naar beneden kronkelden, heen en weer getrokken in bochten door een stroming die haar eigen onbegrijpelijke regels volgde. 'Gewassen in het bloed van het lam', waren woorden die Dellarobia te binnen schoten toen ze zich buiten waagde, al was het geen bloed waarin deze boerderij was gewassen, maar de volledige inhoud van de hemel, meer water dan mogelijk leek uit het wolkendek van welk land dan ook. In het staartje van de storm was de elektriciteit kort uitgevallen, dus was ze even naar de camper gelopen om te vragen of alles daar in orde was. Het voelde vreemd om op het metalen deurtje van de camper te kloppen, maar Ovid en zijn studenten zaten in het schemerduister rond de krappe campingtafel en hadden haar luidkeels welkom geheten, als overlevenden van een schipbreuk. Ze waren met rekenmachines in de weer bij het schijnsel van een lamp die op batterijen werkte. Wat haar vooral was opgevallen waren de stapels natte kleren die overal in het bedompte hol lagen, van alle dagen dat ze in de regen hadden doorgewerkt voordat bliksemschichten hen naar binnen hadden gedreven. Dellarobia had zich een voorstelling geprobeerd te maken van iets wat je zo graag deed dat je bereid was onder zulke ellendige omstandigheden te werken. Toen ze had aangeboden een paar ladingen was door de wasmachine en de droger te halen, werd dat op luid applaus van de jongeren onthaald. Ze had meteen armen vol toegestopt gekregen. Mako trok zijn schoenen uit en gaf haar de sokken die hij aanhad en die zo nat waren dat je ze uit kon wringen. En toen ze hun was later schoon en gevouwen had teruggebracht, hadden ze erop aangedrongen dat ze even kwam zitten om een babbeltje te maken. Zo was het gekomen dat ze haar hadden uitgenodigd om mee de berg op te gaan. Alleen een tornado zou hen er nog van kunnen weerhouden weer aan het werk te gaan.

En zo was het ook gegaan, op een modderige ochtend die sterk aan Noach en de zondvloed deed denken. Maar waar was hún regenboog? Toen ze over het pad naar boven ploeterden, was ze verrast hoeveel van mensen afkomstige troep er mee naar beneden was gekomen, gezien het feit dat daarboven niemand woonde: een platte plastic fles, felgeel onder een laag vuil van jaren. Witte repen van plastic tassen. Een grote gedeukte golfplaat. Oude paaltjes van een hek in een kluwen prikkeldraad van een of andere afscheiding verderop die intussen al niet meer nodig was. Sigarettenpeuken, eveneens sporen van iemands verleden, misschien wel het hare.

Pete liep voorop en praatte zachtjes met Ovid in wat een vreemde taal leek die ze bijna kon verstaan: gematigd microdinges, ratio's, populatie, een blabla-pauze. Het meisje, Bonnie, was vooral degene die probeerde te zorgen dat Dellarobia zich niet buitengesloten voelde. Ze hield in om naast haar te komen lopen en vroeg naar haar kinderen, of ze zelf hier was opgegroeid, dat soort dingen. Het was een gesprek dat vrij snel doodliep, maar Dellarobia stelde het gebaar op prijs. Ze had nog nooit opgetrokken met mensen van buiten de staat en maakte zich daar vreselijk zenuwachtig over. Ze had sowieso weinig mensen meer gesproken sinds ze was gestopt als serveerster, voor Prestons geboorte. En hoe dwaas het misschien ook leek, ze had zelfs niet geweten wat ze aan zou trekken vandaag. Haar oude stevige schoenen met hun leren zolen voor op de boerderij leken zo achterlijk in vergelijking met die hightech schoenen van de studenten, die gazen vlakjes hadden en rood-wit gestreepte veters en rubberen profielzolen die voor astronauten leken te zijn gemaakt. Het waren net jongeren uit een televisieserie over van die zogenaamd gewone gezinnen die door modeontwerpers werden gekleed en nooit twee keer hetzelfde aanhadden. Maar iets anders dan boerenschoenen en spijkerbroeken had Dellarobia niet. Het was haar opgevallen dat Bonnie meestal een bandana om had, die ze onder haar paardenstaart vastknoopte, dus dat had Dellarobia ook maar gedaan.

'Gaan allebei je kinderen al naar het kinderdagverblijf?' vroeg Bonnie.

'Preston gaat halve dagen naar de kleuterschool, die komt om halfeen thuis, maar Cordelia is nog maar net anderhalf, daar heb ik thuis mijn handen vol aan. Mijn man hoefde vandaag niet naar zijn werk, dus hij past op.' Cub had niet staan springen, maar had geen andere plannen gehad. Hij had de afgelopen weken in totaal maar twee diensten gedraaid. Niemand zat te wachten op grindleveringen als het zo hoosde, maar dat vertelde ze niet aan Bonnie. Ze wilde graag een praatje maken, maar wist nauwelijks waar ze moest beginnen. En ze snakte zo erg naar een sigaret dat haar tandvlees pijn deed. Tegenwoordig werd er op rokers neergekeken, tenminste door deze mensen wel, vermoedde ze en dus had ze besloten om tijdens het avontuur van vandaag maar helemaal niet te roken. Om de kans te vergroten dat ze zich aan dat voornemen zou houden, had ze ook geen sigaretten meegenomen. Nu ze een kwartier op pad waren, besefte ze de stupiditeit van dat plan en stond ze op springen. Net als die eerste dag dat ze hier stiekem had gelopen. Toen hadden de gecombineerde krachten van angst en opwinding haar ook het gevoel gegeven dat ze elk moment kon ontploffen.

Alleen zij, en niemand anders van de familie, had ooit gepokerd met wetenschappers en hun was gedaan en mee gemogen om te zien wat ze hier deden. Hester stierf van nieuwsgierigheid om daarachter te komen. Dat had ze min of meer opgebiecht, voor zover Hester zich ooit in de kaart liet kijken. Ze had geklaagd dat dr. Byron haar nauwelijks groette als ze hem daar met haar kijkersgroepjes tegenkwam, weinig zei en gewoon doorwerkte. Dellarobia dacht aan de avond dat hij was komen eten en zo bescheiden was geweest over zijn achtergrond dat die haar bijna ontgaan was. 'Je moet het er bij hem ook zowat uittrekken. Heb je hem wel eens iets gevraagd?' vroeg ze, wel wetend dat Hester dat niet gedaan zou hebben, begiftigd als ze was met de gave van alwetendheid. De studenten zagen haar ook niet staan, volgens Hester. Dellarobia zou datzelfde eerder ook hebben gezegd, maar kon dat niet meer hardmaken nu ze hun ondergoed had opgevouwen. Dat had het ijs wel gebroken.

Er was midden op het pad een nieuwe beek ontstaan. In het begin was het nog wel gelukt om over de plassen en stroompjes te springen, maar hier spoelde een bruine waterval over de weg. Een boom was uit de grond gerukt en lag klem op zijn zij waardoor de doorgang kleiner werd en het water op die plaats nog sneller stroomde. Pete en dr. Byron liepen vooruit om een plekje te zoeken waar ze veilig konden oversteken of om het water heen konden lopen. Pete leek meer in de melk te brokkelen te hebben dan de andere twee studenten. Mako leek de jongste van het stel, waarschijnlijk door zijn dikke zwarte haar, dat kinderlijk overeind stond. Hij had een fraai, exotisch uiterlijk, Japans zou ze gegokt hebben, maar hij zei dat hij uit Californië kwam. Eigenlijk waren geen van de hulpjes heel erg jong, niet veel jonger dan zij, dacht ze.

Pete zou zelfs wel wat ouder kunnen zijn. Maar Cub had het steevast over 'die jongelui' en dat leek wel passend. Omdat ze zelf geen kinderen hadden. Tenminste, daar ging ze van uit. Vrij om de hele dag insecten te kijken.

Het was koud buiten vandaag, ze kon haar adem zien. Jachtjassenweer. Mako, Bonnie en zij bleven zwijgend wachten bij het weggespoelde pad en staarden gezamenlijk naar het kolkende, bruine geraas. Onzichtbare objecten onder het stromende water veroorzaakten pieken en geulen die de vorm van wat eronder lag deden vermoeden. Ze dacht terug aan de dag dat Cub en zij te midden van de stroom vlinders hadden gestaan, bewegende objecten die lijnen trokken rond stilstaande voorwerpen. Dit water was krachtig en duister. Vlokken schuim bleven aan de oever kleven als vuil sop. Een rafelig feloranje lint dat aan een tak was blijven haken, danste heen en weer in de stroom, en het duurde even voor ze er het afzetlint in herkende van het gebied waar gekapt zou gaan worden. Dat was een schok. Van helemaal daarboven was dat hierheen gestroomd. Dit was het pad van de vloed. Volgende halte: haar huis. Ze had wat onderzoek gedaan op internet naar de stad in Mexico waar Prestons vriendinnetje en haar ouders hun huis hadden verloren en houtkap was een van de oorzaken geweest. Ze hadden alle bomen op de helling boven de stad gekapt en dat scheen in combinatie met de harde regen de modderstroom en de wateroverlast te hebben veroorzaakt. Op de gruwelijke foto's waren ingestorte huizen te zien geweest en het verwrongen metaal van auto's die geplet en wel op elkaar hadden gelegen, als sandwiches in de modder. Elektriciteitspalen waren als luciferhoutjes geknapt. Ze had de computer uit moeten zetten voor Preston helemaal had kunnen uitvogelen wat het was waarnaar ze zaten te kijken. Ze had gezegd dat hij zich geen zorgen hoefde te maken. Dat dat allemaal heel ver bij hen vandaan was.

Pete kwam terug en riep hen, wees hoe ze moesten lopen. Het stromende water maakte hun geroep zo goed als onverstaanbaar, wat haar verbaasde. Ze verlieten het pad en keerden er een eind verderop weer naar terug, op een plaats waar twee verschillende beekjes samenkwamen. Pete wees haar aan hoe de twee verschillende stroompjes zich mengden, het ene gelig en vol slib van het pad, het andere helder, van de boskant. Het donkere en het lichte water stroomden eerst een paar meter parallel aan elkaar voor ze elkaar vonden. Het bos beschermde tegen erosie, wilde Pete duidelijk maken, maar dat kwam hier niet zo overtuigend over. Overal op het doorweekte bladertapijt lagen afgebroken takken. Stromend water vormde geulen waarvan de zijkanten met blad waren bekleed. Het water schuurde alle zand weg tot er alleen nog kiezel en kaal gesteente over was. Wat vreemd om de bodem van het bos zo blootgelegd te zien, dacht ze. De aarde leek daardoor niet meer dan een rots met een dun laagje bekleding.

Ze hield haar koude handen in haar zakken en zorgde dat ze niet achterop raakte. Tot haar verbazing liepen ze via een paadje dat ze niet kende de vallei in. Misschien hadden ze het zelf vrijgemaakt. Het voerde direct naar het hart van de vallei, waar de sparren en de vlinders waren. Ze had onderweg al hele klonten dode monarchvlinders gezien, als bestanddeel van de modder die mee naar beneden was gevoerd door de vloed, maar hier was de grond volledig bedekt met geplette lijfjes die alle kanten op lagen als een bizar linoleumpatroon. De vlinders lagen nooit open, zoals ze ze in rust had gezien of tijdens het vliegen; dood waren ze altijd dichtgevouwen, als biddende handen. Ze vond het afschuwelijk om eroverheen te lopen, maar de anderen deden het ook. Ze zagen ze wel en raapten ze soms op om ze als boekjes open te slaan, alsof ze er iets in wilden lezen. Bonnie liet haar zien hoe ze de mannetjes kon herkennen; die hadden donkerdere randen langs de vleugels dan de vrouwtjes en een zwarte stip op beide ondervleugels.

Bij een vredig plekje, waar de beek onder een oude omgevallen boomstam door stroomde die fluweelgroen was door een dikke laag mos, bleven ze staan en deden hun rugzakken af. Alle omringende bomen hingen vol trossen vlinders. Er vielen voortdurend losse enkelingen uit de bomen naar beneden, als een soort insectenregen. Ze bleven nog een tijdje liggen trillen op de plek waar ze neerkwamen en namen de tijd om te sterven. Ze vroeg zich af of dit een vlinderbegrafenis was, maar aan het groepje onderzoekers zou je dat niet zeggen. Die leken in een opperbest humeur en gingen gewoon aan de slag met hun meetlinten, plastic zeilen, dozen met waspapieren enveloppen en kleinere werktuigen waarvan ze de naam niet kende. Weegschaaltjes, meetinstrumenten. Ovid Byron was een man die bezeten was van zijn doel. Hij had meteen al een paar bomen op het oog en verdween het bos in met Pete, druk pratend en wijzend terwijl ze de helling beklommen.

Bonnie en Mako spanden samen een lang nylon meetlint over de bosgrond, een witte lijn die de helling van de berg volgde over de volledige lengte van het gebied waar de vlinders in de bomen hingen. Vervolgens maten ze aan beide kanten van het lint zorgvuldig vierkanten op gelijke afstanden van elkaar af; waarom was haar niet duidelijk. De flarden die ze opving van het gesprek dat ze voerden, waren eerder persoonlijk van aard dan wetenschappelijk. Ze hadden het over de muziek op hun iPod, noemden namen die zij niet kende, en beklaagden zich bij elkaar over de trage bediening en de countrymuziek in de zaak waar ze hadden ontbeten, die ze 'ranzig' noemden. Ze vroeg zich af of het daar heel anders zou zijn dan bij de Feathertown Diner, waar ze een smakeloos polyester schortje had moeten dragen en waar op de gettoblaster in de keuken van 's morgens vroeg tot 's avonds laat George Strait en Patty Loveless werden gedraaid. Wat een verbijsterend oordeel, 'ranzig'. Misschien bedoelden ze dat niet zo extreem, maar gebruikten ze het op dezelfde manier als 'episch' en 'gruwelijk' en 'ziek'. Ze hadden nu een Mexicaans restaurant ontdekt in Cleary dat wel 'door de beugel kon', wat nieuws was voor Dellarobia. Ze zat op de bemoste boomstronk en voelde zich het vijfde wiel aan de wagen. Deze studenten waren allemaal al eens in Mexico geweest, had ze gehoord, voor een monarchproject van dr. Byron. Ze waren niet ouder dan vijfentwintig of daaromtrent en nu al hadden Bonnie en Mako gevlogen, tussen de buitenlanders rondgelopen op buitenlandse bodem. Dellarobia was nog nooit ergens geweest. Virginia Beach, toen haar vader nog leefde en ze daar familie hadden wonen, maar daar was het bij gebleven. Ze kon de energie niet eens opbrengen om jaloezie te voelen, gezien de omvang die die zou moeten hebben. Ze had niet eens de hoop dat ze ooit in dat Mexicaanse restaurant in Cleary zou komen, of het nu door de beugel kon of niet. Cub weigerde buitenlands eten aan te raken.

Ze vroeg zich af of ze wisten van de landverschuiving in het gebied waar Josefina en haar ouders hadden gewoond. Ze waren nog een keer teruggekomen om de vlinders te zien en hadden na afloop bij haar in de keuken nader kennisgemaakt, wat ze niet aan Cub had verteld. Lupe en Reynaldo. Het was een tikje ongemakkelijk geweest, maar ze wilden zo graag over de vlinders vertellen en wisten er zoveel van af. Ze had het ontroerend gevonden. Toen het ijs gebroken was, bleek Lupe wel een beetje Engels te spreken. Ze hadden ook nog twee zoons, allebei jonger dan Josefina, die op de grond bij Cordelia hadden gezeten, diep onder de indruk van haar speelgoed. Lupe had Dellarobia verteld dat ze op zoek was naar een baantje, schoonmaakwerk of als oppas, en had aangeboden om op Preston en Cordelia te passen als dat eens nodig mocht zijn. Dellarobia was in de lach geschoten. De arme die de arme leidt. Het was een aanlokkelijk aanbod, zei ze, als ze een plek had gehad waar ze heen zou kunnen.

Ze schrok op uit haar neerslachtigheid toen Bonnie riep: ‘Hé, mogen we je aan het werk zetten?’ Dellarobia sprong op, wat haar aan Preston deed denken. Terwijl Mako iets deed met een gps in zijn hand, gaf Bonnie haar een opschrijfboekje en legde uit dat ze de komende uren op hun knieën op de grond vlinders zouden gaan tellen. De lijn die gevormd werd door het meetlint noemde ze een transect en het was de bedoeling dat ze elke vlinder telden in de vakken die ze hadden afgebakend langs het lint, die ze kwadraten noemden. De aantallen in elk vak zouden worden genoteerd, evenals de geslachtsverhouding, dus het aantal mannetjes en vrouwtjes. Bonnie vroeg Dellarobia van een aantal vlinders het geslacht te zeggen, om zeker te weten dat ze het kon, en hoewel Dellarobia daar best een beetje zenuwachtig over was, nam ze de tijd en had ze ze allemaal goed. Haar eerste examen in tien jaar, geslaagd.

Bonnie spande geel afscheidingslint langs de rand van het transect, nummerde de vakken en wees er tien toe aan Dellarobia. Mako en Bonnie namen er elk twintig voor hun rekening.

Dellarobia werd bestormd door vragen, maar bovenal door die ene: waarom in godsnaam? Als ze haar familie vertelde dat ze hier de hele dag dode vlinders liepen te tellen, zouden ze haar echt niet geloven. Ze vroeg zich af of er sprake was van een of andere ziekte. Misschien waren dat wel heel domme vragen. Ze schenen enkel en alleen gericht te zijn op de eenvoudigste metingen. Ze liet zich niet horen en keek alleen maar hoe ze aan het werk gingen: ze knielden, schoven centimeter voor centimeter vooruit en noteerden getallen in twee rijen voor mannetjes en vrouwtjes. Ze zag ook dat ze, als er een uit de boom viel in een al geteld gebied, niet teruggingen om die nog mee te tellen. Ze keek naar de aan haar toegewezen lijkjes en vroeg zich vertwijfeld af of ze wel zo ver door zou kunnen tellen zonder een piepkleine nicotinestoot. Maar al snel ging ze volledig op in het werk, voelde iets veranderen in haar hersenen nu ze zich enkel en alleen richtte op de factoren kleur en geslacht van de monarchvlinder. En de geur viel haar op: ze roken naar zand en vuurvliegjes, zoals Preston al had gezegd, en naar de sparren zelf, muskusachtig doordringend. Ze lette meestal niet zo op geurtjes, maar begon deze steeds prettiger te vinden. Ze vond dat haar zoon gelijk had, het rook lekker, op deze plek waar ze thuishoorden in elk geval wel. Als vuurvliegjes in een pot, maar minder scherp. Zachter, meer als dikke zwarte aarde. Misschien was dat het effect van de alomtegenwoordige dood. Haar voor het eerst van haar leven aanschouwde wonder was in een bom van ontbinding aan het veranderen.

Ze merkte dat Mako en Bonnie van tijd tot tijd even stopten, achteruit leunden op hun hielen en hun ogen dichtdeden of omhoogkeken naar de bomen. Verschillende keren liep Mako met een dode vlinder naar Bonnie, die hem dan opmat met een zilveren instrumentje dat ze in haar zak bewaarde. Ze hadden ook een unster, een miniatuurversie van de weegschaal van de kruidenier, waar ze trosjes vlinders in envelopjes van waspapier aan hingen.

Dellarobia keek naar hun gezicht als ze het gewicht aflazen en getallen noteerden in een gespikkeld opschrijfboekje en benijdde hen om de manier waarop ze opgingen in hun werk, om alles wat ze wisten. Ze had aanvankelijk gedacht dat Bonnie en Pete een stelletje vormden vanwege de manier waarop hij Bonnie een hand had gegeven bij de beek en de manier waarop zij even later zand van het zitvlak van zijn broek had geklopt en zelfs een plastic zak uit Petes broekzak had getrokken toen hij zijn handen vol had, een gebaar dat intiem op Dellarobia overkwam. Maar nu viel datzelfde nonchalante lichamelijke gemak haar op tussen Bonnie en Mako, zoals ze daar vlak bij elkaar stonden en hun armen elkaar raakten terwijl ze iets bekeken. Ze deden haar denken aan Preston en zijn vriendjes als ze in hun spel opgingen, jongens en meisjes door elkaar, zich onbewust van hun verschillen of daar niet in geïnteresseerd. Dellarobia vroeg zich af hoe dat als volwassene zou voelen, vrij te zijn van het geflirt en de benauwende regels van seks, een angst en sensatie waaraan ze nooit leek te kunnen ontsnappen. Gewoon af en toe met een man kunnen omgaan, zonder omgang met hem te hebben.

Haar hart sloeg een tel over toen er opeens vanuit het dal een harde klap klonk. Mako lachte en zei dat het de houthakkers waren. Hij bedoelde Ovid en Pete. Soms, zei hij, klommen ze in bomen en zaagden takken af die volhingen met vlinders. Ze lieten ze op een zeil vallen en schudden alle vlinders eraf om ze te kunnen tellen. Dat soort werk hadden ze vorige winter ook in Mexico gedaan. Ze hadden formules voor het schatten van het aantal takken per boom, het aantal bomen per vierkante hectare. 'Vlinders tellen is gekkenwerk,' had Mako tegen haar gezegd. 'Het heeft wel wat van die oude grap over die man die zijn kudde koeien telde. Gewoon de poten tellen en dan delen door vier.'

Dellarobia vond het helemaal niet op gekkenwerk lijken. Het leek allemaal erg systematisch. En ze wist dat de boer degene was die belachelijk werd gemaakt, omdat degene die de mop vertelde 'koeien' zei in plaats van 'vee'. Waarom was het zo belangrijk om die vlinders te tellen? Ze zou willen dat ze het kon vragen, maar in plaats daarvan zei ze: 'Ik heb er net een met een stickertje gevonden. Is dat belangrijk?'

Ze slaakten allebei een juichkreet en kwamen meteen aangerend. Het was een witte stip die op de onderste vleugel van een door haar getelde dode vlinder zat en hij leek wel een beetje op de stickertjes die haar kinderen bij de kinderarts altijd kregen. Eerst dacht ze dat het een of ander snippertje was uit haar eigen rommelige huishouden dat van haar kleren was gevallen. Ze had wel eens met ergere dingen op haar kleren rondgelopen. Maar nee, deze stip was iets officieels. Mako wees haar op cijfertjes die bijna onzichtbaar waren, een code die ze vanavond zouden intoetsen in een database in Ovids computer. Daaraan zouden ze kunnen zien waar deze vlinder vandaan kwam, waar hij gemerkt was en door wie.

'Maar hij is nu dood,' zei ze. Ze vroeg zich af hoe die informatie het diertje in deze toestand nog zou kunnen helpen. Bonnie en Mako leken erg opgewonden over de vondst en stopten de gemerkte vlinder in een waspapieren envelopje en vervolgens in een ziplockzakje dat ze in een vakje van Bonnies rugzak stopten.

'Dat is het eerste merkje dat we op deze plek vinden,' zei Bonnie.

'Echt?' Dellarobia probeerde het idee te bevatten van wetenschappers die op deze manier boodschappen naar elkaar verstuurden over grote afstanden. 'Waar denken jullie dat hij vandaan komt?'

'Dat is de grote vraag,' zei Bonnie. 'Het zou uit een buurstaat kunnen zijn, maar ook uit Ontario. Jezus, Mako, het zou er ook nog een van onszelf kunnen zijn.' Mako en zij hadden afgelopen zomer ook veldwerk in Canada gedaan, legde ze uit, waarbij ze vlinders hadden gemerkt.

Dellarobia stond paf bij de gedachte dat die broze schepseltjes een heel werelddeel bereisden, van Canada tot Mexico, en heen en weer vlogen over dat enorme landoppervlak. Elk afzonderlijk waren ze zo klein en vlogen ze op een zekere dood af en toch vormden ze samen een kracht als een oceaangetij. Ze was blij dat Bonnie niet had gezegd dat de vlinders rechtstreeks uit Mexico kwamen. De gedachte dat ze samen met het gezin van Josefina hierheen waren gevlucht na de aardverschuiving en overstroming was een zorgwekkende mogelijkheid waar ze liever niet bij wilde stilstaan. Het zou de berg van haar familie een onheilspellend aura geven. Als deze vlinders het slachtoffer waren van gruwelijke rampspoed was er niets moois meer aan.

Toen het warmer begon te worden, namen ze af en toe een pauze om hun benen te strekken of hun jas uit te doen. Mako moest uit zijn jack stappen, omdat de rits aan de onderkant vastzat, iets wat Preston ook zou kunnen doen, wat haar vertederde. Ook de vlinders in hun kolonies kregen het warmer, waardoor er boven hen van alles begon te bewegen, wat Dellarobia de kriebels gaf. Bonnie vertelde haar dat de monarchvlinders zichzelf niet konden verwarmen, waardoor ze in de kou verlamd raakten en zich pas weer konden bewegen als de zon hen tot dertien graden Celcius verwarmde.

'Precies dertien graden?' vroeg Dellarobia. 'Hoe weten jullie dat?'

Bonnie haalde haar schouders op. 'Dat is gemeten. Daar zijn artikelen over geschreven. Dr. Byron heeft veel van het beginonderzoek gedaan naar temperaturen in en buiten de trossen. De vlinders binnenin zijn 's nachts het best beschermd, maar als de zon schijnt is de buitenkant de beste plaats, daarom verdringen ze zich voortdurend om de mooiste plekjes.'

'Als een berg jonge hondjes,' zei Dellarobia, in plaats van 'een berg biggen', wat eigenlijk de uitdrukking was. Ze ging weer aan het werk en was als eerste klaar met het tellen van haar kwadraten, omdat ze haar er minder hadden gegeven. Ze ging weer op de fluweelgroenen boomstam zitten en kwam er toen pas achter dat ze al minstens vijf minuten niet meer aan roken had gedacht. Misschien wel 8,6 minuten. Wat het alleen maar erger maakte nu ze er wel weer aan dacht. Als ze lucifers had gehad, had ze een takje aangestoken, alleen maar om wat rook te kunnen inhaleren. Ze ging op de omgevallen boom liggen en probeerde niet aan sigaretten te denken. Ze staarde omhoog naar de wriemelende, darrende, schubbige zwart-oranje boeketten. De trossen hadden wel wat weg van hangende beren daar in de schaduw. Ze deden haar denken aan de hertenjacht met Cub jaren geleden, en aan de manier waarop ze een karkas hadden opgehangen om het ter plekke te slachten. In dezelfde jas als ze nu aanhad. Een veelzijdig kledingstuk, geschikt voor alle soorten dodedierenvermaak. De zon probeerde tevoorschijn te komen en knipoogde door de wolken heen. Overal waar een straal warm licht de hangende vlinderstrengen raakte, ontwaakten ze en gingen de vlindervleugels wijd open, waaierden traag en dronken de warmte in. Soms leek een tros zonder aanwijsbare reden uit elkaar te vallen, dan spatten de vlinders uiteen en stroomde de open ruimte opeens vol beweging. Het was onmogelijk een afzonderlijke vlucht door de boslucht met haar ogen te volgen. Ze bewogen zich zo hoog tussen de bomen door en het waren er zoveel dat het oog vanzelf van de ene op de andere oversprong.

Ze was blij dat Pete en dr. Byron weer terugkwamen, ook al had ze geen aanwijsbare reden om hen te missen. Waarschijnlijk was het een soort collie-reflex, zoals bij Roy en Charlie, die altijd opgelucht waren als de kudde weer compleet was. Ze hielp met het uitspreiden van een van de zeilen en tijdens het eten bespraken ze het roestgebied, de stormmortaliteit, enkele zaken die Dellarobia begreep en heel veel waar ze niets van snapte. Ze had beloofd hen niet in de weg te zullen lopen, maar toch namen ze de moeite haar dingen uit te leggen. Zo'n zelfde transect als dit hadden ze vorige week ook gemaakt en geteld, zodat ze er door de aantallen te vergelijken achter konden komen hoeveel vlinders er in de storm uit de boom waren gevallen. Dat snapte ze, die manier van bijhouden. Tot haar verbazing vertelden ze dat niet alle vlinders op de grond dood waren. Als de zon zich liet zien, zouden vele ervan zich koesteren in de warmte en beginnen te rillen om hun lichaamstemperatuur omhoog te krijgen. Daarna zouden ze weer wegfladderen. Als er sterfte zou optreden door de regen zou dat anders zijn dan wat ze in Mexico hadden geobserveerd.

Ze waren hier niet alleen om lijkjes te tellen, verzekerde dr. Byron haar. Ovid. Zo noemden ze hem en hij was hun baas, dus zij kon dat ook best doen. Ze dacht terug aan de avond dat hij was komen eten en kreeg het opnieuw benauwd bij de herinnering. Maar hij was heel vriendelijk en geduldig tegen haar en liet haar met zijn hulp zelf begrijpen hoe het zat met de vlinders, net zoals hij dat die avond met Preston had gedaan. Hij noemde de vlinders een systeem, 'een gecompliceerd systeem'. Ze begon aan zijn accent gewend te raken. Later zou ze het overdreven nadoen voor Dovey toen ze haar over de belevenissen van die dag vertelde. Hij bestudeerde de monarchvlinder al twintig jaar, overal op het Noord-Amerikaanse continent. Ze vroeg hem hoelang de vlinders leefden en zijn antwoord was verbijsterend: meestal ongeveer zes weken. De dieren die 's winters leefden hielden het langer vol, enkele maanden, door een soort winterslaap te houden. Een 'diapauze' noemde hij dat, een onderbreking van hun normale schema van opgroeien, paren en reproduceren. Ergens in het midden van hun leven werden ze door de kou of het donker van de winter in de ruststand gezet, waardoor hun seksuele drift tot nader order werd opgeschort.

Zoals het leven in een slecht geïsoleerd huis, dacht ze. Misschien wel als het huwelijk in het algemeen. 'En dan?' vroeg ze. Het was niet te begrijpen, een levensduur van enkele weken was nooit genoeg voor een jaarlijkse trek van vele duizenden kilometers. Hoe wisten ze waar ze heen moesten? Dr. Byron legde uit dat geen enkele vlinder de hele rondreis maakte. Aan het einde van de winter werden de intussen hoogbejaarde vlinders in Mexico wakker en paarden zich een slag in de rondte. De mannetjes copuleerden zich suf en lieten het aan de zwangere alleenstaande moeders over de trek naar het noorden te ondernemen, over de grens naar Texas, op zoek naar zijdeplanten, de enige voedselbron voor de rupsen. Daar legden ze hun eitjes en stierven zonder hun jongen ooit te zien. Dellarobia stond versteld van dit verhaal, dat soapachtig tragisch klonk, als iets van tv. Ze kon zien dat Ovid het ook graag vertelde. De moederloze babymonarchjes kwamen als rupsen uit het ei, groeiden op en vlogen vervolgens noordwaarts, waar ze het hele programma nog eens overdeden, hun eitjes op zijdeplanten legden en stierven. De monarchvlinders die je in deze bergen zag, waren normaal gesproken de tweede voorjaarsgeneratie, zei hij. Hun nakomelingen vlogen naar het noorden om een derde generatie voort te brengen. En pas die zouden in het najaar weer helemaal naar Mexico vliegen.

'Waar ze nog nooit geweest zijn,' zei ze.

'Waar ze nog nooit geweest zijn,' herhaalde Ovid.

'Hoe doen ze dat?'

Hij lachte. 'Hier staat de gek die zich dat al twintig jaar lang afvraagt.'

'Aha, ik snap het,' zei Dellarobia. Ze begon een beeld te krijgen van zijn 'gecompliceerde systeem', een heel vaag beeld. Het was dus niet een oranje overtocht over een continent zoals ze zich dat eerst had voorgesteld, niet als knikkers die van de ene kant van een doos naar de andere kant rolden en terug. Dit was een levende golf, als een hartenklop door een ader, met cellen die onderweg uit elkaar knalden en zich vernieuwden. Het plotselinge beeld vervulde haar van sterke emoties waarvoor ze zich geneerde, bang als ze was dat ze weer in tranen zou uitbarsten zoals in het bijzijn van haar schoonouders op de dag dat de vlinders om haar heen hadden gezwermd. Een normaal mens huilde niet om insecten.

Ze vond het lastig om de draad van het gesprek te blijven volgen, ook al voerden ze het speciaal voor haar. Pete legde uit dat ze de afgelopen jaren hadden ontdekt dat het bereik van de vlinders steeds noordelijker kwam te liggen. Dat betekende dat de vlindergeneraties steeds dieper Canada in moesten trekken om hun geluk te zoeken, legde Ovid behulpzaam uit, omdat hij waarschijnlijk wel aan haar gezicht zag dat het allemaal wat te snel ging. En aan de zuidkant ontstonden ook problemen, vertelde hij. De monarchvlinders moesten elk jaar eerder weg van hun Mexicaanse roestplaats vanwege seizoensveranderingen als gevolg van de opwarming van de aarde. Ze vroeg zich af in hoeverre dat bewezen was. Ze wist dat klimaatverandering iets was waar je zo je vraagtekens bij moest hebben. Hij zei dat niemand helemaal begreep hoe ze die migraties voor elkaar kregen. Honderden factoren waren in het spel. Er kwamen tegenwoordig bijvoorbeeld vuurmieren voor in Texas, die een gevaar vormden voor de monarchvlinders. De mieren aten de rupsen. En chemicaliën op boerderijen roeiden de zijdeplant uit, dat was ook een zorg die hij noemde. Ze vroeg zich af of ze Ovid zou vertellen over de aardverschuiving in Mexico. Maar de studenten mengden zich al in het gesprek, waardoor alles nog onbegrijpelijker werd. Biogeografie, waardplanten, temperatuurtolerantie, iets met fragmentatie, vernietiging. Dat laatste snapte ze, vernietiging. Ze hield vast aan het beeld dat haar zo had geroerd, een oranje vloed van beekjes die over een continent stroomden, aangedreven door een eigen interne motor.

'Zo te horen kunnen ze heel wat aan,' zei ze. 'Kennelijk weten ze de weg altijd te vinden.'

'Ze reageren op signalen,' zei Pete. 'Temperatuur, zonnesignalen, dat is hun enige kompas. Het werkt perfect tot er iets verandert. Als ze van hun roestplaats worden verjaagd en naar het noorden vliegen vóór het seizoen van de zijdeplant, arriveren ze in een lege kantine. Of het is nog te droog en dan drogen ze uit. Elk jaar dat er een temperatuurstijging plaatsvindt, verhuizen de in Mexico overwinterende populaties verder de bergen in om een plek te vinden waar het nog koel en vochtig is. Maar op een gegeven moment kun je niet verder en houdt de berg op.'

'En dan moet je hierheen,' zei Dellarobia, die ervan uitging dat dat de oplossing was. 'Is dat zo erg? Ze zijn prachtig. We krijgen hier niet zoveel meevallertjes, kan ik je wel vertellen.'

Pete wisselde een blik met Bonnie en Mako. Ze voelde schaamte bij hun zwijgen.

'Ze zijn zeker prachtig,' zei Ovid kalm. 'Nare gebeurtenissen bezitten soms een zekere schoonheid.'

'Wat is er dan naar aan?'

Hij schudde langzaam zijn hoofd, precies hetzelfde gebaar dat ze hem die eerste avond had zien maken toen Cub het gesprek op gang had gebracht met zijn vraag wat hij van hun vlindersituatie dacht. 'Naar, prachtig, daar gaan wij niet over,' zei Ovid. 'Wij zijn wetenschappers. Ons werk hier is alleen beschrijven wat er is. Maar we zijn ook mensen. We houden van die vlinders, snap je?'

'Natuurlijk,' zei Dellarobia. Goed om te weten dat je een mens mocht zijn.

'En we maken ons dus erg ongerust,' zei hij. 'De monarchvlinder overwintert al sinds zijn ontstaan in Mexico, voor zover we weten. We weten niet precies hoelang dat is, maar vele duizenden jaren zeker. En dit jaar heeft iets ze van hun gebruikelijke plaats hierheen verdreven.'

Hij nam een hap van zijn boterham, zo te zien bruin brood met roomkaas, terwijl zij dat 'vele duizenden jaren' herkauwde. Tot nu toe eindigden dit soort gesprekken voor zover zij had meegemaakt altijd met dezelfde uitspraak: de wegen van de Heer zijn ondoorgrondelijk.

Maar hij zei iets heel anders, wat haar totaal overviel. 'Als je op een ochtend wakker zou worden met een van je ogen opzij van je hoofd, hoe zou je je dan voelen, Dellarobia?'

'Ehhh...' Het weerzinwekkende beeld nam een halve seconde lang haar gedachten in beslag voor ze zich ertegen kon verweren. 'Ik zou in gillen uitbarsten,' zei ze. 'Ik krijg sowieso altijd de kriebels als er iets met ogen is.'

'Nou, zoiets is dit ook. Het is misschien een mooie plaats voor een oog, daar naast je oor, maar toch baart het ons zorgen als het daar zit. We krijgen er de kriebels van, zoals jij al zei.'

Ze keken haar alle vier zo serieus en verwachtingsvol aan dat ze het gevoel kreeg dat haar oog misschien echt wel van plaats was veranderd. Ze wist niet goed of Ovid haar voor de gek hield. Een van plaats veranderde oogbal. Meenden ze dat nou? 'Tja, ik zou de oogarts bellen,' zei ze. 'Ik vind het vreselijk om naar hem toe te moeten, maar voor zoiets zou ik wel gaan.'

Ze at de boterhammen die ze in een plastic tas had meegenomen, omdat ze niet zo'n leuk, duur rugzakje had. Ze had ook geen leuk opleidinkje aan de universiteit gehad, trouwens. Dit soort dingen moesten de slimmeriken maar oplossen. Ze probeerde haar boosheid vast te houden, maar voelde hoe die overspoeld werd door een enorme triestheid die net zo snel op kwam zetten als het grondwater in haar achtertuin. Waarom moest het enige bijzondere, spectaculaire ding in haar leven nou een afwijking van de natuur zijn? Die vlinders waren van haar. Zij had ze gevonden, zij had ze aan haar zoon laten zien, in haar naam waren ze geliefd en belangrijk geworden. Ze leken ertoe te doen, als niets wat ze ooit had bezeten. Ze had al besloten haar armzalige zesenveertig kilo in de strijd te gooien tegen het gewicht van de mannen van haar familie, als dat nodig zou blijken. Waarom moest een buitenstaander dan zo nodig komen binnendringen en het hele gebeuren tot een enorme vergissing uitroepen? Die lui hadden alles al. Scholing, uiterlijk, schoenen waarvan de prijs even hoog was als het maandinkomen van haar man. En nu waren ook de vlinders van hen.

Ze werkte de hele middag gestaag door aan het tellen van de insecten. Ze had rottiger baantjes gehad in het verleden. Eén kwadraat deelde ze met Mako en alle andere die nog niet waren geteld deed ze alleen terwijl de rest van het team met iets anders bezig was. Ze maten bomen door er met een geel instrumentje naar te kijken en de spanwijdte van vleugels met iets pincetachtigs dat een schuifmaat heette, en ze gebruikten voor wat ze 'nat gewicht' noemden een miniweegschaaltje dat Dellarobia eruit vond zien als iets wat een drugsdealer gebruikt; niet dat ze daar verstand van had. Toen de schemering inviel, daalden ze de berg weer af. Ze was het liefst als een speer naar beneden gerend, naar de dierbare snoetjes van haar kinderen en, belangrijker, haar sigaretten. Maar ze liepen gezamenlijk door het bos naar beneden, naar de weg, en daalden die af met de zon in hun rug. Vlinders die overdag hadden rondgevlogen kwamen hun nu tegemoet naar boven, terug naar hun roestbomen. Ze waren op zoek geweest naar bloemen voor nectar, vertelde Ovid. Als ze door de warmte wakker werden en aan het fladderen sloegen, spraken ze hun vetreserves aan.

Vetreserves? Vlinders? Ja. Eigenlijk, zei hij, zou het wel eens zo kunnen zijn dat de onverwacht warme dagen hier een groter risico vormden voor de vlinders dan de kou. De vlinders zouden veel sneller door hun brandstof heen zijn dan in de gelijkmatige koelte van de Mexicaanse hoogte. Dat was een groot probleem op deze berg waar geen winterbloemen groeiden om weer bij te tanken. Ze probeerde zich een beeld te vormen van winterbloemen, maar kon niets verzinnen. Kerststerren? 'Arm aan nectarbronnen' noemde hij het hier. Ze probeerde het niet persoonlijk op te vatten dat haar berg in alle opzichten arm was, zelfs aan bloemen.

Ze probeerde haar opkomende verontwaardiging te onderdrukken en zich mee te laten voeren op het getij van de vlinders om hen heen. Het was alsof je in een videogame liep. Kleine v-vormige vlekjes oranje licht kwamen voortdurend op haar af vliegen en dwarrelden om haar heen. Ze leken het zonlicht te vermenigvuldigen, de lucht in brand te steken. Ze kon goed begrijpen dat ze behoefte hadden aan duidelijke aanwijzingen in hun instabiele wereld. Ze voelde met hen mee. Ze wilde diezelfde sympathie graag voor de wetenschappers voelen, die echt om de vlinders gaven, waarschijnlijk nog veel meer dan zij. Het was waar wat Ovid zei, ze kwamen alleen maar om te meten en te tellen. Als de uitslag slecht was, was dat niet hun schuld. Zij waren ook maar mensen. Kinderen voor het merendeel, haar eigen generatie, eigenlijk, met jacks om hun middel gebonden, die zich een weg baanden door een zee van vlinders.

Eerder die dag had ze Mako's jas met de kapotte rits bekeken en overwogen hem aan te bieden die te vervangen, maar ze had geaarzeld. Misschien kon het hem wel niks schelen. Ze bood het hem alsnog aan.

'Vervángen? Je bedoelt dat je de rits eruit wilt halen en er een nieuwe in wilt zetten?' vroeg hij haar, blijkbaar onbekend met het concept van kledingreparatie. Die kinderen dachten zeker dat hun dure uitrusting aan de bomen groeide.

Ze lachte. 'Je moet gewoon die jas op tafel leggen en de rits opmeten met zo'n apparaatje van jullie. Die ritsen verkopen ze bij de Walmart in Cleary. Daar hebben ze stoffen en fournituren. Breng hem morgen maar even bij me langs, als je tenminste een dag zonder je jas kunt, dan maak ik hem meteen.'

'Heb je dan ook een naaimachine of zoiets?' Zijn verbazing was echt.

'Jawel,' zei ze. 'Een naaimachine. Dat is heus geen deeltjesversneller of zo. Gewoon een naald die op en neer gaat. Ik maakte altijd alles voor mezelf toen ik nog op school zat, tot mijn jurk voor het eindbal aan toe. In mijn inkomensklasse was het dat of voor gek lopen.'

'Maar waar had je dat dan geleerd?' Bonnie leek ook paf te staan. Studenten nota bene, die verbijsterd waren door Dellarobia's schat aan kennis. Moest ze nou trots zijn of zich in de maling genomen voelen?

'Zo moeilijk is het niet. Je moet alleen geduld hebben. Mijn moeder was naaister.'

'Echt?' zei Mako. 'Wat voor dingen naaide ze dan?'

'Haar specialiteit was kantoorkleding. Kun je je dat voorstellen? Vooral voor vrouwen, maar sommige oudere mannen lieten hun pakken ook nog op maat maken, toen ik klein was. Voordat ze allemaal overgingen op fabriekskleding die voor de helft van de prijs werd gemaakt.'

'In een of ander illegaal naaiatelier,' zei Bonnie.

'Of in het buitenland voor een tiende van de prijs,' zei ze met een knikje. 'Mama leerde me om altijd kritisch te kijken naar dubbele zomen en voeringen en leverde me vervolgens af in een wereld waar die dingen niet eens bestaan.'

Dit leken de studenten even te moeten verwerken. Misschien hadden ze ook geen benul van zomen en voeringen. Mako sneed een ander onderwerp aan en merkte op dat de overstroomde weg wel een hindernis zou vormen voor het toeristische werk van haar moeder. Het duurde even voor ze doorhad dat hij Hester bedoelde.

'O, dat is niet mijn moeder. Dat is mijn schoonmoeder.' Ze besloot haar overleden ouders maar niet te noemen. Met dat onderwerp wist je zeker dat je elk gesprek in de kiem smoorde.

'Wie neemt ze toch steeds mee naar boven?' wilde Mako weten.

De anderen luisterden ook mee, merkte ze. Het verraste haar dat ze zo geïnteresseerd waren in dat soort persoonlijke dingen. Ze was niet de enige met vragen die ze bijna niet durfde te stellen. Voor het eerst die dag daagde het besef bij haar dat niets hier het eigendom was van deze wetenschappers en dat ze zich daar heel erg van bewust waren. Haar schoonfamilie hoefde maar te kikken om hen hier weg te jagen en de bomen om te hakken zonder dat de vlinders eerst waren geteld. Het waren twee verschillende werelden die allebei deden alsof die van hen de enige was die ertoe deed. Met allebei een enorme tegenzin om in gesprek te gaan. Praktisch zonder gemeenschappelijke taal.

'Eerst waren het vooral mensen van de kerk,' zei ze. 'Dit betekende nogal wat voor de kerk, mensen waren erg onder de indruk van...' Ze gebruikte liever niet te kerkachtige woorden. 'De schoonheid, denk ik. Die inspireert mensen. Het helpt hen de aarde te respecteren.'

Het bos viel stil in het gouden avondlicht dat iedereen glans verleende. Zelfs het gebulder van het water leek gedempter. 'Hoe groot is jullie kerk?' vroeg Bonnie na een tijdje.

'Meer dan driehonderd leden,' zei ze, een aantal waarbij ze hun wenkbrauwen optrokken. Ze vroeg zich af naar wat voor kerk studenten gingen, als die al naar de kerk gingen. 'En het zijn niet alleen onze leden. Eerst was het alleen plaatselijk bekend, maar nu komen er al mensen uit Cleary en van nog verder weg. Sinds het twee keer in de krant heeft gestaan.' De tweede keer dat er een journalist en een fotograaf voor de deur hadden gestaan, hadden die beweerd dat ze kwamen om het wetenschappelijk team te interviewen, maar zo was het toch niet gelopen.

'Hester is nogal georganiseerd. Ze wil geen grotere groepen dan acht tot tien personen per keer. En als mensen, je weet wel, oud of zoiets zijn, of gehandicapt, of als ze kleine kinderen bij zich hebben, dan brengt ze hen in de wagen. Dan rekent ze ook meer.'

'Dus geen seniorenkorting,' merkte Mako op.

'Nee. Mijn schoonmoeder doet niet aan kortingen. Als ze begrafenisondernemer was, zou ze nog tegen haar klanten zeggen dat ze niet zo moesten zeuren en anders de benenwagen maar moesten nemen naar het kerkhof.'

Ze lachten Hester uit en Dellarobia kreeg wroeging. Ze vroeg zich af aan welke kant ze eigenlijk hoorde te staan. Ze was zeker niet van plan geweest om vriendschap te sluiten met die studenten, maar ze zou hun boeiende energie wel missen als ze weer waren vertrokken. Ze zouden volgende week op de eenentwintigste allemaal weggaan om thuis kerst te vieren, waar dat ook was. De kortste dag van het jaar, volgens Johnny Midgeon van de radio, haar belangrijkste bron van kennis. Bonnie en Mako zouden na de vakantie niet terugkomen met Ovid, omdat ze nog maar tweedejaarsstudenten waren en colleges moesten bijwonen. Ovid gaf alleen het eerste semester les en deed de rest van het jaar onderzoek. Hij had onlangs iets gekregen wat een 'genialiteitsbeurs' heette, had Bonnie uitgelegd, waardoor hij nu een soort vip was. Dellarobia had wel gehoord van sterren met hun eigen caravan, maar dat waren nooit wagens waarbij het toilet en de douche in hetzelfde kleine hok zaten. Pete zou misschien ook terugkomen, zei Bonnie, omdat hij een postdoc was en fulltime onderzoek deed, maar hij zou niet lang blijven, want hij moest op de campus aanwezig zijn om leiding te geven aan Ovid Byrons lab. Dellarobia zag daarbij een lab voor zich zoals dat van gestoorde professoren uit films, met overkokende flessen, en voelde wanhoop opkomen over de kloof tussen haar hersens en alles wat er te weten viel. Bij een vlinderlab kon ze zich niets voorstellen.

Toen er een gat was gevallen tussen hen en de mannen vooraan, vertelde Bonnie ook dat Pete pasgetrouwd was. Zijn vrouw had liever niet dat hij lang van huis was. Dellarobia wees met haar kin naar de gespierde schouders van Pete en vroeg: 'Vind je dat gek?'

Bonnie schoot in de lach. 'Nee, dat is waar.' Dat was een mooie kans voor Dellarobia om Bonnie te vragen of zij ook getrouwd was. Dat was ze niet, zei ze.

Als Hester verder zou kijken dan haar neus lang was, zou ze zien dat die jongeren helemaal niet verwaand waren. Wereldwijs misschien en zich niet bewust van het geluk dat ze hadden, dat wel.

Maar in sommige opzichten leken ze juist weer jong voor hun leeftijd. Dellarobia zou willen dat ze meer voor hen kon doen dan alleen de was, of een rits inzetten. En dilly beans meenemen, waar ze wild van bleken te zijn. Ze hadden de pot zowat uitgelikt alsof ze er behalve dille en azijn ook drugs in had gestopt. Ze kon best nog een paar potjes meenemen uit Hesters voorraadkast. Ze hadden een stuk of vijftig literpotten ingemaakt. Hoe bestond het dat er mensen waren die nog nooit van dilly beans hadden gehoord?

Een afscheidsfeestje, bedacht ze opeens. Gewoon een kleine bijeenkomst in haar woonkamer met kerstkoekjes en eierpunch. Ze was er haast tegen Bonnie over begonnen, maar durfde toch niet. Ze waren al bijna aan het einde van het pad, de gelegenheid zou voorbijgaan, ze vormde de woorden, maar kreeg ze niet uitgesproken. Ze durfde die mensen niet bij haar thuis uit te nodigen, daar kwam het gewoon op neer. Eén persoon die in een motorvoertuig woonde, anderen die in een hotel verbleven waarin misschien wel een drugslab was gehuisvest, maar toch durfde Dellarobia er niet aan te denken hoe zij haar leven zouden zien. Misschien wel als 'ranzig', net als dat eethuis. Als die studenten niet wisten dat een rits vervangen kon worden, hadden ze vast ook nog nooit plastic borden gezien en tapijt met vlekken en kamers vol kussens. Alles wat ze bezat was ofwel onbreekbaar ofwel kapot.

# 7

# Wereldwijde uitwisseling

De een zijn dood was de ander zijn brood, zo leek het, want de overstromingen legden het grindbedrijf geen windeieren. Cub werd gevraagd om in het weekend en de daaropvolgende week dubbele diensten te draaien waardoor hij zelfs niet naar de kerk kon, wat Hester wel gerechtvaardigd vond omdat het om hulp aan mensen in nood ging. In Cubs geval bestond die noodhulp uit het afleveren van grind bij mensen wier oprit op het lagergelegen terrein van hun buren terechtgekomen was. Maar het leverde geld op, en daar werd niet over geklaagd. Dellarobia en Cub zouden aan het einde van het jaar de achterstand van hun hypotheek kunnen wegwerken en de rest ging allemaal naar de afbetaling van de lening voor de machines, evenals het geld dat Hester verdiende met de rondleidingen. Dat noemden ze hun 'vlindergeld', een toepasselijke naam voor zo'n vluchtige inkomstenbron. De machines waren betaald met een zogenaamde ballonlening waarvan de aflossingen steeds hoger werden, en dat was geen toepasselijke naam, want de lening was een loden last die de hele familie kon vermorzelen. Bear had met de mannen van Money Tree afgesproken dat ze een maand, of uiterlijk twee maanden, zouden wachten met kappen.

Dellarobia had Cub sinds Hesters verrassende bezoek nauwelijks gezien. Ze was van plan geweest om erover te beginnen, maar die middag had hij de maandelijkse rit met hun vuilnis naar de stort gemaakt en de volgende ochtend was ze met Ovid en de studenten de berg op gegaan. Toen ze terugkwam, was Cub net gebeld om weer een vracht grind te rijden naar een weggespoeld stuk weg, een van de vele die nog zouden volgen. Ze had hem nog net een beker koffie kunnen aanreiken. Vanochtend had ze zich al afgevraagd waar al hun bekers toch waren gebleven, en had ze bedacht dat die waarschijnlijk leeg op de vloer van de pick-up lagen te rollen. Vandaag moest hij tot vier uur werken en ze had Dovey gevraagd om te komen oppassen, zodat Cub met haar mee kon gaan winkelen om kerstcadeautjes voor de kinderen te kopen. Dovey zei dat ze naar Cleary moesten gaan, waar zeker vijftig keer zoveel winkels waren, al was het alleen maar om te kijken. Maar de meeste winkels daar waren toch te duur en Dellarobia had geen zin om een beetje voor de lol jaloers te gaan zitten worden. Misschien dat de Walmart aan hun kant van Cleary nog wel iets was. Maar uiteindelijk vertrokken ze pas laat, dus waren ze aangewezen op de tweederangswinkels in Feathertown. Cub had een heel uur verprutst met zijn gezeur; hij was moe, er was een wedstrijd van Virginia Tech op tv. Wat raar eigenlijk dat mannen die niet in de wieg waren gelegd voor een studie toch zo geïnteresseerd waren in de sportprestaties van dergelijke studententeams. 'Waarom ga je niet gewoon met de kinderen?' had hij gevraagd. 'Dat doe je anders ook altijd, je zet Cordie gewoon in het winkelwagentje.'

'Om kérstcadeautjes met ze te gaan kopen? Je weet wel: verrassing, kinderen, de Kerstman?'

Ze had nog niet één cadeau gekocht. Ze had een hekel aan kerst, wat ze een vergeeflijke zonde vond voor iemand die beide ouders had verloren en nauwelijks geld te besteden had, of allebei. De kerstboom stond nog steeds onopgetuigd in de kamer zijn prikkelende geur af te geven en was al net zo verstoken van kerstsfeer als het modderige landschap buiten. Ze had aan Cub gevraagd of hij tegen Hester wilde zeggen dat ze dit jaar de cadeautjes op kerstochtend thuis zouden uitpakken. En misschien kon hij vragen of ze wat van haar kerstversieringen mochten hebben. Maar ze wist niet of hij dat had gedaan, want ze had haar man al in geen dagen meer echt gesproken.

Toen ze eindelijk de kans kreeg, greep ze die met beide handen aan en liep het natuurlijk weer vrijwel meteen uit op ruzie. Dat was nu eenmaal een huwelijkswet: hoe meer je eraan toe was om eens iets samen te gaan doen, hoe sneller je het verpestte met een woede-uitval. Een tijdje geleden waren ze zonder de kinderen uit eten gegaan om hun trouwdag te vieren, maar ze hadden in de auto al slaande ruzie gekregen, onder meer over de vraag waarom hij een vettige waterpomptang in de auto had laten liggen (even later was die zelfs in blinde woede door de auto gesmeten, weliswaar niet speciaal op iemand gericht, maar de achterruit had er wel een barst aan overgehouden). De ruzie van vandaag was minder sportief van aard, want ze waren gewoon te moe voor de eredivisie. Het was meer een uitputtingsslag door de vier straten van Feathertown: eerst de benzinepomp, waar hij van haar de tank maar voor de helft mocht vullen zodat ze een slof sigaretten kon kopen die zo duur was dat ze er bijna van moest huilen. Ze nam zich heilig voor om er de rest van de maand mee te doen, maar ze wist nu al dat haar dat nooit zou lukken. Daarna de bouwmarkt, waar ze de kraan moesten ruilen die hij had gekocht ter vervanging van hun lekkende keukenkraan, want hij had het verkeerde type meegenomen, zoals elke sukkel meteen had kunnen zien. En nu zetten ze hun onfortuinlijke uitstapje voort in de discountwinkel, waar ze inkopen gingen doen voor een kerst die hun kinderen nooit zouden vergeten, voor maximaal vijftig dollar.

'Ik kan die houtkap van pa echt niet tegenhouden,' zei hij voor de zoveelste keer.

'Dat kun je wel, maar je wilt het niet,' antwoordde ze, ook voor de zoveelste keer.

'Omdat ik niet perfect ben, wat jij wel schijnt te willen.' Ook dat had ze eerder gehoord. Ze gingen door de glazen deuren naar binnen en lieten fatsoenshalve hun volume een paar decibellen zakken. 'Dan moet jij mij maar eens vertellen waar je zoveel geld vandaan kan halen,' fluisterde Cub pissig. 'Dan kan ik dat aan pa geven.'

Het idee dat het hele bos op die berg omvergehaald zou worden, samen met de wereld die zich daarin bevond, vond Dellarobia steeds ondenkbaarder. Haar leven werd met de dag groter, als een rechthoekige plattegrond die je bij de benzinepomp kunt kopen en die je open kunt vouwen tot hij zo groot is als de voorruit. Ze voelde zich op een bepaalde manier betrokken bij die onderzoekers. En gek genoeg ook bij Hester. Ze wilde Cub verschrikkelijk graag vertellen dat zijn moeder van plan was om zich tegen Bear te verzetten, maar ze wilde ook dat Cub voor zichzelf opkwam. Dat hij niet alleen maar de pion was van zijn moeder, maar ook het hoofd van het gezin – of was dat soms te veel gevraagd?

De anderhalve meter hoge Kerstman bij de ingang begon met zijn heupen te draaien en bracht een iele, mechanische versie voort van 'Joy to the World'. Kennelijk zat er een bewegingssensor in. 'Oké, even ter zake,' zei ze. 'Kerstversiering. Heb jij Hester nog gevraagd of we wat van haar spullen mogen lenen?'

'Hier zijn kerstspullen zat,' zei Cub met een weids gebaar naar de schappen. Dat viel niet te ontkennen. Er waren genoeg kerstballen om een heel weiland mee vol te plempen.

'Fantastisch,' zei ze. 'Familie-erfstukken voor in de kerstboom. Kinderarbeid uit China.' Dat riep haar moeder in zulke gevallen altijd schamper: kinderarbeid uit China! Waarschijnlijk zelfs in deze winkel. Dellarobia schrok zelf van die kreet uit haar verleden en van het beeld dat hij opriep van een leger van zielige weeskindjes met slecht genaaide jasjes en petten die jaloers waren op alle gelukkige gezinnen in de rest van de wereld. Beunhaasjes die concurreerden met de handgemaakte meubels van haar vader en het naaiwerk van haar moeder. Die blagen hadden zelfs de sluiting veroorzaakt van de textielfabriek waar haar moeder, die vroeger maatpakken maakte, zich de laatste tien jaar van haar werkzame leven had moeten verlagen tot de productie van ondergoed. Achteraf kon Dellarobia zich best voorstellen dat ze aan de drank was gegaan.

Cub was ook in een niet al te best humeur. Hij rukte een boodschappenkarretje uit de rij en begon er dingen in te gooien: kakkerlakken- en mierengif, superlijm, bleekmiddel, antivries. Hij winkelde zoals hij televisie keek en liep al zappend door de winkel. Hij was net de magere ouwe man die ze altijd bij de vuilstort zagen en die daar met een schoffel in het afval stond te porren, op zoek naar een of andere schat op een vuilnisbelt waar geen schatten te vinden waren. Wat een leven.

'Mooie kerstcadeaus, schat. Voor degenen op ons lijstje die van plan zijn zichzelf van kant te maken.'

Hij zuchtte diep en schudde zijn hoofd. Een vrouw was iets wat je maar moest zien te verdragen. Dat leerden mannen van de televisie, dacht ze.

'En waarom moet ik altijd politieagentje spelen? Je zit nu al over de tien dollar.'

'Oké-hee,' zei hij, iets te hard. 'Ik was even vergeten dat jij al veertig dollar had verspild aan teer en nicotine.' Hij sjokte terug om de spullen terug te brengen en kwam even later aanzetten met twee T-shirts, een met een brandweerwagen en een andere van My Little Pony, allebei in de juiste maat. Zes en tien dollar. Ze pakte ze aan en bekeek ze, voelde aan de treurig dunne stof. De zijnaden van het My Little Pony-shirt waren scheef genaaid en rafelden nu al.

'Waarom zijn meisjeskleren altijd duurder? Moet je dit nou zien, de helft van de hoeveelheid stof, de helft van de kwaliteit, maar bijna twee keer zo duur.'

Hij haalde zijn schouders op. 'Weet ik veel, misschien omdat jongens hun kleren eerder verslijten?'

'Hou op, zeg. Je denkt toch niet echt dat ze het voor ons doen.' Ze gooide de T-shirts in een willekeurig schap, ver van waar ze hoorden, maar dat kon haar niks schelen. Ze moesten maar extra personeel inhuren, de mensen zaten te springen om banen. Ze kwamen in het gangpad met de kerstspullen. 'Vraag Hester nou maar gewoon naar die kerstversieringen, oké? Daar heeft ze ladingen van. Je kunt ook op haar zolder gaan kijken en wat meepikken, dat merkt ze toch niet.' Dellarobia dacht aan de houten kerstversieringen die haar vader jaren geleden had gemaakt en die nog ergens op de wereld moesten zijn. Wat een gecompliceerde levensloop hadden die dingen gehad: dozen op zolder, de opruiming na de begrafenis, boedelverkopen. Net insecten die alle ontwikkelingsstadia doorlopen en uiteindelijk uitvliegen.

Cub pakte een protserige plastic kerstklok met het jaartal erop. Hij draaide hem om. 'Twee dollar,' zei hij. 'Dat valt wel mee.'

'Reken maar uit, slimbo. Aan één zo'n ding in de kerstboom heb je natuurlijk niet genoeg. We hebben een stuk of twintig kerstversieringen nodig, anders ziet die boom er wel erg treurig uit.'

Hij legde de kerstklok weg. Hij was net een kind, vond ze. Zijn consumentengedrag was misschien iets ontwikkelder dan dat van zijn dochter, maar het scheelde niet veel. Ze keek moedeloos in de bakken met kitscherige troep en probeerde iets te vinden dat niet al uit elkaar zou vallen voordat ze thuis waren. Misschien had haar vader wel geluk gehad dat hij zo jong was gestorven, toen hij nog trots kon zijn op zijn vakmanschap. Wat zou hij van deze wereld hebben gevonden? Die waardeloze troep was waarschijnlijk helemaal niet door kindslaven gemaakt, maar door onderbetaalde arbeiders in fabrieken die spullen uitbraakten voor andere onderbetaalde mensen, wat elkaar allemaal in evenwicht hield. Het afvoerputje van de wereld.

'En al die dingen die jij hebt geknutseld toen je klein was, dan?' vroeg ze. 'Die sterren van lolliestokjes en al die andere dingen die ze heeft bewaard. Zou Hester die niet aan je willen geven voor in onze boom?'

'Over troep gesproken,' zei hij.

'Maar dat is tenminste ónze troep. En dat is toch ook waar het met kerst om gaat? Dat je liefde doorgeeft aan elkaar en zo?'

'Met kerst gaat het vooral om het prijskaartje.'

Dat vond ze het diepzinnigste wat Cub in jaren had gezegd, al bedoelde hij het misschien alleen maar letterlijk. Ze stonden bij een bak dvd's waar cellofaan omheen zat met een sticker waar REEDS BEKEKEN op stond. Vernederend vond ze dat, alsof het al voorgekauwde maaltijden waren. Cub hield er een omhoog waar 'Monstertrucks' op stond, maar ze schudde haar hoofd.

'Dat is niks voor Preston. Hij is de laatste tijd meer geïnteresseerd in de natuur.'

Cub grijnsde en hield een dvd omhoog met een gigantische python die zich om een angstig en nogal bloot meisje kronkelde.

'Leuk hoor,' beet ze hem toe.

Cub had best door waar Preston zich de laatste tijd voor interesseerde, maar ze vermoedde dat hem dat niet erg aanstond. Hij wilde dat zijn zoon goed was in sport. Ze wist zeker dat Cub er zelfs voor bad dat Preston maar een flinke, sportieve jongen zou worden. En geen slimme bijziende kneus zoals zijn moeder. Cub keek graag naar een tv-serie waarin een paar nerds die samen in een appartement woonden in een stelletje stotterende sukkels veranderden zodra de blonde sexy buurvrouw langskwam. Cub moest altijd verschrikkelijk lachen om die professortjes met hun slecht zittende broeken en sociale onhandigheid. Dellarobia viel het vooral op dat ze een vaatwasser hadden en een bakbeest van een leren bank.

Ze tuurde naar wat in heel kleine lettertjes op een dvd over leeuwen stond. Je kon er niet echt veel uit opmaken. En hij was twaalfenhalve dollar; krankzinnig duur voor een tweedehands dvd. De kar was nog steeds leeg toen ze doorliepen naar het gangpad met speelgoed. Cub pakte een robotbokser-spel, zag op het prijskaartje dat het twintig dollar kostte, en legde het terug. Daarna pakte hij een groot geval van vijf dollar dat eruitzag als een kruising tussen een automatisch geweer en een kettingzaag.

'De kinderdroom van elke boerenkinkel!' spotte ze, wat een strenge, waarschuwende blik van Cub opleverde die ze nog niet vaak van hem had gezien. Ze kon beter een beetje dimmen. Die plotselinge afkeer kwam zomaar uit het niets. Ze werd er bang van. Wie was zij nou ook helemaal? Een meid die zich op de middelbare school zwanger had laten maken en haastig in de eerste de beste huwelijksboot was gestapt. En die nu aanpapte met mensen van boven haar stand.

'Ho-ho-ho, twee hulpkerstmannen?'

Ze keken op en zagen Blanchie Bise van de kerk. Dellarobia wees naar hun lege kar. 'Aan ons heeft hij anders niet veel.'

'Ik zag dat je weer in de krant stond, Dellarobia,' zei Blanchie. Ze trok aan haar strak aangesnoerde regenjack. Ze droeg altijd kleren in de maat van een eerdere versie van Blanchie die nog niet ongemerkt dikker was geworden. Haar Ontkenningsoutfit noemde Dellarobia dat in gedachten altijd. Blanchie keek angstvallig van echtgenote naar echtgenoot, toen geen van beiden reageerde op wat ze over het krantenartikel had gezegd. 'Nou!' riep ze toen maar uit. 'Wat een weer, hè? Moeten we al een ark gaan bouwen?'

De ruzie bleef in de lucht hangen, als een film die op pauze staat. Blanchie voelde het aan en liep haastig door.

'Het spijt me dat ik alleen maar een boerenkinkelloontje verdien om onze boerenkinkelkinderen mee groot te brengen,' gromde Cub. 'Maar ík werk tenminste.'

'O, en ik niet dan?'

Hij gaf geen antwoord.

'Probeer jij maar eens een dag achter ze aan te rennen. Dan zou je 's avonds al uitgeteld zijn.'

'Ik heb vrijdag toch op ze gepast? Toen jij met die rijkeluiskinderen op stap was.'

'Dat was één dag, Cub. En nog niet eens een hele. En je wás trouwens ook uitgeteld.'

'Maar ik heb wel op ze gepast, of niet soms?'

'Wat je oppassen noemt. Toen ik terugkwam, hadden ze de hele koelkast overhoop gehaald, alles lag op de keukenvloer. Preston wilde net een pot pindakaas in de magnetron zetten en Cordie liep rond met een volle luier van vijf kilo zwaar. En als ik het me goed herinner lag jij op de bank te kijken naar *1000 Ways to Die*.'

'Wanneer ga je haar eigenlijk zindelijk maken?'

Wanneer ga je haar eigenlijk zindelijk maken, herhaalde Dellarobia geluidloos voor het publiek van haar denkbeeldige soapserie. Of misschien was dat publiek niet geheel denkbeeldig. Een van de geelgeschorte kassameisjes volgde zo ongeveer alles wat ze deden.

'Ze is nog geeneens twee,' beet ze hem toe. 'En hoezo, rijkeluiskinderen? Het zijn studenten en ze logeren in het Wayside.'

'Ze zitten voor de lol in een vijfderangshotel. Daar kunnen ze dan leuk sterke verhalen over ophangen als ze met kerst naar huis gaan.'

'Dat weet ik niet, hoor.' Maar ze wist dat hij daar wel eens gelijk in kon hebben. Ze merkte dat ze soms door hun ogen naar de dingen keek. Heel vaak zelfs. Voor hen moest het zijn alsof ze hier echt in de rimboe terechtgekomen waren; de slechte wegen vol kuilen, het Wayside-hotel, de schamele cafetaria, haar armoedige huis. En zij speelde de hoofdrol in hun realityshow. Help, mijn man is een boerenkinkel. Haar kijk op de dingen veranderde erdoor, zelfs in deze winkel bekeek ze haar aankopen met andere ogen. Alsof ze ook naar een andere winkel zou kunnen gaan.

'Wat weet je niet?' vroeg Cub.

'Ik weet niet wat die studenten thuis vertellen. Dus doe maar niet alsof jij dat wel weet.'

'Nee, natuurlijk niet. Jij bent tenslotte degene die het helemaal gemaakt heeft.' Hij rolde met zijn ogen en keek de andere kant op, waar Blanchie naar hen stond te kijken.

'Hoezo, alleen omdat iedereen heeft gezien dat ik in de krant stond? Daar zat jij zelf over op te scheppen, Cub. Je had bijna handtekeningen uitgedeeld omdat je zo'n beroemde vrouw hebt.'

Hij deed alsof hij een rijtje identieke poppen bestudeerde, elk met weer een ander tule rokje. 'Ik wist niet dat het een fulltimebaan zou worden,' zei hij zacht.

Ze ademde uit door opengesperde neusgaten en voelde zich net een paard. 'Ik wilde die tweede keer niet eens met ze praten. Dat heb ik je toch verteld? Ik zei dat ze Byron moesten interviewen, maar die was toen op de berg. Ik heb ze misschien tien seconden gesproken. En ik heb alleen maar voor die foto geposeerd omdat ze dan weg zouden gaan.' En ook omdat die eerste foto zo afzichtelijk was en ze hoopte dat deze de herinnering daaraan zou kunnen uitwissen.

Spiderman-sokken, drie dollar. Drie Spiderman-onderbroeken, vijf vijftig. Preston had sokken en ondergoed nodig, maar telde dat wel als kerstcadeau? Cub zei aldoor dat hij wilde dat de kinderen 'een echte kerst' kregen, maar ze wist niet zo goed meer wat dat eigenlijk betekende. 'O ja, en Cordie zat de hele tijd te krijsen toen die verslaggevers er waren. Net als de eerste keer. Volgens mij houdt ze niet zo van publiciteit.'

'In tegenstelling tot haar moeder.'

'Doe toch niet zo achterlijk!'

Een klant aan het einde van het gangpad keek op. Dellarobia dempte haar stem. 'Jij bent hier zelf mee begonnen, Cub. Door er in de kerk over te praten. Ik heb de helft van wat er in die krant stond helemaal niet gezegd, dat die vlinders op heilige grond zitten en zo. Dat heb jij gezegd.'

'Omdat ik de Heilige Geest voelde, Dellarobia. Iets wat jij waarschijnlijk niet kunt begrijpen.'

Cubs eerlijkheid was ongeëvenaard, daar kon ze niks van zeggen. En niet alleen in de kerk, maar altijd. Hij had Ovid zelfs een plek aangeboden voor zijn camper. Wat je verder ook van Cub mocht vinden: hij was een zuiver mens, rechtdoorzee. Waardoor ze alleen nog maar een grotere hekel aan zichzelf kreeg en nog bozer werd. Ze was niet in staat om toe te geven. 'Ik was daar anders vorige week zondag wel en jij niet.'

Ze had er alleen met Hester naartoe gemoeten en de starende blikken moeten verdragen. Als religieuze beroemdheid werd ze geacht te stralen als een Lichtend Voorbeeld, en er niet stiekem tussenuit te knijpen voor een kop koffie met iets lekkers erbij. De zaligverklaring van het wonder van Feathertown had zo zijn voordelen, maar sommigen schenen te denken dat Dellarobia ermee te koop liep en dat Hester ervan profiteerde. Er waren ook mensen die niet zo blij waren met de buitenstaanders, met Ovid Byron en bepaalde niet nader genoemde dingen die hij misschien vertegenwoordigde. Zulke uitspraken hoorde ze natuurlijk pas in zeer gekuiste vorm, maar ze kon zich er wel iets bij voorstellen. En ze probeerde wijs te worden uit Hester, die ze nu al drie keer had zien wankelen: de eerste keer in de kerk, toen dominee Ogle haar met grote ogen had aangekeken, de tweede keer toen hij bij hen op bezoek zou komen en ze zich daar verschrikkelijk zenuwachtig over maakte, en de derde keer toen ze bij Dellarobia in de keuken in tranen om haar hulp had gevraagd. Nee, vier keer al: ook op de berg, toen ze had uitgeroepen dat Dellarobia de Geest ontving. Hester was ergens bang voor, en ze kreeg de indruk dat ze bang was voor

God. Het begon allemaal een beetje te ingewikkeld te worden met de kerk.

'Dus heeft de Heilige Geest jou ertoe gebracht om het eens te zijn met je vader?' vroeg ze aan Cub. 'Die het hele bos op onze berg wil laten omhakken?'

'Je doet net alsof we iets te kiezen hebben. We hebben dat geld hard nodig.'

'Híj heeft dat geld nodig. Bear heeft ons ook niks gevraagd voordat hij die lening afsloot. Dus waarom zou die afbetaling dan opeens wel ons probleem zijn?'

'Hij kon ook niet weten dat hij al zijn opdrachten kwijt zou raken door dat gezeik met de crisis.'

'Ja, maar dat risico heeft hij zelf genomen.'

'En het is zijn land.'

'En wij hebben niks? Alles wat er op de boerderij gebeurt, daar helpen wij aan mee. Kijk me eens aan, Cub. Kun je me nou gewoon eens aankijken als ik tegen je praat?'

Hij bleef staan, draaide zich overdreven geïrriteerd om en keek haar met een vermoeide, vlakke, liefdeloze blik aan. Hij had hier net als zij meer dan genoeg van. Ze wilde iets wat niet kon. Ze wilde dat hij partij koos. Niet moeder en zoon, maar man en vrouw.

'Je weet dat ik gelijk heb,' zei ze fel. 'Wij werken op die boerderij, wij brengen onze kinderen er groot en leren ze dat dat hun thuis is, maar we krijgen niet eens inspraak? Wat zeg ik, we kunnen godsamme niet eens een paar kerstballen krijgen? Wij moeten bij jouw pappie en mammie bedelen om een paar kruimels? Godverdomme, Cub, je zegt dat ik Cordie zindelijk moet maken, maar wanneer word je zélf eens een keer groot?'

Ze trokken de aandacht. De vrouw achter de kassa kon zo te zien elk moment om assistentie gaan vragen. Weggestuurd worden vanwege een echtelijke ruzie in het openbaar was wel de allerordinairste vernedering die ze kon bedenken. Ze walgde van haar doodvermoeiende ingewikkelde leven. Opeens kwam het weer opzetten, als de keelpijn die ze altijd kreeg vlak voordat een virus toesloeg: het bizarre onthechte gevoel dat haar in oktober en november ertoe had gebracht om weg te lopen. Zich te laten meevoeren door een golf die haar al het andere deed vergeten, behalve de opwinding van de voorwaartse beweging. Maar nu, op dit moment, was ze verstandig genoeg om daar wel bang voor te worden. Die bijna-affaire was iets uit een droom. In het echte leven bestond er geen probleemloze ontsnapping. In het echte leven moest ze zelfs een oppas regelen als ze ruzie wilde maken.

Cub pakte een tuitbeker in de vorm van een kikker. Twee dollar. Ze griste het ding uit zijn hand en gooide het in de kar. Zodat het niet leek alsof ze hier winkeldiefstal kwamen plegen.

'Wat zei hij zondag eigenlijk?' vroeg Cub.

'Wie?'

'Dominee Ogle. Over de berg.'

Cub koos altijd voor de sterkste partij, of het nu Bobby Ogle was of zijn moeder. Hij wilde een bondgenoot. Hetzelfde gold voor Hester, ook al was ze nog zo fel. Iedereen was op zoek naar geborgenheid, misschien was het wel zo simpel. 'Zou dat voor jou de doorslag geven?' vroeg ze. 'Als Bobby tegen de houtkap was?'

'Ik weet het niet.'

'Zou het jou iets uitmaken als Hester ertegen was? Of wie dan ook op de hele wereld behalve ik?'

'De hele wereld weet hier geeneens van,' zei Cub.

'Nou, zo ongeveer wel. In deze stad kan je een tattoo op je kont nog niet eens geheim houden. Als Bear het al geheim zou willen houden, wat niet zo is.'

'Hij hoeft zich nergens voor te schamen. Hij zegt dat het verkeerd is om contractbreuk te plegen.'

'Hebben we het nu over de morele overtuigingen van Bear Turnbow? O, maar wacht even, dan zal ik eens met wat geld gaan wapperen, moet jij eens opletten waar hij dan blijft met zijn morele overtuigingen.'

Cub pakte iets wat een 'magische toverstaf met geluid' heette, alleen om er even naar te kijken, maar ze rukte hem het ding uit handen en smeet het terug op de plank. Speelgoed bedoeld om moeders knettergek te krijgen.

Cub kroop door haar slechte humeur steeds meer in zijn schulp. Hoe voorspelbaar. Ze wist hoe mannen dat noemden: onder de plak. In hun huwelijk draaide het daar steeds weer op uit, het gevoel dat ze in Cubs leven het stokje van Hester had overgenomen. Dat was de rottigste gedachte die ze de hele dag had gehad. 'Sorry,' zei ze. Ze gaf hem de toverstaf terug. Hij zwaaide er met weinig enthousiasme mee in het rond en legde hem terug.

'Maar wat vindt dominee Ogle er nou van?' vroeg hij opnieuw. 'Over wat we met dat bos moeten doen.'

'Waarom zou Bobby Ogle moeten beslissen over wat wij met ons eigen land doen?'

Alsof ze dat niet wist. Waarom vroegen mensen aan Dear Abby van de vragenrubriek wat ze moesten doen, waarom geloofden ze Johnny Midgeon op zijn woord als hij zei dat bepaalde lui in Washington oplichters waren? Het was overal hetzelfde. Yuppen keken naar goedgebekte cabaretiers die de spot dreven met mensen die in een stacaravan woonden en naar countrymuziek luisterden en begonnen al te lachen bij het woord 'Tennessee', dat had ze zelf een keer gehoord. Ze zouden nooit zelf in Tennessee gaan kijken hoe het daar was, net zomin als zij ooit zou gaan studeren om meer te weten te komen over die klimaatdingen waar Byron het over had. Niemand kon echt voor zichzelf beslissen, er was gewoon veel te veel informatie. Wat ze wel deden was een beetje rondkijken, uitzoeken wie er voor hun soort mensen opkwam, hapklare brokken informatie over allerlei onderwerpen lezen.

Cub was het gangpad met speelgoed al uit, maar kwam terug met het lelijkste ding dat ze ooit had gezien. Een grote plantenbak in de vorm van een zwaan. 'Zullen we dit voor ma kopen?'

Ze bekeek het ding aan alle kanten. De glimmende oranje bek en de bak van goedkoop hol wit plastic die na één seizoen al uit elkaar zou vallen. De naad die over de hals en het midden van de afzichtelijke kop met kraaloogjes liep. 'Ja hoor,' zei ze. 'Dat vindt Hester vast prachtig.'

Hij verdween weer, waardoor zij voor schut liep met die rotzwaan in haar kar. Het beest zag er gestoord uit doordat zijn oogjes heel dicht bij elkaar stonden. Dellarobia realiseerde zich opeens dat ze zelf steeds weer met dat geschenk te maken zou krijgen; Hester zou het ding vol met petunia's op haar veranda zetten, en dan zouden zij elke keer die gemene rotkop zien als ze de oprit op kwamen rijden. Ze voelde zich er schuldig over dat ze Hester verachtte, zelfs dat werd steeds ingewikkelder. Ze waren in zekere zin bondgenoten geworden nu er zoveel roddel en achterklap in de kudde was. Bobby zou zelf waarschijnlijk geen partij kiezen. De vorige zondag had hij het gehad over de wegwerpmaatschappij en dingen waaraan in deze wereld te veel waarde werd gehecht. Zij had natuurlijk meteen gedacht aan Bear en zijn houtkap, maar misschien was dat alleen maar haar invulling. Volgens hem stonden er in het Oude en het Nieuwe Testament bij elkaar meer dan duizend passages over respect voor Gods natuur, wat een vrij directe uitspraak was. Maar later had hij weer zijn zegen uitgesproken over alle aanwezigen die ergens op hoopten, ook op welvaart, en dat ontkrachtte zijn punt juist weer. Ze werd er moedeloos van. Zelfs Bobby Ogle kon die duizend passages niet allemaal lezen en dingen per geval uitvogelen. In een wereld vol oorlogen en godsdiensttwisten was welvaart misschien wel het enige waar iedereen het over eens kon worden. Want wees eerlijk: als je met een stapel bankbiljetten zwaaide, wie kwam daar dan níét op af? Alleen degenen die hun huis al hadden afbetaald, vermoedde ze.

Cub had haar achtergelaten op de speelgoedafdeling, maar ze had nog steeds niets gevonden wat Preston zou kunnen bekoren. Voor Cordie was dat veel gemakkelijker, die vond het al prachtig om ergens cadeaupapier van af te scheuren, maar met Preston was het een heel ander verhaal. Als ze naar de rijen Potato Heads en nepbarbies keek, zag ze in gedachten zijn hoopvolle gezichtje en de onvermijdelijke teleurstelling die daar vervolgens op zou verschijnen. Haar oog viel op een groene plastic verrekijker, verpakt in plastic en bevestigd op een felgekleurde kartonnen achtergrond. FUNTASTISCH! stond erop. GA OP EXPEDITIE EN ONTDEK DE NATUUR VOOR MAAR $1,50, INCLUSIEF DRAAGRIEM. MADE IN CHINA. Ze hield de plastic doos op zijn kant en probeerde door de kijker te turen, maar ze kon er nog niet eens de dingen in haar eigen boodschappenkar mee zien. Precies de kwaliteit die je voor dat geld kon verwachten. Het was erg verleidelijk om iets te kopen wat je kon betalen, alleen omdat er ONTDEK DE NATUUR op stond. Je kon doen alsof je echt goed door zo'n ding kon kijken en zorgen dat je kinderen hun mond hielden en hetzelfde deden. Opvoeding voor de kansarmen. Ze zette de verrekijker terug en verlangde zo hevig naar een sigaret dat ze overwoog om er hier, voor de neus van mevrouw Potato Head, eentje op te steken. Ze kon een paar flinke hijsen nemen voordat iemand kwam zeggen dat ze hem uit moest maken. Ze zouden haar heus niet de winkel uit smijten. Ze wilden haar vijftig dollar.

Een meisje van de kerk, Winnie Vice, kwam vanaf de andere kant het gangpad in met haar peuter in een buggy. Winnie was familie van Crystal of van Brenda, dat wist ze niet meer precies. Dat was ook al zo waardeloos in de kerk: nu die kinderen van Crystal geboycot werden op de zondagsschool, nam ze ze altijd mee naar de koffiebar, dus Dellarobia kon het wel vergeten om daar tijdens de dienst ongemerkt in alle rust te zitten, want het was er een gekkenhuis. Alle andere moeders van onhandelbare kinderen hadden partij gekozen voor Crystal, met wie ze in de koffiebar zaten, terwijl Jazon en Mical hun kroost bijbrachten hoe ze elkaar konden natspuiten met het frisdrankapparaat. De kerkgemeenschap was verdeeld in een pro-Crystal- en een pro-Brendakamp, en het was erg moeilijk in te schatten waarmee je je neutraliteit in gevaar zou kunnen brengen. Winnie had haar nog niet gezien, dus Dellarobia kon nog ongezien het gangpad verlaten. Zonder speelgoed. Ze pakte een wanstaltige wasbeer die niet eens op een wasbeer leek en gooide hem in haar kar omdat hij maar een dollar kostte. Ze had zin om iemand in elkaar te meppen. Zo werd je vanzelf in deze wereld.

De afdeling etenswaren, daar kon ze tenminste iets kopen wat ze echt nodig hadden. Ze pakte een paar dozen kaasmacaroni en ging bij het schap met ontbijtgranen op zoek naar iets met zo min mogelijk zoete ingrediënten van het kaliber marshmallow. Verderop in het gangpad zag ze Cub bij de koffie staan, en daar had je Crystal Estep ook, godallemachtig. Nu haar twee jongens er geen getuige van waren, stond Crystal stralend op te kijken naar de veel langere Cub; ze leunde achterover tegen haar kar zodat haar bekken naar voren kantelde als een kleuterjuf die stretchoefeningen doet. Crystal kreeg Dellarobia in het vizier, zwaaide naar haar en peerde 'm, waarna Cub achterbleef en naar de koffie op de schappen staarde. Dellarobia koerste met haar kar naar hem toe en nam zich heilig voor om aardig tegen hem te doen, maar toen pakte hij uitgerekend een pot Folgers. 'Zet dat terug, Cub, en pak het huismerk.'

'Maar Folgers vonden we toch lekker?'

'Zes dollar. Het huismerk is één vijfenzeventig. Welke vinden we lekker?'

Ze kwamen aan het einde van de gang waar belachelijk veel afgeprijsde artikelen stonden die over de datum waren. Ze pakte een bus siroop en een blik gemengde vruchten. Sinds wanneer konden vruchten in blik bederven?

'En, hoe ging het met mevrouw Crystal?'

'Die kletskous,' zei Cub. 'Iemand zou eens een pleister op haar mond moeten plakken.'

Dellarobia lachte. 'Da's ook niet aardig.'

'Ze zei dat ze jou wou vragen om de brief te lezen die ze aan zo'n vragenrubriek wil opsturen.'

'Dat méén je niet. Alweer? Je zou die brief eens moeten zien, hij is twintig bladzijden lang! Het is een vasthoudend type, die Crystal, dat zou ze eens moeten inzetten om haar school af te maken.'

Dellarobia was verbaasd toen ze zag wat er allemaal op de schappen van deze afdeling stond; niet alleen eten, maar ook vreemde soorten shampoo, pakjes kauwgum, zelfs condooms! Wie kocht er nou in vredesnaam condooms die over de datum waren? Dat was wel de grootste miskoop die je je kon voorstellen. Cub was natuurlijk weer vooral geïnteresseerd in allerlei zoete troep; ze wilde het pak afbakchocoladebroodjes met warme caramelsaus dat hij had gepakt het liefst uit zijn handen grissen en ermee tegen zijn dikke buik meppen. Maar ze besloot om zijn overgewicht vandaag niet in de strijd te werpen. Als zij kon doen alsof een mierzoet ontbijt geen overgewicht veroorzaakte, zou hij misschien een oogje dichtknijpen voor de minder prettige aspecten van longkanker.

'Hé, kerel! Wie is deze mooie dame?' Een lange, dunne man in een regenjas en met een ouderwetse gleufhoed op stak zijn hand uit naar Cub, dwars over de boodschappenkar met daarin die lelijke zwaan. Cub stelde haar voor aan Greg, zijn chef van het grindbedrijf.

'Wat denk je, moeten we al een ark gaan bouwen?' vroeg Greg. Hij knipoogde naar haar.

Hahahaha. Dellarobia zou eindelijk wel eens wat nieuws willen horen. Cub kletste met de man over het werk, over hoe druk ze het hadden gehad. Ze vroeg zich af waarom Cubs baas boodschappen deed in een discountwinkel. Soms leek het wel alsof niemand meer geld had. Maar hij was manager, moest hij dan niet naar een chiquere winkel? Een discountboetiek? Ze bleef uit beleefdheid nog een tijdje staan, stak haar hand op en liep door. Cub haalde haar een tijdje later in bij het hondenvoer.

'Pa en ma kopen het hondenvoer toch altijd?' zei hij.

'Roy zit de helft van de tijd bij ons, als je dat nog niet gemerkt had. Toen ik laatst wat hondenvoer van Hester meenam, heeft ze me heel duidelijk gemaakt wat ze daarvan vond. Dus ja, we hebben hondenvoer nodig.'

Cub keek naar de prijzen en pakte gehoorzaam het huismerk van de onderste plank, een zak van zevenenhalve kilo voor vier dollar, ongetwijfeld gemaakt van afval. Het merkvoer van tien dollar per zak stond op ooghoogte. Cub had de les over de koffie goed onthouden, dat kon ze wel waarderen, maar ze vond het vreselijk dat ze Roy zo tekortdeed. Het was een geweldig hond en hij verdiende beter dan dit slechte voer. Misschien kon hij solliciteren naar een plekje in een beter huishouden.

'Dus dat was de grote baas,' zei ze.

'Ja, dat is Greg. Groot en de baas.'

'Je zou hem wel aankunnen,' zei Dellarobia. 'Zelfs geblinddoekt. Daar wil ik wat onder verwedden.'

Cub lachte. 'Kijk, dit is een leuk kerstcadeau voor jou.' Hij hield een beker omhoog met de tekst: LEGE BOVENKAMER TE HUUR.

Ze lachte ook. Misschien was hun ruzie alweer voorbij. Misschien was er zelfs nog een kans op goedmaakseks. Als ze hier tenminste weg konden komen zonder weer te beginnen over de kinderen en die 'echte' kutkerstmis. Ze vroeg zich af hoeveel mensen er scheidden na een ruzie over kerstcadeautjes. 'We moeten nog wel even langs het speelgoed, schat,' zei ze.

Cub liep achter haar aan langs de eindeloze hoeveelheden onacceptabele mogelijkheden. Ze pakte een speelgoedbijl en deed alsof ze Mickey Mouse de kop afhakte. Cub was er met zijn gedachten niet bij. Hij zuchtte en keek zorgelijk. Ze legde de bijl neer. 'Wat is er? Heeft Greg iets tegen je gezegd?'

'Nee, maar... Ik dacht aan die bomen. Hoe moeten we dat nou beslissen?'

'Weet ik niet. Misschien door naar de feiten te kijken.'

'Wat zijn de feiten dan?'

Alsof zij dat wist. Ze stonden vertwijfeld bij de supersoaker waterpistolen, sonic blasters en lichtgevende zachte stekelballen die gemeen giftig roken.

'Om te beginnen kun je een aardverschuiving veroorzaken als je alle bomen op een berg omhakt. Dat is geen bangmakerij, Cub, dat is een feit. Kijk maar naar wat er bij de Food King is gebeurd, daar hebben ze ook een heel stuk gekapt en daar stroomt de modder nu al over de weg. Dat is ook wat er in Mexico is gebeurd, waar die vlinders vandaan komen. Daar hebben ze een hele berg ontbost en toen kregen ze bij een regenbui de boel op hun kop. Bekijk de foto's maar eens op internet.'

Ze wilde dat ze die foto's zelf niet gezien had, want ze kreeg ze niet meer uit haar hoofd. Foto's van kinderen, van een school die onder de modder was bedolven. Ze kreeg zonder het te willen allerlei gruwelijke visioenen en dacht aan vragen die ze helemaal niet wilde stellen. Zou een dorp als een kaartenhuis instorten? Of zouden de huizen worden opgetild en meegevoerd, zoals auto's, waardoor de mensen tenminste nog tijd hadden om eruit te komen?

'Dat is in Mexico,' zei Cub. 'Wij zijn hier.'

'Dat kan wel zijn, maar het is óns huis. Het stelt misschien niet veel voor, dat weet ik ook best, maar we betalen er al voor sinds we getrouwd zijn. Het is het enige wat we hebben.'

De felheid waarmee ze sprak trok zijn aandacht. 'Heb je hém soms ook over dat gedoe in Mexico verteld?'

Ze wist wie hij bedoelde. Ovid Byron. 'Nee. Het is zo raar. Alsof die vlinders hierheen zijn gekomen omdat wij nu aan de beurt zijn. Alsof ze een teken ergens van zijn of zo.' Ze probeerde de onderzoekers niet te betrekken in haar pleidooi om het bos intact te houden. Hun verwondering en hun zorgen over de wereld zouden de zaak wat Cub betrof niet veel goed doen. De kaarten waren geschud en de onderzoekers stonden aan de andere kant. Zo zag Cub het. Iedereen moest voor zijn eigen kant kiezen.

'Die regen is maar tijdelijk,' zei hij. 'Ze zeggen dat het maar eens in de honderd jaar voorkomt. Dus dan gebeurt zoiets pas over honderd jaar weer.'

Dellarobia wist dat dat niet klopte, zo ging dat niet met pech. Je kon ook aan één stuk door pech hebben, vaker dan volgens het gemiddelde. Maar dat snapte ze niet goed genoeg om het te kunnen uitleggen. 'Ik vind het zo kortzichtig,' zei ze. 'Als wij dat bos laten omhakken, zijn die bomen weg. Maar dan is de lening nog niet afgelost. Vind jij het slim om alles overhoop te halen voor één afbetaling? Alsof er geen volgende keer komt, of een keer daarna.'

'Het zal heus wel beter gaan. Pa krijgt wel weer nieuwe contracten.'

'En intussen kan ons huis verdwijnen onder de modder, is dat het idee?'

'Volgens pa zou dat bedrijf daar nooit gaan kappen als het niet verantwoord was.'

'Gelul. Is het je trouwens opgevallen dat hij het stuk bos boven hun eigen huis wil laten staan?'

'Nou, probeer jij het er dan maar eens met pa over te hebben,' zei hij. 'Zou Preston dit leuk vinden?'

Ze nam een in plasticfolie verpakt doosje van hem aan. Een dinosauruspuzzel.

'Niet echt,' zei ze. 'Dat is meer iets voor jongere kinderen.' Ze dacht niet voor de eerste keer aan Mako en Bonnie, en ze vroeg zich af of zij zulk speelgoed hadden gehad of dat hun ouders ze meteen al verantwoord speelgoed hadden gegeven. Als Preston later wilde gaan studeren, had hij nu al een achterstand. Dat hoorde er ook bij als je aan Cubs kant stond. Ze keek op.

'Weet je waarom die vlinders hier volgens Byron en die andere mensen zijn? Ze zeggen dat het komt doordat er iets helemaal fout zit.'

'Fout waarmee?' vroeg Cub.

'Met de hele aarde. Het is echt onvoorstelbaar wat ze daar allemaal over zeggen, Cub. Het lijkt wel het einde der tijden. Maar ze hebben meer tijd nodig om erachter te komen wat het allemaal precies inhoudt. Dat is toch heel belangrijk?'

'Maar als die vlinders nu weer ergens anders heen vliegen, dan kan die Byron zijn camper achter iemand anders z'n schuur zetten.'

'En als er nou geen plek meer is waar ze heen kunnen vliegen?' vroeg ze.

'Je kunt altijd wel ergens heen,' zei Cub op een toon alsof hij genoeg had van het onderwerp: mensen zoals wij hoeven zich daar niet druk over te maken. Wij hebben zelf al genoeg aan ons hoofd. In dat laatste vergiste hij zich niet.

'Maar stel nou eens dat dat niet zo is?' hield ze voorzichtig vol.

'Wat dacht je van zoiets voor Preston?' vroeg Cub. 'Die had ik vroeger ook.' Tinnen soldaatjes, althans een plastic versie daarvan, in een enorm grote doos. Niet de soldaatjes die hun vaders vroeger hadden. Ze hadden allerlei extra's, zoals een motor waarop die soldaatjes konden rondrijden. Tot iemand erop ging staan en het bloed uit zijn voet spoot. Maar toen ze de prijs zagen, zuchtten ze en zette Cub de doos terug.

'Dus je vader vindt dat hij dat geld moet pakken. Maar wat vind jij?'

'Ik weet het niet.' Cub zuchtte nog eens diep en keek naar het plafond. 'Het lijkt me wel leuk om wat meer armslag te hebben. Zodat we de kinderen een echte kerst kunnen geven.'

Dat zou inderdaad leuk zijn. Logisch. Ze wilde het allerbeste voor Cordie en Preston. Maar wat hield dat in? 'Wat is dat dan, een échte kerst?' vroeg ze. 'Kun je dat hier in de winkel kopen? We kunnen ook een zak met de allerzoetste cornflakes voor ze kopen en naar huis gaan. Ze zijn nog zo klein, dat hebben ze heus niet in de gaten.'

Cordie zou daar inderdaad nog wel intrappen, maar Preston niet. Die kinderen werden tegenwoordig zo opgejut. Preston had tegen de kleuterjuf gezegd dat hij dit jaar een horloge kreeg van de kerstman, iets wat de juf met een samenzweerderige knipoog aan haar had doorverteld, alsof ze daarmee de kastanjes voor haar uit het vuur had gehaald en Dellarobia dat horloge alleen nog maar even hoefde aan te schaffen. Ze had al uitgekeken naar een speelgoedhorloge, maar dat zou natuurlijk wel erg sneu zijn, een plastic horloge van de kerstman. Ze zag Prestons dappere gezicht op kerstochtend al voor zich, want haar zoon zou erg zijn best doen om zich niet te laten kennen. Hij zou het allerliefst zo'n horloge willen als dat van Mako, een supergroot zwart geval met gele knopjes en timers erop. Hij had er van Mako even mee mogen spelen. Die studenten gingen zo leuk met Preston om, ze waren heel anders dan de mafketels van die tv-serie, het tegenovergestelde juist. Ze waren heel scherp en hadden goed in de gaten wat kinderen interesseerde en wat ze allemaal al konden. Dus Preston was smoorverliefd op ze en deed alles om hun aandacht te trekken. Hij hing hele middagen rond bij de camper, deed alsof hij onder stenen keek en sloofde zich enorm uit, waardoor Dellarobia de neiging kreeg hem in bescherming te nemen. Hij moest zich daar niet zo kwetsbaar opstellen. Waarom moest hij al die dingen zien die hij toch niet kon krijgen?

Cub bekeek een groot ding dat op een speelgoedtelevisie leek met allerlei attributen eraan. 'Weet je wat hij echt graag zou willen? Super Mario Brothers en Battletron.'

'Alleen omdat andere kinderen het daar steeds over hebben,' bracht Dellarobia ertegenin. 'Hij weet niet eens wat dat precies is.'

'We zouden een Wii voor hem moeten kopen.'

'Zodat jij ermee kunt spelen.' Ze merkte dat ze steeds geïrriteerder raakte.

'Een Wii is heel educatief,' hield Cub vol.

'Als jij zo graag iets educatiefs voor je zoon wilt, koop dan een computer voor hem. Als je toevallig een zak geld vindt. Bij Hester zit hij ook steeds op de computer, plaatjes kijken. Hij kan al bijna lezen, wist je dat? Hij kent al heel veel woorden.'

'Geweldig. Als hij net zo slim wordt als jij, kan ik dus wel inpakken.'

Ze was verbijsterd. 'Ga jij me nou kwalijk nemen dat ik slím ben? Wat is dát nou voor voorbeeld voor de kinderen?'

'Zeg het maar. Als jij wilt dat ze een computer en zo krijgen, hebben we dat geld van de bomen nodig. Of...' hij spreidde zijn handen, 'we houden de bomen. En dan blijven we boerenkinkels.'

'Oké. We kappen dat bos en laten ons als een stel pummels onder de modder bedelven, omdat wij bang zijn dat onze kinderen domme pummels worden. Dus jij zegt eigenlijk dat we het moeten doen omdat we nu eenmaal zo zijn!' Ze zei het op iets te luide toon. 'Maar wie zíjn wij eigenlijk?'

'Jezus, Dellarobia, waarom doe jij altijd zo ontzettend ingewikkeld?'

'Hester is het met mij eens,' zei ze. 'Je moeder vindt het ook geen goed idee om het bos om te hakken. Dat heeft ze me verteld toen ze bij ons was.'

Hij keek haar niet-begrijpend aan. Dellarobia zag dat hij alles opnieuw op een rijtje probeerde te zetten; zijn gezicht verslapte en de verslagenheid kreeg de overhand. De vrouwen speelden de baas en waren tegen hem. Zo zou hij het natuurlijk zien. Ze keken elkaar aan: een boomlange, stuurse man en zijn kleine, mismoedige vrouw, allebei bijna in tranen. Hoe kon het dat ze allebei aan de verliezende kant stonden?

'Ik heb maar één simpele wens,' zei hij. 'Dat de kinderen een echte kerst krijgen.'

Mensen richten hun leven wel voor minder te gronde. Dat realiseerde ze zich maar al te goed. Zij had zelf bijna alles opgegeven, inclusief de kinderen, om één keer met die telefoonman de koffer in te duiken. Wat hypocriet dat ze nu zo met zichzelf te doen had omdat ze geen yuppenspeelgoed voor ze kon kopen. Ze had opeens zo enorm de pest aan al dat Chinese plastic dat ze het er benauwd van kreeg. 'Ik hoor het wel als jij hebt bedacht hoe dat dan met die echte kerst van je moet,' zei ze. 'Ik ga naar de auto.'

Om vijfenzeventig cent weg te paffen, dacht ze mismoedig. Ze liep naar de uitgang, maar bleef staan toen haar oog ergens op viel. Een pannenlap, uitgerekend in de vorm van een monarchvlinder. Ongelofelijk. Hij hing aan een rek met allerlei dingen zoals blikopeners en andere keukenspullen, alsof hij daar was neergestreken om even uit te rusten. Hij viel haar op door de kleur. Ze ging op haar tenen staan om erbij te kunnen en zag dat hij verrassend goed gemaakt was, beter dan alles wat ze in deze winkel had gezien. De zwarte strepen zaten precies op de goede plek en liepen helemaal door tot aan de twee zwarte stippen op de onderste vleugels. Hadden ze in China eigenlijk monarchvlinders? Dat wist ze niet. Maar iemand hier ver vandaan had de moeite genomen om het precies goed te doen. Ze streek de stof glad en stelde zich voor wie dat zou zijn. Een kleine vrouw met een blauw papieren haarkapje achter een naaimachine. Iemand die zo groot was als zij, een moeder waarschijnlijk, die de stof heel zorgvuldig onder het voetje van de naaimachine door manoeuvreerde om de lijnen en scherpe hoeken van het stiksel precies goed te krijgen. Er een bericht mee schreef, hoe dat dan ook luidde. *Haal me hier weg*.

Maar wat als ze nergens heen kon?

Ze liep met grote passen naar de kassa en gooide de pannenlap op de toonbank. De vrouw met de gele schort pakte hem op om hem beter te bekijken en de kwaliteit te inspecteren. 'Wat een mooi ding,' zei ze, enigszins verbaasd. 'Leuk om mee te nemen als je ergens gaat eten.'

'Hij is eigenlijk voor mijn zoon,' zei Dellarobia, die vier verkreukelde briefjes van een dollar uit haar jaszak viste. De kassajuffrouw nam het geld aan, hield haar hoofd een beetje schuin en wierp een verbaasde en onderzoekende blik op haar gestoorde klant aan de andere kant van de toonbank.

Dellarobia haalde haar schouders op en wees op de kleine zwarte stippen. 'Het zal wel niemand iets interesseren,' zei ze, 'maar het is een mannetje.'

Dankzij Dovey zette ze het feestje door. Dovey wilde Byron nu eindelijk wel eens zien en ging tegen Dellarobia tekeer omdat ze zo terughoudend was. 'Sinds wanneer ben jij zo'n schijterd?'

'Ben ik een schijterd?' Ze pijnigde haar hersens af naar een bewijs van het tegendeel. Ze dacht aan die keer toen ze de deur had geopend terwijl Crystal zich erachter had verscholen voor een Mexicaanse familie met een gemiddelde lengte van nog geen een meter vijftig. Maar gezond verstand was niet hetzelfde als moed, en een vosje omdoen naar de kerk was dat ook niet. Ze herinnerde zich nog wel hoe het was als iedereen opkeek als zij een kamer binnenkwam. Ze was dan wel klein van stuk, maar ze was begiftigd met een soort stevigheid. Vol vertrouwen dat zij alles in zich had wat grotere mensen ook bezaten, maar dan zonder loze ruimte. En ze had nog veel meer in haar hoofd. Dovey en zij reden vaak naar Cleary en deden dan in bars alsof ze stewardess of computerdeskundige waren, of wat ze onderweg ook maar verzonnen. Het had toen nog goed mogelijk geleken dat ze later echt zulke beroepen zouden krijgen en dat maakte hun verzinsels geloofwaardiger. Hoe idioot het ook was wat ze bedachten: de mannen geloofden het. Dellarobia had een keer haar bril opgezet en gedaan alsof ze de assistente van Jane Goodall was. Daar had ze een televisieprogramma over gezien, dus ze wist allerlei feiten over chimpansees. De man die haar had geprobeerd te versieren, gooide het opeens over een andere boeg en vroeg of zij hem misschien aan een baan kon helpen. Hij vroeg zich niet eens af wat het team van Jane Goodall in Cleary te zoeken had.

Nu bedacht Dovey een plan om haar te helpen. Ze was om drie uur vrij en zou dan boodschappen doen voor het feest, terwijl Dellarobia in de rommella van haar voormalige heldenmoed zou gaan kijken waar ze haar lef had gelaten. Uiteindelijk vond ze die ergens tussen woede en verslagenheid in. Ze had er genoeg van om te moeten bedelen om kerstversieringen, genoeg van de samenzwering van vreugde en goedheid die aan het einde van het jaar uit de hemel neerdaalde, maar dan zonder contant geld. Ze had meer dan genoeg van de verhalen over barmhartige mensen en hun genadebrood. Ze was het spuugzat toestemming te moeten vragen voor een feestje in haar eigen huis en dat toch niet te doen omdat ze te trots was om deze familie om een gunst te vragen. Dit was zoals eenvoudige mensen in haar kerstverhaal leefden. Het werd hoog tijd voor een nieuwe versie. Toen ze een half tabletje uit haar potje tien jaar oude valiumtabletten had genomen zodat ze de moed niet zou verliezen, stapte ze naar de stacaravan en plakte een briefje op de deur waarin ze iedereen uitnodigde om na het werk langs te komen.

De onderzoekers hielden er die middag al vroeg mee op omdat het – hoe verrassend – erg regende die dag; ze kwamen meteen naar het feestje en trokken hun jassen en modderige laarzen bij de achterdeur uit. Ovid kwam binnen met twee ingepakte cadeautjes voor de kinderen, die ze pas met Kerstmis mochten uitpakken. Preston en Cordie vonden dat reuze spannend en waren door het dolle heen. Ovid lachte met zijn filmsterrenlach zijn oogverblindende tanden bloot, inclusief zijn iets scheve hoektand. Dellarobia was ook een beetje door het dolle heen, ze had een paar bakplaten vol koekjes gebakken in de vorm van sterren en kerstklokken, die de kinderen aan de keukentafel mochten versieren. Cordie stond op een stoel en Preston zat op de stoel naast haar geknield. Hij smeerde met de bolle kant van een lepel glazuur op de koekjes en gaf zijn zusje minutieuze aanwijzingen voor het aanbrengen van de strooisels. Toen de studenten er waren, schakelde Preston meteen over op de opschepmodus en kondigde aan dat hij een experiment ging uitvoeren. Hij roerde de rode en groene glazuur door elkaar, wat een bruin resultaat opleverde dat in een huishouden waarin nog luiers werden verschoond niet veel aftrek zou vinden. Dellarobia lachte er alleen maar om, schraapte het uit de kom en maakte nieuw glazuur. Poedersuiker was zo ongeveer het goedkoopste eetbare product dat je kon kopen. Een van de mysteriën van de levensmiddelenindustrie.

Dovey zette Shakira op en lokte iedereen naar de woonkamer, waar ze begon te dansen in haar strakke zilverkleurige truitje en met een kerstmuts die ze met haarspeldjes op haar bruine krullen had vastgezet. De kinderen lieten hun koekjes in de steek en renden ook naar de woonkamer, want tot hun grote verbazing werd daar plezier gemaakt door volwassenen. Cordie begon midden in de kamer op de maat van de muziek op en neer te hupsen en zong boven alles uit luidkeels 'Rudolph', hengelend naar aandacht. Dellarobia voelde zich weer jong en onbevreesd toen ze Dovey met haar vingers zag knippen en met haar ellebogen zag pompen terwijl ze bij iedereen die wilde whisky bijschonk in de eierpunch. En flirtte, natuurlijk, ze zou ook eens niet. Ze zette de aanval in op Pete, ook al was ze volledig op de hoogte van het feit dat hij getrouwd was. Ze maakten alleen maar plezier en het interesseerde Dellarobia inmiddels totaal niet meer of iemand het Sponge Bobglas kreeg. Ze had al uren niet meer gerookt en kreeg zo nu en dan de neiging om op het vloerkleed te gaan kauwen, maar dat gevoel werd overstemd door het gevoel van voldoening. Ze gaf een feestje!

En ze hadden zelfs een kerstboom. Daarvoor was ze van de gebaande paden geweken. Ze had het hele huis afgezocht naar geld, had broekzakken, jaszakken en portemonnees binnenstebuiten gekeerd, laatjes en bakjes met elastiekjes en andere rommel doorzocht en zelfs in de plakkerige bekerhouders en vakjes van de auto gevoeld. Die zoektocht had behoorlijk wat opgeleverd: acht briefjes van één dollar en een paar van vijf. Daar had ze waaiertjes van gevouwen. Geen vlindertjes, zo ver wilde ze niet gaan, maar het zag er heel feestelijk uit. De studenten hielpen haar om ze in de boom te hangen en droegen er ook een paar uit eigen zak bij. Mako kon een vogeltje met een lange nek en een snavel vouwen. Als kind had hij meegedaan met een project waarbij duizenden van zulke vogeltjes werden gevouwen, die een bijdrage zouden moeten leveren aan de wereldvrede. Hij vertelde dat hij op een school had gezeten waar ze zulk soort dingen deden. De vogeltjes zagen er mooi uit. Maar als Dellarobia's schoonouders zouden zien hoe ze de kerstboom hadden versierd, zou dat niet bepaald bijdragen aan de wereldvrede. Hester zou door het lint gaan.

Dovey droeg een briefje van twintig bij, te leen, en mengde zich onder de gasten. Ze liet Pete vallen als een baksteen toen ze iemand vond die wel de mashed potato kon dansen. De bump, de pony, de jitterbug, de two-step, jeetje, Ovid Byron kon zelfs de moonwalk. Ze rolden het kleed op zodat hij op zijn wollen sokken achterwaarts over de vloer kon schuiven, met zijn hoofd in zijn nek en zijn ogen dicht, zo soepel als wat. Preston viel bijna flauw. Mako danste als een robot en Bonnie stond gewoon wat met haar armen te zwaaien en had erg veel lol. Dovey had haar iPod en een kabeltje meegenomen en zorgde zoals gewoonlijk voor de feeststemming. Ze gingen van Michael Jackson over op Coldplay en van Diamond Rio op Chumbawamba, en zo stond het ervoor toen Cub thuiskwam van zijn werk. Dellarobia hoorde dat hij zijn broodtrommel op het aanrecht zette en de koelkast opendeed voordat hij kennelijk iets van de commotie bemerkte. Hij verscheen in de deuropening.

'Wat is hier aan de hand?'

'Vrolijk Kerstmis!' riep iedereen.

Dellarobia had Doveys whisky afgeslagen, ze moest tenslotte aan haar kinderen denken. De valium waarvan ze een half tabletje had ingenomen om haar zenuwen de baas te blijven werkte nu beslist niet meer. Toch kreeg ze om de een of andere reden slappe knieën. Ze greep de trap vast, draaide zich om en lachte Cub breeduit toe. 'Wij vieren de werkelijke betekenis van kerst.'

De boom hing al vol met dollars. Toen de bankbiljetten op waren, hadden ze een stel paperclips verbogen tot haakjes en daar met plakband muntjes aan vastgemaakt, waarvan ze een hele voorraad hadden. Preston rende heen en weer van Mako en Bonnie naar de boom om de vastgeplakte muntjes op te halen en ze aan de takken te hangen, waarbij hij zijn armpjes zó hoog de lucht in stak dat zijn flanellen hemd opkroop en zijn magere buikje eronderuit piepte. Preston wist niets van Money Tree, het houtkapbedrijf, en vond het verband tussen kerstbomen en het kindje Jezus net zo vaag als iedereen, dus waarschijnlijk ging de rebelse daad van Dellarobia hem boven de pet. Of misschien ook niet. Hij gedroeg zich anders dan anders door het ondeugende gedrag van zijn moeder en zijn pogingen om indruk te maken.

Ze keek naar Cub, die het huiselijke tafereel in ogenschouw nam en probeerde te bedenken wat hij ervan moest vinden. Ironie was aan hem niet erg besteed, maar godslastering wist hij feilloos te herkennen. Zo te zien werd hij razend.

'Verdomme, dus jij leert die kinderen dat dat het belangrijkst is?'

Preston rende naar hem toe en stuiterde op en neer. 'Pap, kijk es! We hebben die van twintig helemaal bovenin gehangen!'

# 8

# Omtrek van de aarde

De Kerstman bracht Preston het horloge dat hij zo graag wilde: net zo een als dat van Mako. Het wás dat van Mako. Op de ochtend dat Mako en de andere studenten vertrokken, klopte hij op de keukendeur en overhandigde haar het horloge als cadeau voor Preston. Dellarobia wist niet wat ze moest zeggen, maar Mako wilde van geen weigering weten. Als dank voor de gerepareerde rits. Volgens hem was het helemaal geen duur ding. Hij had er thuis nog een die veel beter was, zei hij, en liet haar een paar functies zien die het niet meer deden. Alsof zij daar verstand van had. Hij wilde dat het naar Preston ging, die het een 'onderzoekershorloge' noemde. Dellarobia was bang geweest dat haar zoon hen lastigviel, maar zag nu ook het vleiende van zijn aandacht voor Mako, die thuis vast geen kleine broers had die met smart op zijn afdankertjes wachtten. Ze beloofde dat ze op kerstochtend aan Preston zou vertellen dat het horloge van Mako kwam, zijn held.

Maar op de dag zelf lukte het haar toch niet zich aan die belofte te houden. Preston scheurde het cadeaupapier eraf met de kreet: 'Yessss! Ik wist het wel! De Kerstman bestaat echt!' Struikelend over zijn woorden en door het dolle heen vertelde hij dat hij een experiment had uitgevoerd: hij had zijn ouders expres niet verteld wat zijn grootste wens was. Het kwam niet bij hem op dat er een lek kon zitten bij de juf of dat Mako het kon hebben geraden. Het horloge in zijn handen was voor hem het bewijs dat de Kerstman zijn gedachten had gelezen. Dellarobia kon het niet over haar hart verkrijgen een misvatting recht te zetten die hem zo gelukkig maakte. 'En dus won de fantasie,' zei ze naderhand tegen Dovey.

'Zoals gewoonlijk,' zei Dovey goedkeurend.

'Hij is zo slim dat het gewoon eng is,' zei Dellarobia. 'Welk kind doet er nou experimenten om te testen of de Kerstman echt bestaat? Straks gaat hij me nog vragen hoe het kan dat hij in één nacht de hele wereld rondgaat.'

Dovey vouwde de laatste handdoek uit de wasmand. 'Kun je me uitleggen waarom mensen waandenkbeelden bij kinderen aanmoedigen, maar er bij volwassenen medicijnen voor geven? Dat slaat toch nergens op? Het is één duistere samenzwering.'

'Klopt. Op welke leeftijd was voor jou de grens bereikt en zei je: "Nu leg ik me bij de feiten neer"?'

'*When you get there, send me a postcard,*' zong Dovey.

Dellarobia dacht, maar zei het niet: meestal is dat het moment dat er een zwangerschapstest in beeld komt. Ze stond nooit zo stil bij de kloof tussen haar leven en dat van Dovey, maar die was er wel. Ze sorteerde de kleren in stapeltjes op het bed en stopte die van haar en Cub in de ladekast. Dovey was langsgekomen voor een ochtend zoals ze die al sinds hun kindertijd samen hadden, waarmee ze elkaar behoedden tegen slijtage door sleur. Ook vroeger al spraken ze meestal af bij Dellarobia, waar ze niet de hele tijd allerlei wilde broertjes van zich af hoefden te slaan. Na hun tiende had het gezin bij Dellarobia alleen nog maar uit een overleden vader en een treurende moeder bestaan, dus daar was het stil en konden ze hun eigen gang gaan.

En nu was het uiteraard vooral een kwestie van waar zich kindvriendelijke stopcontacten bevonden. Dovey woonde tien minuten verderop in een twee-onder-een-kapwoning van haar broer in wat moest doorgaan voor een buitenwijk van Feathertown. Vanochtend had ze Dellarobia geholpen met het wegwerken van een stapel belastingpapieren, twee ladingen was (en nog meer te gaan) én het opruimen van de bizarre kerstboom, wat tot gejengel van de kinderen had geleid. 'Vammij, vammij,' gilde Cordelia, toen Dellarobia munten uit haar klauwtjes wrikte om de haakjes ervan af te kunnen halen. Ze gaf Preston opdracht om de dollarbiljetten uit te vouwen en glad te strijken voor toekomstig gebruik, maar die deed sentimenteel over Mako's vogeltjes. 'We moeten ze voor volgend jaar bewaren!' jammerde hij toen Dellarobia ze een voor een in haar zak stak in de misdadige hoop dat ze bij elkaar goed zouden zijn voor een slof sigaretten.

'Volgend jaar maken we wel nieuwe,' zei ze.

Preston wierp zich languit op de bank. 'Maar dan is Mako er vast niet.'

Dovey vroeg zich af of het een natuurwet was dat er een omgekeerd evenredig verband bestond tussen de energie van kinderen voor en na de feestdagen. Ze protesteerden nauwelijks toen Dellarobia hen naar hun kamer stuurde. Cordie spreidde al haar speelgoed uit om zich heen over de vloer en Preston verdiepte zich op zijn bed in Het Horloge, drukte knopjes in en hield het tegen zijn oor, een activiteit waar hij zich zo te zien tot ver in de puberteit mee onledig zou kunnen houden. Hij was ook erg te spreken over zijn cadeau van dr. Byron, een kalender met elke maand een grote kleurenfoto van een bedreigde diersoort. Preston kon de maanden nog niet in de goede volgorde opnoemen, maar had de dieren al na een dag paraat.

Dellarobia haalde de volgende lading was uit de droger en dumpte die op het bed in haar volle slaapkamer, waar zij en Dovey zich uit het zicht van de kinderen konden verschuilen. Ze zette de radio aan om hun gesprek te overstemmen, maar wel zacht genoeg om een eventueel handgemeen te kunnen horen. Cordie was altijd de aanstichtster. Dellarobia begon de octopus van warme, in elkaar verwarde kleren te ontmantelen door de sokken eruit te trekken, terwijl Dovey minishirtjes van badstof probeerde op te vouwen waarvan de zomen omkrulden als sla.

'Dat vergeet ik nog helemaal te vertellen: ik heb een date,' zei Dovey. 'Jij mag mijn haar doen. Ik heb mijn nieuwe stijltang meegenomen. Die kun je heel heet zetten, standje magma, zeg maar.'

'Ga je je haar ontkrullen voor een vent? Dan moet het wel echte liefde zijn.' Dellarobia gaf een ruk aan een knoop van draden die twee niet bij elkaar horende sokken als een navelstreng met elkaar verbond. 'Is het Felix? Ik dacht dat die alleen maar het snoepje van de maand was.' Felix stond achter de bar in een café in Cleary en scheen hot te zijn. Dellarobia had hem nog niet ontmoet en betwijfelde of dat ooit zou gebeuren.

'Nee, ik ga kijken wat er te halen valt,' zei Dovey. 'De barkeepers en portiers gaan het op een zuipen zetten, dus er komen meer mannen. Iedereen die gisteren tot laat heeft moeten werken, gaat vanavond los.'

De reden van die lange diensten van afgelopen nacht was oudjaar. Dellarobia en Cub hadden de kinderen naar bed gebracht en daarna samen voor de tv een biertje gedeeld bij een programma met optredens van country-and-westernsterren, in afwachting van het moment waarop de glimmende bal zou vallen om redenen die niemand meer leek te weten. Cub had zich laten overhalen om bijna een uur lang niet te zappen, wat voor hem de hoogste vorm van romantiek was. Het grietje op wiebelhakken dat de show presenteerde was zo'n talentenjachtwinnares van wie ze de naam niet kenden, jong genoeg om waarschijnlijk te denken dat het cool was om met oudjaar te moeten werken. Cub had verklaard dat vrouwen die geen kinderen hadden niet echt sexy waren; dat hij het net jurken op een hangertje vond die nog wachtten op een lichaam voor erin, wat Dellarobia had ontroerd. Wat je ook van Cub kon zeggen, hij zei nooit zomaar wat om goede sier te maken. Hij kon bijvoorbeeld over een nieuwe zonnebril beweren dat je hem daarmee aan een kikker deed denken zonder dat hij dat beledigend bedoelde. Alles wat op de snelweg van zijn brein terechtkwam, ging automatisch op cruisecontrol. Ergens tussen Toby Keith en Kitty Wells waren ze allebei ingedut, en ze waren een paar uur later gedesoriënteerd en met een zere rug wakker geworden zonder het hoogtepunt van de avond te hebben gezien. Ze had zichzelf en Cub naar bed gesleept en zich gemarteld en treurig gevoeld, katterig zonder reden. Die stemming was tot vandaag blijven hangen.

Het was niet zo dat ze jaloers was op Doveys sociale leven. Felix was alweer verleden tijd, vermoedde ze, en zeker geen aanleiding voor speciale voorbereidingen. Ze vermaakten zich al jaren met het doen van elkaars haar. Het was enkel een excuus om aan elkaar te kunnen frunniken en frutten als jonge hondjes. 'Schoonheidssalonnetje' noemden ze het sinds hun schooltijd, ook toen al met stijgende ironie, maar nog steeds bleven ze trouw proberen Dellarobia's loodrecht naar beneden vallende haar te krullen en Doveys krulletjes steil te krijgen. Om eerlijk te zijn leek het Dellarobia al net zo'n zinloze onderneming als ze in de discountwinkel had gedacht over de fabrieksarbeiders en het winkelende publiek daar, die niets anders deden dan elkaar bezighouden. Wat werd er een energie gestoken in het veranderen van niet-essentiële onderdelen. Vooral onder vrouwen, dat viel niet te ontkennen.

Ze gooiden een muntje op wie er als eerste mocht. Dellarobia won, wat betekende dat zij bij de toilettafel mocht plaatsnemen voor de spiegel, terwijl Dovey de rollers aanzette en aan het werk toog. Ze hield de metalen clipjes in haar mond en neuriede mee met de radio, klassieke country, het spul waar ze op school gek op waren geweest: Patty Loveless en 'Long Stretch of Lonesome', Pam Tillis met 'All the Good Ones Are Gone'. Dellarobia vroeg zich af hoe het kon dat haar lievelingsmuziek al klassiek werd genoemd, terwijl zij nog niet eens dertig was. De aanblik van Dovey met de clipjes in haar mond bezorgde haar acuut heimwee naar haar moeder, die middagen lang met diezelfde mond-vol-speldenfrons patroondelen op een op de eettafel uitgespreid stuk stof kon staan spelden. Hoe kostbaarder de stof, des te dieper de stilte en de frons, uit vrees dat ze verkeerd zou knippen en haar geld kwijt zou zijn. Dellarobia kwam er dan altijd bij zitten met haar bibliotheekboek, *Een plooi in de tijd*, *Bent U daar, God? Ik ben 't, Margaret* of *Jurassic Park*, al naargelang haar leeftijd. De eikenhouten tafel had haar vader zelf gemaakt, een breed, gladgeschuurd oppervlak dat de gezinsklussen nog had ondersteund toen hijzelf allang weg was. Die tafel miste ze ook. Waar was die gebleven?

In tegenstelling tot haar moeder kon Dovey nooit lang zwijgen. Na een paar minuten spuugde ze de clipjes uit en gooide ze op de toilettafel. 'Hoe is het afgelopen met Ovid, de Lord of the Dance? Wanneer komt hij weer terug?'

'Aanstaande dinsdag.' Dellarobia kreeg een kleur.

Dovey trok haar wenkbrauwen op. 'Hoe laat? 's Ochtends,

's middags? Hebben we soms vlinders in de buik voor Meneer Vlinder?'

'Dóctor Vlinder voor jou.'

'Pardon? Ik heb hem aan de moonwalk gekregen.'

'Omdat je een sloerie bent. Ik heb hem het eerst gezien.'

'We kunnen delen,' zei Dovey. 'Net als toen met Nate Coyle. Weet je nog?'

'Aah, arme kleine Nate. Hoe oud waren we toen, twaalf?'

'Elf volgens mij. Hij is er vast nog steeds niet overheen.' Met een overtuigende handigheid gebruikte Dovey een puntkam om de lokken uit het tomaatkleurige haar te lichten, omhoog te houden en om de roller te draaien, een proces waar Dellarobia graag zonder bril op naar mocht kijken. Geleidelijk aan dijde haar hoofd steeds verder uit door de corona van rollers. Van tijd tot tijd hoorden ze een klap van Cubs buistang onder het huis, waar hij zich nuttig maakte door de leidingen met nieuw isolatietape te omwikkelen. De temperatuur was eindelijk gezakt tot iets wat in de buurt kwam van wat normaal was in de winter.

'O ja, ik heb er nog een voor je,' zei Dovey. 'Die zag ik op weg hierheen: "Heden lauw, morgen branden!"'

'Weet je wat het met jou en de kerk is, Dovey? Jij denkt dat alles om de hel draait.'

'Verduiveld, ja!'

Dellarobia kon moeilijk weerstand bieden aan het idee dat haar ouders zich ergens samen in hogere sferen bevonden, misschien wel met het kleinkind op schoot dat ze hier nooit liefde hadden kunnen geven. Maar het ging er bij haar niet in dat er een systeem kon bestaan dat Dovey zou straffen en mensen als zij, puur op basis van kerkbezoek, zou belonen. 'Ik denk niet dat ik in de hel geloof,' zei ze. 'Die begint een beetje uit de mode te raken, net als het slaan van kinderen op school. Dominee Ogle heeft het er nooit over.'

'Ho even, hebben ze de hel afgeschaft? Jee, wat zal mijn moeder balen.'

'Nee, echt, Dovey. Ken jij mensen die enthousiast worden van het idee van brandend vlees? Mensen van onze leeftijd, bedoel ik.'

'Mmm-hm,' zei ze met de kam tussen haar tanden omdat ze twee handen nodig had voor een manoeuvre. 'Te bizar. Meer iets voor een halloweenfilm.'

Dat leek Dellarobia scherp opgemerkt. De grootste angsten van de ene generatie werden het derderangs entertainment van de volgende. 'Ik heb mensen horen zeggen dat Bobby Ogle geen-hel-en-verdoemenispredikant is,' zei ze. 'Alsof het een officiële richting is.'

Dovey haalde de kam uit haar mond en wees ermee naar de spiegel. 'Weet je? Volgens mij is Ralph Stanley er ook zo een. Nu je het zegt. Ik heb een interview met hem gelezen in een tijdschrift.'

'Wow.' Dellarobia kon zich geen tijdschrift voorstellen dat countrylegendes uit zou horen over hun spirituele leven, maar Dovey was een rijke bron van bizarre weetjes die altijd waar bleken te zijn.

'Dus volgens jou is die beroemde Bobby Ogle een predikant van de millenniumgeneratie? Ik dacht dat dat een heel belegen type was. Veel ouder.' Dovey nam een lokje uit Dellarobia's nek, wat haar een rilling bezorgde.

'Nee. Hij is begin dertig, denk ik. Hij stond op die foto in de gang op school, weet je dat niet meer? Hij zat in dat footballteam dat voor de kampioenschappen werd geselecteerd.'

'Zo kortgeleden nog maar.'

'Nou niet overdrijven, maar toen zaten we zelf dus ook al op school. Ik neem aan dat hij gewoon wat rijper van geest is. Zijn ouders waren al ouder, misschien komt het daar wel door. Ze waren al zestig of zo toen ze hem adopteerden.'

'Is hij geadopteerd?'

'Net als Mozes. Hij dreef ook stuurloos rond.'

Opeens was Cub bij de achterdeur en riep vanuit de keuken: 'Hé, weet jij waar of de sleutels liggen?'

Dellarobia trok een gezicht naar de spiegel. 'Geen seks meer tot hij een zin zonder taalfout kan produceren en met twee woorden spreekt.'

'Hé, bitch! Geef me de sleutels!' kirde Dovey.

'Wat is er zo leuk?' vroeg hij vanuit de deuropening van de slaapkamer. Aan zijn gezicht was niets te zien, omdat hij met zijn rug naar het licht van de woonkamer stond, maar Dellarobia kon zijn tegenzin om hun territorium te betreden aan zijn houding aflezen. Cub was een beetje bang voor de combi Dovey en haarzelf, iets waar ze zich schuldig over voelde, maar waar ze nooit iets aan zou doen. Hun gemeenschappelijke verraad was als medicijn: bitter en afgemeten, levensverlengend.

'Ga je naar Bear en Hester?' vroeg ze. Zijn sleuteltjes lagen op de ladekast. Ze gooide ze naar hem toe en hij griste ze met één hand uit de lucht, kedeng. Hij was verbazingwekkend gecoördineerd voor iemand die zich door de wereld bewoog alsof hij zich onder water bevond.

'Ja, volgens mij wil ma de drachtige ooien vandaag ontwormen.'

'Op nieuwjaarsdag. Wat feestelijk.' Ze hadden niet echt vakantie gehad. Cub had zijn vrije dagen gebruikt om samen met Bear het door de wateroverlast beschadigde pad te repareren. Hij had twee truckladingen grind met werknemerskorting aangevoerd. Hester zou haar rondleidingen weer kunnen hervatten en Bear wilde het pad graag op orde hebben voor de vrachtwagens van de houthakkers, hoewel dat formeel gesproken de verantwoordelijkheid van het bedrijf was. Bear had het idee dat die er een zootje van zouden maken.

'Ze wil al een tijdje dat ik help met drenchen,' zei Cub. 'Het is steeds zo warm. Misschien dat het met die kou van vandaag niet meer hoeft. We zullen zien.'

'Oké. Dan zie ik je rond etenstijd weer.' Ze drukte een kus op haar vingertoppen en zwaaide ermee. Cub wees met zijn vinger als een pistool, knipoogde en verdween.

Met de terugkerende regelmaat van het zondagsgebed wenste Dellarobia dat ze een andere vrouw voor hem was, eentje die Cubs goede hart belangrijker zou vinden dan zijn slechte taalgebruik. Het was een soort ziekte om te spotten met zijn onnozelheid. Het leek wel een virus. Op televisie was het hip om mensen belachelijk te maken. Ouderen, naïevelingen, ze stond er soms van te kijken hoe de regels waren veranderd. Een paar avonden terug hadden ze zitten kijken naar een programma waarin een of andere oude man in een camouflageoverall, een doodgewone man die iedereen had kunnen zijn, je eigen buurman, voor schut werd gezet. Geen acteur, dit was echt zomaar iemand die ergens bij zijn schuur met een pluk tabak in zijn wang over het weer en zijn jachthonden praatte. Billy Ray Hatch: Cub en zij hadden de naam hardop herhaald, alsof hij misschien familie kon zijn. Het was zo'n programma laat op de avond waarin satire op schalkse wijze door het nieuws heen gevlochten werd. Op de een of andere manier waren ze deze kerel op het spoor gekomen en naar zijn huis gereisd om hem belachelijke vragen te stellen. Na elk antwoord knikte de interviewer overdreven en fronste hij zijn wenkbrauwen zogenaamd gefascineerd. Zo werd Billy Ray Hatch voor de hele wereld te kijk gezet. Cub had weggezapt.

'Wat betekent dat: de ooien drenchen?' vroeg Dovey met opgeheven kin, terwijl ze zichzelf in de spiegel inspecteerde. 'Ik zie daarbij altijd voor me dat jullie met z'n allen de schapen door een autowasserette jagen.'

'Nee, het is stukken minder spannend. Het betekent medicijn in hun keel schieten met een soort waterpistool. Echt iets voor Hester om een nationale feestdag te vieren met ontwormingsdrank.'

Dovey legde haar handen op Dellarobia's schouders. 'De rollers zitten erin. Tijd voor de wissel.' Dellarobia gaf haar zitplaats op en pakte de nieuwe tang die Dovey had meegenomen voor een proefronde. Het geval was zo heet dat ze er bijna niet mee durfde te werken. De boel had wel in de fik kunnen vliegen toen hij daar op de ladekast lag op te warmen. Ze verdeelde Doveys dikke haar in handelbare plukken en ging aan de slag.

'Zo,' zei Dovey, 'nog even over zijne hotheid doctor Vlinder. Wanneer komt hij precies?'

'Dinsdag. En trouwens, er is waarschijnlijk ook een mevrouw Vlinder. Hij draagt een ring.'

'Je weet maar nooit. Weduwnaar misschien. Of ze is bij hem weg en hij ontkent dat nog.'

'Ik geloof niet dat hij in de rouw is. O, en Pete komt trouwens ook terug. Over getrouwde mannen gesproken.'

'Hoe weet je dat allemaal?'

'Hij belde eergisteren. Ovid.' Bij het hardop uitspreken van zijn naam sloeg haar hart op hol. Zijn stem door de telefoon had een onverwacht verlangen wakker geroepen, alsof ze een tijd in de wacht had gestaan tot hij er opeens weer was. 'Pete en hij komen met de auto vanuit New Mexico in een busje vol apparatuur. Geloof het of niet, maar ze gaan een soort lab inrichten in de schapenschuur.'

'Je meent het! Een maffe professor in die griezelschuur van jullie? Dat lijkt wel iets uit een film.'

Dellarobia stond zelf te kijken van de verontwaardigde kleur die ze kreeg, uit naam van de wetenschappers of de schuur, dat was haar niet helemaal duidelijk. 'Zo erg is het daar niet. Ze gebruiken de ruimte waar de koeien werden gemolken toen die hier nog werden gehouden, vijftig jaar geleden of zo.' Ovid had de schuur bekeken voor hij wegging en de melkstal gekozen omdat dat een afgesloten hok was en vanwege de cementvloer die makkelijk kon worden schoongespoten. Bear en Hester hadden een huurcontract voor drie maanden opgesteld voor een belachelijk hoog bedrag. Daarmee was de aflossing van de lening volledig gedekt. 'Pete blijft maar een paar weken en rijdt het busje daarna terug. Ik denk dat het van de universiteit is. Maar de apparatuur blijft wel nog hier.'

'Waar is die dan voor?'

Ze probeerde Doveys woeste lokken in het gareel te krijgen zodat ze ze laag voor laag kon ontkrullen. Een vage lucht van geschroeid haar kwam haar neusgaten binnen, maar Dovey leek er niet van onder de indruk. 'Geen idee. "Analyses," zei hij', en ze probeerde Ovids accent te imiteren.

'Bezige bijtjes die de *vlienders* komen tellen,' zei Dovey met hetzelfde accent.

'Ik vind het best interessant, eigenlijk. Ik weet dat het raar lijkt om zoveel energie aan vlinders te besteden, of, ik weet niet, nogal onbelangrijk. Maar goed, wat is er eigenlijk niet onbelangrijk?'

Dovey boog zich naar de spiegel toe en zei plechtig: 'Haar en make-up.'

'Jij bent de hele dag vlees in stukken aan het snijden. Red je daar soms levens mee?'

'Mensen moeten eten om te leven.'

'Ze kopen ribstuk voor het eten op zondag, en maandag hebben ze weer honger. Wij fokken schapen voor truien die achter in kasten van mensen terechtkomen omdat ze al tien andere truien hebben en deze niet de goede kleur heeft.'

'Je schoonvader maakt vangrails. Dat is niet onbelangrijk. Sorry dat ik daarover begin.'

'Dat deed hij voordat het geld voor het onderhoud aan de wegen opraakte. En als je er goed over nadenkt komen negenennegentig van de honderd automobilisten nooit in aanraking met de vangrail. Misschien zelfs niet eens een op een miljoen. Dus voor de meesten van ons zijn vangrails ook onbelangrijk.'

'Je bent wel overtuigend. Zal ik dan maar van een brug af springen?'

'Ik zeg alleen dat je nooit weet wat er belangrijk is. Hij zei dat hij assistenten nodig zal hebben. Ovid.' Ze kreeg opnieuw een kleur maar Dovey liet het passeren, misschien omdat ze wel voelde dat er iets belangrijks op het spel stond. Dellarobia moest zichzelf dringend in een kast opsluiten om te oefenen op zijn naam: *Ovidovidovid.* 'Hij gaat een advertentie in de *Courier* zetten voor vrijwilligers zodra de scholen weer beginnen. Maar hij gaat ook iemand aannemen. Hij zei dat hij minstens één betaalde assistent wil opleiden. Ik kreeg het gevoel dat hij bedoelde dat ik moest solliciteren.'

'En ga je dat doen?'

'Ben je gek? Wat heb ik nou te bieden? Ervaring in het pureren van erwten en het bemiddelen bij driftbuien. Hij vindt vast wel iemand in Cleary die heeft doorgeleerd.'

'Nu doe je jezelf tekort.'

'Ik schiet toch ook tekort. Wat heb ik nou te bieden?'

'*'She's a rocket, she was made to burn*,' zong Dovey perfect getimed mee met Kathy Mattea op de radio, terwijl ze naar Dellarobia wees. 'Zorg wel dat je dat aantrekt als je op gesprek gaat.' Dellarobia schoot in de lach. Haar wijde zwarte T-shirt vertoonde een constellatie aan gaatjes en had een uitgerekte halsopening waardoor het van haar schouder gleed. Het was een T-shirt van Cub dat ze op een spijkerbroek en met een topje eronder in huis droeg als ze ging schoonmaken. De Charlie Daniels Band. Was nog van voor hun trouwen.

'Cub wil toch niet dat ik ga werken,' zei ze. 'Met de kinderen en zo. En denk je eens in wat Hester zou zeggen!'

'Reden temeer om het te doen.'

'Om eerlijk te zijn hebben Cub en ik er al ruzie over gehad. Meteen nadat hij gebeld had.'

'Zei je tegen Cub dat je het wilde doen?'

'Ik vroeg het. En hij zei nee. Allemaal nogal voorspelbaar. "Wat zullen de mensen daar wel niet van denken? En wie moet er dan op de kinderen passen?" Ik zei dat ik dat wel zou regelen.'

'Ik snap niet waarom je er niet gewoon voor gaat.' Dovey keek haar via de spiegel aan. 'Jij bent iemand die zich er met raketkracht in stort, Dellarobia. Zo ben je. Vroeger ook al, toch?'

Dellarobia deed haar ogen dicht. 'Ja, maar toen was er nog niets om op te pletter te slaan.'

'Ach jee.' Dovey klakte met haar tong. 'Typisch een vrouw. Man en kinderen mogen wel gewoon opstijgen en wegvliegen, zonder zich druk te maken over wat daarna komt.'

'Nietes, dat geldt toch voor iedereen? Het is meer een kwestie van hoe goed je kunt voorzien dat je zult neerstorten.'

'Doe dat dan niet.'

'Het is een strategie,' moest Dellarobia erkennen. 'Voor sommigen werkt dat.'

'Ik wil best met Preston en Cordie helpen. Zo vaak ik kan.'

'Dat weet ik wel. En Hester kan ook best af en toe een oogje in het zeil houden. Ik zou zelfs iemand kunnen inhuren. Het betaalt goed.'

'Hoe goed?'

'Hij had het over dertien dollar per uur. Dat is meer dan Cub verdient.'

'Ai. Daar zit het pijnpunt.'

'Klopt. Maar dat kan hij natuurlijk niet hardop zeggen. In plaats daarvan windt hij zich erover op dat vreemden onze kinderen gaan opvoeden. Onze kinderen opvoeden, zei hij. Denk effe na, zei ik tegen hem, je zoon zit op school. Vreemden leren hem lezen. In tegenstelling tot zijn vader, die hem leert naar *Jackass* te kijken.'

'Het inspireert wel, zo'n huwelijk.'

'Om vooral niet te trouwen, ja. Weet je zeker dat ik je haar niet verbrand met dit ding?'

'Zeker. Je kunt het verschroeien wat je wilt, het springt toch altijd weer in de krul.'

'Ik een baan, Dovey. Kun je het je voorstellen? Misschien steek ik er nog wel wat van op.'

'Zoals?'

'Geen idee. Zoals: hoe weten die vlinders waar ze heen moeten? Zal ik je eens wat vertellen? Het zijn niet eens dezelfde die elke winter naar het zuiden vliegen, het zijn de kinderen van de kinderen van de vlinders die de winter daarvoor zijn weggegaan. Ze zijn ergens in het noorden uit het ei gekropen en het zit gewoon ín ze. Die speldenknophersentjes vertellen ze hoe ze de hele weg moeten vliegen naar die ene berg in Mexico waar hun grootouders elkaar hebben ontmoet. Alsof ze allemaal dezelfde kaart vanbinnen hebben, maar de reislust een paar generaties overslaat.'

Dovey zat haar nagels te bestuderen, teleurstellend niet onder de indruk. Dovey was nooit ergens van onder de indruk, maar toch. 'Denk je eens in,' probeerde Dellarobia het nog eens. 'Hoe is het mogelijk dat ze die ene plek duizenden kilometers verderop weten te vinden waar ze nog nooit eerder zijn geweest?'

'Ik ben ook nog nooit ergens geweest,' merkte Dovey op, 'maar ik zou zo naar Mexico kunnen rijden met de kaartenapp van mijn telefoon. Die is waarschijnlijk ongeveer net zo groot als de hersens van een vlinder. Jezus, mijn hersens zijn waarschijnlijk even groot als een insectenbrein.'

'Oké, maar nu komt de grote vraag. Stel dat dat kaartending je opeens de verkeerde kant op begint te sturen? Want dat is hier dus aan de hand.' Ze stak haar vinger in de lucht om te voorkomen dat Dovey iets olijks zou zeggen. 'Ik meen het. Die vlinders kunnen toch niet opeens nieuwe hersens hebben gekregen? Waarom zijn ze hierheen gevlogen?'

De boodschap was overgekomen en haar vriendin zweeg.

'Ik bedoel, waardoor kan dit in godsnaam nu opeens gebeuren terwijl zoiets nog nooit eerder is voorgekomen? Misschien moeten we ons daar wel zorgen om maken.'

Dovey stak haar arm achter haar rug en trok aan een denkbeeldige paardenstaart. 'Kinderen, kom tot Jezus, dit is het Einde der Tijden.'

'Dovey,' zei ze met een zucht.

'Wat moet ik dan? Je verpest de sfeer.'

Dellarobia bewerkte Doveys krullen nu voor de derde keer met het ijzer, maar nog steeds probeerden ze terug te springen. Wat een kracht had die meid, in alle opzichten. Deana Carter zette op de radio 'Did I Shave My Legs for This?' in. Ooit waren Dovey en zij om de haverklap uit volle borst in deze klaagzang over een onbevredigend huwelijk losgebarsten met het idee dat dat grappig was. De pijn in haar buik zorgde ervoor dat ze zich het liefst tot een lichaamsgrote gebalde vuist zou opkrullen. 'Weet je wat voor dag het vandaag is?' vroeg ze.

'Nationale Katerdag. Officieel zouden we nog in bed moeten liggen.'

'Het is de dag dat ik mijn eerste kind kreeg. Dat niet bleef leven.'

Doveys gezicht doorliep verschillende uitdrukkingen van verbazing. '1 januari? Hoe kan het dat ik dat niet wist?'

'Je was er niet bij.'

'Nee, dat was net de enige maand van ons leven dat ik kwaad op je was.'

Dellarobia kon het niet uitstaan dat ze de zoute tranen voelde branden in haar ogen. Dat was niet de bedoeling. Ze stak de hete tang boven zich uit naar het plafond, als een pistool, bang om iets te raken met haar wazige ogen.

Dovey stak haar arm uit en pakte haar andere hand. 'Je hebt het me een week lang niet verteld, lieverd. Je nam de telefoon niet op. Ik dacht dat je me had ingeruild voor het huwelijk en dat jullie met z'n tweeën ergens gigantisch de beest aan het uithangen waren.'

'We lagen thuis te slapen. Of hoe je die plaats ook wilt noemen. Ons eenkamerhuwelijk bij Hester en Bear in huis.'

Dellarobia zette de tang uit en legde hem weg. Ze gaf de strijd op, maakte na een schichtige blik op de deur de la van de toilettafel open waar ze haar sigaretten en asbak verstopt hield en trok Dovey mee naar de ene stoel die er stond. Ze waren allebei zo tenger dat het ongeveer wel paste, als kinderen die samen op een bankje geperst zitten aan de volwassenentafel. Ze stak op en inhaleerde.

'En het gebeurde zo plotseling. Ik werd wakker met vreselijke kramp, we gingen naar het ziekenhuis en het was voorbij. Ik was pas in méí uitgerekend. Ik dacht nota bene dat ik het wel zou kunnen rekken tot na de diploma-uitreiking. Het enige waar ik aan kon denken was dat het gewoon nog niet kon.'

'Wist jij veel,' zei Dovey zacht. 'Je was zeventien.'

Dellarobia knikte langzaam. 'Weet je wat Cub steeds maar zei? Dat het de eerste baby van het jaar ging worden. Dan zetten ze je foto in de krant en krijg je een jaar lang gratis luiers of zo. Arme Cub. Hij is altijd de laatste die doorheeft dat hij erin geluisd wordt.'

Dovey pakte Dellarobia's linkerhand weer en streelde hem, waarbij ze de trouwring aan haar vinger eindeloos ronddraaide. 'Ongelofelijk dat we het daar nooit over hebben gehad,' zei ze ten slotte. 'Ik bedoel over hoe erg het was. Jij zei altijd dat het maar het beste was.'

'Niemand praatte erover. Cub en ik ook niet. Je hoort niet te treuren om een baby die nooit een naam heeft gehad en die niet bestaat.' Dellarobia zag tot haar verbazing in de spiegel dat er tranen over haar gezicht stroomden. Ze voelde geen verdriet. De emoties op Doveys gezicht leken haar echter dan de hare. Zonder een woord te zeggen stond Dovey op uit de stoel en ging achter haar staan. Ze begon de rollers eruit te halen waardoor er lange strengen naar beneden vielen die er niet uitzagen als mensenhaar.

'Weet je,' zei Dovey na een tijdje. 'Ik heb dit ook nog nooit gezegd, maar ik snapte niet waarom je bleef.'

'Waar?'

'Dat overhaaste huwelijk, oké, dat snap ik. Maar toen jullie boven bij Bear en Hester woonden, had je de pest aan alles en iedereen. Waarom ben je er na die miskraam niet gewoon vandoor gegaan? Jullie waren allebei zo niet klaar voor het huwelijk.'

'Waarheen dan? Naar het hospice waar mama lag? Weet je nog wel hoe de situatie toen was?'

Dovey zei niets, kéék alleen met die kogelronde donkere ogen van haar. Misschien wist ze het inderdaad niet meer.

'Het huis was al weg. Ik had onze meubels en spullen ergens opgeslagen, maar kon dat na een tijdje niet meer betalen.' Toen moet de tafel van haar vader ook zijn verdwenen. De eigenaar van de opslagruimte zou de inhoud van de niet-betaalde hokjes wel geveild hebben. Al die handgemaakte meubels, wat een buitenkansje voor iemand. Zou wel een handelaar uit Knoxville op af zijn gekomen. Die lui wisten precies waar ze moesten zijn voor hun jacht op schatten.

Dovey boog zich voorover en haalde de sigaret uit Dellarobia's mond, nam een trekje, schudde haar hoofd en blies de rook in snelle, korte pufjes uit, terwijl ze hem weer teruggaf. Dovey rookte alleen maar af en toe voor de gezelligheid en had er een handje van om de onderneming uiterst giftig te laten ogen. 'Je had bij mij kunnen komen wonen,' zei ze.

'Haha. Je moeder vond het al erg als ik bleef eten. Je deelde je kamer met je jongere broertje en had een luieremmer in je kast staan. Ik weet nog dat je over de rooie ging omdat je jurk voor het eindfeest naar pis rook.'

Dellarobia stond op om het slaapkamerraam op een kiertje te

zetten voor de ventilatie. Het hek om de wei stond aan deze kant zo dicht bij het huis dat ze door het gaas naar buiten moest kijken alsof er tralies voor het raam zaten. Buiten was het nevelig en onbestemd, een seizoenloos nieuw jaar dat even weinig beloftes leek in te houden als het oude.

'Weet je,' zei ze en ze ging weer aan de toilettafel zitten. 'Bear en Hester hadden die hypotheek genomen om dit huis te bouwen. Dat was zoiets enorms. Ze hadden de fundering al gestort en de verwachting was dat we er in mei in zouden kunnen, als de baby zou komen. Cub en ik zouden de hypotheek afbetalen. Dat was het plan.'

'Maar jullie zijn er niet in mei ingetrokken. Met jullie twee koffers en nul meubels.'

'Nee, het duurde toch langer voor het af was. De baby was te vroeg, het huis te laat.'

Dovey keek met tot spleetjes geknepen ogen naar de lucht. 'Het was het weekend van Onafhankelijkheidsdag, toch? Cub en zijn vrienden stonden vuurwerk af te steken in de tuin. Hoe heetten ze ook alweer, die twee broers? Ze misten allebei een paar vingers, wat geen goed teken leek.'

'Rasp. Jerry en Noel.'

'Niet om het een of ander, hoor, maar iemand bouwt een knus hokje voor je en dan ga je er maar in? Dat is zo'n beetje het concept dat ze gebruiken bij ongediertebestrijding.'

'Niet om het een of ander, Dovey, maar jij hebt altijd een huis gehad. De band terugspoelen naar mijn zestiende en opnieuw beginnen was geen optie. Daar heb je ouders voor nodig.'

Dellarobia nam een lange, langzame trek van haar sigaret en voelde de chemische werking beetje bij beetje op gang komen in haar bloed, haar handen en voeten, het antwoord op een hunkering die groter leek dan haar lichaam. 'En trouwens, ik had die baby al voelen bewégen. Hij kreeg de hik als ik probeerde te gaan liggen. Cub was gelukkiger dan hij ooit geweest was. We zouden met z'n drietjes een gezinnetje gaan vormen. Er is meer dan je aan het oppervlak kunt zien.'

Dovey bleef roerloos staan en hield haar blik vast in de spiegel.

'We moesten ons spaargeld aanspreken om een grafje te kopen.'

Bij die woorden kwam Dovey naast haar zitten en legde haar hoofd op haar schouder, zowat in tranen, een ongewoon en zorgelijk gezicht. Als ze tegelijk hun zelfbeheersing verloren, waren de gevolgen niet te overzien.

'Weet je wat het is,' zei Dellarobia. 'Hij zou vandaag élf zijn geworden. Als hij was blijven leven, zou hij intussen al zo oud zijn. Dan hadden er hier vandaag allemaal elfjarige jongetjes rondgerend op zijn feestje. Ik kan me daar gewoon helemaal niets bij voorstellen, hoe hard ik het ook probeer.'

Opeens verscheen Preston in de spiegel achter hen. Hij stond in de deuropening en maakte Dellarobia zo ontzettend aan het schrikken dat ze bijna haar sigaret liet vallen.

'Van roken krijg je kanker, mama, en ga je dood.'

'Dat heb ik ook gehoord, liefje. Ik kan maar beter stoppen, hè?'

Hij knikte ernstig. Dellarobia drukte met veel vertoon haar half opgerookte sigaret uit in de asbak. Ze deed de la van de toilettafel open, haalde haar pakje sigaretten eruit en gooide het in de prullenmand. Het lag als een schipbreukeling tussen de proppen van tissues en verfrommelde bonnetjes. In gedachten was Dellarobia de redding al aan het voorbereiden en schoten haar gedachten vooruit naar de volgende keer dat ze weg zou kunnen sluipen voor een geheim afspraakje met haar meest duurzame passie, nicotine. Wie had er een hel nodig als je al zo'n duivel in huis had?

'Vertel op,' zei Dovey. 'Hoe vaak heb je dat toneelstukje al opgevoerd?'

'Ik gruw van mezelf als ik dat doe.'

'Zolang je maar niet denkt aan de noodlanding op de kankerafdeling,' zei Dovey met één opgetrokken wenkbrauw. 'Zoals je al zei, het is een strategie. Voor sommigen werkt dat.'

'Oké, oké, ik ben erg, net als de rest. Wie liegt er nou ook tegen Preston? Preston! De geboren padvinder. Die verdient een eerlijker moeder dan ik.'

'Denk je soms dat anderen het beter doen? Je moet mij zien op mijn werk. Op de slagerijafdeling is het een en al schuldgevoel wat de klok slaat. Mensen die met een gezicht waarop in grote letters 'hartaanval' geschreven staat bacon kopen. Of van die vervelende oude dametjes die me opdragen een thanksgivingskalkoen van tien kilo voor ze in te pakken, alsof dát ervoor zal zorgen dat de kinderen dit jaar wel naar huis komen. Mensen kunnen een slechte afloop simpelweg niet accepteren, zo is het nou eenmaal. En ach, een bord voor je kop is lekker rustig voor je ogen. Ontkenning is ook een strategie.'

Dat woord kwam hard aan bij Dellarobia, die na de dood van allebei haar ouders naar door de school gesponsorde rouwverwerkingsgroepjes was gestuurd. Het doodgeboren kind was er nog eens bovenop gekomen in die wazige laatste maanden van de middelbare school waar ze zich verder weinig van herinnerde. Ontkenning, woede, onderhandeling, acceptatie en doorgaan was het advies van de therapeut. 'Je kunt veel over me zeggen,' zei ze, 'maar volgens mij niet dat ik het ontken.'

'Je hebt helemaal gelijk, schat.'

Dellarobia voelde zich gedesoriënteerd met al die jaren achter de kiezen die nergens toe hadden geleid. Achtentwintig. Ze voelde zich zo jong, vooral nu Dovey er was, haar link met het meisje dat ze op haar zeventiende, en zevende, was geweest. Dovey en zij konden elkaar make-overs geven zoveel ze wilden, vanbinnen veranderde er uiteindelijk niets aan een mens.

'Ik lijk wel een weggelopen weeskind,' verkondigde Dovey en verbaasde Dellarobia met haar identieke gedachtegang. Maar dat was het niet. Dovey had het over haar steile, pluizige haar. 'Hoe heetten die boeken over die weesjes ook alweer die we vroeger altijd lazen?'

'*The Boxcar Children.*'

'Die, ja! Zo'n kind ben ik nu.'

'Dat zeg je altijd en dat is niet zo. Jij eindigt altijd als een tweede Posh Spice en ik als Scary. Waarom beginnen we hier toch steeds weer aan?'

'Herhaling van hetzelfde gedrag met als verwachting een ander resultaat: de definitie van psychische aandoeningen.' Dovey las veel tijdschriften.

'Ik zie eruit als het weesmeisje Annie.' Dellarobia stond op en schudde met haar krullen. Misschien kon ze iets Flashdancerigs doen met dat T-shirt met de blote schouder. Maar er was geen twijfel aan wie van hen de echte wees was. Dovey liet haar glanzende zijden lokken golven als in een shampooreclame, schepte genoegen in haar eigen bestaan in welke vorm dan ook.

'Of een of andere hoer,' hield Dellarobia vol, terwijl ze aan de krullerige ranken om haar gezicht duwde en trok. 'Je moet toegeven dat ik eruitzie alsof ik meer haar dan hersens heb.'

'Maar dat is het hem nou juist, snoes. Dat is niet zo.'

Dellarobia wierp haar een snelle blik toe. 'Snóés? Hoe kom je daar nou weer aan?'

Dovey lachte. 'Er komt een vent bij ons in de Cash Club die me zo noemt. Hij heeft me al vaker geprobeerd te versieren dan hij gehakt heeft gekocht. Wel echt een schatje, trouwens.'

'Hoelang is dat al aan de gang?'

'Weet ik veel, een jaar? Ik gebruik hem vooral als munitie tegen de kerels op het werk. Die lopen altijd te kwijlen over de vrouwen die op de vleesafdeling komen.' Ze zette een diepe stem op en gromde: 'Hé, daar loopt mijn toekomstige ex.'

Dellarobia lachte niet.

Dovey haalde haar schouders op. 'Die vent is dus mijn kwijl-aas. Mijn toekomstige ex.'

'En bajes-aas, zeker? Hij is vast jong.'

'Wat dacht jij dan,' zei Dovey.

'Kuiltje in zijn kin, hier? Sporter, brede borst en schouders? Zilveren ringetje in zijn linkeroor?'

Ze keken elkaar onderzoekend aan in de spiegel. 'Ben je nou helemaal...'

'Echt niet.'

'Hij?'

'Hij.'

'Ik ga me toch een stel hammen uit die klojo snijden. Ik meen het. Ik heb er de goede messen voor.'

'Ach nee, joh. Ik ben allang over hem heen. Echt.'

Dovey stak haar arm uit en greep haar bij de pols. Zachtjes trok ze haar op de stoel naast zich. Hun gezichten naast elkaar in de spiegel waren als foto's in de twee helften van een medaillon, een stel allang niet meer bestaande kinderen in de uitverkoop van sieraden van dode mensen. 'Je hebt echt je dag niet, hè?' vroeg Dovey.

Dellarobia haalde haar schouders op.

'Ik had geen idee.'

'Dat kon toch ook niet?'

'Shit, jouw telefoonman.'

'Shit, iedereéns telefoonman.'

Dellarobia verspilde een te groot deel van de nacht en heel de volgende morgen aan een zelfhaatproject. Ze was niet de enige geweest, en dat voor de man met wie ze bereid was geweest haar echtgenoot te bedriegen. Oké, dus ze had niets voorgesteld voor hem, zelfs niet als echtbreekster. Bij wie kon ze daarover uithuilen? Ze had zichzelf de vergissing vergeven en moeite gedaan hem te vergeten. Toch had hij nog steeds de macht om haar in de vernieling te helpen.

Het hield nooit op, die deprimerende hulpeloosheid die haar overviel als ze haar beschamende obsessies onder ogen zag. Vóór Jimmy was het tijdens haar zwangerschap van Cordie de man van Rural Incorporated geweest, een bevlieging waarvan ze zichzelf had wijsgemaakt dat het geen echte bevlieging was. Hij had staalgrijs haar en een gouden trouwring en een vertrouwelijke vriendelijkheid waarmee hij haar volledig op haar gemak stelde. Die afspraken hadden haar door de weken heen gesleept. Hij had altijd veel meer tijd voor haar en haar ziektekostenformulieren dan voor de anderen in de wachtkamer, en Dellarobia zag er geen been in daar gebruik van te maken. Nooit, trouwens. Cubs oude vriend Strickland, die aan gewichtheffen deed en zijn eigen snoeibedrijf had, was maar houtsnippers blijven brengen voor de borders die ze niet had, en ze had ze nog aangenomen ook en jarenlang achter de schuur opgehoopt. Nieuwe Hoogten heette zijn bedrijf, wat symbolisch was voor een alles-is-mogelijk-mentaliteit waar ze moeilijk weerstand aan had kunnen bieden. Cub had er nooit enig idee van gehad. Zover had ze het niet laten komen. Toch wist ze donders goed dat het bedrog echt was geweest. Ze stelde zich het menselijk binnenwerk voor dat de steunpilaar vormde van een trouw huwelijk, een kwetsbare, verkalkte stellage als een ribbenkast, en wist dat het hare misvormd was, waarschijnlijk al vanaf het begin.

Afgezien van alle onrust in Dellarobia zelf was de tweede januari blijkbaar een dag waarop er weinig gebeurde in de wereld. Om twaalf uur precies, net toen ze de kinderen boterhammen met worst voorzette, stond er een televisieploeg voor de deur.

Ze liet Cordie vastgesnoerd in de kinderstoel bij Preston achter, die ze opdroeg ervoor te zorgen dat ze kleine hapjes nam, en vloog naar de voordeur om open te doen. Tot haar schrik stonden er twee vreemden op de veranda: een perfect opgemaakte, knappe vrouw en een man met een puntvormig kaal hoofd en een hoornen brilletje. Op de schouder van de man lag een enorme camera, alsof die daar thuishoorde; vermoedelijk was hij op de een of andere manier vastgemaakt aan zijn ingewikkelde waterdichte jack met allerlei extra zakken en ritsen, zelfs op de mouwen. Het vreemdst van alles was nog hun auto die op de oprit geparkeerd stond, een soort jeep die was voorzien van dikke banden en een satellietschotel.

'Dellarobia, toch?' De bleke vrouw keek haar met een overweldigende kracht recht in de ogen, als een kraan die is aan gelaten. 'Wij zijn van *News Nine* en we wilden vragen of je even tijd hebt om met ons te praten over het fenomeen op jullie boerderij.'

Het fenomeen. De man stond de voorkant van het huis te bekijken alsof hij de boel aan het onderzoeken was op mogelijke plekken om in te breken.

'Ik heb kleine kinderen die ik niet zomaar zonder toezicht kan achterlaten.' Dellarobia kwam naar buiten en trok de deur achter zich dicht. Ze ging die lui echt niet binnenlaten in de rotzooi. Ze had al een lange dag achter de rug en het was nog maar ochtend. Wie was er ooit op het onzalige idee gekomen om kinderen meer dan een week vrij te geven na kerst? Preston had een van zijn onderzoekersdagen, waarop hij speelgoed als projectiel gebruikte en zachte kussens als landingsplaats. Cordelia had iets met haar Cheerios gedaan wat ze 'boertje' noemde: ze had de hele inhoud van de doos als zaadjes in het tapijt van de woonkamer gezaaid terwijl Dellarobia nog geen vijf minuten op de wc zat. Ze zag al precies voor zich hoe dat zou gaan met dat tapijt: het eindeloze stofzuigen, de kruimels aan ieders voetzolen. Als een strandvakantie zonder strand. En zonder vakantie.

'We zullen u niet langer dan een paar minuten lastigvallen,' drong de vrouw aan. 'Ik ben Tina Ultner en dit is mijn medewerker Ron Rains.' Ze gaf Dellarobia een ferme hand. Tina Ultner was ongelofelijk om te zien, een vrouw aan wie alles slank was: gezicht, neus, vingers, polsen. Haar haar was van het natuurlijke blond dat niet na te maken valt, met bijpassende bijna-witte wenkbrauwen en een teint als van was. Ze was maar een centimeter of vijf groter dan Dellarobia, maar met dat uiterlijk lag de wereld aan haar voeten. Alleen al haar make-up was een mirakel, de eyeliner zo perfect aangebracht dat haar grote blauwe ogen exotische bloemen leken.

'Het spijt me heel erg,' zei Dellarobia, 'maar het ziet er binnen echt niet toonbaar uit. Mijn kinderen zijn aan het eten en ik weet trouwens toch niet wat ik zou moeten zeggen.'

Tina hield haar hoofd scheef. 'Hoe oud zijn ze?'

'Vijf en bijna twee.'

Tina's gezicht rimpelde zich in een mengeling van bezorgdheid en stralende lach. 'Dat meen je niet! Ik weet er alles van, kan ik je wel vertellen. Die van mij zijn zes en negen en ik dacht dat er nooit een einde aan zou komen. Ik heb twee jongens. En jij?'

'Wat ik heb? Goede vraag. Vandaag zou ik zeggen: apen. Wil je zeggen dat er nog een leven is na de speelzaal en de luiers?'

'Zeker. Heus. Het is zoiets als kapitaal en rente. Ik snap ook niet hoe het werkt, maar op hun zesde veranderen ze van een debet- in een creditpost.'

'Perfect,' zei Dellarobia. 'Hét moment om ze te verkopen, dus.'

Tina lachte, een tweetonig, van hoog naar laag aflopend getinkel als een windklok, een lach die even aantrekkelijk was als alles aan haar. 'Ik bedoel dat ze vanaf dat moment gaan doen wat je zegt. Je kunt ze opdragen om papa te gaan halen en dat doen ze dan.'

Dellarobia trok een treurige grijns. 'En dat is een pluspunt?'

'Ik begrijp wat je bedoelt,' zei Tina, en het leek alsof ze het nog meende ook. Was het werkelijk mogelijk dat zij zoiets rommeligs als kinderen opvoeden had gedaan met die witgerande nagels van haar? Dellarobia schaamde zich dood voor haar oude T-shirt en onopgemaakte gezicht naast Tina's schoonheid, maar Tina leek daar niets van te merken. Ze wekte de indruk dat ze haar kameraad de cameraman elk moment in de steek kon laten om koffie te gaan drinken en eens lekker samen te kletsen.

Hij was vast niet zo geïnteresseerd in kinderen, vermoedde Dellarobia.

'Ik zal je de waarheid vertellen,' biechtte ze op tegen Tina. 'Als ik je nu mijn woonkamer laat zien, zal ik je daarna moeten vermoorden. En de kinderen zijn daar nu alleen, dus die zijn waarschijnlijk al druk aan het proberen bleekmiddel te drinken. Ik zou gewoon niet weten hoe ik jullie zou kunnen helpen.'

'Kunnen we een andere keer terugkomen, als je je handen wel vrij hebt?'

Dellarobia haalde haar schouders op. 'Na hun eindexamen of zo?'

Tina lachte weer die tinkelende lach van haar en wierp een blik naar de man, wat een soort signaal leek te zijn. Ron maakte een duidelijk geïrriteerd hoofdgebaar. Hij had nog geen woord gezegd en liep nu weg naar hun auto. Tina wachtte tot hij in de jeep gestapt was voor ze op fluistertoon verder praatte.

'Ron is nogal driftig,' zei ze op vertrouwelijke toon. 'Die wordt razend als we onze deadline niet halen. Hij heeft al met de buren verderop gesproken, want hij wil hen het verhaal laten vertellen, maar dat lijkt me niks. Ik zit dus nogal omhoog.'

'Wat vervelend,' zei Dellarobia. Drie minuten na de eerste kennismaking met Tina Ultner had ze er al alles voor over om haar niet teleur te hoeven stellen.

Tina keek om zich heen alsof ze naar mogelijke oplossingen zocht. 'Weet je wat? Als jij nou naar binnen gaat om je over de kinderen te ontfermen, probeer ik hier de schade zo veel mogelijk te beperken. Maar denk je dat het mogelijk is om over, laten we zeggen, een kwartiertje de kinderen in de jeep te laden en even naar boven te rijden naar waar het hem om te doen is, die vlinders, en daar een shot te maken? Wij zorgen wel dat het er snel op staat en je hoeft de kinderen geen moment alleen te laten. Misschien kun je iets meenemen om ze mee bezig te houden in de auto?'

Dellarobia keek naar de jeep. Ron zat achter het stuur te bellen. Jij bent iemand die zich er helemaal in stort, had Dovey gezegd.

'Kan er een autozitje in dat ding? Zitten er riemen achterin?'

'Zeker weten,' zei Tina.

Dellarobia rende het huis weer in. Ze had het gevoel dat ze het noodlot had getart met die uitspraak over bleekwater drinken. En die grap dat ze haar kinderen zou verkopen, wat moest Tina Ultner wel niet van haar denken? De kinderen zaten goddank heelhuids in de keuken hun boterham te eten. Dellarobia ging als een gek aan de slag, gooide kussens terug op de bank en deed een snel opruimrondje in de woonkamer voor het geval Tina later nog binnen zou komen om naar de wc te gaan. Ze stopte Prestons geliefde horloge en Cordies dierenboerderij in de luiertas en deed snel wat lippenstift en eyeliner op. Het was zonnig buiten en te warm voor een jas, wat een geluk was aangezien de enige twee keuzes haar werkjack voor op de boerderij of haar suffe tien jaar oude jas voor naar de kerk waren. Ze trok een roomwit ribvestje aan dat ze met kerst van de kinderen had gekregen. Dat wil zeggen dat ze het zelf had uitgekozen bij de Target en dat Cub het had ingepakt. En dat ze het nog nooit had gedragen, wat ook een bof was, want nu zou ze niet tijdens het interview opeens een enorme vlek ergens op de voorkant ontdekken, zoals het meestal ging als ze zich onder de mensen begaf. Sieraden of niet? Ze wist het niet en koos dus maar kleine nepparelt jes voor in haar oren die er wel stijlvol uitzagen. Er zat nog wat krul in haar haar van de flauwekul met Dovey gisteren, dus bond ze het losjes samen in een paardenstaart met een lichtblauw lint en klaar was Kees. Voordat de kinderen in de gaten hadden wat er aan de hand was, zaten ze met hun moeder op de achterbank van de *News Nine*-mobiel gepropt en waren ze hotsend en botsend op weg naar boven. Dellarobia zag nergens riemen zitten, maar er was sowieso geen plaats voor het kinderzitje, dus hield ze Cordie maar gewoon op schoot. Ze zouden toch niet erg hard kunnen rijden. De nieuwe weg was nog door geen enkele auto uitgeprobeerd, op Cubs pick-up met het grind na. Maar daar was het Bear juist om begonnen geweest voor zover zij had begrepen: iedereen moest kunnen komen kijken. Ze boog zich voorover om Ron aanwijzingen te geven hoe hij het best door de wei naar het hek kon rijden.

'Preston en Cordelia, het is me een groot genoegen,' zei Tina die zich naar hen omdraaide op de voorbank. 'Wat een prachtige namen!'

'Mijn vader heette Preston,' zei Dellarobia bereidwillig.

'En Cordelia komt natuurlijk uit *King Lear*!' Tina stak haar hand over de rugleuning uit naar elk van beide kinderen. Preston schudde de slanke vingers, maar Cordie staarde er alleen maar naar, waarschijnlijk net zo gehypnotiseerd door het manicurewerk als Dellarobia. Opnieuw vroeg ze zich af hoe dat met Tina's kinderen zat. Waar waren die nu, terwijl hun moeder op stap was? Ze had geen idee waar deze twee vandaan kwamen met die hele uitrusting van ze. Knoxville? Zo klonken ze niet. Tina had zich weer naar Ron omgedraaid en sprak nu op een heel andere toon, veel zakelijker.

*King Lear natuurlijk!* Dellarobia kon er niet voor instaan dat ze dat zelf had geweten. Ze had Cordelia gewoon mooi vinden klinken. Misschien had ze net als haar eigen moeder de naam ergens zien staan en was ze daarna vergeten waar ze hem vandaan had. Ze hoorde Tina zachtjes aan Ron vragen: 'Denk je dat dat wit goed overkomt in beeld?'

Dellarobia sloeg haar hand voor haar borst en herinnerde zich dat Tina haar vestje tijdens het voorstellen kritisch had bekeken. 'Had ik wat anders moeten aantrekken?' vroeg ze.

'Nee, hoor. Het is prima. Heel mooi, maar soms komt wit via de camera een beetje wiebelig over, dat is alles. Wit en strepen.'

'Eigenlijk is het ivoor,' zei Dellarobia. De kleur van haar trouwjurk, die ze had gedragen voor een publiek dat een duidelijk onderscheid maakte tussen wit en gebroken wit. Misschien gold dat niet voor Tina. Dellarobia zou uren kunnen blijven staren naar de manier waarop haar koffiekleurige regenjas in elkaar zat. Er zaten keurig parallelle lijntjes stiksel op het split, de ceintuur en de manchetten. Zou wel design zijn.

'Zeg, die buren,' zei Tina die zich weer had omgedraaid op de voorbank en haar laten-we-vriendinnen-zijn-stem had opgezet. 'Hoe zit dat precies? Die zijn niet echt bevriend met jullie, geloof ik, hè?'

Dellarobia geneerde zich voor haar relatie met de buren, of het gebrek daaraan. Tina wist intussen waarschijnlijk al meer over de Cooks dan zij. 'Eigenlijk is het meer iets tussen hen en mijn schoonfamilie, ik heb niets tegen ze. Ze hebben het nogal hard te verduren gehad. Hun zoontje heeft kanker en daardoor zijn ze nu fel tegen bestrijdingsmiddelen en willen ze alleen nog maar biologisch boeren. Hun hele tomatenoogst is verloren gegaan. En ze hebben die perzikboomgaard aangeplant, die nu staat te verkommeren. Volgens mijn schoonvader ontkom je er niet aan om te spuiten als het zoveel regent, anders rotten ze gewoon weg.'

'Dus je schoonvader heeft het niet zo op dat biologische gedoe.' Tina zat met haar linkerelleboog gebogen op de rug van haar stoel en de andere hand op schoot. Toen ze was ingestapt had Dellarobia gezien dat ze een opnamerecordertje had. Ze vroeg zich af of dat nu aanstond.

'Tja, het hoort een beetje bij het boerenleven dat de mensen nieuwe dingen niet zo snel omarmen. Dat moet ook wel. Als je alles in één seizoen kunt verliezen, is het ook niet slim om te gokken. Ik denk dat mijn schoonouders het niet zo op die gezonde-en-biologische toestanden hebben, omdat die het idee geven dat wat zij doen ongezond en niet-biologisch is.'

'En wat denkt je schoonfamilie van wat er hierboven aan de hand is? Met de vlinders? Kun je daar wat over zeggen?'

'Ik weet het niet. Ik bedoel, wat zij ervan denken is wat zij ervan denken. Dat kun je beter aan henzelf vragen.'

Dellarobia werd afgeleid door het gerenoveerde pad, dat ze nu voor het eerst zag. Ze wist dat Cub en zijn vader hier veel omgevallen bomen hadden weggehaald en de waterschade hadden hersteld, maar vooral de dikke laag nieuw wit grind maakte het verschil. Ze hadden het overwoekerde paadje in een weg veranderd die duidelijk afstak tegen de modderige omgeving. Gewoon een landweg zoals vele andere, zonder speciale verwachtingen, de wildernis getemd. Tegen haar zin moest ze aan Jimmy denken. En aan degene die ze die dag geweest moest zijn, vol verlangen, vol van zichzelf. En intussen verhard.

Ze zag de eerste vlinders voordat Tina ze zag, maar al snel kon je niet meer om ze heen, ze waren overal: het fenomeen. Bij het uitzichtpunt was de weg verbreed tot een compact keerpunt en op die plek zette Ron de jeep neer, met de neus naar het uitzicht. Tina zat nog in de riemen te kijken en Cordie en Preston waren rechtop gaan zitten, zoals ze ook deden als hun lievelingsprogramma op televisie kwam.

'Daa,' zei Cordelia en ze wees door de voorruit.

De spelonkachtige vallei voor hen was vol gouden beweging. Cordelia had de vlinders nog nooit gezien, besefte Dellarobia. En Preston alleen die ene keer, maar toen had het geregend en vlogen ze niet rond. Ze liet Preston uit de auto.

'Wel in de buurt blijven, lieverd, en niet te dicht bij de rand. Daar gaat het steil naar beneden.' Ze deed het portier aan haar kant open en hees Cordie op haar heup. De luiertas liet ze staan. 'Ja mevrouwtje, dat zijn de King Billy's,' zei ze zachtjes, 'net als bij oma.' Ze wilde niet dat Tina erachter kwam dat haar kinderen dit voor het eerst zagen. Dat leek zo lui of aan huis gebonden of zoiets. Daardoor leken de vlinders minder van haar. Tina zou dat niet begrijpen. Intussen lag er een nieuwe weg, maar voor deze week was het onmogelijk geweest om zover te komen met een dreumes.

Ze zag verwondering en lichtjes in de ogen van haar dochter verschijnen. Preston stond met de punten van zijn gymschoenen op het uiterste randje van de grindweg met zijn armen uitgestrekt, alsof hij zo kon wegvliegen. Dellarobia wist precies hoe het voelde, deze aanblik verveelde nooit. De bomen zaten vol rustende vlinders en de lucht was vol leven. Ze ademde diep de geur van de bomen in. Eindelijk een heldere winterdag, blauw uitspansel, donkergroene sparren en de hele ruimte daartussen vol fladderende gouden vlokjes, als in een sneeuwbol. Ze zag dat ze hier en daar door de wind werden opgetild en uitwolkten boven de bomen. Miljoenen monarchen fladderden als oranje confetti door de lucht en bezorgden haar kinderen lichtjes in hun ogen.

'Daar heb je je shot,' zei Tina, die ook was uitgestapt en Ron opeens kortaf bevelen gaf, zodat Dellarobia aan haar eerdere idee dat Tina bang voor hem was begon te twijfelen. Ze wees aan waar hij zijn statief moest neerzetten en plaatste Dellarobia bij de afgrond, met het uitzicht over de vallei, en de vlinders als achtergrond. Tina beklopte Dellarobia's gezicht met een poederdons zodat het niet zou glimmen en legde uit dat ze een tijdje zouden praten met de camera op Dellarobia gericht en hem dan kort naar Tina zouden draaien om haar ook even in beeld te hebben. Later zouden ze dat aan elkaar plakken tot één gesprek. Het maakte niet uit of Dellarobia dingen in de verkeerde volgorde zou zeggen of zich versprak. Ze konden alles knippen en plakken, zei Tina. Ze zouden zorgen dat het er goed uitzag.

Dellarobia was doodzenuwachtig. De vragen die Tina stelde waren hoofdzakelijk persoonlijk. wie was ze, waar woonde ze, wat vonden zij en haar gezin van wat er was gebeurd? Tot haar verbijstering kende Tina zelfs het verhaal dat rondging dat Dellarobia een wonder was overkomen en dat ze een soort visioen had gehad of helderziend was. Wilde ze daarover praten? Niet echt, was Dellarobia's antwoord daarop.

'Zeg dan maar wat je wilt. Wat volgens jou belangrijk is,' zei Tina.

'Nou, dit is wat waarschijnlijk belangrijk is, denk ik. Normaal gesproken gaan die vlinders in de winter altijd naar Mexico. Ze zijn hier nog nooit eerder geweest in een miljoen jaar of zoiets en opeens duiken ze hier op. Zoals je ziet. Volgens hem... oké, wacht, stop. Mag ik je even wat vertellen?'

'Tuurlijk.'

'Er is hier een wetenschapper geweest, dr. Byron. Je moet met hem gaan praten. Hij komt over een paar dagen terug. Hij weet alles wat er maar te weten valt over die vlinders. Zou je later deze week misschien terug kunnen komen om met hem te praten?'

'Waarom niet? Zeker. Maar laten we het voorlopig even hiermee doen.' Tina lachte toegeeflijk naar Dellarobia, die zich pijnlijk bewust was van de omvang van haar gebrek aan kennis.

'Oké, sorry. Zal ik opnieuw beginnen?' Ze stak haar handen in haar broekzakken en probeerde te kalmeren. Ze was toch zo goed met woorden? Cub zei altijd dat ze een lantaarnpaal nog kon omlullen. En ze had aan toneel en voordracht gedaan op school.

'Zo vaak je maar wilt. Niks aan de hand. Gewoon jezelf zijn.' Tina stak haar handen op en zwaaide ermee, alsof ze zo alles wilde wegwapperen om met een schone lei te beginnen. 'Wat nu belangrijk is, is dat we Dellarobia leren kennen. Vertel me eens over de eerste keer dat je de vlinders zag. Hoe voelde dat?'

'De eerste keer.' Ze keek even naar haar kinderen. Ze had Cordie weer teruggezet in de jeep, waar ze veilig met haar plastic boerderij zat te spelen, maar Preston schoof steeds dichter naar het randje van de uitkijkplaats. 'Preston!' riep ze. 'Geen centimeter verder, kerel! Ik meen het. Anders zet ik je bij je zus in de auto.' Ze huiverde en keek verontschuldigend naar Tina, die nog steeds stond te glimlachen. Met engelengeduld. 'Sorry,' zei Dellarobia.

'Nergens voor nodig. Ga door.'

'Wat ik daarnet wilde zeggen is dat die vlinders naar de verkeerde plaats zijn gevlogen. Voor de allereerste keer ooit. In de geschiedenis van de wereld. Dus het mag er misschien mooi uitzien, maar het zou wel eens een probleem kunnen zijn. Iets heel ergs, zelfs.'

'Hoezo dan?' vroeg Tina.

Hoezo? Alle woorden waren weggestroomd uit haar hoofd. Haar haar raakte los uit het elastiekje, de krullen woeien om haar gezicht in de wind en leidden haar af, en opeens wist ze zeker dat de knoopjes van haar vestje verkeerd dichtzaten. Of helemaal niet dicht. Echt iets voor zo'n rare dag. Ze voelde met haar hand aan het rijtje knopen aan de voorkant. 'Momentje. Mag ik even... Zitten de knopen niet scheef? Ik zie er vast vreselijk uit.'

Tina hield haar hoofd scheef, een gebaartje dat Dellarobia begon te herkennen. 'Weet je wat ik net stond te denken? Eerlijk waar? Dat dit vast het prachtigste shot is dat we in tijden hebben gefilmd. In maanden. Jij, dat geweldige haar van je, die vlinders op de achtergrond. Echt bloedmooi. Ik vrees dat ik eruitzie als een lijk naast jou en dat oranjeachtige licht. Je weet niet wat je ziet. Hoe is het licht, Ron?'

'Super,' zei Ron van achter de camera tot Dellarobia's verbijstering. Sinds wanneer stond Rón aan haar kant? Super. Ze vroeg zich af of Jimmy haar op het nieuws zou zien en voelde woede opborrelen, grotendeels het gevolg van nicotinegebrek en niet helemaal op Jimmy gericht. Maar wel deels. Flirten met alles wat een rok aanheeft. Was het voor hem dan nooit serieus geweest met haar? Alleen maar omdat ze ouder was en getrouwd had hij haar als een makkelijke vangst beschouwd, seks zonder dat hij zich hoefde te binden. Zou het hem iets hebben gedaan dat ze hem had laten zitten? Ze hoopte dat het vestje nu even goed stond als in de winkel, waar het licht in de kleedkamer misschien te flatterend was geweest. Ze had geen flauw idee wat Tina haar had gevraagd. 'Wat was de vraag?'

'Begin maar waar je wilt,' zei Tina met misschien een vleugje ongeduld.

Ze wou dat ze gewoon de waarheid kon vertellen. Alles. Dat Bear op het punt stond deze hele berg te strippen voor geld en dat ze dat ook echt nodig hadden. Wat sommige mensen nooit zouden begrijpen. Geen kant op kunnen. Wat eigenlijk de reden was geweest dat ze hierheen was gekomen, niet voor de man, maar uit wanhoop. Hoe verkeerd die impuls ook was geweest, hij had haar wel hier gebracht. Zij was de eerste geweest die dit had gezien.

'Dit fenomeen betekent heel veel voor je,' zei Tina. 'Het verhaal dat we in het dorp hoorden was dat je een visioen had gehad. Dus, Dellarobia, wat is er die dag precies gebeurd, toen je erachter kwam dat het mirakel van de monarchvlinders zich op jullie terrein had voltrokken?'

'Ik was op de loop voor dingen. Daar komt het eigenlijk op neer,' zei Dellarobia. Ze wilde Jimmy weg hebben, uit haar verhaal. Zou hij dit op tv zien?

'Waarvoor dan?' vroeg Tina met een zachtere, belangstellende stem.

Dellarobia draaide haar hoofd iets opzij zodat ze de vlinders kon zien. Net als de eerste keer voelde het als een droom om dat koude vuur te zien opvlammen. Het was gewoon niet te geloven dat het echt was wat ze zag. Het zou net zo goed het einde van de wereld kunnen zijn. Ze ademde langzaam uit. 'Mijn leven, denk ik. Ik kon het niet meer aan. Ik wilde weg. En dus kwam ik hier in mijn eentje heen, op het punt om alles overboord te gooien. En toen zag ik dit. En dat weerhield me ervan.'

'Hoe kwam dat?'

'Ik weet het niet. Ik was zo op mijn eigen onbenullige leventje gericht. Ik was maar één enkele mens. En hier was iets wat zoveel groter was. Ik moest terug om mijn leven anders in te vullen.'

Tina knipperde met haar ogen en keek Ron aan.

'Oké, dat was... ik heb geen idee wat dat was,' zei Dellarobia. Een verboden-in-te-rijden-straat ingeslagen in een idiote stad, dat was het. Ze stak haar hand op als een verkeersagent en schudde van nee. 'Veel en veel te persoonlijk. Kun je je voorstellen wat er gebeurt als mijn familie dat hoort? Of mijn kinderen?'

Gelukkig zag ze dat Preston een eindje verder was gelopen zodat hij waarschijnlijk buiten gehoorsafstand stond. 'Dat was dus niet voor uitzending. Kunnen we even opnieuw beginnen?'

'Natuurlijk,' zei Tina.

Allebei hun telefoons gingen om ongeveer tien over negen tegelijk. Cub had overgewerkt en was op de bank voor de tv in slaap gevallen, dus bleef zijn telefoon in zijn zak doorsnerpen, terwijl Dellarobia naar haar tas rende om de hare eruit te vissen. Het was Dovey, die onsamenhangend klonk. Dovey die gilde dat ze de tv aan moest zetten.

'Hij staat aan,' zei Dellarobia. Haar hart sloeg over. Had ze een of andere ramp gemist?

'Jij bent erop,' zei Dovey steeds maar. 'Op CNN.'

Het was net iets uit de film, dacht Dellarobia. Maar filmsterren konden de afstandsbediening altijd gewoon vinden. Dovey bleef maar door de telefoon roepen terwijl haar zoektocht steeds gejaagder werd. Onder de kussens, onder Cub, onder de bank. Mensen in films woonden niet met kleine boeven in huis die alle elektronica ontmantelden om aan batterijen en onderdelen te komen. 'Wacht!' riep ze terug. Ze gaf de jacht op en knielde voor de televisie zelf neer om er vervolgens achter te komen dat er nergens op het ding knoppen zaten om hem mee te bedienen, zelfs geen aan-en-uitknop. Wat was dat nou? Een televisie was een moderne godheid! Je kon hem alleen maar vanuit de verte je verzoeken sturen.

'Hoe bedoel je dat ik erop ben?' vroeg ze in een poging haar rust te hervinden.

'Wat je gisteren hebt gedaan! Dat interview met Barbie. Maar haar laten ze niet zien. Alleen jou maar.'

Dellarobia stond op en keek om zich heen door de kamer. Cub lag nog steeds gevloerd. Ze kon het gemurmel van Doveys televisie zelfs door de telefoon horen.

'O mijn god,' gilde Dovey opeens. 'Dit is zo bizar. Ze zeggen dat je zelfmoord wilde plegen!'

Langzaam voelde Dellarobia zich volstromen met het waterige gewicht van de schok. Het begon bij haar voeten en sloeg haar bij de knieën bijna omver. Ze rukte met al haar kracht aan Cub om plaats voor zichzelf te maken op de bank, hield de telefoon tegen haar oor terwijl ze haar andere hand nog eens onder hem liet glijden, omdat ze de hopeloze zoektocht toch nog niet op kon geven.

Cubs telefoon ging niet meer over en liet alleen nog het doordringende piepje van een ingesproken bericht horen.

'Dat kan niet,' zei ze tegen Dovey. 'Zeg dat nog eens. Wat je daarnet zei.'

'Je was op weg om van een berg af te springen of zoiets en toen zag je de vlinders en veranderde je van gedachten. En nu is het weg.'

'Wat is weg?'

'Alles. Nu hebben ze iets over...' Dovey wachtte even. 'Ik weet niet, het gaat over oorlog in Afrika. Dat hele stuk met jou duurde maar een minuut of twee. Misschien iets meer. Het was zowat het eerste onderwerp. Ze lieten jou aan het woord en nog een of andere vent die ik niet ken. Een van je buren of zo.'

'De Cooks? Ze hebben ook met de Cooks van hiernaast gepraat.'

'Hij misschien, ja. Hij zei dat jullie alle bomen daarboven wilden kappen of er nou vlinders zaten of niet en toen zeiden ze dat jij de enige was die... wat ook alweer? De enige die haar gezond verstand gebruikte of zoiets tegen je familie.'

'O, geweldig,' zei Dellarobia. Ze hoopte maar dat Bear en Hester het niet hadden gezien. Die kans was gelukkig groot. Ze keken nooit naar het nieuws.

'Maar dan dat gedoe over die zelfmoordneigingen. "Dellarobia Turnbow heeft zo haar eigen reden om te geloven dat de vlinders een bijzonder zus of zo zijn. Ze hebben haar leven gered." Ik weet het niet meer precies. Jeetje man, ik zit hier van opwinding zowat in m'n broek te piesen voor de tv. Ik had zoiets van, wow, dat is mijn beste vriendin! Ik heb die krullen van haar gezet!'

'Waar halen ze dat nou in godsnaam vandaan, van die zelfmoord?'

'Misschien zit het er om tien uur nog een keer in.'

'Jezus. Misschien spring ik nu echt wel van een berg.' Ze legde haar hoofd op haar knieën en had werkelijk het gevoel dat ze elk moment flauw kon vallen. Cub kwam in beweging en begon wakker te worden.

'Maar weet je,' zei Dovey, 'je zag er echt supersexy uit. Mag ik dat vestje een keer lenen?'

Het interview werd inderdaad nog eens uitgezonden, vele malen in diverse vormen, eerst als nationaal nieuws en daarna als regionaal item. In Cleary was het voorpaginanieuws dat iemand uit de streek de nationale tv had gehaald. Er belden verschillende verslaggevers en Dellarobia's hart begon elke keer te bonzen als de telefoon weer ging. Als ze ooit nog eens een camera zou zien, zou ze rennen voor haar leven, nam ze zich voor. Cub was verbijsterd over alle aandacht. De lokale tv-zender had het tot topverhaal gebombardeerd en rapporteerde elke avond de nieuwste ontwikkelingen. De aankondiging ging altijd gepaard met hetzelfde shot van Dellarobia met de vlinders achter haar en als kop: 'Vechten voor vlinders'. Die dagelijkse updates maakten Dellarobia misselijk van de zenuwen. Het wachten of er beelden van haarzelf zouden komen voelde als wachten op een klap. Toch kon ze het niet laten om te kijken. Ze werd zo'n beetje non-stop gefeliciteerd door mensen in de kerk en de winkel, zonder dat die ingingen op wat er was gezegd, puur vanuit het leidende beginsel dat op tv komen het beste was wat een mens kon overkomen. Het leek ondankbaar om tegen hen te zeggen dat het voelde alsof haar huid eraf getrokken werd en dus hield ze haar mond maar en liet ze hen doorverlangen dat zij ook ooit aan de beurt zouden komen.

Dellarobia verwees iedere interviewer door naar Bear en Hester. Cub was bang dat zijn vader in het verhaal meer en meer de rol toebedeeld zou krijgen van de slechterik, de moedwillige uitroeier van vlinders, en ze verdienden de kans om ook een duit in het zakje te doen, maar Bear en Hester kwamen nooit aan het woord. Hoe idioot het ook leek als beslissende factor, toch was Dellarobia bang dat ze niet fotogeniek genoeg waren om op het nieuws te komen. De knappe meneer Cook werd regelmatig aan het woord gelaten, gezeten op zijn bank naast zijn droevige vrouw en hun arme kale zoontje. En dat gold ook voor Bobby Ogle, die volledig op zijn gemak leek voor de camera terwijl hij praatte over de zorg voor

Gods schepping. Er waren zelfs beelden van hem terwijl hij stond te preken in de kerk op een gewone zondag, wat Dellarobia verbijsterde. Wanneer waren de camera's van het nieuws daarbij geweest?

De plaatselijke machthebbers kozen duidelijk voor de vlinders. Een nieuwsploeg uit Cleary had burgemeester Jack Stell en een zwaargebouwde man van de Kamer van Koophandel uitgenodigd aan hun reusachtige ovale tafel om te praten over de mogelijkheden die dit bood voor het toerisme. Mensen van over heel de wereld zouden naar de monarchvlinders willen komen kijken. De zwaargebouwde man gebruikte Disneyland ter vergelijking. Het leek Dellarobia dat ze dan wel eens snel mochten gaan nadenken over andere overnachtingsmogelijkheden voor gezinnen dan het Wayside, als dat hun strategie werd. Ze vond ook dat Ovid Byron daar aan tafel hoorde. Kwam hij nou maar. Niemand stelde de vraag waarom de vlinders hier waren, het grote nieuws was alleen maar dát ze er waren.

Het Gevecht voor de Vlinders werd voorgesteld als een strijd tussen mensen, hoewel de tegenstanders een beetje een bont allegaartje waren, lastig in een hokje te duwen. Een van de meningen was dat alle aandacht voor de vlinders het normale leven van alledag zou kunnen verstoren. Dellarobia had dat idee in de kerk en ook elders wel gehoord, maar voor de televisie bleken alleen rare vogels bereid die mening te ventileren: een mager oud mannetje in zijn onderhemd vertelde vanuit zijn stacaravan dat de misdaad een vlucht zou nemen. Een stel jochies die voor het plaatselijke benzinestation van Feathertown stonden en eruitzagen als tuig meldden dat ze geen behoefte hadden aan mensen van buiten de stad. Dellarobia besefte dat die mensen belachelijk werden gemaakt en herinnerde zich met een bijna elektrische schok de oude man met wie de draak was gestoken in het programma waar ze laatst naar had zitten kijken. Billy Ray Hatch. Had ze maar aan die gênante vertoning gedacht toen Tina Ultner zich hier had gemeld, dan zou ze de deur wel voor haar perfect gepoederde neus hebben dichtgeslagen. Maar dat had ze niet. Het echte leven en alles op tv waren twee verschillende werelden. Mensen die dat nog niet hadden meegemaakt konden zich niet voorstellen dat ze ooit als apen op dat ding te kijk zouden worden gezet.

En toch gebeurde dat. Het was oneindig bizar hoe Cub en zij avond aan avond met opengesperde ogen zaten te kijken en naar adem hapten, telkens wanneer ze mensen of plaatsen die ze kenden zagen langskomen. Het oorspronkelijke interview met Tina was nooit meer herhaald, maar stukjes eruit werden regelmatig op het plaatselijke nieuws vanuit Cleary getoond, vooral als achtergrond, zoals dat shot bij de aankondiging. Voor zover Dellarobia wist, was de zelfmoordinvalshoek nooit meer aan de orde geweest. Eerst had ze nog gedacht dat Dovey het zich had ingebeeld, als gevolg van de schok van het moment, maar dat was toch niet zo. Slimme meid die ze was had ze het voor elkaar gekregen het hele filmpje op haar telefoon te downloaden en twee dagen later kwam ze met het bewijs in haar hand langs. Preston was op school en Cub op zijn werk, zodat ze er met z'n tweeën in de keuken naar konden kijken.

'Mijn leven, denk ik. Ik kon het niet meer aan...' zei de kleine Dellarobia op het beeldschermpje van de telefoon met een blikkerige stem die niet van haar kon zijn. 'En dus kwam ik hier in mijn eentje heen, op het punt om alles overboord te gooien. Dit weerhield me daarvan.' De stem ging door terwijl het beeld uitzoomde naar een panorama van de vlinders in de bomen en de lucht. 'Hier was iets wat zoveel groter was. Ik moest terug om mijn leven anders in te vullen.'

'Dat heb ik echt nooit gezegd.'

'Zo te zien toch wel,' zei Dovey.

'Ja, blijkbaar.' Ze kon zich geen voorstelling maken van het bloedbad dat zou volgen als de familie dit zag. Ook Hester zou dit dus kunnen zien, als het op internet stond. Maar Cub alsjeblieft niet, smeekte ze. Dat wilde ze hem besparen. Dellarobia kon zich het interview nog maar amper herinneren. Ze wist nog dat ze een paar keer opnieuw begonnen was, omdat ze onzin had uitgekraamd, waarvan Tina had beloofd het niet uit te zullen zenden.

'Oké, en moet je dit zien,' zei Dovey en ze klikte behendig op de knopjes van haar ultrahippe telefoon, net zoals Preston met zijn horloge. 'Kijk. Dit dook vandaag opeens op.'

Dellarobia zette grote ogen op toen ze het schermpje zag. Totaal verbijsterd. 'De Vlindervenus' stond er. Het was Dellarobia, maar iemand had met de foto zitten knoeien. Het leek alsof ze op de uitgeslagen vleugels van een gigantische monarchvlinder stond. Overal om haar heen fladderden vlindertjes.

'Wat is dat?' vroeg Dellarobia.

'Jij bent dat beroemde schilderij, die blote meid op die schelp.' Dovey scrolde door naar een ander plaatje dat Dellarobia herkende. De geboorte van Venus. Iemand had de twee plaatjes gecombineerd en op internet gezet. De gelijkenis was bizar. Ze kon het onmogelijk zijn, maar toch was ze het, haar eigen oranjerode haar wapperde los uit het lint op haar rug, haar linkerhand zat in haar zak en haar rechter was over haar borst geslagen, in dezelfde pose als de naakte Venus op de open vleugels van haar schelp. Dellarobia kon zich niet eens meer herinneren of ze echt zo had gestaan, met haar hand voor haar borst. Ze was niet echt naakt op de foto, haar kleding was tot een neutrale tint verzwakt, maar zo voelde het wel. Bang en blootgesteld. Het had iets vaag pornografisch.

'Wie kan dat allemaal zien?' vroeg ze.

'Iedereen,' zei Dovey. Dit plaatje van iets wat niet echt was en nooit echt was gebeurd vloog de wereld rond.

Opeens wist ze het weer. Waarom ze haar hand zo voor haar borst had geslagen. Omdat ze bang was geweest dat haar vestje te ver openhing.

# 9

# Continentaal ecosysteem

'Naam?' vroeg hij, zonder het echt te vragen. Hij gaf zelf het antwoord en spelde wat hij opschreef: D-E-L-L-A... Hij stopte en liet zijn pen boven het klembord zweven dat op zijn knie balanceerde. 'Los of aan elkaar?'

Het sollicitatiegesprek was maar een formaliteit, had dr. Byron gezegd. Voor banen die door de overheid werden gefinancierd moesten nu eenmaal bepaalde formaliteiten in acht worden genomen, zodat kon worden vastgesteld dat iedereen een eerlijke kans had gekregen. Ze had geantwoord dat als hij iemand als zij zou aannemen dat toch voldoende bewijs zou moeten zijn dat hij zelfs mensen uit de onderste lagen een kans gaf. Ze werd een beetje zenuwachtig toen hij daar niet om lachte. Ze had geen flauw idee hoe ze zich als werknemer moest gedragen.

'Aan elkaar,' antwoordde ze. Ze zaten tegenover elkaar op metalen vouwstoeltjes. Ze had zich speciaal voor de gelegenheid netjes gekleed in een beige broek en een zwarte trui. Byron had zoals altijd een spijkerbroek aan en had zijn lange benen gebogen als de poten van een sprinkhaan, met de enkel van zijn ene been op de knie van zijn andere.

'Aha,' zei hij. 'Die Italiaanse beeldhouwer is niet aan elkaar. Ik heb het nagevraagd bij mijn vrouw.'

Ze bloosde toen hij dat zei. Hij had dus een vrouw met wie hij het over haar had gehad. Dellarobia stelde zich voor dat ze samen achter de computer hadden gezeten en haar als de vrijwel naakte Venus op die vlindervleugels hadden bekeken. Van nu af aan zou ze elke dag opstaan met het idee dat de hele wereld haar zo had gezien. De kassier bij de bank, de jongen die haar boodschappen inpakte, de meesters en juffen op Prestons school, nu en in de toekomst. Het voelde alsof ze steeds opnieuw in gloeiend heet water moest stappen. Ze zou constant moeten blozen.

'Welke naam zal ik invullen, Turnbow of je meisjesnaam?'

'Doe maar Turnbow.' Ze lachte schamper. 'Tenzij mijn man me niet meer wil als het doorgaat.'

Hij keek haar over zijn leesbril aan. 'Als wat doorgaat?'

'Deze baan. Maak je geen zorgen, het was maar een grapje.'

'Zou hij het niet prettig vinden als je in het lab ging werken?'

'Nou ja, het is niet persoonlijk bedoeld, hoor. Wat dat betreft is mijn familie gewoon net zoals iedereen hier. Als een vrouw buiten de deur gaat werken, vinden ze dat een afgang voor haar echtgenoot.'

Aan Byrons gezicht was af te lezen dat hij dit helemaal niet zo gewoon vond. Hij had geen idee hoe het er hier aan toeging. Er werd nu zelfs al voor haar familie gebeden vanwege die foto op internet. En Cubs vader had gezegd dat een vrouw alleen maar zulk soort aandacht kreeg als ze er zelf om had gevraagd.

'Vergeet maar wat ik zei. Ik los dat met mijn familie zelf wel op.'

'Gaat het om je veiligheid?' Hij zette zijn bril af en hield hem bij de poot vast. 'Want ik kan je verzekeren dat we ons aan alle veiligheidsvoorschriften houden, precies zoals we dat in een vast lab zouden doen.'

Het ging altijd om veiligheid, kon ze hem wel toeschreeuwen. Alle menselijke inspanning was daar altijd op gericht, een verloren zaak. Als je je hele leven binnenbleef, was dat nog geen enkele garantie.

'Nee, heus, maak je geen zorgen,' herhaalde ze, waarop dr. Byron zonder verder commentaar iets noteerde.

Ergens anders in de kamer stond Pete op een ladder met veel kabaal stukken plastic tegen de muren te nieten. Ze waren een laboratorium aan het inrichten in de schapenschuur. In tegenstelling tot wat ze had verwacht, leek een vlinderlaboratorium erg op een gewone keuken maar dan met allerlei exotische en dure apparaten. Ze had twee dagen geholpen met het uitpakken van de kratten die ze uit New Mexico hadden meegenomen. Ze wist dat het onbeleefd was, maar ze had het toch niet kunnen laten om te vragen hoeveel dat allemaal kostte. Dat wisten ze niet precies. De spullen waren niet allemaal nieuw, de meeste waren schijnbaar zelfs ouder dan Dellarobia. Ze waren 'nog van vóór Reagan', merkten ze somber op, alsof ze het hadden over een of andere historische veldslag waarbij de wetenschap het onderspit had moeten delven. Ze vroeg of ze het dan misschien ongevéér wisten en stond versteld van het antwoord. De Mettlerweegschaal, een soort glazen kistje dat ze als een pasgeboren baby behandelden, was 'misschien een paar duizend dollar' waard. Dat gold ook voor de droogoven, een suf grijs geval dat ongeveer even groot was als een normale oven, en voor de centrifuge, een ronde teil die er antiek uitzag en zo zwaar was dat ze hem pas uit het krat zouden halen als Pete er een stevige tafel voor had getimmerd als een soort troon waar ze hem op konden neerzetten. De houten kratten waarin de spullen waren vervoerd, waren zo groot als lijkkisten en werden gebruikt als onderstel voor de labtafel, die ze 'de bank' noemden.

Toen ze het bubbeltjesplastic van een gevaarlijk ogende kleine blender hadden gehaald, had Ovid opgemerkt: 'Dát is wat je noemt een vernuftig apparaat.' Kostte iets in de orde van grootte van tweeduizend dollar en kwam uit Duitsland, zei hij. Het was een homogenisator, en was speciaal bedoeld om een soort vlindersoep mee te maken; geen soep die je kon eten, want de ingrediënten waren zowel giftig als brandbaar. Ze hadden een afzuigkap besteld, een apparaat waar normaal gesproken etensluchtjes mee uit keukens worden afgezogen. Dellarobia had nog nooit zo'n ding gehad. Ze had door schade en schande geleerd dat ze beter geen vis kon bakken. Maar Byron had een afzuigkap nodig, dus was de keukenafdeling van Sears gebeld met het verzoek er per direct een te komen installeren in de schapenschuur van Turnbow. Ze zouden ook een diepvrieskist komen brengen, weliswaar het goedkoopste model, maar wel een echte. Niet zo'n vriesvakje boven in de koelkast dat gewone moeders volpropten met ijsjes of met coldpacks voor als hun kinderen zich hadden bezeerd. Dellarobia betrapte zich erop dat ze een vriezer begeerde die – totdat hij werd geleverd – technisch gezien nog niet eens van haar naaste was.

Het officiële plan was dat het lab in gebruik zou blijven totdat de vlinders van hun roestgebied zouden wegvliegen, wat, zo werd haar verteld, normaal gesproken in maart gebeurde. Daarna zou Ovid alle apparatuur inpakken en er ook vandoor gaan. Ze vroeg zich af of de diepvries dan misschien voor een zacht prijsje zou worden verkocht of dat hij hem mee zou nemen. En die afzuigkap, die dan nog bijna zo goed als nieuw was? Zou hij eraan denken dat hij dat gat moest laten repareren dat ervoor in het dak was gemaakt? Ze vond het onvoorstelbaar hoeveel geld die onderzoekers uitgaven.

'Straks mag je dit allemaal zelf invullen,' zei Byron nadat hij een paar bladzijden had bekeken. 'Geboortedatum, polisnummer, werkervaring, dat soort dingen. Het gaat nu alleen om het eerste deel, dat schijn ik zelf te moeten doen.'

Ze vroeg zich af of hij wist dat ze inmiddels berucht was, of hij die halfnaakte foto had gezien, had gehoord over dat zelfmoordgedoe. Haar dagen waren een opeenvolging van woede en vernedering, afgewisseld met nachten van permanente onrust in afwachting van het moment waarop Cub erachter zou komen. Ze zag zichzelf continu neerstorten. Byron nam haar natuurlijk alleen aan omdat hij medelijden met haar had. Of zelfs als maatregel om de houtkap te voorkomen. Het contract dat Bear had getekend voor het gebruik van de schapenschuur gaf hem wat financiële armslag, en Dellarobia wist dat hij en Hester opnieuw in onderhandeling waren met Money Tree. Ze zouden het voorschot kunnen terugbetalen en het contract verbreken. Ze hadden tot maart de tijd om daarover te beslissen. Maar zolang Bear de reden voor de aanwezigheid van de onderzoekers in één klap kon wegvagen, had Dellarobia geen rust. Dat zou precies de rotstreek zijn die hij zou kunnen flikken om zich in het stadje weer een hele piet te voelen. En dat zou Hester niet pikken. In haar hele carrière als schoondochter had Dellarobia nog nooit zoveel afstand tussen die twee opgemerkt.

'Heb je een bèta-opleiding gedaan?' vroeg dr. Byron.

'Bèta-opleiding?' Ze dacht na. 'Nee. Nou ja, behalve biologie en zo. Op de middelbare school.'

Hij keek verbaasd. 'Heb je geen vervolgopleiding gedaan?'

'Nee. Sorry.' Ze vroeg zich af of de vernedering ooit uitgewerkt zou raken en ze die als een oude huid zou kunnen afschudden of dat ze de pijn een leven lang zou blijven voelen. Ze keek toe terwijl hij zwijgend nog een paar dingen invulde op zijn formulier. Hij keek haar niet eens aan. Ze probeerde niet te schrikken van de knallen die Pete maakte met het professionele nietpistool, die klonken als geweerschoten. Hij bevestigde grote lappen plastic op de wanden om alles zo schoon mogelijk te houden. Ze zag de huishoudelijke voordelen van zulke lappen plastic wel in, zeker zolang haar kinderen nog klein waren. Pete niette het plastic nu zelfs tegen de ruwhouten balken van het dak.

'Moet het zelfs tegen het plafond?' vroeg ze zacht.

Dr. Byron keek omhoog en weer naar beneden, alsof hij naar een hoog geslagen bal keek. 'Je weet maar nooit wat er allemaal uit dat dak naar beneden valt,' zei hij. 'Stof is onze grootste vijand.'

Ze had al vaker te horen gekregen wie of wat onze grootste vijand was, van Osama bin Laden tot seks voor het huwelijk, maar deze beviel haar het best. Stof was een gevaar dat ze tenminste kon bestrijden. Voordat de mannen hun kratten hadden uitgepakt, was ze de cementvloer van de melkstal flink te lijf gegaan met de professionele mopemmer die de mannen hadden gekocht bij de Walmart in Cleary, waar ze ook de rollen plastic vandaan hadden. En voordat ze er waren, had ze een hele zondagochtend opgedroogde keutels van de vloer lopen bikken met een schroevendraaier en een spade. Dat zag ze zo'n studentje nog niet doen.

Toen dr. Byron het door de telefoon voor het eerst over deze baan had gehad, had ze gedacht dat hij dat als reële mogelijkheid bedoelde. Niet als de kleine kans die het dus duidelijk wel was. Ze voelde zich nu opgelaten, alsof ze betrapt was terwijl ze een grap uithaalde zoals vroeger met Dovey, toen ze deden alsof ze voor Jane Goodall werkten en zo. Ovid was veranderd. Verdwenen was de man die op haar kerstborrel de moonwalk had gedaan, de man met de brede grijns. Hij had plaatsgemaakt voor een verstrooide toekomstige werkgever die zuur keek bij haar matige kwalificaties. Ze vroeg zich af of er in de tussentijd iets was gebeurd waardoor hij zo somber was geworden. Misschien een sterfgeval in de familie, of ruzie met zijn vrouw. In de vakantie ontstond er vaak gedonder, dat was bekend.

Maar wat de reden ook was: hij scheen helemaal niet te merken dat ze zich hier al uit de naad had gewerkt en al dat zware schoonmaakwerk had gedaan om indruk op hem te maken als vrijwilliger voordat ze hem zou vragen of ze kans maakte op een verhoging van haar status. Hij maakte een verslagen indruk, inventariseerde mogelijke problemen. Het weer was in januari omgeslagen, de regen had plaatsgemaakt voor vorst, en zijn instrumenten vertoonden kuren. Hoe moesten ze het lab verwarmen? Hij maakte zich zorgen over de klimaatbeheersing, de vochtigheidsgraad en de temperatuurwisselingen, de explosieve dampen. Hij wist niet of hij zijn chemische reagentia hier wel goed kon bewaren. Hij besloot om iets wat hij de NMR noemde maar helemaal te schrappen en de monsters naar New Mexico te sturen. Er was zo ontzettend veel te doen, zei hij aldoor. Dellarobia miste de man die bij hen was komen eten en haar slimme zoon voor zich had ingenomen. Ze vond het vreselijk, al die nieuwe zorgen van hem en ze vroeg zich af hoe die zich verhielden tot bijvoorbeeld een beslaglegging door de bank, of autopech als je wist dat je geen geld had om de auto te laten repareren. In haar wereld hadden mensen of zorgen, of geld als water. Nooit allebei tegelijk.

'Dus dat ik geen vervolgopleiding heb is een kink in de kabel?' vroeg ze. Hij scheen niet te merken dat ze haar adem inhield, bijna blauw aanliep. Hij ging nog even door met schrijven. Ze snapte niet wat hij daar allemaal opschreef. Hij sloeg een bladzijde om en keek op.

'Nee hoor, geen kink in de kabel. Ik zoek een wat rijpere persoon voor deze functie.'

'Rijper,' herhaalde ze. 'Je bedoelt oud?'

Hij glimlachte bijna. 'Verantwoordelijk, had ik moeten zeggen. Al die vrijwillige studenten, dat wordt soms een beetje te veel van het goede. Soms voel ik me net die oude vrouw die in een schoen woont, uit dat kinderversje.'

'Er was ereis een oude vrouw, die woonde in een schoen, die had zovele kinderen, wist niet wat ze moest doen. Ja, dat ken ik. Waar komen al die studenten eigenlijk precies voor?'

Hij gebaarde naar de lege ruimte. Zijn luchtige stemming van daarnet was alweer verdwenen. 'Van alles, te veel om op te noemen. Misschien cardenolidensporen, maar in elk geval lipide-analyse, daar beginnen we mee. Routinewerk, dat kan ik je wel leren.'

Ze voelde zich hoopvol en verslagen tegelijk. Ik leer je wel gloeilamp kaarsvet regenpijp. Die man sprak in tongen. 'Lipide, is dat geen eten? Een soort vet?'

'Inderdaad, vet. We gaan kijken of de vlinders voor de overwintering vet hebben opgeslagen. Meestal beginnen ze zo licht mogelijk aan de trek en gaan dan opvetten voordat ze in hun roestgebied gaan overwinteren. We willen onderzoeken of ze zich nu als normale migrerende populatie gedragen, ook al is dit niet de plek waar ze normaal gesproken heen gaan. En ik maak me ook zorgen over hun fysiologische reactie op het koude weer. We hebben de habitat nog steeds niet helemaal in kaart gebracht. Het terrein bestuderen, alle gegevens van de iButtons in kaart brengen. Dat is allemaal erg veel werk.'

Was ze nu aangenomen? En dacht hij echt dat ze ook maar het flauwste benul had wat hij allemaal zei? De paniek was kennelijk van haar gezicht af te lezen. 'Maak je geen zorgen,' zei hij, 'ik ga je heus niet voor de leeuwen gooien.'

'Oké,' zei ze langzaam, waarbij ze bedacht dat hij dus in elk geval iets voor haar in gedachten had.

'Ik denk dat we vrij snel hulp krijgen. We krijgen waarschijnlijk een groepje biologiestudenten uit Cleary die hier hun stage komen doen en we zijn ook nog andere mogelijkheden aan het onderzoeken.' Hij zette het klembord op zijn knie, verstrengelde zijn vingers achter zijn hoofd, leunde achterover en ontspande zich een beetje. Zijn handen met die ultradunne vingers en bleke handpalmen waren haar bij hun eerste ontmoeting ook al opgevallen. 'We gaan die studenten opleiden en geven ze wat simpele klusjes te doen. Gegevens invoeren, tellingen, parasieten tellen onder de microscoop. Maar om ze al die dingen van het begin af aan te leren kost een hoop tijd. En die tijd hebben we niet.'

'Dus voor deze functie moet ik ook die studenten begeleiden?'

'Nee, Pete en ik begeleiden de stagiaires. O ja, voor ik het vergeet: er komen nog meer onderzoekers, van Cornell, uit Florida, en misschien zelfs uit Australië.' Ze vroeg zich af of hij nu een grapje maakte: hoeveel beroemde wetenschappers gingen er in een melkstal?

'Maar ik heb het nu over de dagelijkse gang van zaken, snap je?' ging dr. Byron verder. 'De eenvoudige routineklussen. Dat houdt in dat we veel uren moeten maken. En daarvoor zoeken we vrijwilligers die na schooltijd hier kunnen komen helpen. Leerlingen van de middelbare school.'

Nu moest ze lachen. 'Bedoel je dat die vrijwillig, in hun vrije tijd, opdrachten moeten gaan maken? Nou, veel succes ermee. Misschien als je er een computergame van maakt.'

Hij klakte afkeurend met zijn tong. 'Vrijwilligerswerk is een groot onderdeel van ons werk. Monarch Watch, Journey North, dat zijn netwerken die vooral uit kinderen bestaan die samen met hun leraren allerlei projecten doen. Vlinders opkweken en labelen, volgsystemen bijhouden, enzovoort. Ze helpen ons met het invoeren van aankomst- en vertrekgegevens, op internet.' Hij knikte in de richting van Pete. 'Ik denk dat zo'n beetje de helft van mijn studenten als kind aan een monarchproject heeft meegewerkt.'

'Sorry hoor,' zei ze, 'maar is dat écht waar? Gaan die leerlingen en leraren er echt op uit om de natuur te bestuderen?'

'Wat deden jullie dan bij biologie, Dellarobia?'

'Op de middelbare school? Onze biologieleraar was ook de basketbalcoach. Meneer Bishop. Hij had misschien nog wel een grotere hekel aan biologie dan de meeste leerlingen. Hij liet de meisjes altijd stencils leren en dan ging hij met de jongens naar de gymzaal om te trainen.'

'Hoe kan dat nou?'

'Hoe dat kon? Meestal liet hij ons stemmen. "Wie wil er vandaag basketballen?" Dan stemde niet één meisje tegen. Anders kreeg je de rest van je leven geen date meer.'

Hij scheen haar verhaal niet te geloven. Maar het was waar, en Dellarobia vond het niet verder gezocht dan wat hij haar allemaal had verteld. Over die pasgeboren vlinders die duizenden kilometers naar een plek vlogen waar ze nog nooit waren geweest, het land waar hun voorouders waren gestorven. Het leven was een grote dikke zwerm kinderen die het zelf allemaal maar moesten uitzoeken.

Dr. Byron haalde zijn ene been van het andere, leunde naar voren, drukte zijn handen tussen zijn knieën tegen elkaar en keek haar aan. Voor het eerst tijdens het sollicitatiegesprek leek hij er helemaal bij te zijn. 'Is dat de normale gang van zaken op middelbare scholen in deze buurt?'

'Nou, ik heb natuurlijk maar op één school gezeten.' Ze aarzelde, vroeg zich af wat ze wel en beter niet kon prijsgeven. Ze dacht aan Dovey, die iets spottends over haar afgedragen oude T-shirt had gezegd. 'Zorg wel dat je dat aantrekt als je op sollicitatiegesprek gaat.'

'Er waren ook wel goede leraren, hoor,' begon ze niet erg overtuigend. 'Nou ja, eentje dan, mevrouw Lake voor Engels. Die was minstens honderd. Het leek alsof ze uit een ander tijdperk kwam, toen mensen nog echt hun best deden. Maar ik heb gehoord dat ze een beroerte heeft gehad. Arm mens. Ze is zich waarschijnlijk doodgeschrokken van de zoveelste koei van een grammaticafout.'

Ovid vond het niet grappig. 'En wiskunde?'

'We hadden bij ons op school twee niveaus, wiskunde Een en wiskunde Twee. Dat kregen we van de honkbalcoach, meneer Otis. Wiskunde Twee was voor de leerlingen die al goed konden vermenigvuldigen.'

Er verscheen een ongelofelijk diepe frons op zijn voorhoofd. 'Meen je dat nou?'

'Is dat dan echt zo erg?'

'Twee jaar algebra, meetkunde, trigonometrie, functieberekening, statistiek.' Hij lepelde dit op alsof het een gebed in een vreemde religie was. 'Komt je allemaal niet bekend voor?'

'Dat zou je eens tegen coach Otis moeten zeggen. Als je een grote kerel wilt zien huilen.'

Nu begon Byron zich echt op te winden. 'Wat denkt zo'n schoolbestuur wel?' Alsof hij er belang bij had, dacht Dellarobia. Zijn kinderen, als hij die tenminste heeft, krijgen waarschijnlijk al wiskunde op hun chique kleuterschool.

'Dat bestuur denkt helemaal niks,' zei ze tegen hem. 'Ze interesseren zich alleen voor sport. Sport vinden ze wél heel belangrijk. Als je goed bent in football of basketbal kun je echt uitblinken. Dan krijg je later waarschijnlijk een hoge baan bij een bank of zo.'

'Het is gewoon misdadig, je reinste nalatigheid. Die leerlingen moeten later toch van alles kunnen? Niet alleen op het sportveld, bedoel ik. Wat voor bijdrage kunnen zij op die manier later aan de wereld leveren?'

'Kijk maar om je heen.' Ze deed haar armen over elkaar en wachtte zijn oordeel af. De voormalige sporters van Feathertown zwaaiden in deze stad de scepter: burgemeester Jack Stell, Bobby Ogle, Ed Cameron van de bank, die haar uitstel had gegeven voor de hypotheekaflossing. Ze hadden toen nog grapjes gemaakt over het jaar dat ze samen bij mevrouw Lake in de klas hadden gezeten bij Engels, waar Ed nauwelijks een voldoende voor had gekregen. Maar hij was met het footballteam wel tweede van Tennessee geworden. Zulke mannen werden bewonderd en vertrouwd.

'Je moet dit niet persoonlijk opvatten, Dellarobia, maar ik vroeg me inderdaad al af hoe dat hier nu precies zit. Ik ben naar die school geweest en dat verliep heel anders dan ik had verwacht.'

'Feathertown High?' Ze schrok. Ze vond het onvoorstelbaar dat Ovid Byron in contact was gekomen met de plaatselijke cultuur. 'Wanneer dan?'

'In december. Ik wilde de directie vragen of ze in het komende semester vrijwilligers voor ons hadden. Dat zou een prachtige kans voor die leerlingen zijn. Ervaring met veldonderzoek, data-analyse, wetenschappelijke onderzoeksmethodes. Al deden ze het maar voor hun cv. Maar ik kreeg nul op het rekest. Die decaan vroeg of wij het minimumloon betaalden.'

'De leerlingen hier piekeren er niet eens over om door te leren. Dat is in Feathertown totaal niet aan de orde.'

Hij zette grote ogen op, alsof ze had gezegd dat ze kinderen hier levend vilden. Door zijn ontzetting voelde ze een vreemd soort bevrediging die ze niet kon verklaren. Misschien omdat ze hierdoor de status van insider kreeg. Ze dacht aan Billy Ray Hatch, die op televisie als excentriekeling voor schut werd gezet. Volgens Dovey was hij ook al een hit op internet en lachte iedereen zich suf om zijn uitspraken over het weer en zijn jachthonden met dat knauwende hillbilly-accent van hem. Ze zou die oude man het liefst om de hals vliegen en die persmuskieten een klap op hun bek geven.

'Een docent die sporttraining geeft in plaats van biologie, het bestaat gewoon niet dat zoiets is toegestaan,' oordeelde dr. Byron. 'Hebben ze geen gestandaardiseerde examens?'

'Ja hoor, en daar zakt iedereen voor. Wat dat betreft zijn we wel afhankelijk.'

'Maar dat is toch niet vol te houden?' Hij bekeek haar aandachtig, naar ze veronderstelde om te zien of hij een spoor van ironie kon ontdekken en het misschien een indianenverhaal was. Ze ging er inmiddels al van uit dat ze de baan niet zou krijgen, maar nu wilde ze het niet opgeven. Ze wilde niet worden afgewezen op zijn voorwaarden.

'Laat ik je dan uitleggen hoe dat zit. In deze staat liggen de steden aan de ene kant en wonen de boeren aan de andere kant. Als die lui die over het geld gaan op het idee mochten komen om iemand hierheen te sturen om te controleren hoe het er hier aan toegaat, dan zouden ze ons een vette boete kunnen geven.'

'En waarom doen ze dat dan niet, denk je?'

Ze lachte. 'Ze zijn zeker bang dat ze gekidnapt worden door een stelletje boerenpummels, net als in die film, *Deliverance*.'

'Die heb ik niet gezien.'

Ze boog zich naar voren. 'Mag ik je iets persoonlijks vragen? In welk land ben je opgegroeid?'

Hij nam dezelfde houding aan als zij, met zijn handen op zijn knieën. 'De Verenigde Staten van Amerika. St. Thomas, een van de Maagdeneilanden.'

'Wow. Hebben wij dan eilanden? Behalve Hawaï bedoel ik.'

'Ja, behoorlijk wat zelfs, in meerdere oceanen. St. Thomas is een protectoraat, dat is een soort veredelde kolonie. We betalen wel belasting, maar we krijgen nooit bezoek van die lui die over het geld gaan, zoals je ze noemt, om onze scholen te moderniseren.'

Ze knikte, en keek of hij het, zoals ze veronderstelde, misschien ironisch of niet serieus bedoelde. Ze zag wel voor zich dat deze man vroeger vlinders achterna had gezeten op een goudgeel strand en indruk had gemaakt op zijn meester of juf in een of ander schooltje met maar één klaslokaal. 'En kijk wat er van je geworden is: doctor in de wetenschappen, Harvard, enzovoort. Maar aan de top is nu eenmaal geen plek voor iedereen. De meeste mensen slaapwandelen maar wat en leggen zich erbij neer dat ze nu eenmaal kansarm zijn.'

'Ik denk dat je een beetje overdrijft,' zei hij, en daar liet hij het bij. Alsof ze een klein kind was. Ze overdreef natuurlijk ook wel een beetje. Maar ze begon kwaad te worden, en ze had haar hart nog lang niet gelucht. Dr. Byron bladerde zo te zien door een groot aantal papieren op zijn klembord. Hij had gevraagd of hij een klok kon lenen voor in het lab en ze had de enige gebracht die ze hadden, een grote opwindbare wekker in de vorm van een kip waarop Preston had leren klokkijken. Het rare geval stond nu op een tafel verderop de laatste seconden weg te tikken van haar verblijf onder de hoogopgeleiden. Naast de klok stond een weegschaal waar 'Sartorius' op stond. Door die naam moest ze denken aan 'sater', een woord dat ze lang geleden op school had geleerd. *Halfgod uit de Griekse mythologie met hoorns en bokkenpoten.* Een sater die haar sart, die haar misschien te licht zou bevinden.

'Volgens mij kun je de rest zelf wel invullen,' zei hij ten slotte. 'En ik denk dat je het uitstekend zult doen. Het gaat er voor ons op dit moment vooral om dat alles snel van de grond komt, want we hebben heel weinig tijd. Het is nog maar een kwestie van weken. Misschien dat zelfs niet eens.'

'Goh, bedankt! Echt enorm bedankt.' Met andere woorden: hij zat omhoog en moest zich maar met haar tevredenstellen. Hij stond op en gaf haar een hand, maar keek helemaal niet enthousiast. Hij gaf haar het klembord en zei dat ze de formulieren meteen moest invullen. Ze begreep zijn ongeduld niet. Hij deed alsof hij nog maar een paar weken te leven had. Ze vroeg zich af of hij Bear had gesproken over de houtkap.

'Mag ik iets vragen?' begon ze voorzichtig. 'Waar maak je je nu het meest zorgen over, qua tijd?'

Hij knipte met zijn pen, keek ernaar, stopte hem in zijn zak, ging weer zitten en keek haar aan. 'Mijn grootste zorg, qua tijd, is dat er morgen een winterse bui kan komen en alle vlinders op die berg zullen doodgaan.'

Ze schrok hier zo van dat elk mogelijk antwoord haar ontschoot. Zelfs het geweersalvo van Petes nietpistool leek even te haperen. Dat ze al die moeite deden voor iets met zo'n onzekere afloop. Ze vond het onvoorstelbaar dat die vlinders ook nog door iets anders konden worden weggevaagd dan door de houtkap die zij probeerde te voorkomen.

'De temperatuur waarbij een natte monarchvlinder doodvriest,' zei hij heel langzaam, op de toon van: ik zeg dit maar één keer, 'is min vier graden Celcius.'

'Oké,' zei ze, op een toon van: ik luister.

'En dat is op deze hoogte onvermijdelijk. Het bos beschermt ze wel, vooral op plekken met een gesloten bladerdak. En de grote bomen beschermen hen ook, de stammen werken een beetje als een grote kruik. Daarom zitten ze ook tegen die stammen aan. Misschien dat ze daarom wel in dat sparrenbos zijn neergestreken toen ze uit koers waren geraakt. De bomen lijken wat betreft die werking een beetje op de Mexicaanse oyamelbomen. We hebben geen idee welke triggers daarbij een rol spelen. Maar als bescherming tegen de winter die hun hier te wachten staat, is dat bos volkomen ontoereikend.'

'Wat gebeurt er normaal gesproken dan met ze als het gaat vriezen?' vroeg ze.

'Normaal gesproken zitten ze in het neovulkanisch berggebied in Mexico, op negentien graden noorderbreedte. Waar het, zoals je weet, nauwelijks winter wordt.'

'Dus als het slecht weer wordt, gaan die vlinders allemaal dood, en dan? Komen hun eitjes dan in het voorjaar wel uit?'

'Monarchvlinders leggen in de winter geen eitjes. Volgens mij wist je dat al.'

'O ja, sorry, dat is ook zo. Dat wist ik inderdaad. Technisch gezien is het een gast uit de tropen die hier alleen maar op bezoek komt.'

'Ze moeten de winter als volwassen dier doormaken. Zelfs voor de individuen die een afwijkend vlieggedrag vertonen, ligt de voortplanting vast. Net als bij ons. Stel dat wij door een soort vergissing of truc opeens tussen de koeien gaan leven, dan zouden we nog geen kalfjes baren, of gras eten.'

'Ik snap het.'

'Die insecten zijn in de war gebracht, om wat voor reden dan ook. Maar paren en eitjes leggen kunnen ze pas in het voorjaar, als er weer zijdeplanten zijn.'

'Dus als ze hier sterven, is het afgelopen.'

Ze verfoeide deze verklaring waarbij de vlinders in de war gebracht zouden zijn. Ze gaf de voorkeur aan haar versie van het verhaal, waarin de berg de vlinders gastvrij had ontvangen, niet een of andere truc met ze had uitgehaald. 'En met die andere monarchen,' begon ze. 'Die in Mexico, daar gaat het wel goed mee?'

'Dit jaar is de populatie in het gebergte in Mexico dramatisch afgenomen. Ze hebben in het voorjaar krankzinnig veel regen en overstromingen gehad, we weten niet of dat ermee te maken heeft. We wachten al de hele winter op betere berichten. Er zijn op het moment enorm veel mensen in de bergen op zoek naar nieuwe roestgebieden. We dachten dat ze misschien hoger in de bergen zouden zitten. Maar we hebben nog geen bericht gehad.'

Ze probeerde dit nieuws te verwerken, terwijl de beelden van de Mexicaanse modderstroom, de meegevoerde en kapotgeslagen auto's en de huizen die waren weggeslagen en op de stroom meedreven door haar hoofd spookten. Een geheim dat ze voor hem verborgen had denken te kunnen houden.

'Geen bericht,' herhaalde ze. 'Je bedoelt dat de vlinders er niet zijn.'

'Niet in de gebruikelijke aantallen. Dit is nog niet bekendgemaakt, dus je mag er nog niet over praten. Al zal het de mensen hier in de buurt waarschijnlijk toch niet interesseren.'

Die opmerking was beledigend en onnodig. Ze voelde zich erdoor aangesproken. 'Wat bedoel je? Dat de vlinders die hier zitten...'

'Dat deze overwinterende populatie een aanzienlijk deel is van de gehele populatie monarchvlinders in Noord-Amerika.'

'Die er bestáát?'

'Het grootste deel van de migrerende vlinders, ja,' zei hij. 'Als je uitgaat van de genetische levensvatbaarheid en de voortplantingsmogelijkheden, dan is dit zo ongeveer alles.'

Net als Job in de Bijbel, dacht ze. Al zijn kinderen verzamelen zich op één plek voor een bruiloft en dan steekt een hevige wind op en stort het dak in. Zijn hoop en zijn toekomst worden in één dag weggevaagd. Van alle verdrietige verhalen was die parabel de verdrietigste: een verlies waardoor een man op de ashoop terechtkomt en blijft geloven in zijn Schepper of zich in de armen van het duister stort. Ze vroeg zich af of Ovid Byron het verhaal van Job kende.

'Wat maakt het dan nog uit wat jullie hier doen?' Ze zag het laboratorium hierdoor opeens met heel andere ogen. Het hoofdkwartier van een hartverscheurend verdriet. 'Sorry dat ik dat vraag. Maar... snap je wat ik bedoel?'

Hij ontweek haar blik. 'We zouden artsen moeten zijn, of superhelden die de patiënt met speciale gaven redden. Dat is wat de mensen willen.'

Ze gaf geen antwoord en vroeg zich af of hij daar gelijk in had. Waarschijnlijk wel. De mensen hielden er niet van om allerlei details van een probleem te horen, zelfs niet als het iets persoonlijks was, bijvoorbeeld als ze kanker hadden. Ze wilden alleen de oplossing.

'We zijn maar wetenschappers,' zei hij. 'Misschien domme. Normaal gesproken zouden we jaren nodig hebben voor wat we hier in een paar weken proberen te bereiken. We zien...' Hij zweeg. Ze volgde zijn blik naar het met plastic bedekte raam. Een dunne rechthoek licht, meer niet. Wat hij daar ook zag, zij zag het niet.

'We zien een bizarre verandering in een systeem dat tot nu toe heel stabiel was,' zei hij ten slotte. 'De teloorgang van een continentaal ecosysteem. Dat is hoogstwaarschijnlijk het gevolg van de klimaatverandering. Of eigenlijk weet ik dat wel zeker. De klimaatverandering heeft dit systeem verstoord. We willen dit tot op de bodem uitzoeken in het belang van de wetenschap, voordat door de gebeurtenissen van deze winter een prachtige diersoort ten onder gaat, samen met de reeks bewijzen die we kunnen gebruiken om die ondergang in kaart te brengen. Het is een akelig scenario.'

Ze dacht aan een van de televisieprogramma's waar Cub naar keek op Spike TV: *1000 Ways to Die*. De mensen waren gek op akelige scenario's. In dit geval ging het maar op één manier: doodvriezen, met miljoenen tegelijk. Ze probeerde rustig te worden in haar hoofd en het verdriet te begrijpen dat dr. Byron haar probeerde duidelijk te maken.

'Een van de schepselen Gods bereikt het einde van zijn dagen,' zei ze na een moment van stilte. Geen wetenschappelijke termen, dat wist ze wel, maar het was een waarheid die ze kon voelen. Het brandende bos dat haar wanhoop had doen verdwijnen, het ritme van de migratie die altijd in de armen van het continent had gewiegd: het lag als een steen op haar maag. Dat was dus het slechte nieuws dat hij met kerst te horen had gekregen. De soort waar hij zoveel van hield, was stervende. Geen sterfgeval in de familie dus, maar misschien wel net zo ernstig. Deze soort volgde hij al zijn hele leven, deze vlinders met hun gecompliceerde systeem hadden hem helemaal hier gebracht. Zij leerde ze nog maar net kennen. Nu begon het rouwproces. De vlinders zouden de wereld verlaten zoals die baby met zijn rode vachtje, onopgemerkt door vrijwel iedereen.

'Wat erg,' zei ze.

Hij keek abrupt weg toen ze dat zei, en daardoor wist ze dat ze hier misschien nodig was. Hij schoot vol. Om de aandacht daarvan af te leiden, praatte ze snel door. 'Ik wist niet dat het zo erg was. Ik wil je hier komen helpen, graag zelfs.'

'Niemand weet dat het zo erg is.' Hij hernam zichzelf vrijwel meteen. Wreef over zijn kin. Mannenverdriet.

'Maar die lui van de pers zitten erbovenop,' zei ze. 'Waarom wil je ze dan niet vertellen wat er precies aan de hand is?'

Hij keek haar vreemd aan, onderzoekend, zonder iets te zeggen. Ze bloosde hevig, alsof hij haar naakt zag. De Vlindervenus, dat was overduidelijk. 'Ik weet niet wat je gezien hebt,' zei ze, 'maar het loopt helemaal uit de hand. Ik zeg steeds tegen ze dat ze met jou moeten gaan praten. Ik zweer het. Ga naar dr. Byron, ik ben geen expert.'

Ze schrok toen Pete opeens iets zei. 'Daarom komen ze juist bij jou. Omdat jij er niet echt veel van weet.' Hij was opgehouden met nieten en had geluisterd naar wat zij als een gesprek onder vier ogen beschouwde. Ze voelde zich betrapt.

Ze draaide zich om in haar stoel en keek Pete fronsend aan. 'Wat bedoel je?'

Pete haalde zijn schouders op. 'Daar kun jij niks aan doen. Ze willen gewoon niet met een wetenschapper praten. Dat zou hun verhaal verpesten.'

Dellarobia keek van Pete naar Ovid Byron.

'Het is de taak van een journalist om informatie te verzamelen,' zei Ovid tegen Pete.

'Nee hoor,' zei Pete. 'Dat doen wij. Zij niet.'

Dellarobia liet zich niet zomaar buitenspel zetten. 'Maar waarom komen die journalisten dan helemaal met hun jeeps hierheen?'

'Om het algemene idee dat hun kijkers en geldschieters hier al over hebben te voorzien van beeld en geluid.'

'Pete heeft nogal een sombere kijk op de medemens,' zei Ovid. 'Hij geeft de voorkeur aan insecten.'

Dellarobia draaide haar stoel met een schrapend geluid op de betonvloer half om en keek naar Pete. 'Bedoel je dat mensen alleen nieuws willen horen dat in hun straatje past?'

'Bingo,' zei Pete.

'Nou, daar ben ik het eigenlijk wel mee eens,' zei ze. 'Dat heb ik ook wel eens gedacht. Hoe vaak luister jij bijvoorbeeld naar Johnny Midgeon?'

'Je hebt gelijk,' zei Pete. 'Zulke lui hoef ik niet te horen.'

'Dan ben jij dus net als iedereen,' zei ze.

'Ja, maar dat komt omdat ik toch al weet wat ze gaan zeggen.'

'Dat is wat iedereen denkt. Misschien klopt het, maar misschien ook niet.'

'Het officiële standpunt van het grootste deel van de bevolking,' zei Pete op een vermoeide toon die haar gek genoeg aan Crystal deed denken, 'is dat het nog helemaal niet bewezen is, van die klimaatverandering. Dat het te verwarrend is. Dus elk verhaal over het milieu moet een beetje worden opgeleukt. Dáárom zijn die journalisten hier. Want het milieu verkoopt pas als het sexy is.'

'Godallemachtig, man!' riep Ovid uit. 'De aarde staat zowat in de fik en de eilanden verzuipen. De bewijzen liggen voor het oprapen.'

Dellarobia gloeide van woede en verbijstering. Als ze zich niet vergiste, beschuldigde Pete haar van een soort hoerig gedrag, wat Ovid niet had gemerkt omdat hij zelf zo fel van leer trok met dat accent uit zijn jeugd. De eilanden verdrinken. Was dat echt waar?

Pete pakte zijn trap, sjouwde hem naar de andere kant van de ruimte en zette hem met een klap neer. Einde discussie. Hij haalde een stuk doorzichtig plastic van de rol, liep ermee de trap op en begon weer te nieten. Beng, beng.

'Volgens mij zijn mensen bang voor een slechte uitkomst,' zei ze bedachtzaam. 'Dat is alleen maar menselijk. Net zoals je niet naar de dokter gaat als je een knobbel voelt. Als je de keus hebt tussen vechten of vluchten, is vluchten het gemakkelijkst.'

'Of slaapwandelen,' zei Ovid. 'Zoals jij het noemde.'

'Daarmee deed ik de mensen hier waarschijnlijk tekort.' Ze schoot meteen weer in de verdediging. 'Kan ik nog iets over mezelf kwijt, wat betreft die sollicitatie? Ik zou namelijk eerst wél gaan doorleren. Het is niet zo dat dat hier totaal onmogelijk is. De leraren zeiden dat ik dat moest doen. En ik wilde het zo graag dat ik er kiespijn van kreeg. Ik weet wel dat je niet "had ik graag gewild" kunt invullen op een sollicitatieformulier, anders zouden we allemaal wel directeur van de Walmart of zoiets kunnen worden.' Ze wachtte op een reactie van Ovid en Pete, tot ze zouden zeggen dat ze het geloofden of niet, maar die kwam niet.

'Ik kan het trouwens bewijzen,' voegde ze eraan toe. 'Ik ben naar Knoxville gereden om toelatingsexamen te doen.'

Beide mannen keken haar aan. Waar ze precies benieuwd naar waren, wist ze niet.

'In m'n eentje,' zei ze. 'Ik was de enige van mijn klas die wilde doorleren en mevrouw Lake zei dat ik dan die test moest doen. Ik moest al om vier uur 's ochtends weg en in die grote stad op zoek naar het adres waar ik moest zijn. Alle andere leerlingen zagen er heel uitgeslapen uit en volgens mij waren ze allemaal door hun moeder gebracht.'

'Zo.' Ovid leek onder de indruk van de hele onderneming.

'Ja, nou. Een hele tank benzine verspild, dus. Engels ging wel goed, maar wiskunde en natuur- en scheikunde, sodeju. En ik was ook nog in verwachting. Dat was ook niet echt fijn.'

'Tja,' zei hij. 'Maar nu heb je kinderen, dat is wel weer echt fijn. En het lijkt me toch een soort compensatie.'

'Heb jij kinderen?' vroeg ze.

'Nee. Mijn vrouw en ik kijken daarnaar uit.'

Ze besloot om hem niet te vertellen dat hun eerste kind net lang genoeg was gebleven om haar studieplannen in de war te schoppen en daarna was vertrokken. Dan zou hij vragen waarom ze dan niet daarna alsnog was gaan studeren. Mensen die zoiets zelf niet hadden meegemaakt, denken dat het zo simpel is: je neemt gewoon de volgende bus. Hij zou geen flauw benul hebben van de uitputtingsslag die het dagelijkse leven voor mensen zoals zij was. Of van de angstige onzekerheid die na zo'n verlies elke stap voorwaarts bederft. Zelfs nu nog raakte ze soms verlamd van angst als ze merkte dat ze erop rekende dat alles wel goed zou gaan. Dat het goed zou gaan met haar nog levende kinderen en hun toekomst, dat soort dingen. Ze had nu veel meer te verliezen dan alleen zichzelf en haar eigen plannen. Als Ovid Byron al zo kapot was van het lot van die vlinders, dan zou hij eens moeten weten hoe het is om je voor te stellen dat je kinderen groot worden in die toekomstige wereld die volgens hem op instorten staat. Dat voelt als de arme Job die jammerend op de ashoop ligt en zich krabt met een potscherf. Dat is wat liefde met je kan doen.

'Wat krijgen we nou?' riep Dellarobia boven het kabaal uit van de kinderen op de achterbank. Lupe, die naast haar zat, schrok toen ze de menigte zag en greep Dellarobia's arm vast.

'Oké, maak je geen zorgen, ik zet de auto hier wel neer.' Dellarobia vertrouwde op Lupes reactie, zonder dat ze de precieze reden voor haar angst kende. Ze wachtte tot ze haar arm losliet en stuurde voorzichtig naar de berm. Hoog, dor gras schuurde langs de onderkant van de auto. Ze had er geen rekening mee gehouden dat haar nieuwe oppas misschien problemen met de immigratiedienst had. Lupe paste voor vijf dollar per uur op de kinderen en Dellarobia verdiende dertien dollar per uur, dus zelfs nadat de belasting eraf was, hield ze er geld aan over. Toen ze haar vanochtend was gaan ophalen, had er niemand op het erf gestaan. Nu leek het wel een kermisterrein.

Lupe draaide zich om en wist de kinderen stil te krijgen. Haar twee zoons, die opeengeperst naast Cordies autostoeltje op de achterbank zaten, schenen een uitknop te hebben. Cordie jengelde nog een paar seconden door, maar kreeg toen ook in de gaten dat ze beter stil kon zijn. Dellarobia viste haar bril uit haar tas, zette hem op en tuurde door de voorruit. Ze waren net de bocht om gekomen en zagen het huis zo'n honderd meter verderop liggen. Er stonden meer dan tien auto's slordig aan beide kanten van de weg voor hun huis geparkeerd. Ze zag geen politiewagens, geen auto's van de pers, maar toch leek het haar beter om Lupe nu niet mee naar huis te nemen. Ze beet op haar onderlip en probeerde een plan te bedenken.

'Oké, we doen het zo,' zei ze langzaam, en keek of Lupe haar kon volgen. Hun efficiënte tolk, Josefina, was met Preston op school, maar de afgelopen week hadden ze zich zonder veel problemen met de grote lijnen kunnen redden totdat de kleuters uit school kwamen en met de details konden helpen. 'Zie je dat oude huis achter ons?' Ze wees naar achteren. 'Leeg. Niemand thuis. Daar gaan we heen.'

Ze reed langzaam over de vluchtstrook achteruit en stak toen de oprit van het huis van Craycroft in, dat al zo lang te koop stond dat het als een verloren zaak werd beschouwd. De zoon van meneer en mevrouw Craycroft had zijn ouders naar een verzorgingshuis gedaan en het huis voor een belachelijk hoge prijs te koop gezet. Of misschien was dat een normale prijs in Nashville, waar hij woonde. Dellarobia hoopte alleen maar dat er intussen geen drugslab was opgezet. Het huis zag er nogal griezelig uit. Er waren een paar ruiten kapot, er hingen geen gordijnen, en het onkruid was hoog opgeschoten en bruin door de winterse kou. Die zoon moest eens met zijn luie kont uit de stad hierheen komen om wat onderhoud te verrichten. Ze zette de auto achter het huis, waar hij vanaf de weg niet gezien kon worden, en deed de motor uit.

'Oké,' zei ze tegen Lupe. 'Jij blijft met de kinderen hier. Als ze willen spelen, mogen jullie best uit de auto. Niemand kan jullie hier zien. Ik loop naar mijn huis om te kijken wat daar aan de hand is.'

Lupe knikte plechtig. 'Oké,' zei ze, 'zij spelen.' Daarna zei ze iets tegen de kinderen dat meer klonk als: 'Verroer je niet, anders zwaait er wat.' Dellarobia voelde zich belachelijk; ze verstopte haar kind en haar oppas met haar kinderen in de bosjes om stiekem naar haar eigen huis te sluipen, maar toch deed ze het.

Het begon opnieuw ijskoud te motregenen toen ze langs de modderige berm vol onkruid in de richting van haar huis liep. Ze deed haar capuchon op om te voorkomen dat haar bril natregende, zodat ze beter kon kijken naar de auto's die zo nu en dan langskwamen, vaart minderden en met een slakkengangetje langs hun huis tuften. De bestuurders vergaapten zich en vroegen zich ongetwijfeld af wat er aan de hand was. Daarin waren ze niet de enigen. Ze liep langs het huis van de familie Cook, hun buren, maar zag daar niets bijzonders. Bij hun eigen huis zag ze geen ambulances of politiewagens, wat haar een beetje geruststelde, maar tot haar ontzetting stond het grasveld vol met mensen die allemaal naar hun huis stonden te kijken alsof ze dachten dat het een voorstelling zou gaan geven. Ze zagen er met hun laarzen, dikke donzen winterjacks en rugzakken uit alsof ze een trektocht gingen houden. Toen ze dichterbij kwam, zag ze een paar witte kartonnen demonstratieborden. En ze hoorde dat er leuzen werden geroepen. Wat een moeite terwijl er niemand thuis was. Pas schieten als je hun oogwit ziet, dacht ze; een regel die niet gold voor bijziende mensen. Toen ze hun erf op liep, zag ze dat het allemaal jongeren waren die daar in de regen stonden. Ze zagen er tenger en fijngebouwd uit.

'De wereld is van onze kinderen!' riepen ze steeds opnieuw, waardoor Dellarobia zeker wist dat ze gek geworden was. Ze bereikte de rand van het strijdtoneel, vlak bij de weg. Daar was net een gedeukte zilverkleurige Honda gestopt waar een jong stel uit stapte. Ze hadden felgekleurde gebreide mutsen met oorflappen op, van die mutsen voor kleine kinderen. De leus stierf weg en ze begonnen met een nieuwe. Op haar veranda stond een jongen die met zijn armen zwaaide zoals Nate Weaver altijd deed in de kerk; hij sloeg de maat van de leuzen die de jongeren overdreven ritmisch stonden te brullen.

'Stop de houtkap, stop met liegen, laat de monarchvlinder vliegen!'

'O, shit,' zei Dellarobia, zo hard dat de gebreide mutsen haar een blik toewierpen. Ze baande zich een weg tussen de jongeren door naar haar veranda, waarbij ze elk moment verwachtte te zullen worden herkend als de beroemde vlindervrouw, maar dat gebeurde niet. In elk geval niet in deze vermomming met een regenjas en capuchon die alles behalve haar met regendruppels bedekte bril bedekte. En dat was dan ook nog een regenjas die ze op de jongensafdeling had gekocht. De jongen op de veranda hield op met dirigeren en keek verbaasd naar haar. Het geschreeuw hield plotseling op.

'Zou je me misschien kunnen vertellen wie jij bent?' vroeg ze aan hem.

De jongen had lange zwarte bakkebaarden, die Dellarobia deden denken aan afschuwelijk geklede mensen in films uit de jaren zeventig, hoewel hij er verder best leuk uitzag. Een strakke spijkerbroek, een parka, en een bril met een hoornen montuur. Hij had een map onder zijn ene arm en was een beetje buiten adem, alsof hij had hardgelopen. 'Waarom vertel je niet eerst wie je zelf bent?' antwoordde hij.

'Oké. Je staat op mijn veranda. Ik ben degene die hier met haar man en kinderen woont. Nou jij.'

Hij deed een stap naar achteren en viel bijna van de smalle treetjes. Hij had haar blijkbaar voor een middelbare scholier aangezien, zoals ze al had gedacht. Hij nam haar op, probeerde in te schatten wat er onder die regenjas schuilging, opende zijn rode map met papieren en begon er driftig in te bladeren. 'Burley Turnbow? Dat ben jij toch niet?'

Ze gaf niet meteen antwoord. 'De naam die ik graag wil horen is die van jou.'

'O, sorry. Ik ben Vern Zakas. Voorzitter van de milieubeweging van CCC. Prettig kennis te maken.' Hij stak zijn hand uit, die ze schudde. Het Community College, ze had het kunnen weten.

'Prettig kennis te maken,' zei ze. 'Waarom zoeken jullie Burley Turnbow?'

Hij keek naar de menigte. 'Oké. We protesteren tegen de houtkap in het bos waar die vlinders zitten. En volgens internet is dit het huis van Burley Turnbow, de man die daar wil gaan kappen en alle vlinders probeert uit te moorden.'

Ze duwde haar capuchon wat naar achteren om de situatie beter te kunnen overzien en zag aan het gezicht van Vern Zakas dat hij verbaasd was een volwassen vrouw tevoorschijn te zien komen. Misschien herkende hij haar ook wel als de Vlindervenus, maar voor schaamte was het nu niet het moment. 'Het klopt niet helemaal wat je zegt,' zei ze tegen Vern. 'Heel vervelend, maar je hebt de verkeerde Burley Turnbow. Er zijn er namelijk twee. Je moet de vader hebben, Burley senior; die woont hier niet.'

'Ach, jezus, sorry hoor!' zei Vern. 'Dan heeft iemand iets verkeerd gedaan.' Hij keek weer in zijn papieren alsof de fout daar te vinden was, zoals mensen ook achterom naar de stoep kijken als ze gestruikeld zijn over niets.

'Maakt niet uit,' zei Dellarobia. 'Luister, je rijdt deze weg af, die kant uit, ongeveer zo ver als een voetbalveld, dan zie je rechts een grindpad, dat is hun oprit. Er ligt een cirkel van witgeverfde stenen om de brievenbus en er staat een grote plantenbak in de vorm van een zwaan. Heel lelijk, kan niet missen.'

De jongeren op het grasveld stonden naar haar te kijken en hielden hun protestborden halfstok. Ze maakten een behoedzame indruk, met grote ogen in gezichten die strak werden omlijst door natte capuchons, alsof ze zich hier op het grasveld van een onbekende niet helemaal op hun gemak voelden. De protestborden waren niet erg indrukwekkend. Ze hadden hun eisen met zulke dunne stiften opgeschreven dat je ze vanaf drie meter afstand al niet meer kon lezen. Die kinderen hadden te kampen met een ernstig woedetekort.

'Hé, gasten, luister even!' riep ze. 'Bedankt voor de belangstelling, maar jullie staan bij het verkeerde huis. Jullie moeten bij Bear Turnbow gaan staan schreeuwen. Hij woont een eindje die kant op, iets meer dan vijfhonderd meter. Volg jullie leider Vern maar. Hij weet waar het is.'

Vern liep de treetjes af naar zijn auto, wenkte de anderen en stapte in. De jongeren hielden hun protestborden dicht tegen zich aan en liepen achter elkaar aan naar de auto's, gehoorzaam als bordercollies. Op een van de borden stond: WEG MET DE MACHT!

'Bedankt!' riepen een paar jongeren in het voorbijgaan.

'Graag gedaan,' zei ze, waarna ze het gezin ging ophalen dat ze in het onkruid had verstopt.

Toen Lupe en de kinderen eenmaal veilig in haar woonkamer zaten, ging ze naar het lab. Je kwam in de melkstal via een open deel van de schapenschuur waar Cub overal machineonderdelen had laten slingeren, iets waar ze zich nogal voor schaamde. Ze had hem gevraagd om op te ruimen, maar mannen en schuren vormden meestal geen goede combinatie met orde en netheid. Ze deed de nieuwe deur van het lab open en zag dat Ovid en Pete druk bezig waren om vlinders in de oven te stoppen. Ze was bang dat ze te laat was, maar Ovid scheen nooit op de tijd te letten. Ze pakte haar witte laboratoriumjas van de haak waaraan ze hem elke avond hing en vroeg zich af of ze die misschien eens in de was moest doen. Daarna zette ze de rubberen veiligheidsbril over haar eigen bril. Net zo afleidend als een condoom en net zo noodzakelijk, bedacht ze. Ovid hechtte erg veel belang aan veiligheid.

Maandag waren ze begonnen met een experiment waarbij het lipidengehalte van de vlinders werd bepaald. Eerst hadden ze honderd levende vlinders in een koelbox van de berg gehaald. Elke vlinder zat in een apart vetvrij envelopje, werd gewogen op de Mettlerweegschaal en 's nachts gedroogd in de speciale droogoven. Dat van die vlinders in de oven was dus geen grapje geweest. Haar taak bestond tot nu toe uit het nummeren van de enveloppen en het in een speciaal schrift noteren van het gewicht voor en na het drogen. Daarna ging elk broos vlinderkarkas in een reageerbuisje en werd met een glazen staafje aangestampt. Dat aanstampen deed zij. Het voelde alsof ze vlinderbotjes brak. Pete goot petroleumether in de buisjes. De reagens vulde het lab met een vage autogeur, een beetje zoals de benzinepomp verderop, maar volgens Ovid was het spul nog veel brandbaarder dan benzine. Ze werkten onder de pas geïnstalleerde afzuigkap, maar dan nog kon één lucifer de boel de lucht in laten vliegen met een knal die je tot in Cleary zou kunnen horen. Zo had hij het gezegd. De rillingen liepen haar over de rug toen ze zich dat voorstelde. Met al die kinderen in hun huis.

'Sorry dat ik laat ben,' riep ze, niet speciaal naar dr. Byron, maar in het algemeen. 'Ik moest even een menigte toespreken.'

Ovid en Pete luisterden verbijsterd naar haar verslag van die ochtend. Toen ze het vertelde, verbaasde ze zich er zelf ook over. Ze had het op het moment zelf niet zo moedig gevonden, maar ze had toch maar voor een groep van vijftig mensen gestaan en gezegd dat ze de verkeerde te pakken hadden. Dellarobia had nog nooit de aandacht van zoveel mensen gehad. Haar publiek bestond meestal maar uit twee personen die samen zes jaar oud waren, en wat haar woorden voor effect hadden viel niet te voorspellen. Op school had ze wel eens een spreekbeurt gehouden, maar dat telde niet mee. En dat ze op het nieuws was geweest ook niet. Dat publiek was weliswaar gigantisch, maar al die mensen waren er op het moment zelf niet bij, en bovendien haalde wat ze zei toch niets uit. Maar vanochtend hadden ze geluisterd.

Pete en Ovid hadden de voorstelling gemist. Hier in de schuur was er niets van de demonstratie te horen geweest, misschien omdat de ramen afgedekt waren met plastic. Dellarobia herinnerde zich dat dit ooit was voorgesteld door de overheid als maatregel tegen terroristische aanvallen. Kennelijk had het hetzelfde effect als je vingers in je oren stoppen.

'O, wacht,' zei ze opeens. 'Ik had natuurlijk hun namen moeten noteren. Als die jongeren zo enthousiast zijn over de vlinders, dan hadden we ze kunnen inschakelen als vrijwilligers.'

'Goed idee!' Ovid keek haar door zijn vergeelde veiligheidsbril vrolijk aan en stak zijn duim op. Zijn glimlach joeg als een stoot nicotine door haar heen.

'Maar wacht, dat kan natuurlijk nog steeds. Ik heb de naam van de voorzitter van die club. Zack Verkas. Nee, Vern Zakas.'

Dr. Byron knikte goedkeurend. Ze zag dat zijn eerdere ruimhartigheid nog niet was verdwenen, maar soms door vertwijfeling werd onderdrukt, als een levend wezen dat onder water werd gehouden. Vandaag scheen hij in een prima humeur terwijl hij met blauwe rubberhandschoenen aan de kostbare blender bediende. Het doordringende geluid van de motor die de stalen messen liet ronddraaien nam net als een mixer in toonhoogte toe wanneer de motor harder ging draaien. Het was meestal nogal lawaaiig in het lab, misschien dat ze daarom niets van de demonstratie hadden gehoord. De schudmachine vol reageerbuisjes en warm water maakte een monotoon geluid, als een schommelstoel. En als de centrifuge niet perfect in balans was, maakte hij veel kabaal, zoals tennisschoenen in een droogtrommel. Hij stond op een speciale honingraatmat, zodat hij zichzelf niet van de tafel schudde.

'Ik zal die jongen vanmiddag wel even proberen te bellen,' beloofde ze. Ze schreef zijn naam voordat ze die vergat met kleine letters op in een hoekje van het labschrift. 'Als die milieuclub de vlinders wil redden, moet je ze ook maar iets te doen geven.'

'Maar denk je niet dat je inmiddels op hun lijst met vijanden staat?' vroeg Pete. 'Zou je die jongen echt zover kunnen krijgen om je een lijstje met namen te geven?' Hij haalde de vlindersoep met petroleumether zorgvuldig met een pipet uit de reageerbuisjes en spoot de vloeistofmonsters daarna een voor een in een aluminium bakje. De pipet leek op het ding dat Hester gebruikte om taarten mee te versieren, maar het was wel veel preciezer en er zat een hele voorraad plastic wegwerpbuisjes bij, voor elk monster een. Die monsters doorliepen allerlei stadia in het lab. Gisteren had ze de aluminium bakjes genummerd door de nummers met een lege pen in het dunne metaal te krassen. Overal in het lab was haar handschrift al te zien. Vandaag moest ze elk monster wegen en de resultaten opschrijven in het labboek. Er stond al een hele voorraad, dankzij haar late komst, dus ze moest snel aan de slag.

'Ja, die namen geeft hij wel, hij staat bij me in het krijt,' zei ze tegen Pete. De spanning die tijdens het sollicitatiegesprek tussen hen was ontstaan, hing nog steeds in de lucht, niet zo sterk als de ether, maar wel voelbaar. Ze was niet Petes gelijke, logisch, dat snapte ze wel. Ze probeerde te ontdekken wat haar plaats was. 'Hij vond het vreselijk toen hij merkte dat ze bij het verkeerde huis stonden te demonstreren. Je had ze moeten zien. Ze namen hun protestborden mee, verontschuldigden zich voor de vergissing en gingen toen bij Hester en Bear staan schreeuwen. Ze hebben zelfs hun afval meegenomen.'

'Wat zijn die jongeren hier beleefd,' zei Pete, die haar de bakjes een voor een aanreikte. Ze woog ze en droeg ze naar de thermostatische plaat, een rechthoekig warmhoudgeval met een thermometer aan de zijkant. Ze hadden haar verzekerd dat het ding niet zó warm werd dat de boel de lucht in kon vliegen. Het sprak voor zich dat ze tijdens haar werk niet rookte, en de angst dat ze de lucht in zouden vliegen was de allerbeste stok achter de deur om te stoppen.

'Ja, dat klopt,' stemde Ovid in. 'Heel anders dan die brutale apen van Devary.'

Ze deed de afzuigkap op een hogere stand en zette de bakjes op gelijke afstand van elkaar als pannetjes met pannenkoekbeslag op de warme plaat. Als alle vocht was verdampt, was alleen het vetgehalte van de vlinders over en dat moest ze vervolgens wegen. Ze vond het een treurig idee dat het vet van die dode dames werd vastgelegd in een openbaar verslag. Het was net *De Afvallers XXL*.

'Hoe zijn die jongeren van Devary dan? Een soort Bart Simpson?' vroeg ze.

'Helaas wel minder onderhoudend,' zei Ovid. 'Ik krijg soms e-mails van studenten die me op de hoogte willen stellen van het aantal studiepunten dat ze nog nodig hebben en mij adviseren hoe ik daaraan kan bijdragen. Met een cc aan hun ouders.'

'Dat meisje dat vorig jaar bij mij in de klas zat bij ecologie,' begon Pete. Hij hield zijn pipet opzij en leunde op de werkbank zodat hij Dellarobia kon aankijken. Hij deed moeite, wat ze wel kon waarderen. 'Oké, dit is dus waargebeurd,' zei hij. 'Ze zat op Facebook op te scheppen dat ze bij de tentamens had gefraudeerd. Dat hoorde ik van een andere student en toen heb ik haar laten zakken.

Woest was ze. Ze heeft een klacht ingediend omdat ze vond dat ik haar privacy had geschonden.'

'Wow,' zei Dellarobia. 'We hebben hier misschien niet veel, maar manieren hebben we wel. Er zijn hier in de buurt jongeren die de grasmaaier uit je schuur jatten en verpatsen om drugs van te kopen, maar dan laten ze wel keurig een briefje achter. "Bedankt, mevrouw. Mijn excuses. Bid voor me."'

Ovid en Pete begonnen allebei te lachen, maar het was geen grapje. Ergens tussen de zandbak en hun seksuele voorlichting in verloren alle kinderen die ze kende hun zelfvertrouwen. Zelfs Preston, inventief als hij was, probeerde nu al heel serieus geen enkele regel te overtreden. Wat moest er van hem worden als hij moest vechten voor een plekje in de wereld tegen kinderen die dachten dat de hele wereld van hen was? Cordelia zou het misschien wel redden, die was opstandig geboren, net zo opstandig als Dellarobia ooit was geweest. Niet dat haar dat veel had opgeleverd. En al helemaal niet van degenen die de macht over haar leven hadden, namelijk haar schoonouders.

Ze vroeg zich af of de jongeren van die milieuclub wel het lef hadden voor dit werk. Vlinders redden hield kennelijk in dat je ze in een noodtempo moest doodmaken. Ze gingen levend de vriezer in en kwamen er dood uit. Dr. Byron had haar bezworen dat dat een snelle en pijnloze dood was. Hij was klaar met de homogenisator en ging nu verder met de microscoop, waaronder hij een partij vrouwtjes opensneed om te kijken wat er vanbinnen gebeurde. Hij wilde weten of ze in diapauze waren, zoals hij het noemde, de winterstop van de normale migrerende monarchvlinders. Hij wenkte haar en trok een stoel voor haar bij.

'Kijk maar,' zei hij. Hij wachtte tot ze de lastige veiligheidsbril had afgezet zodat ze in de microscoop kon kijken. De bril liet een wasbeerafdruk achter rond haar ogen, waar ze zich nu opeens sterk van bewust was. 'Zie je dat?' vroeg hij.

'Waar moet ik op letten?'

'Witte bolletjes. Spermatoforen, een van elk mannetje dat met haar heeft gepaard. Dat zakje is de bursa, waar ze ze bewaart.'

'Ja, ik zie het,' zei Dellarobia, vastbesloten om niet te gaan blozen. Deze kleine dame was de hort op geweest.

'Dat is de eerste die heeft gepaard van de meer dan vijfentwintig die ik heb opengesneden. Ze zijn bijna allemaal in diapauze.'

Ze stond zo dicht bij Ovid dat ze zijn aftershave kon ruiken, boven de geur van de reagentia uit. Sinds ze zo dicht bij hem werkte, liet zijn aanblik haar tot haar verbazing niet onberoerd. Die frisse witte kraag van de laboratoriumjas tegen zijn donkere huid. Hij begon weer zichzelf te worden. Ze hadden halverwege de week een crisis gehad en hij was fantastisch geweest. De stroom was uitgevallen waardoor ze opeens in het donker zaten en alle machines ophielden met draaien. Ze had het elektriciteitsbedrijf gebeld en te horen gekregen dat de elektriciteit was afgesloten omdat de rekening niet was betaald. Ze hadden na Kerstmis zo krap gezeten en zoveel rekeningen tegelijk gekregen, dat ze een maandje hadden overgeslagen in de veronderstelling dat ze wel uitstel konden krijgen. Maar ze waren vergeten dat ze al vanaf november niet meer hadden betaald en dat hun krediet allang overschreden was. Ze moest het aan Pete en Ovid vertellen, wat de ergste vernedering van haar leven had kunnen zijn, maar Ovid reageerde ontzettend aardig en hield vol dat het zijn fout was, dat hij zich niet had gerealiseerd dat hun apparaten veel stroom gebruikten en dat dat via dezelfde meter als haar huis ging. Hij had naast haar gezeten met zijn creditcard terwijl zij in tranen door het keuzemenu van het elektriciteitsbedrijf ging en een echt mens aan de lijn probeerde te krijgen om uit te leggen dat er meer op het spel stond dan een gezin dat een tijdje in het donker zat.

Nu zat ze onzeker achter de microscoop terwijl Ovid met platte vierkante glaasjes in de weer was. 'Pete wil je zo natuurlijk weer terug,' zei hij een beetje afwezig terwijl hij de glaasjes een voor een uit een rekje haalde, ze tegen het licht hield en erdoorheen tuurde. 'Hij is alleen tevreden als hij een leuke assistente naast zich heeft. Maar ik wil je nog één ding laten zien. Ah, kijk.' Hij zette het glaasje met twee platte klemmen vast. 'Zodra we klaar zijn met de lipiden, mag je de O.E.'s gaan tellen. Dit is interessant. Kijk maar.'

Ze draaide aan de stelknop en opeens zag ze een driedimensionaal beeld: een vreemde collage van geribbelde, transparante ovalen die als dakpannen over elkaar heen vielen. Hij vertelde dat dat de schubben op de vleugels van de vlinder waren, maar dan driehonderd keer vergroot. Tussen de schubben zag ze kleine, donkere vormen die op watertorren leken. Dat waren parasieten, vertelde hij. Ze hadden een ingewikkelde naam, waarvan O.E. de afkorting was. Hij zou de naam later voor haar opschrijven zodat ze hem beter kon onthouden. Dit was een geprepareerd glaasje dat hij gebruikte als lesmateriaal, maar ze zouden binnenkort de parasieten op deze vlinders gaan onderzoeken. Ze kwamen vooral voor bij vlinders die niet de normale migratieroute hadden kunnen volgen.

'Dus die parasieten zouden de oorzaak kunnen zijn dat ze nu hierheen zijn gevlogen in plaats van naar Mexico?'

'De oorzaak,' zei hij met een licht spottend glimlachje, waarbij hij zijn hoofd een beetje schuin hield. En opeens was hij weer terug: de man die bij haar aan de keukentafel had gezeten. Ongetwijfeld de favoriete professor van iedereen. 'Oorzaak is niet hetzelfde als correlatie. Weet je wat dat is?'

Ze glimlachte als een gretige leerling. 'Nee.'

'Mensen die in het buitenland op vakantie gaan, hebben meestal meer televisietoestellen dan mensen die dat nooit doen. Is een tweede televisietoestel er de oorzaak van dat ze avontuurlijker zijn?'

'Nee, waarschijnlijk komt dat doordat ze meer geld tot hun beschikking hebben.'

'Waarschijnlijk wel, ja. Iets anders, in dit geval geld, is de oorzaak van beide verschijnselen. Auto's met geschilderde vlammen op de motorkap krijgen meer bekeuringen wegens te hard rijden. Gaan zulke auto's harder door die vlammen?'

'Nee, sommige dingen komen gewoon tegelijk voor.'

'En als dat zo is, dan bestaat er een correlatie. Het is de meest voorkomende fout om er zonder gedegen onderzoek van uit te gaan dat het een de oorzaak is van het ander.'

'Dat snap ik. Bijvoorbeeld dat kraaien die overvliegen zorgen dat het de volgende dag gaat sneeuwen. Mijn schoonmoeder zegt dat altijd, en dan denk ik: Ja ja, het zal wel. Misschien is er wel een lagedrukgebied of zoiets dat ervoor zorgt dat die twee dingen allebei gebeuren, maar dan de kraaien het eerst.'

'Kijk eens aan, Dellarobia. Je bent slimmer dan de helft van mijn studenten.'

'En journalisten!' riep Pete vanaf de andere kant van de kamer.

'Sommige journalisten,' zei Ovid. 'Ik vrees dat hij gelijk heeft.'

'Nieuw bewijs!' riep Pete. 'Leerlingen die op Facebook zitten, krijgen lagere cijfers! Borstvergroting oorzaak van hoger aantal zelfmoorden! Veel lachen verhoogt levensverwachting!'

'Oké, veel journalisten,' zei Ovid.

Correlatie, oorzaak. Ze zou die woorden in een hoekje van haar labschrift opschrijven, bij haar andere gecodeerde aantekeningen.

'Zouden de parasieten de vlinders verzwakken, waardoor ze minder lang kunnen vliegen?' vroeg Ovid. 'We weten het niet. We zien wel een grote toename van die parasieten. En we hebben over de hele linie hogere temperaturen waargenomen. Zouden de parasieten beter gedijen bij hogere temperaturen? Het is verleidelijk om daarvan uit te gaan, maar we weten het niet zeker. Dat weten we pas als we een experimentele opstelling zouden kunnen maken waarin alle factoren hetzelfde zijn, behalve de temperatuur. We kunnen geen overhaaste conclusies trekken. Het enige wat we kunnen doen is meten en tellen. Dat is de taak van de wetenschap.'

Dellarobia dacht dat die taak veel groter was dan alleen maar dat. Iemand moest ook dingen uitleggen. Als mensen zoals Ovid Byron dat niet deden, konden de Tina Ultners van deze wereld ongestraft hun gang gaan.

Ze bleef nog een tijdje door de microscoop naar de glaasjes kijken en ging daarna Pete weer helpen met het noteren van de gewichten. Het werken met de Mettlerweegschaal ging haar steeds beter af en ze kon de bakjes sneller verwerken; soms moest ze zelfs wachten tot Pete weer bij was. Ze vond het geweldig dat Ovid vond dat ze aan iets ingewikkelders toe was dan getallen in een schrift schrijven. Ze dacht aan Valia, die bij Hester in de keuken strengen wol had gewogen en de resultaten had opgeschreven, lang geleden, toen ze de wol aan het verven waren. Twee maanden geleden alweer. Ongelofelijk. Haar wereld was toen niet groter geweest dan een keuken. Nu had ze een leven waarin ze Hester soms een hele week niet zag. Door haar werk bleef er maar weinig tijd over, de avonden met de kinderen waren een wervelstorm van voorbereiden en inhalen. Ze had de kerk al twee zondagen achter elkaar overgeslagen, eerst om de melkstal schoon te spuiten voor de komst van Ovid en Pete, en daarna om iets vergelijkbaars in haar huis toe doen omdat ze al in tijden niet meer aan schoonmaken was toegekomen. Als die beide dingen volgens Hester geen geldige redenen waren om de kerk over te slaan, dan waagde Dellarobia dat te betwijfelen.

Ze vroeg zich af hoe het de milieuclub bij Bear en Hester zou vergaan, als ze het tenminste hadden kunnen vinden. Die jongeren hadden in meerdere opzichten een gedesoriënteerde indruk op haar gemaakt. Misschien moest iemand ze vertellen dat de houtkap voorlopig was uitgesteld. En dat dat kennelijk niet eens het ergste was wat de vlinders kon overkomen. Ovid hield alles nauwkeurig bij terwijl de temperatuur steeds verder daalde en kon alleen maar toekijken terwijl de vlinders hun ondergang tegemoet gingen. Hij had de monarchen tientallen jaren bestudeerd en bewonderd, en zou nu getuige zijn van hun einde, om redenen die hij zijn hele leven niet had kunnen voorzien. Kon hij dat maar uitleggen aan de jongeren die in haar tuin hadden gestaan. Dat de vlinders door een verschrikkelijke oorzaak naar het verkeerde adres gestuurd waren, net zoals die demonstranten zelf. De vlinders hadden geen andere keus gehad dan maar te vertrouwen op hun eigen wereld van signalen, op de stand van de zon en de wisseling der seizoenen, maar iets in dat alles had ze bedrogen.

En wat kon je doen om daartegen te protesteren? De plannen van Bear Turnbow waren in principe wel tegen te houden, maar tegen het weer kon je niet in opstand komen. Dat was precies waar het in zoveel verhalen om draaide: Jack London, Ernest Hemingway, het arrogante zelfvertrouwen tegen de klippen op: de mens tegen de natuur. Van alle mogelijke conflicten was dat het meest hopeloze. Ze had maar weinig scholing gehad, maar dit had ze wel geleerd: de mens verliest het altijd.

# 10

# Natuurlijke staat

Januari zocht zijn weg als een koorddanser die eerst de ene en dan de andere voet op het bevroren touw zette. Hij aarzelde, klom naar vier, duikelde toen naar min één, maar stortte niet in de diepte. Een klein publiek keek zenuwachtig toe. Er waren nachten dat Dellarobia niet kon slapen bij de gedachte aan de vrieskou die mogelijk langs de bergrug omlaag kroop. Die zou het bos heimelijk doortrekken als een gifgas en de vlinders omsingelen op de plekken waar ze bijeengedromd zaten, vastgeklonken aan hun familieboom, in een slaap gesukkeld waar ze niet meer uit zouden ontwaken. Op een kristalheldere nacht zou het gebeuren.

Niemand in haar omgeving deelde die angst. Dovey wilde er niets van horen; haar zelfbeschermingsmechanismen waren sterk. En Cub had zijn eigen bescherming. Die geloofde gewoon niet dat deze buitenpost van het leven die zich onder hun hoede had genesteld onvervangbaar was. Ze was bang dat voor Preston het tegenovergestelde gold, dat de massale sterfte bij hem veel te hard zou aankomen, dus vertelde ze hem niet alles. Hij nam plaatjes van apen en boomkikkers mee van school die hij uit tijdschriften had geknipt en maakte er uitgebreide collages van die hij op zijn slaapkamermuur plakte, net zoals zijn vader ooit had gedaan met foto's van Captain Fantastic en Jezus. Preston had nog maar één droom: wetenschapper worden en dieren bestuderen. Maar als ze in het lab was, hoorde Dellarobia Ovid en Pete over zoveel zaken praten zonder enige hoop. De olifanten in het door droogte getroffen Afrika en de ijsberen op het smeltende ijs waren 'zo goed als verdwenen', zeiden ze met gekmakende berusting tijdens hun werk aan wat de vroegtijdige autopsie leek te zijn van nog een ten dode opgeschreven schepsel. Verdwenen, alsof die olifanten op de zongebleekte vlakte enkel het laatste traject sjokten van een vermoeiende reis. De laatste stadia van rouw. Dellarobia voelde een nieuw soort paniek bij het zien van de verwachtingsvolle liefde van haar zoon voor de natuur en vroeg zich af of hij op een toekomst afstevende die als een kunstig gemaakt zandkasteel zou wegspoelen in de golven. Ze snapte niet hoe wetenschappers dat soort kennis verdroegen. Wat moesten mensen toch gruwelijke waarheden onder ogen zien. Ze stelde zich voor dat Ovid ook wakker lag in zijn bed, vlakbij in het donker, en met haar meedeed aan de wake tegen de kou. Dankzij hem was ze niet alleen.

Elke ochtend liep ze zodra het licht was dezelfde afstand van de keukendeur naar Ovids camper, waar ze even bleef staan op weg naar het lab om de maximum- en minimumtemperatuur van de vorige dag te noteren. Die gebruikte hij voor zijn berekeningen van het tempo waarin de vlinders hun vetreserves opgebruikten wanneer ze roerloos in de bomen hingen vergeleken met de warme dagen waarop ze rondvlogen. Te warm was even gevaarlijk als te koud volgens hem. Dellarobia voelde zich een medeplichtige aan een misdrijf zoals ze daar elke dag de getallen stond te noteren, maar het was gewoon een van haar taken. Er hing een speciale thermometer aan een metalen arm die uit het raampje aan de passagierskant van de camper stak. Ze drukte op de piepkleine knopjes van het apparaatje om de temperaturen af te lezen en te wissen, een eenvoudige handeling, maar een waar ze veel genoegen in schepte, net als Preston met zijn horloge. Ovid had haar laten zien hoe ze een grafiek kon maken van de twee lijnen van punten die de hoge en lage temperaturen van de maand aangaven met daartussen ingeklemd de overlevingsruimte van de monarchvlinders.

Het was dat aarzelende potloodlijntje op het ruitjespapier dat haar voor het eerst aan een koorddansact had doen denken en ook nu stelde ze zich een man met een bolhoed en een witgeschminkt gezicht voor, die zonder uitdrukking op zijn gelaat in slow motion zijn in zwarte slofjes gehulde voeten optilde en neerzette op het koord. Zijn leven aan een zijden draadje. Ze wist niet waar ze hem ooit had gezien, maar dat moest wel op de televisie zijn geweest, waarschijnlijk alleen een glimp terwijl Cub erlangs zapte op weg naar gewonere vormen van vermaak. Met dat beeld voor ogen liep ze op de camper af. Deze ochtend was ze niet op weg naar haar werk. Ovid verwachtte haar op zaterdag niet in het lab, al waren hij en Pete daar meestal wel. Vandaag had ze haar laarzen en jas aangetrokken om Cub te helpen, die het hek om de wei achter het huis op Hesters verzoek ging nalopen op beschadigingen. Ze had besloten de drachtige ooien hierheen te verhuizen. Cub had Cordie en Preston al naar zijn moeder gebracht zodat ze kon oppassen terwijl zij met het hek bezig waren, maar zat nu tijd te rekken in de keuken, waar hij een derde kop koffie dronk en naar Johnny Midgeons ochtendprogramma op de radio luisterde, terwijl hij moed zat te verzamelen voor de fikse wandeling door de kou. Dellarobia had zich alweer zitten ergeren aan de sloomheid van haar man. Om haar ongeduld de kop in te drukken, was ze alvast naar buiten gegaan om de ochtendtemperatuur in haar aantekeningenboekje te noteren, en dat was het moment waarop ze Ovid Byron in zijn blootje zag.

Een glimp maar. Niet zijn gezicht, ongeveer van zijn oksels tot zijn dijbenen. Ze draaide zich zo snel om dat ze bijna in de modder viel, knalrood van schaamte en met een bonzend hart. Hoe had ze moeten weten dat hij daar zou staan? Hij was altijd heel vroeg op. De plooigordijntjes met drukknoopsluiting aan de kant van het huis zaten altijd dicht. Ze was gewend geraakt aan zijn gewoonte om zich af te zonderen en had nooit gemerkt dat de gordijnen aan de kant van de bergen wel eens openstonden. Natuurlijk wilde hij het uitzicht op de hoge bergtop, dat zij als vanzelfsprekend beschouwde, kunnen zien. Ze strompelde met een duizelig gevoel terug naar het huis en voelde zich smerig. Een gluurder. Had hij haar gezien? Dat leek niet erg waarschijnlijk, maar de gedachte was ondraaglijk. Ooit weer naar haar werk gaan leek onmogelijk als dat inhield dat ze hem dan aan zou moeten kijken. Zijn ogen maakten geen deel uit van het plaatje, alleen zijn langgerekte torso die ze niet van haar netvlies kreeg, die erop gebrand leek te staan. Zijn koffiekleurige huid, de verbazingwekkend welgevormde buik, de schaduwlijn van strakke krulletjes die van zijn borst naar beneden liep als een trechtervormige tornado en bijna de zwarte schaamhaargrond raakte. Ze stond ervan te kijken hoeveel je kon zien in een fractie van een seconde. Ze had zich al omgedraaid voor ze ook maar iets meer in zich had opgenomen dan beweging en een verandering van licht op de gladde vlakken waarvan ze pas naderhand had begrepen dat het een lichaam was. Ze had niet echt gezien wat ze had gezien. Ze wist zeker dat Cub het schuldgevoel van haar gezicht kon lezen toen ze door de achterdeur naar binnen kwam, haar laarzen afschraapte en naar de drempel bleef kijken.

'Oké, dan moesten we maar eens,' zei Cub zonder zelfs maar naar haar te kijken. Hij stond op van tafel en trok de dode last van zijn grijsbruine werkjas van de rug van een stoel. Het gaf haar een onverklaarbaar uitgehold gevoel. Zelfs dit deed er dus niet toe, dat ze een voor haar zo belangrijke man in al zijn naaktheid had aanschouwd, een Bijbelse daad. Ze voelde zich onzichtbaar.

Ze had uiteraard de temperatuur niet meer kunnen noteren. Het aantekeningenboekje had ze nog in haar hand toen ze weer door de keukendeur naar buiten stapten. Ze liet het achter op de rommeltafel op de veranda, naast de bloempot vol sigarettenpeuken, stilleven van haar zondes, voor ze het trapje aan de achterkant van het huis af liep. Ze zou nu alles overhebben voor een sigaret. Maar dat was natuurlijk een cliché. Mijn koninkrijk voor een sigaret. Cub liep hevig te rillen in zijn jas en drukte zijn pet nog wat vaster op zijn hoofd, niet een van de talloze wollen mutsen die Hester voor hem had gebreid, maar een honkbalpet, een slechte keus voor zo'n kille ochtend. Dellarobia zei er niets van. Ze was het spuugzat om anderen te vertellen wat ze moesten aantrekken. Of haar kinderen en man er nou wel of niet aan dachten dat het winter was, de wereld draaide toch wel door.

Het moest in de vroege ochtenduren zijn gaan vriezen. Overal lagen vlekken poederrijp, zo droog en fijn dat het in wervelingen van bevroren confetti voor hun laarzen opwolkte bij het lopen. Ze liepen met het beekje aan de linkerkant van de wei mee naar boven, als bij stilzwijgende afspraak om van boven naar beneden te werken. Het laagje rijp bakende een temperatuurverschilzone rond de beide oevers van het beekje af, waar het water gedurende de nacht de warmte had vastgehouden. Ze dacht aan het woord 'thermische massa' en zag de stammenzuilen van de sparren met hun dikke vacht van vlinders voor zich, die Ovid had omschreven als reuzenkruiken. De witte waterkers, die ze voorheen nooit had opgemerkt in de beek, was boven water zwart bevroren, maar eronder nog groen, tot ongeveer twee centimeter boven het wateroppervlak. Ze had hem het woord 'thermocline' horen gebruiken en nu zag ze het zelf ook. Ze had aanvankelijk afkeurend tegenover hun incrowdjargon gestaan, maar nu realiseerde ze zich dat ze een onverwachte scheidslijn was overgestoken. Woorden waren maar woorden, die beschreven wat je kon zien. Ook al zagen de meesten het niet. Misschien moest je iets eerst weten voor je het kon zien.

Het beeld van Ovids lichaam, dat een paar gezegende seconden weg was geweest, kwam terug om haar dwars te zitten. Natuurlijk had ze al meer mannen gezien, in het echt en in de film, naaktheid was tegenwoordig overal. Maar niet deze man. Haar baas, de man voor wiens waardering ze keihard werkte. Die haar stelselmatig kritisch opnam van achter zijn rubberen veiligheidsbril. Was ze maar vergeetachtiger of simpeler van geest. Ze wachtte wanhopig tot Cub iets zou zeggen, maar hij had het te druk met ademhalen.

'Waarom heeft Hester nou alsnog besloten de ooien hierheen te brengen?' vroeg ze hem.

'Geen idee.' En even later: 'Te nat daar.' Het zou dus een gesprek van weinig woorden worden.

'Is het daarbeneden te nat voor ze? Hoezo? Is ze bang voor rotkreupel?'

'Ik denk het.' Hij hijgde. 'En voor wormen.'

Ze liep voorzichtig om niet uit te glijden op de helling. De rijp accentueerde details op de grond, richeltjes en klompjes dood gras, de staat van het terrein. Het zag er niet goed uit voor de vlinders. Het voelde raar om niet te weten wat de schade was. Iemand zou ernaar moeten gaan kijken.

'Weet je dat ik het daar met Hester over heb gehad toen ze bij ons thuis was,' zei ze tegen Cub. 'Dat moet nog voor kerst geweest zijn.'

'Over de ooien? Wat zei ze dan?'

'Dat ze niet dacht dat wij dat aan zouden kunnen. Het aflammeren.'

'Zei ze dat?'

'Zo'n beetje wel.' Dellarobia liep zelf ook enigszins te hijgen van de klim en zag elke ademhaling wit uit haar mond tevoorschijn komen in de koude lucht. Haar bril besloeg, dus stopte ze hem maar in haar zak. Langs de bovenrand van de wei stonden kale bomen rechtop als spijlen van een gevangenis en wierpen lange verticale schaduwen over de helling. De hele wereld omvatte haar in zwart-wit. 'Ik had aangeboden om te helpen bij het aflammeren. Dat leek me leuk, ook voor Preston. Maar Hester trok er haar neus alleen maar voor op.'

'Toch zou dat best kunnen,' zei Cub. 'Ze heeft er boeken over. Daar kun je wel in lezen hoe het moet.'

Hij had een van zijn armen gestrekt, misschien om een boek van de plank te pakken. De minuscule kastjes van zijn camper zaten stuk voor stuk volgepropt met boeken. Hij had de deurtjes eruit gehaald. Misschien had hij net op tijd uit het raam gekeken om haar nog te zien wegvluchten. Dellarobia moest de grootste moeite doen om een neutrale gesprekstoon aan te slaan. 'Oké. Neem maar een keer zo'n boek van Hester voor me mee,' zei ze. 'Dan weet ik wat ik moet doen als zo'n lam te vroeg komt.'

'Water koken,' zei Cub en ze schoot in de lach. Dat Cúb zoiets zei maakte het grappig. Het verzachtte haar paniek enigszins.

'Hoe was het met je ouders?'

'Ma was nauwelijks nog toerekeningsvatbaar. Bobby Ogle komt vandaag langs.'

'Echt? Nu de kinderen bij haar zijn?'

'Waarschijnlijk pas als wij ze weer hebben opgehaald. Maar de gekte had al toegeslagen.'

Dat verbaasde Dellarobia niets. Het was misschien de derde of vierde keer dat de dominee langskwam sinds deze hele toestand was begonnen, maar elke keer werd Hester in een nieuwe baan van paniek gelanceerd. Als spirituele troost het doel was, klopte er toch iets niet. 'Waarom denk je dat je moeder zo zenuwachtig wordt als Bobby in de buurt is?'

'Ach, je weet hoe dat is. Hij is de dominee.'

'Ja, oké, ze hangt aan zijn lippen in een volle zaal. Maar dan hoeft ze toch nog niet zo van streek te raken als hij met haar wil praten?'

'Ik weet het ook niet. Volgens pa was ze al voor dag en dauw aan het stofzuigen. Hij is maar naar de werkplaats gegaan om niet ook op te worden gezogen. Ze had van alles over de meubels gegooid.'

'Hoezo?' Dellarobia zag in het rond gesmeten eten voor zich, maar dat hoorde bij haar leven, niet bij dat van Hester.

'Van die kantgevallen. Kleedjes of zo.'

'Die gehaakte dingen die ze op de leuning van de bank legt om de slijtplekken te verbergen?'

'Ja, die. En ze was aan het bakken. Het rook lekker.' Hij grinnikte. 'Cordie had op weg erheen gepoept. Toen ik met een ondergescheten baby binnenkwam, ging ma helemaal over de rooie. Ik werd naar boven gestuurd om haar te verschonen, omdat anders de lucht niet meer weg te krijgen zou zijn. En de luier moest ik weer mee naar huis nemen.'

'Aardig,' zei Dellarobia. Maar het scheurtje in Hesters pantser deed haar wel wat. Er was dus toch iemand die de macht had om Hester het gevoel te bezorgen dat ze tekortschoot. Hondenharen opzuigen, kleedjes over de rafelranden van het huishouden gooien, Dellarobia wist er alles van.

Boven aan de wei troffen ze het hek naar de weg open aan. Daar stonden ze niet van te kijken; er liepen hier voortdurend onbekenden. Hesters rondleidingen waren niet langer nodig, de mensen kwamen zelf wel naar de vlinderplaats. Ze kwamen met of zonder verrekijkers, vlindernetjes, telescopen en kostbaar ogende camera's en het waren nu geen wetenschappers of nieuwsploegen meer, maar vooral toeristen. Toen Preston en zij op een ochtend op de schoolbus stonden te wachten, was een jong stel met allebei dezelfde trainingsbroek aan, druk in een buitenlandse taal pratend, over het erf langs hen heen gelopen. Dellarobia groette hen, maar ze staarden haar verbluft aan, alsof ze door een bosmarmot werden aangesproken. Er waren zelfs mensen die tenten mee naar boven namen en er bleven kamperen, onder anderen een stel heel beleefde jongeren van de afdeling van de milieubeweging uit Cleary en een drietal jongens uit Californië die bij Dellarobia hadden aangeklopt en hadden uitgelegd dat ze deel uitmaakten van een of andere internationale groep met een nummer als naam. Iets wat eindigde op punt-com. Dr. Byron hield die jongeren bezig met eenvoudige taakjes, tellen en meten, waarschijnlijk niet het natuurspektakel waarvoor ze waren gekomen, maar ze vonden het prima zolang ze zich maar nuttig konden maken. Vooral de drie jongens uit Californië. Ze had hun gevraagd hoe ze deze plek in vredesnaam hadden kunnen vinden, waarop ze haar een computerprogramma hadden laten zien dat op een kaart een routebeschrijving direct naar haar huis intekende. Het enige wat ze hoefden te doen was haar adres intikken in hun schermpje en hoppa, daar was het al. Haar adres was algemeen bekend, zeiden ze, net als de foto die blijkbaar vanuit de lucht was gemaakt en waarop de grijze rechthoek van hun dak te zien was en Cubs truck en haar Taurus die een tikje scheef op de oprit geparkeerd stonden. Niet Ovids camper. Daar had ze nog naar gevraagd, maar volgens de jongens was de satellietfoto al een tijdje geleden gemaakt. Met andere woorden, voordat iemand erin geïnteresseerd was. Op internet lag informatie opgeslagen voor wie het maar op welk moment dan ook nodig had. Het gaf haar het machteloze gevoel dat er niets tegen te doen viel. Het grijze rechthoekje was de enige schuilplaats die ze had.

Die Californiërs hadden zich tenminste nog voorgesteld en dat waardeerde ze, aangezien de meesten dat niet deden. Het was waarschijnlijk stom geweest van Cub en Bear om zoveel moeite te steken in het begaanbaar maken van de weg. Dat werd beschouwd als een uitnodiging. En dat was natuurlijk ook niet onredelijk, dacht ze, want zo was het nou eenmaal, een weg was om op te rijden. Het snoep in de pot was om op te eten, het geld op de bank om uit te geven, mensen beschouwden alles wat ze in handen konden krijgen als hun eigendom. Was dat niet min of meer een automatisme? Het leek bijna onmogelijk voor een mens om dat niet te doen. Ze wachtte tot Cub het hek had dichtgetrokken.

'We moeten hier maar een ketting met hangslot voor kopen,' zei hij.

'Zat ik ook al te bedenken. Hesters schapen slaan binnen de kortste keren aan het zwerven als we dit niet dichthouden.' Ze vroeg zich af of zo'n slot zou worden doorgeknipt en ze wist dat Cub hetzelfde dacht. Hij had het idee dat alle indringers van hetzelfde slag waren, zonder respect voor andermans eigendom, maar Dellarobia was daar niet zo zeker van. Misschien dachten ze dat het een soort natuurpark was. De vlinders waren nu zo vaak op het nieuws geweest dat ze de tel intussen kwijt was, waardoor het een zaak van iedereen leek, net zoals het internet hun adres gewoon leverde als je dat opzocht. Gratis, dus van iedereen.

Ze liep samen met Cub langs het hek op zoek naar zwakke plekken in de afrastering. Op verschillende plaatsen waren bomen van het bos aan de andere kant op het hek gevallen. Als man en vrouw werkten ze prima samen en hadden ze aan een paar woorden genoeg om het dode hout van het gaas te tillen, het te bevrijden van vastgegroeide struiken, en het gaas weer vast te maken aan de paaltjes. Sinds de herfstscheerbeurt begin november had er geen vee meer in de wei gelopen. Dellarobia zag nog precies voor zich hoe ze die dag de heuvel op gelopen was en nog een laatste keer naar beneden had gekeken, als de vrouw van Lot, voor ze een nieuw leven zou betreden. Dít nieuwe leven was wel het laatste wat ze had verwacht.

Ovid Byrons lichaam in de schemering dook weer op en ze wilde dat ze haar ogen kon uitschrobben. Nee, dat niet. Maar het zat haar dwars dat hoe ver ze ook vluchtte, haar brein de herinnering gewoon meesleepte en steeds weer bovenhaalde en haar uitdaagde de opwinding erbij te voelen. Het was een felle pijn, als van kiespijn of een val. Niet weer, deze gekte om een man. Ze dacht dat er intussen toch echt wel iets was veranderd dankzij het bizarre geluk dat de vlinders haar hadden gebracht. Ze had gedacht dat ze nu vrij kon zijn.

Een zwerm mussen vloog met veel misbaar op uit een dode struik. Ze verdwenen allemaal tussen de bomen, op één na. Die overgebleven eenling fladderde voor hen uit en wipte van het ene paaltje naar het andere zodra Cub en Dellarobia in zijn richting kwamen. 'Van Pontius naar Pilatus,' zei haar moeder altijd, toen Dellarobia op school van de ene verliefdheid naar de andere fladderde. Ze had al jaren niet meer aan die uitspraak gedacht.

Cub bleef bij een door het water uitgesleten geul staan om een groot stuk gaas te bekijken dat opnieuw gespannen zou moeten worden. Ze zocht in haar zakken naar haar handschoenen, vond daar haar bril en voelde de punt van een potlood dat hij haar in het lab had gegeven. Was ze daar nou maar niet heen gelopen vanochtend. Was Cub nou voor één keer maar eens klaar geweest. Ze had geen flauw idee hoe het morgen zou gaan. Als ze hem niet onder ogen zou durven komen, zou ze haar baan moeten opzeggen. Het verlies voelde als een sterfgeval.

'Zal ik je eens wat grappigs vertellen?' vroeg Cub. Ze zei ja en trok het stuk gaas naar de paal zodat Cub het vast kon spijkeren. Hoewel ze er met haar hele lichaam tegenaan duwde, was haar gewicht nauwelijks voldoende.

'Toen ik vanochtend bij pa was, vertelde hij me dat hij Peanut had betrapt bij een poging om de vlinders naar zijn land te krijgen.' Cub onderbrak zijn verhaal even om de bovenste kram vast te hameren, waardoor de druk voor Dellarobia iets minder werd.

'Hoe bedoel je?'

'Hij probeert ze te lokken, denk ik. Over de terreingrens naar zijn land. Pa zei dat hij van die kolibriegevallen had, die je met suikerwater moet vullen.'

Ze lachte hardop, één korte schater, bij het idee van Peanut Norwood die rondsloop met een vogelvoederbakje. 'Waarom in vredesnaam?' vroeg ze.

'Hij wil meeprofiteren van de actie. Volgens pa zijn er lui in de stad die er een Disneylandachtige toestand van willen maken.'

'Een attractiepark. Wat idioot. Snappen ze niet hoe st...' Ze zocht naar een aardiger woord dan 'stom'. 'Dat is zinloos,' zei ze toen maar. 'De vlinders zullen allemaal doodgaan, zodra de temperatuur onder nul zakt. Het kan al zover zijn. Misschien zijn ze nu wel massaal aan het sterven.'

'Nou ja, volgend jaar dan misschien.'

Dellarobia voelde zich op de knieën gedwongen door de onmogelijkheid om van A naar B te komen. Het was niet alleen Cub. Bijna de hele stad begreep er niets van. 'Er komt geen volgend jaar. Als het te koud wordt, gaan ze dood en is het voorbij. Geen volgende generatie meer.'

'Vertel dat maar aan Jack Stell en de rest,' zei Cub. 'Die zien het als een kwestie van aanbod. Onze-Lieve-Heer levert de vlinders en Feathertown maakt de winst.'

'Echt. Zien ze het zo simpel? Jezus deelt vlinders uit?'

'Onze stad mag toch ook wel eens geluk hebben?' zei Cub.

Dellarobia herkende dezelfde naïeve manier van denken die ze zelf in het begin zo gretig had omhelsd. En zij was nog egoïstischer geweest, want zij had ze helemaal voor zichzelf willen houden. Zij had ze als eerste gezien. Ze had haar droom schoorvoetend overgedragen aan de wetenschappers die de oudste rechten hadden. 'Dat mogen we zeker, Cub,' zei ze. 'Ik zeg niet dat we dat niet verdienen, maar geluk is een kwestie van dobbelstenen gooien. Je kunt geen hele industrie bouwen op de hoop dat ze misschien wel terugkomen. Daar gaan mensen aan ten onder. Dat is blind vliegen.'

Ze sloegen ook de onderkant vast en Cub nam de tijd om de lange, leerachtige tentakels van de binnendringende kamperfoelie los te trekken uit het gaas. De kruiper werd alom verfoeid omdat hij hele weiden overwoekerde en in machineonderdelen binnendrong. Het hele hek zat onder. Het blad had een doffe, paarsachtige kleur van de kou, maar de plant hield stand. De schapen raakten hem niet aan. Ovid had haar verteld dat er in Japan, waar de uitheemse plant vandaan kwam, wel dieren waren die kamperfoelie aten, maar die waren niet meegereisd. Hier had de plant geen natuurlijke vijanden om hem in toom te houden.

'Het is niet alleen pa en de rest,' stelde Cub. 'De hele staat is dat natuurgedoe aan het promoten. Voor de toeristen.' Hij klapte in zijn handen in een poging ze warm te krijgen en zij deed dat ook, zodat ze de koude ochtend begroetten met een door de wanten gedempt applaus. Ze kende die 'Natuurlijke staat'-campagnes wel die hij bedoelde, maar had daar voordat de Natuur in haar eigen achtertuin was komen aanvliegen nooit enige aandacht aan geschonken. Om er vervolgens achter te komen dat dit zogenaamde fenomeen zo onnatuurlijk was als maar zijn kon. Ze was het aan Cub verplicht dat uit te leggen, maar waar moest ze beginnen? Het was alsof je voor het verhaal van een beschadigde jeugd terugging naar de ongelukkige ouders en vervolgens naar de ongelukkige grootouders om de hele waarheid te achterhalen.

'Het probleem daarmee,' zei ze ten slotte, 'met wat zij over de vlinders zeggen, is dat het allemaal alleen maar gaat om wat zij willen. Zij willen dat er iets gebeurt, financieel, en dus denken ze dat de natuur zich wel zal plooien naar wat hun goed uitkomt.'

Cub leek daar even over na te denken. 'Maar wat kunnen ze dan anders?'

'Ze zouden met dr. Byron kunnen gaan praten. Hij is daar dag en nacht bezig, kijkt er vanuit alle mogelijke hoeken naar en probeert erachter te komen wat er aan de hand is.' Als een arts die een patiënt observeert merkte ze dat haar hart op hol sloeg toen ze zijn naam zei. Tot haar verrassing besefte ze opeens dat ze helemaal niet van plan was hiervoor weg te lopen of haar baan op te zeggen. Ze wilde deel uitmaken van dit verhaal. Ze zou aan hem doodgaan of ze zou genezen.

Ze liepen verder, Cub en zij, om het hek te controleren op zwakke plekken. Vanaf dit hoge gedeelte van de wei konden ze in alle richtingen tussen de kale bomen door uitkijken. De topografie van het terrein was vanaf hier goed zichtbaar: het steile, hoge stuk bergterrein achter hen, de smalle waterafvoer die het dal onder hen vormde. Het viel haar opeens op hoeveel er in de zomer door de bladeren aan het oog werd onttrokken. Met al die geruststellende muren van groen kon een mens niet ver kijken. De zomer was het seizoen van de ontkenning.

Op de hoek van het terrein liepen ze langs het hek tussen hun wei en de dode boomgaard van de Cooks naar beneden. De perzikboomskeletten leunden in rijen voorover naar de helling, met hun takken uitgestrekt als bedelende handen. Slachtoffers van dit vreemde weer. Het raam van Preston en Cordies kamer keek uit op die bomen en een tijdlang had ze de gordijnen dicht gelaten, zo deprimerend was het. Maar ze stonden er toch. Iemand van de kerk had gezegd dat de Cooks tijdelijk in Nashville woonden voor de duur van een behandeling, beenmerg of zoiets, waarschijnlijk heel pijnlijk. Dat arme kind. En die nog armere ouders.

'Ik heb lopen nadenken,' zei Cub na een lange stilte. 'Over wat je zei, dat ze met dr. Byron moeten gaan praten. Dat Jack Stell en de rest hem naar de vlinders moeten vragen. Maar misschien zegt hij wel niet wat zij willen horen.'

'Van slecht nieuws gaan ze heus niet dood,' antwoordde ze. Maar hij had wel gelijk, niemand zat te wachten op advies van dr. Byron. Ze had de mensen van het nieuws ook geprobeerd naar hem door te sturen, maar die hadden niet gehapt. Ook de leraren van school hadden de rode loper niet uitgerold. Ze dacht aan de manier waarop Bobby Ogle mensen wist te raken, hen overtuigde met zijn optreden, zo liefdevol en rechtdoorzee. Je wilde dat het waar was wat hij zei, gewoon omdat hij het zei. Ovid had diezelfde uitstraling; hij luisterde meestal en oordeelde niet. Het was onbegrijpelijk dat de mensen de een wel in hun armen sloten en de ander links lieten liggen.

'Hij is niet van hier, dat is het gewoon,' zei Cub.

'Alleen omdat hij ergens anders vandaan komt, heeft hij niets te vertellen? Moeten we dan ook maar geen boeken meer lezen of niet meer luisteren naar iedereen die hier niet vandaan komt? Wat blijft er dan nog over?'

Cub maakte geen aanstalten te antwoorden.

'Kijken hoe het gras groeit. Dat is dan nog het enige.' Ze probeerde de verontwaardiging in haar toon te dempen, want ze wist ook wel dat Cub er niets aan kon doen. Mensen die nog nooit iemand als Ovid Byron hadden gekend zouden hem van nature wantrouwen. Ze konden dan misschien niet de hele wereld buitensluiten, maar ze zouden altijd wel iets op hun radio of tv horen wat wetenschappers of buitenlanders of wat ze ook dachten dat hij was in een slecht daglicht plaatste. Ze waren eigenlijk geen haar beter dan die stadsmensen die neerkeken op zuiderlingen en altijd wel een of andere Billy Ray Hatch tot hun beschikking hadden. Als mensen maar op het juiste kanaal afstemden konden ze het hun hele aardse bestaan zonder afwijkende meningen stellen. Eindelijk snapte ze het. De behoefte aan zoveel kanalen.

'Hoe bevalt het je trouwens?' vroeg Cub.

'Wat?'

'Die baan. Wat je daar doet in de schuur. Wat doe je daar eigenlijk?'

Ze was ervan uitgegaan dat Cub er niet in geïnteresseerd was en had nooit geprobeerd uit te leggen wat ze op een dag deed, wat trouwens toch niet uit te leggen was. *Zodra we klaar zijn met de lipiden, mag je de* O.E.*'s gaan tellen. Dit is interessant. Kijk maar.* Nooit in haar leven had iemand haar zo toegesproken en nu wel. Dat had een ander soort mens van haar gemaakt. Iemand die ze graag wilde blijven.

'Ik krijg nieuwe dingen te zien,' zei ze eenvoudigweg. 'Ik heb niet echt een eigen taak of zo. Ik ben een soort veredelde secretaresse.'

'Moet je týpen?' vroeg Cub en ze schoot in de lach. Ze dacht niet dat ze ooit iemand een typemachine had zien gebruiken, behalve dan secretaresses op tv. Misschien de dames op het gemeentehuis als ze een of ander formulier invulden voor de aanvraag van een paspoort of zo.

'Nee, ik noteer getallen in een aantekeningenboekje. Ik hou ontwikkelingen bij. En dat is trouwens ook wat dr. Byron en Pete doen. Ze meten van alles en schrijven het op.'

'De kunst is waarschijnlijk te weten wát je moet meten.'

'Inderdaad,' zei ze. 'Daar draait het om.'

'Dat is bij boeren niet anders,' zei hij en ze zag in dat hij daar ook gelijk in had. Scherp opgemerkt. Op de boerderij moest ook iemand elke week de binnenkant van de oogleden van de ooien en lammeren controleren op bloedarmoede als indicatie voor de aanwezigheid van parasieten. Op het hooiland hielden ze de juiste verhouding van aar tot stengel in de gaten. Ze fokten en selecteerden de schapen op basis van vleesopbrengst en vezellengte van de vacht. Hester was het hoofd van dienst en was het beste met getallen.

'Maar dan wel gedetailleerder,' zei ze. 'Ik heb de hele week parasieten geteld onder de microscoop. En geholpen bij het meten van de hoeveelheid lichaamsvet in de vlinderlijfjes. Ze kunnen tot op een duizendste gram meten. En een gram is al zowat niks. Er gaan er honderden van in een pond. In het lab zouden ze zelfs je wimpers kunnen wegen en kunnen sorteren van licht naar zwaar.'

Cub floot.

'Niet dat ze dat ook echt doen,' zei ze. 'Het is maar bij wijze van voorbeeld.'

'Waarom zou je moeten weten hoe zwaar een vlinder is?' vroeg Cub.

'Het is een kwestie van weten wat er te weten valt over een dier. Net als bij schapen, zoals je al zei. Kleine dingen kunnen heel veelzeggend zijn. Hij wil weten waardoor de vlinders ziek zijn geworden.'

'Zijn ze ziek dan?'

'Ze zijn hierheen gekomen voor de winter en dat hadden ze niet moeten doen, omdat de winter hier te koud is. Maar ze kwamen omdat het ze daar te warm werd. Of eigenlijk weten we niet waarom ze kwamen. Maar volgens hem is er ergens iets heel erg misgegaan.'

'Kijk, en dat geloof ik gewoon niet,' zei Cub. Precies zoals ze had verwacht. Cub stond niet open voor die manier van denken, net zomin als de mensen in Feathertown of Tina Ultner en haar televisiekijkers. Allemaal hielden ze vast aan het wonderstandpunt. Dat was natuurlijk ook een veel mooier verhaal.

'Dat moet jij weten,' zei ze. Ze daalden de helling af en kwamen dicht genoeg langs het huis van de Cooks om te zien dat er licht brandde en er een auto op de oprit stond, niet de truck van de Cooks, maar een witte personenauto. Er paste dus kennelijk iemand op het huis voor ze. Dellarobia wist dat ze eigenlijk langs zou moeten gaan om te vragen hoe het met het jongetje was. Maar dat was zo moeilijk. Stel dat hij was overleden.

Ze bleven opnieuw staan om de wilde, ongeorganiseerde kluwens kamperfoelie uit de keurige rechthoekjes van het gaas te trekken. Ze was de tel allang kwijt van de keren dat ze dit in al die jaren hadden gedaan, altijd maar weer in de hoop dat ze het spul de baas zouden kunnen worden. Het was zo'n beetje hun belangrijkste project als getrouwd stel, bedacht ze: kamperfoelie uit een hek trekken.

Na een tijdje vroeg Cub: 'Wil je zeggen dat vlinders van slag kunnen raken?'

'Nee, dat niet precies. Er gaan andere dingen mis en zij blijven hetzelfde en dat brengt ze in de war. Je moet het zo zien: stel dat jij iedere vrijdag naar de Food King rijdt. Op een vrijdag doe je precies hetzelfde als anders, je volgt dezelfde borden, maar in plaats van bij de Food King kom je terecht bij de auto-onderdelenwinkel. Dan weet je dus dat er iets mis is. Niet direct met jou, maar met de stad.'

Dat leek Cub te vatten.

'Dus het is een vergissing dat ze hier zijn,' zei ze. 'En ze kunnen zich niet aanpassen. Volgens dr. Byron is het net zoiets als wanneer wij om de een of andere reden zouden zijn overgehaald om tussen de schapen te gaan leven. Dan zouden we nog steeds geen gras kunnen eten. En we zouden geen babyschapen krijgen, maar mensenbaby's, en die zouden de ijskoude regen en de coyotes niet overleven.' Ze had Ovids voorbeeld wat mooier gemaakt, maar dat leek haar verdedigbaar.

'Wat heeft die vlinders dan hierheen gelokt?' vroeg Cub.

'Dat is nou precies waar ze achter proberen te komen,' zei ze. 'En dr. Byron is niet de enige die zich dat afvraagt. Het zijn niet alleen de vlinders, er is veel meer mis. Volgens hem komt het uiteindelijk door klimaatverandering.'

'Wat is dat?'

Ze aarzelde. 'De opwarming van de aarde.'

Cub snoof. Hij trapte een wolk poedersneeuw omhoog. 'Laat Al Gore hier zijn brood maar op komen roosteren.' Dat zei Johnny Midgeon altijd op de radio als er weer een winterstorm woedde.

'En al die regen dan van vorig jaar? Al die bomen die omvielen nadat ze honderd jaar overeind hadden gestaan? Het weer doet vreemd, Cub. Heb je ooit zo'n jaar als dit gezien?'

Ze kwamen beneden aan en liepen de weg op voor het laatste stuk tot het huis en de schuur. Een zwarte pick-up reed langs met in de bak een rechtopstaande Duitse herder. Na lang zwijgen zei Cub: 'Maar ze noemen het niet de opvréémding van de aarde.'

'Dat weet ik, maar toch denk ik dat dat wel is wat ze bedoelen.'

Cub schudde zijn hoofd. 'Het weer is een zaak van de Heer.'

Ze voelde ergernis opvlammen waarvan ze wist dat die dit gesprek geen goed zou doen. Ze liet haar opkomen en wegzakken, samen met haar ijdele hoop. Elk verlies dat ze ooit geleden had was verklaard tot beschikking van de Heer. Een doodgeboren kind, een vroeg overleden vader.

'Dus we moeten maar gewoon accepteren wat er gebeurt?' vroeg ze. 'Dat zeiden ze vroeger ook altijd als er een ziekte de kop opstak en alle kinderen stierven. "Zo heeft God het gewild." En nu enten we ze in. Gaan we daarmee dus in tegen Gods wil?'

Cub zei niets.

'Weet je,' zei ze, 'vind je het eigenlijk niet raar dat we Johnny Midgeon wel geloven over iets wetenschappelijks en de wetenschappers niet?'

'Johnny Midgeon doet het weerbericht,' hield Cub hardnekkig vol en Dellarobia zag haar leven aan zich voorbijtrekken, opgesloten in die benauwende logica. Alle kennis eerst en vooral beoordelen op basis van je trouw aan de meester.

Ze liepen verder langs het laatste stuk, op het huis, de schuur en Ovids camper af, maar de wetenschap dat ze bijna thuis was, beurde haar niet op. Vroeg of laat zou hij uit die camper tevoorschijn komen, zouden ze tegen elkaar praten, zou er iets moeten gebeuren. De gedachte dat ze Cub pijn zou doen was onverdraaglijk, maar hier onbeschadigd uit komen leek onmogelijk. Het was grijzer en donkerder dan toen ze een uur geleden van huis waren vertrokken en het voelde kouder aan. Op de hellingen aan de noordkant was de grond nog steeds wit berijpt. Ze had al over sneeuw horen praten. Het grootbladige onkruid dat in de greppel groeide stond verwelkt op de stengels, als rafelige overgavevlaggen. Het korte stukje naar hun huis was een kloof die ze bijna niet durfde over te steken.

Cub maakte een kuchend geluidje, een soort zenuwachtige voorbereiding die haar eigen keel dichtsnoerde als een verstopte afvoer. 'We moeten het nog ergens over hebben,' zei hij.

Haar gezicht voelde verstijfd van de kou. 'Oké. Waarover?'

'Ik weet niet hoe ik het moet zeggen.'

'Zeg het maar gewoon, Cub.'

'Dat kan ik niet.'

Ze zou hem eigenlijk moeten helpen, maar ze kon de juiste woorden niet vinden. Hun ongelijke voetstappen zorgden voor een vreemde, onregelmatige percussie doordat hun hakken het dunne ijs verbrijzelden dat de modder langs de greppel overdekte. Na een lange stilte zei Cub: 'Het gaat over Crystal.'

Dellarobia voelde haar gedachten wegglibberen. 'Wat?'

Hij ademde langzaam in. 'Crystal Estep.'

'Ik weet wel wie Crystal is. Maar wat is er met haar?'

'Ze komt steeds bij ons thuis.'

'Hoe bedoel je? Wanneer?'

'Als jij bij hen aan het werk bent.'

'Wat? Komt ze elke dag?'

'Nee, ze is een keer of vier, vijf geweest. Altijd op de dagen dat ik thuis ben, ik snap niet hoe ze dat weet. Als ik bij de kinderen ben in plaats van Lupe. Ze begint altijd met het verhaal dat ze wil dat jij nog eens naar die brief kijkt.'

'Vier of vijf keer in twéé weken? Vergeet ze dan steeds dat ik van negen tot vijf werk? Zoiets moet toch zelfs voor Crystal Estep wel te bevatten zijn.'

Cubs ongemak was zichtbaar. Hij schudde zijn hoofd en keek naar de lucht.

'Jezus, Cub, hebben jullie... Wat wil je nou eigenlijk zeggen?'

'Niks, we hebben niks gedaan. Geloof me, ze is niet... Het is Crystal. En trouwens, met de kinderen erbij? Wat denk je van me? Ik ben getrouwd.'

Ze zag Crystal weer voor zich in de discountwinkel voor kerst, toen ze achterovergeleund tegen haar karretje met Cub had staan praten. Die vreemd suggestieve pose die ze had afgedaan als de lichaamstaal van langdurige radeloosheid. Op de een of andere manier had ze Crystal niet als serieuze concurrentie gezien. Dellarobia voelde zich uit het veld geslagen nu haar wereld en Cubs plaats daarin opeens door elkaar werden geschud. Ze was zo opgegaan in haar eigen bevliegingen, zo zeker geweest dat zij zelf het snelste paard was in deze race dat ze als laatste in de gaten had dat ze er zelf in was getuind. Echt zo'n getrouwd vrouwtje met oogkleppen op, dat blind was voor ieder signaal dat een andere vrouw haar man probeerde te versieren. En echt iets voor Crystal om Cub als een goede vangst te zien. Hij wás ook een goede vangst, volumineus en zuiver op de graat. Een man wiens goede kanten voor een groot deel verspild waren aan een vrouw die min of meer per ongeluk aan hem was blijven hangen.

'Ik zou je nooit bedriegen,' zei Cub, die schokkend uitademde, op de rand van tranen.

'Weet ik. Je bent de beste. Beter dan ik verdien.'

'Dat moet je niet zeggen,' zei hij en hij veegde met zijn duim door zijn ooghoeken. Ze waren nu bij het hek tussen de wei en het achtererf. Het lukte haar met moeite niet naar het granaatachtige omhulsel van de camper te kijken die tussen hun huis en de schuur gedrukt stond. Alles stond hier dicht bij elkaar, het huis en de oprit waren in een hoekje van het boerenerf gepropt dat van de wei was afgesnoept toen Bear en Hester het huis hadden gebouwd. Net als het huwelijk en het huis zelf was ook het hek een spoedje. Ze hadden metalen T-balken gebruikt en goedkoop gaas, zodat het er na al die jaren nog steeds als een voorlopige oplossing uitzag, als de ad-hocbeslissing die het was geweest. Ze had altijd een hekel gehad aan het gaas dat het uitzicht vanuit haar slaapkamerraam belemmerde. Maar ach, het was maar een hek, waar ze langs gewandeld was om het te repareren. Het huis stond erbuiten. Dat hoorde bij de weg aan de voorkant waar het op uitkeek. Cub tilde het hek op en zij glipte voor hem langs het erf op en hoorde het metalen klikje van het hangslot dat hij achter haar dichtdeed.

Pete liet Dellarobia en de kinderen schrikken door maandagochtend vroeg hard op de deur te bonzen om haar te laten weten dat ze die dag op de berg zouden werken. Dr. Byron was daar al, Pete ging er nu heen en zij moest zo gauw ze kon ook volgen. Hij vroeg haar of ze kussenslopen mee kon nemen. Afgezien van haar verwarring over de slopen was ze vooral opgelucht. Het zou veel makkelijker zijn hem daar onder ogen te komen dan het lab binnen te moeten wandelen onder het gewicht van haar spionnengeweten. Dr. Byron zou in het bos enkel oog hebben voor de vlinders en misschien zelfs in een boom zitten. Pas in tweede instantie kwam het bij haar op zich zorgen te maken over de vlinders. De hemel was 's nachts opgeklaard en de stoot vrieskou die mee naar binnen was gewaaid tijdens het korte moment dat de deur open had gestaan bleef onaangenaam hangen in de keuken. Het moest wel bezorgdheid zijn die de mannen op dit vroege uur al naar boven joeg.

De kinderen waren nog in hun pyjama en zaten aan het ontbijt. Cordie was door een verkoudheid al weken chagrijnig en snotterig, ze ademde luid snorkend als een buldog. Dellarobia smachtte ernaar de verwarming hoger te draaien, maar de gedachte aan de elektriciteitsrekening weerhield haar ervan. Preston moest om kwart voor acht de bus hebben, Cub zou Cordie op weg naar zijn werk bij Lupe afzetten en dan zou het huis de rest van de dag leegstaan. Hoe ze iedereen in drie kwartier aangekleed en klaar om te vertrekken moest krijgen was haar een raadsel, maar op de een of andere manier kreeg ze het als boterhammen smerende en koffie slokkende door de keuken razende tornado altijd weer voor elkaar.

Kussenslopen? Bedoelde Pete dat ze dan ook kussens mee moest nemen? Hun vindingrijkheid bij het inzetten van huishoudelijke artikelen ten bate van de wetenschap was oneindig en ze vroegen voortdurend om wasknijpers of klerenhaakjes of keukensponsjes voor hun bedenksels. Ze had haar idee dat ze verkwisters waren moeten bijstellen toen ze hen zag improviseren en met de riemen zag roeien die ze hadden. Zelfs Gatorade kwam van pas in het lab, als energiedrankje voor gevangen vlinders die in leven moesten worden gehouden voor een of ander experiment. Maar kussens? Ze probeerde geen beelden op te roepen van verkreukelde lakens en het lichaam van Ovid Byron, hoe hard haar gedachten haar ook die kant op probeerden te trekken. Ze duwde met haar heup de ijskastdeur dicht. Cordies haar zag eruit als een gouden hooiberg, maar het kind was in een zeldzaam meegaand humeur, zoals ze daar met haar ene hand haar ontbijt naar binnen zat te werken terwijl ze met de andere een beer van schotse ruitenstof vasthield die met wanhoop in zijn knopenogen over de rand van haar kinderstoel bungelde. Typisch Cordie. Die had al sinds haar geboorte altijd iets in haar handen, een speeltje of dekentje of iedere paardenstaart die binnen haar bereik zwiepte. Preston was wat onafhankelijker; dat was misschien een jongensding.

Of gewoon een Prestonding. Op dit moment had hij geen aandacht voor zijn Cheerios maar was hij verdiept in zijn schapenboek, van de stapel die Cub van Hester had geleend om hen voor te bereiden op eventuele lammernoodgevallen als de ooien hier op stal zouden staan. Ze wilde dat Cub iets kindvriendelijkers had meegenomen. Preston had natuurlijk meteen naar het dikke veterinaire handboek gegrepen, dat vol stond met al het denkbare dat mis kon gaan op de boerderij. Het arme joch sleepte het betonblok van een boek van kamer naar kamer en had zelfs gevraagd of hij het mee naar school mocht nemen, waarop Cub hem erop had gewezen dat hij a) niet kon lezen en b) zijn klasgenoten hem dan een stuudje zouden noemen. Preston vond beide overwegingen niet ter zake doen. Hij vond het juist leuk om het kleine ventje met het grote boek te zijn. En er stonden genoeg plaatjes in. Hij had het hoofdstuk over het lammeren zo gevonden. De vele pentekeningen van ongeboren tweelinglammetjes die in elkaar gekruld zaten met verstrengelde poten, neus aan neus of neus aan staart, deden haar aan een sekshandboek denken.

Cordelia's opmerkzame oog volgde dat van haar broer. 'Woef-woef,' verkondigde ze.

'Geen hondjes,' corrigeerde Preston haar. 'Babyschaapjes.'

Dellarobia kwam met een kom cottagecheese aan tafel zitten, haar geïmproviseerde ontbijt, en hij keek haar met grote vragende ogen aan. 'Waarom liggen ze in een hondenmand te slapen?' vroeg hij.

Ze zorgde dat ze niet lachte en vertelde hem dat die ovale vorm de baarmoeder was. Op die plaatjes kon je zien hoe de lammetjes eruitzagen als ze nog in het moederschaap zaten. 'Ze liggen nog in haar buik te wachten tot ze geboren kunnen worden, net zoals Cordie bij mij. Weet je nog?'

Hij knikte ernstig. Ze keken allebei naar Cordelia met haar gezicht dat onder de pap zat en haar snottebel. Waarschijnlijk dachten ze allebei variaties op dezelfde vraag: Wie had gedacht dat dít eruit zou komen?

'Vergeet niet te eten, grote man. Nog twee minuten en dan moet je je als de bliksem gaan aankleden. De schoolbus wacht niet, ook niet op jou.'

Hij lepelde afwezig zijn Cheerios naar binnen terwijl hij zich over het boek boog, nog geïnteresseerder dan eerst door de laatste onthulling. Zijn ernstige blik en geconcentreerde gezicht bezorgden Dellarobia een toekomstvisioen: Preston zou het ver schoppen. Misschien werd hij wel dierenarts; daar was veel vraag naar in de omgeving. Of misschien wel het soort dierenarts dat olifanten in de dierentuin verzorgt. Hoe erg ze zich ook zorgen maakte over Prestons achterstandssituatie, toch zou hij net als Ovid Byron worden. Hij leek nu al anders dan anderen door de overgave waarmee hij zijn eigen gang ging, zo moedig en eigenzinnig. Er waren maar weinig mensen die zo waren, ondanks alom geuite voornemens. De meesten waren als zijzelf en Dovey, ooit zo rebels en met zulke grote plannen om uit te vliegen, weg van hier. Maar haar stoutmoedigheid was tot zo'n kleine ruimte beperkt gebleven dat ze net zo onbeduidend was geweest als muizenkeutels in een koektrommel. Tot pasgeleden, toen het deksel eraf geblazen werd en de hele wereld Dellarobia had kunnen zien zitten. En had gezien dat ze maar een muis was. Maar hier zat haar zoon met zijn leeuwenhart. Misschien had je er zelf weinig zeggenschap over, maar was het iets wat uit de geboortesoep was gevist. Een blikseminslag.

'Wat doet die meneer, mama?' Het klonk ongerust.

'Laat eens zien.' Ze trok het boek naar zich toe en hoopte maar dat hij niet op iets was gestuit dat hem voor het leven zou tekenen. De tekening stelde haar voor een raadsel: de man op het plaatje hield een lam bij het achterlijf vast en leek het door de lucht te zwieren. Ze las het bijschrift. 'Reanimatie,' zei ze. 'Hij maakt het weer levend.'

Preston keek haar met onverholen ongeloof aan en ze verbeterde zichzelf. 'Dat zeg ik niet goed, als iets dood is kun je het niet meer levend maken. Maar als een lammetje niet ademt na de geboorte, kun je de ademhaling zo op gang brengen.'

'Door ermee te góóien?' vroeg hij ongelovig.

Ze liet haar ogen over de woorden op de pagina gaan. 'Hij gooit het niet, hij zwiert het rond in een cirkel. Als het lam wordt geboren met zijn neus en keel vol slijm moet je dat doen. "Pak het stevig bij de achterpoten en zwaai het rond," staat er. "De centrifugale kracht maakt de neus en longen vrij."'

De tekst raadde ook aan om 'te zorgen dat er geen obstakels in de weg stonden', maar dat riep dramatische, cartoonachtige beelden bij haar op, dus dat las ze maar niet voor. Ze was zich er zeer van bewust dat de kinderen van haar afkeken wat ze serieus moesten nemen en wat niet, zelfs op dit soort jachtige momenten, in het oog van de ochtendtornado.

'Moeten wij dat straks ook doen?' vroeg Preston bedrukt.

'O nee, liefje, nee.' Haar oog viel op het Schots geruite beertje dat nog steeds over de rand van Cordies kinderstoel bungelde. De verleiding was groot om dat bij zijn pootjes te pakken en hem een oefenrondje door de keuken te laten zwieren ter relativering, om de kinderen blij te maken met een schaterlach, maar dat ging tegen haar gevoel in. Een leven was een leven. Het vroege overlijden van haar ouders had haar al jong het inzicht gegeven dat met de dood niet te spotten viel. En ook niet met verlossing.

De kou was verdovend. Ze trok op weg naar boven haar dikke wollen muts verder over haar oren, deed haar wanten aan en verlangde naar een sjaal om over haar neus te trekken. De ijzige lucht prikte in haar neusgaten en haar ogen voelden kleverig, alsof haar tranen bevroren. Ze had vier schone slopen in een grote schoudertas bij haar boterhammen en andere benodigdheden gepropt. Mocht het zo zijn dat ze Petes instructies verkeerd had begrepen, dan zou het linnengoed stilletjes verstopt in haar tas kunnen blijven zitten. Ze wilde dat ze de tijd genomen had om meer kleren aan te trekken. Ze was de temperatuur niet meer gaan opnemen bij Ovids camper, wist niet wanneer en of ze zichzelf ooit nog zover zou krijgen om dat weer te gaan doen, maar het moest wel min vijf of nog kouder zijn. Of misschien was ze haar inschattingsvermogen voor kou wel kwijtgeraakt in de afgelopen milde grijze maanden.

Boven in de wei zag ze tot haar verrassing een laagje wit op de donkere takken en in de schaduw op de bosgrond. Het had die nacht gesneeuwd. De hemel was opgeklaard en de ochtendzon had elk spoor ervan op de weiden beneden uitgewist, als het daar al was blijven liggen. Maar hier op de berg was het winter. Het idee van sneeuw op de vlinderbomen bracht haar in paniek. Sneeuw die op de vlinders zelf viel, hun broze vleugels en tere lijfjes, was zo'n hartverscheurend beeld dat ze het zich tot nu toe nog niet had kunnen voorstellen. Ze liep het pad op en versnelde haar pas. Als ze duizend pakjes sigaretten jonger was geweest, was ze gaan rennen. Even overwoog ze terug te gaan om de jeep te halen, maar ze wist dat dat niet echt nodig was. Haar aanwezigheid bij deze ramp zou er niets aan kunnen veranderen, het was al gebeurd.

De sneeuw verzachtte het duister van het bos, had de groenblijvende takken bepoederd met licht en weerkaatste de heldere hemel. Waar het pad zich vertakte naar het onderzoeksterrein zag ze dat zelfs het smalle paadje nu zichtbaar veel gebruikt werd. De sporen van bezoekers en hun afval waren overal, beroete stenen die bij elkaar waren gelegd voor een kampvuur, glinsterende glasscherven die door het dunne laagje sneeuw heen staken. Ze vertraagde haar pas om op adem te komen en keek wat beter om zich heen. Hoopjes met sneeuw bedekte bladeren hoog in de takken trokken haar aandacht: eekhoornnesten, maar geen levende vlinders.

Ze daalde het steile zijpad af dat rechtstreeks naar het dal van de roestplaats leidde en kwam daarbij langs een soort kampeerplek die een meter of honderdvijftig van het pad af lag. Dellarobia had nog nooit van haar leven gekampeerd; de aantrekkingskracht van slapen in een nylon lijkwade ontging haar ten enenmale, maar er waren genoeg mensen die er blijkbaar anders over dachten, en enkelen van hen overnachtten hier. De aanwezigheid van vreemden voelde niet meer zo heel vreemd, maar de blik die haar werd gegund in de intimiteit van het ochtendleven van deze mensen bezorgde haar bij het horen van de gedempte geluiden van hun ritsen en stemmen een ongemakkelijk verlegen gevoel. Ze rook hun koffie. Het waren er een stuk of zes, zeven – jonge mannen nam ze aan, maar wie zou het zeggen – die dicht bij elkaar rond een kampvuurtje zaten. Hun haar zat wild, zoals dat van Cordelia op een gemiddelde dag. Toen een van hen opstond met gekruiste naalden voor zich waar een lange draad wol aan hing drong het tot Dellarobia door dat ze, hoe onwaarschijnlijk ook, zaten te breien. Degene die stond zwaaide met een dikke knuist die eruitzag alsof hij in het verband zat, langzaam en met brede uithalen alsof er een enorme afstand overbrugd moest worden. Hij, zij of het was gekleed in een oude mannenjas over een katoenen jurk op een spijkerbroek die in ongestrikte schoenen was gestopt, een outfit die Cordie bij elkaar gezocht had kunnen hebben. Dellarobia aarzelde even voor ze terugzwaaide en vervolgde toen snel haar weg.

Toen ze bij het sparrenbos kwam, hing daar nog net als altijd die aparte sfeer, donker en stil. Aan de besneeuwde takken zag ze met sneeuw bepoederde zuilen vlinders hangen, eerst een paar en daarna meer zodra haar ogen aan hun winterse voorkomen gewend waren. Ze bleef staan om haar wanten uit te trekken en neer te knielen om de broze strengen dooraderde vleugeltjes aan te raken die op het pad aan haar voeten lagen opgehoopt, veel meer dode vlinders dan ze ooit eerder had gezien. De bergen insectenlijkjes lagen direct onder de kolonies, jammerlijk weggeteerd, zo leek het, als hopen verschrompelde tomaten die na een mislukte oogst van de plant gevallen waren. Ze kwam met beide handen voor de borst geslagen overeind en keek naar de bomen om in te schatten hoeveel er nog over waren. Het bos leek nog steeds vol te hangen met gigantische, donkere, door de vlinderbundels gevormde vingers, van boven belicht en oranje omrand op de plaatsen waar de zon ze bereikte. Als ze al waren uitgedund, kon ze met geen mogelijkheid inschatten hoe erg het was. De hoeveelheid had voor haar altijd al oneindig geleken. De eenvoudigste conclusie was dat ze het hadden overleefd. De wereld was nog niet helemaal vergaan.

De kleine open plek beneden in het dal, de onderzoeksplek, begon al vertrouwd te voelen, als een kamer in een huis. Ze bleef tussen de bomen aan de rand even staan om haar bonzende hart te laten kalmeren. Elke dag kreeg ze meer van haar longen terug sinds ze gestopt was met roken. Sinds ze in de licht ontvlambare sfeer was gestapt die rond Ovid Byron hing. Hij was er, aan de overkant van de open plek. Pete en hij stonden met hun rug naar haar toe naar de boomtoppen te kijken. Tot haar verbazing zag ze dat er ook al vier helpers aanwezig waren die eerbiedig rondliepen. Vern Zakas was er ook bij. Hij stond takken op zijn knieën te breken voor een vuurtje. Zij had die jongeren geworven en Ovid had hen meteen aan het werk gezet. Vorige week hadden ze van een plaat triplex die Cub voor hen had opgeduikeld een laag tafeltje gemaakt door grote keien onder de vier hoeken te plaatsen, en de grond rond de tafel zag er nu al platgetrapt uit. Vanochtend hadden ze de veldweegschaal neergezet, waaromheen halfopen verpakkingen lagen waaruit de inhoud naar buiten kwam. Rechthoekige, ondoorzichtige zakjes van vetvrij papier lagen over de tafel verspreid als kaarten na een afgebroken potje poker. Ze vroeg zich af of mannen de rommel die ze maakten eigenlijk wel zagen of dat hun ogen een andere structuur hadden, zoals Ovid haar verteld had over de ogen van katten en honden en insecten. Ze moest de boel hier nodig gaan organiseren. De jongens leken ingetogen, minder uitbundig dan anders, waarschijnlijk vanwege de alarmerende situatie. Ze voelde zich vreemd bezitterig, alsof ze haar territorium waren binnengedrongen.

Ze zag Petes rug zich merkwaardig krommen en het duurde even voor ze doorhad waar die vreemde houding vandaan kwam. Hij trok een pijl naar achteren in een boog. Bijna direct daarna vloog die de boomtoppen in en viel toen in een rechte hoek terug, stuiterde en bleef op ongeveer vijf meter boven hen in de takken hangen. Dellarobia wist dat er een jachtseizoen voor herten was waarin je met pijl en boog mocht jagen, maar kon geen dieren verzinnen die in bomen leefden waarop je zou willen schieten. Ze bleef een hele tijd staan kijken, omdat ze ertegen opzag tevoorschijn te komen. Vern en de anderen keken ook, zag ze, elke keer als Pete een pijl omhoogschoot. Hij trok ze terug aan een fijne draad die ze niet kon zien. Visdraad, misschien. Telkens wanneer er een pijl langskwam door de takken verstoorde dat de rust van de vlindertrossen en soms vielen er ook kluitjes op de grond, maar dat was blijkbaar niet het doel. Ze kreeg de indruk dat hij de draad over de top van een hoge spar probeerde te krijgen. Bij de vijfde poging waar ze getuige van was lukte dat en meteen klonk er luid gejuich alsof hij een touchdown had gemaakt. Mannen.

Ze maakte gebruik van hun afleiding om zich bij de groep te voegen zonder zich bij de baas te melden. Haar zenuwachtigheid had zich sinds zaterdag geconcentreerd op het moment dat ze hem in de ogen zou kijken en in een flits zou weten of hij wist dat hij gezien was, ja of nee. Opnieuw naakt, in zekere zin. Dat moment uit de weg gaan leek nu van cruciaal belang. Ze liep meteen door naar Vern, die het lange nylon meetlint aan het afrollen was en zichtbaar opgelucht was haar te zien. Dr. Byron wilde dat ze de vlinders op de grond telden, vertelde hij, en ze hadden geen idee hoe. Ze kon zich helemaal voorstellen hoe dat was gegaan, met Ovid die hen vast murw had gebeukt met een stortbui van niet te onthouden instructies om vervolgens weg te lopen. Gelukkig wist ze wat er moest gebeuren; het was de eerste taak die ze hierboven had moeten doen, met Bonnie en Mako. Ze stuurde Vern in noordelijke richting en liet hem het lint over de lengte van de hele open plek neerleggen, waarna ze vierkanten van een meter bij een meter afmat in het transect. Pete kwam haar begroeten.

'Heb je nog aan de slopen gedacht?' Aan zijn gezicht was te zien dat hij zo zijn twijfels had, dus het was een triomf om haar schoudertas open te kunnen ritsen en ze als goochelaarssjaals tevoorschijn te trekken. Het aantal, vier, scheen hem ook deugd te doen. Pete gaf de helpers opdracht alle vlinders uit vier van de kwadraten van een vierkante meter in de kussenslopen te stoppen als ze geteld waren. 'Dood of levend,' zei hij tegen Vern. 'Eén kwadraat per sloop, welk kwadraat je kiest maakt niet uit. Die slopen nemen we mee naar het lab.'

De jongens accepteerden de vreemde opdracht zonder vragen en gingen aan het werk op het aan hen toegewezen terrein. Ze dacht terug aan haar eerste dagen hier, toen ze haar gebruikelijke nieuwsgierigheid diep had weggestopt, bang om haar gigantische onwetendheid te verraden. Deze jongens waren zelfs nog serieuzer dan zij toen, te oordelen naar de manier waarop ze hun knieën in de drassige zwarte bladermassa drukten zonder zich te bekommeren om hun jeans, die nooit meer schoon te krijgen zouden zijn. Op Roger na, die altijd een korte broek droeg, weer of geen weer. Roger en Carlos waren twee van de drie Californiërs die zich aan Dellarobia waren komen voorstellen toen ze hier voor het eerst aankwamen. Ze hadden hier sinds die tijd gekampeerd en waren er steeds onverzorgder uit gaan zien, maar klaagden nooit. De derde was naar huis. Pete noemde hen 'de driehonderdvijftig-jongens' in plaats van hun namen te gebruiken en ze vroeg zich af of dat kleinerend bedoeld was. Pete en zij vormden een bondgenootschap nu er andere mensen op zijn terrein waren gekomen en het fascineerde haar zeer, die clubregels. Enigszins in verlokking gebracht door de kans een insider te zijn had ze de bijnaam 'Vern met de Tochtlatten' verzonnen als grapje voor Pete. Maar daar kreeg ze spijt van toen Vern zo'n noeste werker bleek. En de Californische jongens, die altijd even aardig en respectvol waren, mocht ze echt heel graag. Die waren heel anders dan het gros van de toeristen die hier rondbanjerden en water en inlichtingen van Dellarobia eisten alsof ze personeel was. Als ze al met haar praatten, articuleerden ze soms extra duidelijk, alsof ze dachten dat ze geen Engels verstond.

Ze rende achter Pete aan. 'Wat was dat met die pijl en boog?' vroeg ze. 'Moet ik je soms aangeven wegens het buiten het jachtseizoen op vlinders schieten?'

Hij lachte. 'Dat is om de iButtons op te kunnen hangen.'

'De aai-wat?'

'Met een i, de letter i. Kleine i, grote B.' Uit een materiaaltas haalde hij een plastic zakje vol zilveren schijfjes die op batterijen voor een horloge leken, maar dan dikker. iButtons bleken kleine elektronische instrumenten die temperaturen over langere tijd vastlegden. Elk schijfje moest met klittenband worden vastgemaakt in een stukje pvc-buis om het tegen regen en zon te beschermen en zo werden ze met behulp van de visdraad boven in de bomen geschoten. Ze werden met een tussenafstand van telkens vijf meter van de grond tot boven, als het ware in de vlaggenmast, gehesen. 'Ze slaan data direct op,' legde hij uit, 'zoals de zwarte doos in de motor van je auto.' Hij vertelde haar ook, al vroeg ze daar nu niet naar, dat ze tien dollar per stuk kostten.

Dat haar auto een zwarte doos zou hebben was nieuw voor Dellarobia, maar ze begreep wat hij bedoelde en ging hem ermee helpen. Ze bleek handig in het vastmaken van de dingen in de pijpjes en ze bevestigen aan de lijn waaraan ze moesten worden opgehesen. Ze dacht aan het curriculum vitae dat ze voor Dovey had opgedreund voor ze dit baantje had gekregen: ervaring in het pureren van erwten en het bemiddelen bij driftbuien. Daar kon ze nu aan toevoegen: in het bezit van slopen, goed met klittenband. Ze zouden de iButtons achtenveertig uur in de boom laten hangen en ze dan weer meenemen naar het lab. 'Was je er niet bij toen we dit de eerste keer deden, voor Kerstmis?' vroeg Pete.

'Nee, toen ben ik maar één keer mee naar boven gegaan en hebben we lijken geteld.'

'O ja,' zei Pete en hij trok met zijn rechte witte tanden een knoop strak. Beugel gehad, dacht ze. Iemand heeft daar dik voor betaald. Zonde om ze als tang te gebruiken. 'De temperatuur is beneden in de boom heel anders dan boven,' vertelde hij. 'Vooral in naaldbossen. Daar zul je nog versteld van staan. Er staan massa's temperatuurdata van de Mexicaanse roestplaatsen in het werk van Brower. We willen de thermische eigenschappen van de Feathertownlocatie vergelijken met die van de gebruikelijke roestlocaties.'

Ze stelde zich voor dat dat woord, Feathertownlocatie, ooit in een wetenschappelijk boek zou staan. Niet de Clearylocatie of de Turnbowlocatie. Ze vroeg zich af of ze teleurgesteld was dat ze niet zelf was vernoemd bij wijze van aandenken. Een aandenken aan de plaats waar een soort aan zijn einde was gekomen. Het was eigenlijk raar, al die noeste arbeid met dat vooruitzicht.

'En als we die buttons naar het lab hebben gebracht, wat dan?'

'We hebben een uitleesapparaatje dat we in de computer steken. Het duurt wel even om alle gegevens te downloaden en in kaart te brengen,' waarschuwde hij. 'Bereid je maar voor op een saaie dag.'

'In tegenstelling tot deze,' zei ze en ze blies op haar verstijfde vingers.

'In tegenstelling tot deze.'

Ze merkte dat ze Ovids naam niet hardop durfde uit te spreken. 'Maakt hij zich zorgen?' vroeg ze dus maar. 'Is dit echt rampzalig voor de vlinders?'

'Het kan erger.' Pete leek zich te hebben voorgenomen om geen emotie te tonen. 'Het heeft zeker gevroren vannacht, dus het microklimaat van die sparren beschermt ze tot een bepaald punt. Net als in Mexico. Ik denk dat hij een temperatuurprofiel wil maken van de roestplaats tijdens deze koudeperiode om te zien bij welke temperaturen ze nog kunnen overleven.'

'Waar is hij heen?' vroeg ze.

'Hij heeft de camera mee. Ik denk dat hij een foto-inventarisatie aan het maken is.'

Ze bedacht dat Pete één ding was vergeten: het serienummer van elke afzonderlijke iButton vastleggen voor hij ze de boom in hees. Hij leek een beetje van slag, dus misschien was de situatie toch wel ernstiger dan hij wilde zeggen. Ze vroeg wat er met de kussenslopen moest gebeuren.

'O, ja,' zei Pete. 'Die kunnen hier niet de hele dag blijven rondslingeren; iemand zal ze vanmiddag naar het lab moeten brengen. Het is de bedoeling dat je,' zei hij, waarmee hij haar te verstaan gaf wie die iemand zou zijn, 'de vlinders naar beneden schudt en de slopen aan een waslijn of zoiets hangt. Met de open kant naar boven. Je kunt wel een lijntje spannen in het lab. En vervolgens observeer je ze.'

'Observeer je slopen met dode vlinders?'

'Ze zijn niet allemaal dood. Je zult merken dat er ook een bepaalde hoeveelheid slapers in zit. Als die opwarmen, zullen ze rond gaan kruipen door het sloop. Aan het einde van de dag tel je de levende en de dode exemplaren en bereken je de verhouding. Dat getal pas je toe op alle vlinders die we op de grond hebben geteld en dat is je mortaliteitsschatting.'

Ze liep alle stappen na in haar hoofd. 'Kan ik ze ook thuis ophangen?'

'Zeker. Daar is het waarschijnlijk ook warmer dan in het lab,' zei hij, wat inderdaad zo was, maar zij dacht vooral aan Preston. Als die uit school kwam, zou hij op het puntje van een stoel met volle overgave naar die slopen gaan zitten kijken. Hij zou telkens wanneer een slaper zich uit zijn coma wakker worstelde en aan de trage klim tussen de zachte muren van de stof naar boven begon naar haar toe komen rennen om haar op de hoogte te houden. Preston en zij zouden de achterblijvers aanvuren, omdat dat tenminste nog iets was wat ze konden doen. De levenden en de doden tellen en de cijfers op een rij zetten.

Dellarobia dacht pas lang na het middaguur aan eten. Pete had haar opgedragen nog meer lijnen met buttons klaar te maken terwijl hij doorging met pijlen schieten. Af en toe hurkte hij op zijn hielen bij de triplex tafel om reeksen raadselachtige cijfers in Ovids computertje in te voeren. Ovid zelf bleef spoorloos. De zon won in de loop van de ochtend terrein in het bos en zorgde onmerkbaar voor een iets hogere temperatuur tot ze besefte dat haar vingers ontdooid waren en ze niet meer al haar beschermlagen nodig had. Toen het zo warm werd dat ze haar jas uit kon doen, overschreed de temperatuur blijkbaar een soort drempel, wat een overdonderend spektakel in gang zette van vlinders die aarzelend openklapten en zelfs opstegen. Overal in de lucht spatten feestelijke salvo's van activiteit uiteen, als rijst op een trouwerij. Ze hield op met het rijgen van buisjes aan visdraad om naar boven te kunnen kijken. Pete keek op van zijn toetsenbord, de jongens stopten met het tellen van lijkjes en kwamen wankelend overeind als zombies met kletsnatte knieën. Als een kerkgenootschap hieven ze hun ogen in dankbaarheid op naar de hemel. Dit keer zonder juichkreten of high fives, zoals toen Petes pijl de boom bedwong. Het verschil was iedereen duidelijk.

Ze voelde zich duizelig en besefte opeens dat ze honger had. Ze greep haar schoudertas en liep naar de dikke, met mos begroeide boomstam die nog steeds de beste zitplaats van de onderzoeksplek was. Carlos en Roger stonden daar, compleet met zwarte knieën, hun jas op de grond gegooid, mouwen opgerold, met gekruiste armen voor hun borst een soort spel te doen waarbij het de bedoeling was elkaar van de boomstam af te stoten. Carlos was de grootste van de twee en had rossig haar, ondanks zijn Mexicaans klinkende naam. Door Rogers baard van twee weken en zijn eeuwige slobberbermuda deed hij haar denken aan Sneeuwwitjes zeven dwergen.

'Ha, Dellarobia,' riepen ze allebei, toen ze aan kwam lopen. Ze leken haar naam met veel genoegen uit te spreken, wat haar niet vaak overkwam. Misschien hadden de Californiërs wat minder moeite met het onalledaagse. Als vanzelf schatte ze de afstand in die de jongens zouden kunnen vallen, ongeveer de hoogte van een verzwikte enkel, en zag ze de cellofaanverpakkingen rondslingeren van hun lunch. Eens een moeder, altijd een moeder, baan of niet. Ze onderdrukte de neiging om te gaan opruimen en ging op veilige afstand van hun gestoei zitten. De boterham met pindakaas en jam in haar tas was naar de bodem gezakt en ze moest om erbij te kunnen eerst van alles uitpakken, wat ze naast zich op de boomstam legde: vier wegwerpluiers, sokken, een doosje *Luizenleven*-pleisters en een ijsblokjesvorm waar ze geen goede verklaring voor had.

Ovid Byron dook uit het niets op en ging aan de andere kant van haar stapeltje zitten. Ze kreeg een kleur, stopte de merkwaardige verzameling snel weer weg en pakte haar boterhammen uit. 'Môgge,' zei hij opgewekt, zonder acht te slaan op de werkelijke tijd en haar ellende. Hij leek niet anders dan anders. 'Hoe is het ermee?'

'Goed, hoor.' Het antwoord was dus nee, hij had niets gemerkt. Goddank. Ze kon gewoon op deze boomstam blijven zitten en er zou niets veranderen. Ze bestudeerde haar boterham, de lagen bruin en roodpaars tussen de witte kussens brood. Of misschien wist hij het wel en kon het hem niets schelen. Was dat mogelijk? Hij moest dat plaatje van haar op internet hebben gezien, zo goed als naakt, en had daar ook nooit iets over gezegd. Ze wierp een steelse blik op zijn sandwich, iets uitpuilends en in een winkelverpakking, waarschijnlijk door Pete meegenomen vanuit de stad. Aan Ovids enthousiasme te oordelen was dit het eerste voedsel dat hij op deze lange, koude dag in handen had. Hij was hier al sinds de vroege ochtend.

'Hebben jullie daar wel genoeg te eten?' kon ze niet nalaten te vragen.

'Het moet maar genoeg zijn,' zei hij. Ze waagde het even naar zijn gezicht te kijken en hij ontwapende haar met een zo openlijk dankbare blik dat ze even van haar stuk was gebracht. Dankbaar waarvoor? Ze had niets te bieden. Ze was vanochtend zo zenuwachtig geweest, dat ze zelfs geen thermosfles koffie had meegenomen.

'Weet je wat ik zou kunnen doen?' zei ze in een opwelling. 'Vanmiddag een grote pan soep maken en die hierheen brengen zodat iedereen wat warms binnenkrijgt. Pete wil dat ik die slopen met vlinders naar het lab breng. Als jullie nog van plan zijn tot het donker hier te blijven, hebben jullie aan een paar boterhammen niet genoeg.'

'Dat is ook toevallig. Ik zat net aan de noedelsoep van mijn vrouw te denken.'

Dat was nou niet echt wat ze wilde horen, merkte ze. 'Kan ze goed koken?'

Hij glimlachte en streek met de rug van zijn hand over zijn kin. 'Ze kan er niks van.'

Dellarobia was schandalig blij met dat nieuws. 'Nou, mijn kippensoep met noedels is heel goed te eten. Over een paar uur kan ik hier wel met een pan staan.'

'Dan word je meteen tot koningin van onze stam uitgeroepen, vermoed ik,' zei hij. 'Vooral door de driehonderdvijftig-jongens. Ik geloof niet dat die de afgelopen weken nog iets fatsoenlijks binnengekregen hebben.' Roger en Carlos hadden hun Robin Hoodspel zonder ongelukken afgesloten, hun rotzooi opgeruimd en waren teruggeslenterd naar het slagveld. Ze deden hun werk bijna fluitend.

'Waarom noemt Pete hen zo?'

'Zo heet hun organisatie. 350.org.'

'Maar wat betekent dat dan?'

'Deeltjes per miljoen,' zei hij met volle mond tussen twee happen door. 'Ik maak me eerlijk gezegd wel zorgen om die twee. Ze leven op hun politieke overtuiging en studentenhaver.'

Studentenhaver? dacht ze. Maar ze vroeg: 'Deeltjes per miljoen?'

'Driehonderdvijftig deeltjes per miljoen,' antwoordde hij. 'Het aantal koolstofmoleculen dat de atmosfeer kan bevatten zonder de bestaande thermische balans te verstoren. Het is een belangrijk getal. Ik neem aan dat ze er de aandacht mee willen trekken.'

Roger kwam terug om zijn jas te halen, die hij op de grond had laten liggen, en raapte hem met een korte zwaai in hun richting op. De jas was aan alle kanten gerepareerd met duct-tape. Als hij het koud genoeg krijgt, zal hij die blote benen van hem misschien ook wel intapen, dacht Dellarobia. Ze vroeg zich af of ze hem zou aanbieden om bij de tweedehandswinkel op zoek te gaan naar een broek.

'Het is een broeikasgas, kooldioxide,' ging Ovid door. 'Het houdt de warmte van de zon vast. Dat aantal schiet omhoog. Waar je bij staat, zoals ze zeggen.'

'Bedoel je dat er iemand die atomen zit te tellen?'

'Dat is niet zo moeilijk. Met de juiste apparatuur.'

Haar hart bonsde nog steeds als een razende, zoals het al de hele ochtend deed als ze hem zag of meende te zien. Maar zijn woorden kalmeerden haar, net als zijn kwetsbaarheid. Hij had zijn sandwich zowat in één hap naar binnen geslokt. Ze legde de hare neer om in haar tas op zoek te gaan naar iets wat ze hem als noodrantsoen kon aanbieden. 'Dus de kooldioxide stijgt als wij olie en andere dingen verbranden.' Ze deed haar best om er met haar gedachten bij te blijven.

Hij knikte. 'Steeds verder.'

Ze vond waar ze naar op zoek was, een eenpersoonskuipje perzikschijfjes, en gaf dat aan hem. 'En wat gaat er dan mis als we bij driehonderdvijftig zijn?'

'De thermische stabiliteit van de planeet.' Hij bekeek het plastic kuipje even voor hij het aanpakte en het deksel van folie eraf trok. Ze keek hoe hij het in één teug naar binnen goot, als een glas water, en probeerde te bedenken of ze nog iets eetbaars bij zich had.

'Hoe ver zijn we nu?'

Hij slikte een paar keer voor hij antwoord gaf. 'Ongeveer bij driehonderdnegentig.'

'Wat? Zijn we er al voorbij? Waarom is de wereld dan niet vergaan?'

Hij bestudeerde het lege kuipje in zijn hand. 'Volgens sommigen is dat wel gebeurd. Orkanen die tot honderdvijftig kilometer het binnenland in razen, windsnelheden die nog nooit eerder gemeten zijn. Woestijnen in brand. In New Mexico woedt een waar inferno. In Texas is het nog erger. In Australië is het onvoorstelbaar veel erger, een groot deel van het continent zucht onder een voortdurende droogte. Boerderijen waarvan de bewoners voorgoed wegtrekken.'

Ze zag boomgaarden als die van de Cooks voor zich, die aan deze kant van de wereld ten onder gingen aan het tegenovergestelde. Regen die naar de verkeerde plekken werd gestuurd, in verkeerde hoeveelheden. 'Waarom besproeien ze het land niet gewoon?' vroeg ze.

'Omdat er vuurstormen woeden.'

'O.'

'Muren van vuur, Dellarobia. Die denderen door het land als goederentreinen met dode bomen en de uitgedroogde bodem als brandstof. In Victoria zijn honderden mensen levend verbrand in één maand, zoveel dat de premier het een hel op aarde noemde. Dit is nog nooit eerder gebeurd. Er is geen evacuatieplan.'

Ze moest eraan denken dat ze tegen Dovey had gezegd dat de hel uit de mode was. Ze zwegen. Tussen de bomen door zag ze Carlos uit zijn hurkpose opstaan en een soort yogahouding aannemen, waarbij hij zijn armen boven zijn hoofd tegen elkaar hield om zijn spieren te rekken. Ze klaagden nooit, die twee jongens. 'Stijgt dat aantal nog steeds?' vroeg ze.

'Alles wat ons hier heeft gebracht gaat onophoudelijk door,' zei Ovid.

Ze dacht aan de poedersneeuw die Cub had weggeschopt. 'Is het dan afgelopen met de winter?'

'Dat zou kunnen, maar dat is onze zorg dan al niet meer. Er zijn maar een paar graden verschil nodig, gemiddeld wereldwijd, om een einde aan ons te maken.'

Ze staarde hem aan, de eerste keer dat ze hem voor langere tijd direct aankeek sinds ze hem per ongeluk naakt had gezien. 'Hoezo een einde?'

'Leefsystemen zijn gevoelig voor heel kleine veranderingen, Dellarobia. Denk aan de temperatuur van een kind en dan één graad hoger. Noem je dat nog normaal?'

'Achtendertig, dat is milde koorts,' zei ze. 'Pijn en rillingen.' Dellarobia verfoeide de thermometer die ze in haar make-upla bewaarde, het verraderlijk elegante glazen buisje en het bijbehorende regime van doorwaakte nachten, kroep en oorontstekingen. De gloeiend hete wangen van haar kinderen, hun gekwelde gesnik dat haar zo aan het hart ging.

'En als de temperatuur blijft stijgen?' vroeg hij.

'Nog verder? Bij eenenveertig graden zou ik naar de eerste hulp rijden. Dat is dus vier graden hoger. Aan nog meer wil ik niet denken.'

'Interessant,' zei hij. 'Ik heb net een VN-klimaatrapport zitten lezen van vele honderden pagina's, en de prognose daarin komt precies overeen met wat jij me in één zin vertelde. Tot op de graad nauwkeurig.'

Ze kreeg het erg benauwd van zijn koortsverhaal. Alleen al de lucht van ontsmettingsalcohol bezorgde haar slappe knieën.

'Het houdt me 's nachts wakker, dat rapport,' verwoordde hij haar gedachten. 'Een stijging van vier graden gemiddeld wereldwijd lijkt onvermijdelijk op dit punt. Dus we zijn op weg naar de eerste hulp, zoals jij het stelde. De stijging gaat nog lange tijd door, zelfs als we ophouden met het verbranden van koolstof.'

'Als we daarmee stoppen, houdt die stijging ook op,' zei ze, wat iets te betweterig klonk.

'Dat dachten wij eerst ook, maar sommige processen blijken niet te stoppen. Zoals het verlies van poolijs. Het witte ijs reflecteert de warmte van de zon direct terug naar de ruimte. Maar als het smelt, houden het donkere land en het water de warmte vast onder het oppervlak. De bevroren grond smelt. En dat brengt weer meer kooldioxide in de lucht. Die reactiespiralen weten ons steeds weer te verrassen.'

Hoe kon dat waar zijn, dacht ze, als niemand het erover had? Mensen met invloed. Belangrijke mensen maakten zoveel drukte over oneindig kleinere problemen.

'Het is dus geen kwestie van Floridawinters in Tennessee,' zei hij. 'Dat is niet waar het om gaat.'

'Is er ook iets wat ik echt kan zien?'

'Geloof je niet wat je niet ziet?' vroeg hij.

Ze dacht aan Blanchie Bise en de Bijbellessen. De zondvloed, Jezus. Ze deed haar best. 'Dat is nooit mijn sterkste kant geweest,' biechtte ze op.

'Geloof je ook niet dat je kinderen volwassen zullen worden?'

Dat was een voltreffer waarmee hij haar zowat vloerde. Of onderdompelde eigenlijk, aangezien ze op een boomstam boven het water zat. Hoe durfde hij haar daarmee om de oren te slaan?

'Een trend is niet tastbaar, maar dat wil niet zeggen dat hij er niet is,' zei hij kalm. 'Met één foto kun je niet bewijzen dat een kind groeit, maar met meer foto's zie je duidelijk verschil. Leg ze naast elkaar en je kunt een betrouwbare voorspelling geven van wat eraan komt. Je ziet het nooit in één keer. Je moet een tijdje blijven kijken.'

Ze bedacht opeens dat ze de laatste zes maanden of langer geen enkele foto van haar kinderen had gemaakt. Dovey misschien wel, met haar telefoon. Ze moest zorgen dat ze er een paar maakte voor Preston begon te wisselen.

'Ik kan het je wel uitleggen,' zei hij. 'Water, dat kun je zien. Warme lucht bevat meer water. Denk aan een beslagen autoruit. Vermenigvuldig dat met alle vierkante meters boven je hoofd en dan krijg je een hele hoop water. Het verdampt te snel op de warme plekken en overstroomt de natte. Elk soort weer wordt verhevigd door warmte.'

'Overstromingen en branden dus. Zoals in de profetieën staat.'

'Dat weet ik niet. Wat zegt de Bijbel over het ijs-albedo-effect?'

Hij zat waarschijnlijk de draak met haar te steken. 'Ik geloof niet dat de profetieën direct toepasbaar zijn op de echte wereld,' zei ze. 'Er wordt wel van uitgegaan dat het ooit zover komt, neem ik aan. De zee van vuur en zo. Maar ze denken dat het nog wel ver weg is. Ver na de zomerstop van de sportclub. Na het eindexamen van de kinderen, nadat ze getrouwd zijn.'

Ze stopte met praten voor Cordelia en Preston hun opwachting zouden maken in het beeld dat ze schetste. Het middaglicht begon al te verzwakken; het zachtere licht vulde de hemel als een vloeistof die tussen de bomen door sijpelde. Ovids aandacht voor haar voelde als een belofte en die wilde ze geloven, dat alleen, niet de woorden zelf. Springen en niet aan neerkomen denken. Ze at haar boterham op terwijl hij praatte. Hij vertelde haar dat het bos koolstof opnam uit de lucht, maar niet als de bomen doodgingen van uitdroging of verbrandden. Dat de zeeën de atmosfeer ook beschermen, maar niet als ze door te veel kooldioxide verzuren en er geen leven meer in mogelijk is. De oceanen, zei hij, raakten hun vissen kwijt. 'En de koraalriffen. Heb je wel eens een koraalrif gezien?'

Ze wilde dat ze gewoon zijn hand even kon aanraken om hem te laten ophouden. Ze zag de kraaienpootjes rond zijn ogen, zijn vermoeidheid. Het was vast waar dat hij er 's nachts wakker van lag. 'Ik ben wel eens op het strand geweest,' zei ze, 'maar dat is vast niet hetzelfde.'

'Ik vertel je nog wel een keer over de riffen. Dat is het enige wat ik als kind wilde: bij het rif zwemmen en alles onderzoeken. Mijn moeder zei dat ik nog eens zelf in een vis zou veranderen.'

Zij zag het allemaal niet, de getroffen bossen en de dodelijke golven. Wat zij zag was het jongetje in de man die op het punt stond alles te verliezen. Het voelde net als wanneer haar kinderen jammerden over dingen die ze niet kon veranderen. Machteloos. Alles verdwijnt. 'Ze zeggen dat het alleen maar een cyclus is,' zei ze na een tijdje. 'Dat dit om de zoveel tijd gebeurt.'

Hij maakte een sissend geluid door lucht tussen zijn tanden te laten ontsnappen, wat haar bang maakte. 'Oké. In het pleistoceen zat dit werelddeel grotendeels onder ijs en de rest was arctische woestijn. In andere tijden smolten de ijskappen en stond het hier onder water. Dus, ja, cycli. Met miljoenen jaren ertussen, niet tientallen.'

Ze durfde niks terug te zeggen. Maar hij drong aan. 'Wat zie je voor je, Dellarobia?'

'We hebben nog nooit zoveel regen gehad als vorig jaar, kan ik je wel vertellen.'

'Ik bedoel letterlijk. Wat zie je?'

Ze keek naar de bomen, de bosgrond. 'Een miljoen dode vlinders,' zei ze, 'die gloeiende spijt hebben dat ze hier zijn neergestreken.'

Een levende vlinder kwam naar beneden vallen en landde op een kluitje gras bij Ovids schoenen. Ze keek hoe hij traag naar boven klom, naar het topje van de aar dat naar beneden hing en zich ondersteboven aan de onderkant van de boog vastklampte. Hij vouwde zijn vleugels samen en zette er voor vandaag een punt achter in afwachting van een betere dag morgen.

'De mens gelooft niets liever dan dat we er altijd zullen zijn,' zei hij. 'We verafgoden het idee, kun je wel zeggen. Met onze pensioenfondsen, onze genealogieën. Onze zogenaamde ideeën over de eeuwen die nog zullen komen.'

'Ik vind dit echt heel akelig. Wat je allemaal beweert. Dat je het maar weet.'

'Sorry. Ik ben doctor in natuurlijke systemen. En dit lijkt me terminaal.'

In de takken boven hun hoofd spatten bommetjes vlinders open in de zon, als geluidloos vuurwerk. De schoonheid ervan was onweerstaanbaar. 'Ik kan me gewoon niet voorstellen dat het echt zo erg is,' zei ze, 'en volgens mij geldt dat voor de meeste mensen.'

Hij knikte traag. 'Weet je hoeveel moeite wetenschappers hebben moeten doen om de mensen ervan te overtuigen dat vogels in de winter naar het zuiden vliegen? De Europeanen geloofden dat ze zich in modderige rivieroevers ingroeven om te overwinteren. Ze zagen de zwaluwen zich in de herfst verzamelen bij de rivieren en vervolgens verdwijnen. Afrika was een abstractie voor die mensen. Het idee dat vogels daar om onbekende redenen heen zouden vliegen vonden ze belachelijk.'

'Tja,' zei ze. 'Zien is geloven, neem ik aan.'

'En weigeren het bewijs te zien is ook populair.'

'Het is niet zo dat we allemaal gewoon maar lui van geest zijn, zoals jij misschien denkt.' Ze zocht met moeite naar de woorden om zich te verdedigen. Op het eerste gezicht had ze de vlinders aangezien voor vuur en magie. Dat het monarchvlinders waren, was niet bij haar opgekomen. Dat zou hij waarschijnlijk nooit geloven. 'Mensen kunnen alleen dingen zien die ze herkennen,' zei ze. 'Ze zien het pas als ze weten dat het er is.'

'Ze gebruiken inferentiesystemen,' zei hij.

'Oké. Dat.'

'En hoe zien ze het einde van de wereld?' vroeg Ovid. 'In termen van wat ze uit de wereld om hen heen kennen, zoals jij zegt.'

Daar dacht ze lang over na. 'Ze weten dat dat niet mogelijk is.'

Hij knikte verbaasd. 'Jee, ik geloof dat je gelijk hebt.'

Ze pakte het plastic kuipje uit zijn handen en wikkelde het in het cellofaan waar haar boterham in had gezeten. Ze bleef voelen waar haar vingers de zijne hadden aangeraakt. 'Ik begrijp niet hoe iemand die weet wat jij weet de dag doorkomt,' zei ze.

'Zo. En hoe komt Dellarobia de dag door?'

Vliegend van Pontius naar Pilatus, dacht ze. Rare woorden. 'Zorgen dat je op tijd bent voor de bus,' zei ze. 'Zorgen dat de kinderen hun bord leegeten, hun tanden poetsen. Volgende keer geen gaatjes. Kleine verwachtingen, snap je? Er is gewoon geen plaats in ons huishouden voor het einde van de wereld. Sorry dat ik een ongelovige thomas ben.'

'Tja, je bent niet bepaald de eerste,' zei hij. 'Mensen willen altijd dat je de hele toestand in zestig seconden of minder uit de doeken doet en bewijst. Misschien heb je wel gemerkt dat ik camera's mijd.'

'Maar je deed het anders wel goed,' zei ze met nadruk. 'Het uitleggen. Ik zeg ook niet dat ik je niet geloof, alleen dat ik het niet kán geloven.'

'Je onderschat jezelf. Je hebt talent voor dit werk, Dellarobia. Ik zie hoe interessant je het vindt. Maar wees wel voorzichtig. Voor wetenschappers is de realiteit geen keuze.'

'Mogen we dan tenminste nog hopen dat de vlinders deze winter zullen overleven?'

Hij boog zich voorover om naar de lucht te turen. 'Dat is geen geringe hoop,' zei hij.

Ze dacht aan andere tijden, ander onheilspellend nieuws. Zwangerschappen, gewenst of niet. In het begin leek het nooit echt. Ze herinnerde zich de dag van haar moeders diagnose, hoe ze haar graatmagere arm had vastgehouden, de losse huid, hoe ze met haar de spreekkamer van de dokter uit was gelopen naar de vervallen parkeerplaats in de schaduw. Klompjes mos bolden uit een scheur in het asfalt tevoorschijn als druppeltjes groen bloed. Al die scherpe details van de buitenwereld die erop leken te wijzen dat alles nog hetzelfde was. Ze besloten boodschappen te gaan doen en hadden het die dag verder niet meer over het einde van hun wereld gehad.

Opeens kreeg ze enorm veel trek in de cola light die in haar tas zat. Ze groef hem met enige moeite op, trok hem open en bood Ovid het eerste slokje aan, maar hij stak zijn hand op en huiverde alsof ze hem een hap zand aanbood. 'Mijn vrouw drinkt die kunstmatig gezoete troep ook,' zei hij. 'Met aspartaam of wat het dan ook is. Ik vind het naar zeep smaken.'

Ze sloeg een teug van het bruisende, lauwe vocht achterover en merkte dat het inderdaad een beetje zeepachtig smaakte. Maar er zat cafeïne in. Ze stelde zich een dikke vrouw voor, die suikervrije frisdrank lurkte en toast liet aanbranden in de keuken. 'Hoe heet je vrouw?'

'Juliet,' zei hij.

Hou op, dacht ze. 'Dus volgens Pete moet ik die kussenslopen binnen ophangen om de slapers de kans te geven wakker te worden. Dan tel ik hoeveel er langs de zijkanten naar boven klimmen en die aantallen noteer ik. En dan? Moet ik ze dan weer terugbrengen?'

Hij klapte lachend in zijn handen. 'Nee. Nu komt het, dit vind je vast leuk. We geven de slapers een laatste kans, het is zwemmen of verzuipen. Het kunnen er best veel zijn, misschien is twee derde van wat hier op de grond ligt nog wel in leven. Maar je moet ze echt alle kans geven.'

Ze dacht aan Prestons diergeneeskundeboek met het verrassende advies over lammetjesreanimatie. 'Hoe dan? Mond-op-mondbeademing?'

'We gooien ze een voor een in de lucht. Het is dus eigenlijk vliegen of verzuipen. Vorige winter in Mexico hebben we ze van het balkon van ons hotel gelanceerd boven een binnenplaats waar mensen zaten te eten. Iedereen klapte voor de vliegers.' Zijn lach werd breder bij de herinnering aan die gelukkiger plaats. Dellarobia had er graag bij willen zijn, wilde overal wel bij hem zijn, ook al betekende het dat ze dan zelf ook de sprong zou moeten wagen. Om diezelfde kans te krijgen.

'Ik kom wel terug naar het lab voor het donker wordt,' zei hij. 'Om daarbij te helpen. Ik neem aan dat je huis geen balkons heeft.'

Ze trok een wenkbrauw op. 'Niet echt. Het jouwe wel?'

Ze moest hem over zijn huis en zijn vrouw laten vertellen, als dat was wat hij wilde. Over zijn Juliet. Dat deed ze dus. Maar hij zei alleen: 'Geen balkons.'

Dus zo zou het gaan. Ze zou naar huis gaan om soep te maken die beter was dan die van Juliet en hier terugkeren als de koningin van de stam. Als het ging schemeren zouden Ovid en zij samen naar de schuur teruglopen. Ze zouden in de openstaande deur van de hooizolder gaan staan en de vlinders oppakken, een voor een, en ze in de lucht gooien. Sommige zouden vallen. En sommige zouden vliegen.

11

# Groepsdynamiek

Dellarobia's mobieltje ging. Een sms van Dovey met weer een kerkspreuk die ze ergens had gezien: MET GOD OP HET RECHTE OF ZONDER HEM OP HET SLECHTE PAD? Dellarobia sms'te terug: ZULLEN WE?

Ze was nog lang niet klaar om te vertrekken, had nog steeds haar badjas en afgetrapte gele slippers aan. Maar Dovey was iemand die zich met een traagheid verplaatste waar je aan gewend raakte en op ging rekenen. Dellarobia schonk een tweede kop koffie in en trok een keukenstoel bij om haar voeten op te leggen. Ze hoorde haar hele leven al van mensen dat ze uitkeken naar het weekend, maar nu pas snapte ze wat daar zo leuk aan was. Niet dat ze op zaterdag minder werk te doen had, maar het kon wel in een ander tempo. Als haar kinderen de hele wasmand overhoop wilden halen om een vogelnest van te bouwen, dan gingen ze hun gang maar. Ze zou er zelfs bij in kunnen kruipen om een ei uit te broeden, als ze dat van haar verlangden. Het huishouden was niet meer haar enige domein. Ze had nu een inkomen. Nooit eerder had ze zo goed beseft dat ze zich hier in hun kleine huis voelde alsof ze in een afgesloten auto van een brug was gereden en naar de bodem zakte. Haar natuurlijke reactie op de vloedgolf van speelgoed en vuile borden die op elk denkbaar oppervlak achterbleven was altijd opruimen geweest. Nu kon ze een luik openmaken en wegzwemmen, en dat leek wel een wonder. Ze werkte buitenshuis, op maar vijftig meter afstand van haar keuken, maar dat was ver genoeg. Daar kon ze in elk geval niet de afwas op het aanrecht zien staan.

Vanuit de woonkamer klonk een stevig kabaal. Cordie zong uit volle borst *lo mio lo mio*, iets wat ze van de zoontjes van Lupe had geleerd. Het betekende 'van mij' in het Spaans, had Preston uitgelegd, waardoor Dellarobia voor het eerst het gevoel had gekregen dat ze een buitenstaander was in het leven van haar kinderen. Preston zat nu met zijn stem keiharde vechtgeluiden te maken, die steeds werden gevolgd door Cubs uitroepen van zogenaamde pijn. Ze schoof haar stoel een stukje naar voren zodat ze door de deuropening kon gluren. Cub lag op zijn rug op een deken en Preston had een complete oorlogsvloot aan voertuigen naast hem opgesteld: een rode pluchen brandweerwagen, een plastic tractor en een hele serie speelgoedautootjes.

'Wat doen jullie daar in vredesnaam?' riep ze.

'Dit is een parkeerplaats,' antwoordde Preston. 'Ik rij alles over papa heen.'

'Arme papa. Moet het slachtoffer nog worden bijgetankt?'

Cub hield zijn beker omhoog. Ze pakte de koffiepot, knielde naast hem op de deken en schonk in. 'Zullen we doen alsof dit een bloedtransfusie is?'

'Nee,' zei Preston. 'Hij is alleen maar geplet.'

En ik maar denken dat hij wel dierenarts kon worden, dacht ze. Cub was erg goed in het laten begaan van hun zoon, terwijl Dellarobia hem allang tot de orde zou hebben geroepen. Hij was niet altijd in de stemming, maar als hij zich eenmaal door de kinderen had laten vloeren, gaf hij zich er helemaal aan over en liet hij ze spelen wat ze maar wilden, hoe gek, saai of krankzinnig het ook was.

'Lo mio lo mio!' riep Cordie op de maat van de snelle stapjes, waarmee ze terugkwam uit haar slaapkamer waar ze een kartonnen boekje had opgehaald dat ze nu zogenaamd in Cubs mond propte. Cub maakte kauw- en smakgeluiden en Cordie riep opgetogen: 'Is hooi!' Ze liet het boek vallen en ging nog een hooibaal halen.

'Ik ben niet alleen geplet, ik ben ook een koe,' verduidelijkte Cub.

'Het dubbelleven van mijn echtgenoot. Iets voor Oprah Winfrey.'

Door het raam aan de voorkant zag ze Doveys oude Mustang de oprit op komen rijden. Dovey toeterde twee keer en de kinderen riepen meteen: 'Daar is Dovey!' Dellarobia ging zich snel aankleden. De kinderen waren allang klaar; de blauwe cabriolet was een leuker vooruitzicht dan de gele schoolbus en ze verheugden zich op een woeste rit met tante Dovey. Dellarobia hoorde ze door de gang naar de voordeur rennen en even later smeken of het dak alsjeblieft naar beneden mocht.

'Brrr, vergeet het maar! Het is 2 februari, jongens, veel te koud!' zei Dovey. 'Hé, Cub, wat is er met jou gebeurd?'

'Het is weer het oude liedje,' zei hij. 'Moord en doodslag in het verkeer.'

Cub was van plan om Hester vandaag te gaan helpen met het verplaatsen van de drachtige ooien en Dellarobia ging met Dovey en de kinderen winkelen. Ze zouden naar Cleary gaan, waar kortgeleden een enorme tweedehandswinkel was geopend. Meestal ging Dellarobia naar Second Time Around, een klein zaakje dat eigenlijk meer een soort huiskamerwinkel was, maar Dovey vond het vervelend dat ze daar vaak bekenden tegenkwam, of spullen van bekenden. Dellarobia zag er ook vaak dingen hangen die ze herkende, zoals maatpakken die haar moeder nog had genaaid, en zelfs een keer de fuchsia galajurk van het meisje voor wie Damon haar had gedumpt. Dat was jaren nadat Damon met dat meisje was getrouwd en ook weer van haar was gescheiden, maar daar hing opeens die jurk in al zijn glorie, glinsterend als een bloederige steekwond. Cleary was wel ver weg om op koopjesjacht te gaan, maar ze moest toegeven dat die bezigheid in Feathertown soms wat al te intiem werd.

Dovey zag er flitsend uit met haar suède kleppet en donkerrode coltrui, zoals gewoonlijk smaakvol op elkaar afgestemd. 'Duggy en Stoked' noemden ze zichzelf vroeger altijd, alsof ze een eigen televisieshow hadden en de hele wereld aan konden. Een hippere, vrouwelijke versie van *Wayne's World*, waarin alles precies zo liep zoals ze hadden gepland. Doveys cabriolet daarentegen maakte op Dellarobia altijd een rommelige indruk, vooral als de kap dicht was, die dan flapperde alsof er elk moment een belangrijk onderdeel los kon raken. Achterin had hij geen driepuntsgordels, alleen heupgordels, dus de kinderzitjes zaten er scheef en waarschijnlijk gevaarlijk in vast. De kinderen vonden dat natuurlijk prachtig.

'Hé, moet je kijken!' riep Preston. 'Die bosmarmot was geplet, net zoals ik met papa heb gedaan.' Dellarobia was verbaasd dat hij het dode dier vanaf de achterbank kon zien. Hij was zo plat als een hamburger.

'En het is vandaag nog wel 2 februari: bosmarmottendag!' zei Dovey opgewekt. 'Sorry, meneer de bosmarmot, er is hier niet veel schaduw. Hoe was dat verhaal ook alweer: als de marmot zijn schaduw ziet, duurt de winter dan nog langer of juist niet?'

Dellarobia dacht na en verwierp zowel de oorzaak als de correlatie. 'Geen van beide,' zei ze. 'Dat hebben mensen alleen maar verzonnen om zichzelf door de laatste loodjes van de winter te helpen.'

'Oké.' Dovey had de charmante gewoonte om één keer kort te knikken, waarbij haar krullen instemmend meedeinden. '2 februari, de winter duurt sowieso nog zes weken, hoe dan ook.'

Zes weken. Daarna zouden de vlinders de winter hebben overleefd en wegvliegen, of zijn gestorven. Ovids hooggespannen verwachtingen en haar baan: het zou allemaal binnenkort voorbij zijn. Soms vloog alles haar aan, en dan bedoelde ze ook álles, naderende overstromingen en hongersnood, maar meestal reikte haar toekomstbeeld niet verder dan half maart. Ze greep de handsteun vast toen Dovey nogal hard door de bocht ging. De akelig slingerende weg was vanaf de weilanden rond Feathertown tot Cleary tweeëntwintig kilometer lang en leidde om de berg heen, door stukken bos en gehuchten van stacaravans. Ze was verbaasd toen ze langs het Wayside kwamen, want dat betekende dat ze de gemeentegrens al waren gepasseerd. Cleary was eigenlijk niet eens zo ver weg, maar Dellarobia kon zich niet herinneren wanneer ze er voor het laatst was geweest. Er was een hogeschool, er waren veel restaurants en bars, maar het had net zo goed in een andere staat kunnen liggen, zo ver weg leek de plaats sinds ze was getrouwd. Dovey vond het helemaal niet ver, maar zij kon eropuit gaan wanneer ze maar wilde.

'Oké, ik ga nu dus echt uit dat stomme huis weg,' kondigde Dovey aan.

Dovey ging al negen of tien jaar echt uit dat stomme huis weg. Ze woonde in een appartementje in de twee-onder-een-kapwoning die haar ambitieuze broer Tommy als bouwval had gekocht toen hij nog maar net van school kwam en die hij sindsdien tot Doveys grote ergernis voortdurend aan het opknappen was. Hij had in die tien jaar een gigantisch bedrag aan huur opgestreken van zijn zus en broers, die allemaal graag vroeg het ouderlijk huis uit hadden gewild. Hun ouders hadden dat prima gevonden en hadden zelfs borg gestaan voor zijn hypotheek. Dellarobia snapte er niks van. Doveys broers zaten nog steeds opeengepakt in dat huis en twee broers deelden er zelfs een slaapkamer terwijl ze al in de twintig waren. Dovey had in elk geval een heel stuk van het huis voor zichzelf, maar dan nog. De muren waren dun en ze wisten meer van elkaar dan goed was voor volwassen broers en zussen.

'Hoe gaat het met Felix?' vroeg Dellarobia.

Dovey zuchtte even. 'Ik ga met hem kappen.' Dovey ging met jongens om zoals Cub televisie keek. 'Shit, ik moet hem sms'en,' zei ze. 'Zijn portemonnee ligt al twee dagen bij mij in de keuken.' Ze pakte haar tas, maar Dellarobia trok die weg.

'Vergeet het maar, niet met mijn kinderen op de achterbank. 'Toeter als je van Jezus houdt, sms achter het stuur als je naar Hem toe wilt.'

Dovey beweerde dat ze dat echt een keer op een bord langs de weg had zien staan, maar had er nu vast spijt van dat ze dat had verteld. Ze trok een gezicht. 'Hoe staan de zaken in Wetenschapsland?'

Ik heb er talent voor, dacht ze. Dat had hij gezegd. Dellarobia hield niets verborgen, maar er welde iets groots in haar op waar ze niet over kon praten. Een lichamelijk gevoel. 'Pete is gisteren vertrokken. Hij is met een stel ingevroren vlindermonsters in de kofferbak teruggereden naar New Mexico.'

'Terug naar moeder de vrouw,' zong Dovey. 'En de brave professor? Die schijnt minder onder de plak te zitten.'

'Hij heeft wel een vrouw, Juliet. Die schijnt tenminste echt te bestaan. Maar ze kan niet koken.'

'Zo slecht dat hij aan de andere kant van het land gaat wonen?'

'Hij zal er wel z'n redenen voor hebben,' zei Dellarobia. 'Al snap ik het niet. Waarom zou je trouwen en dan apart gaan wonen?'

Dovey haalde haar schouders op. 'Zie ik eruit als een Huwelijksadviesbureau?'

Ze had Dovey nog niet verteld wat Cub haar had opgebiecht. Omdat de kinderen steeds in de buurt waren, had ze nog niet de kans gekregen om het verhaal over Crystal Estep te vertellen, maar ze had er ook niet veel zin in. Ze vond het gênant, voor zichzelf, maar ook voor Cub. Bovendien was er niks gebeurd.

Dellarobia was verbaasd dat ze er al zo snel waren. Ze reden de parkeerplaats van het winkelcentrum op, waar ze dankzij de stevig brullende motor en agressieve rijstijl van Dovey een perfect plekje vonden, vlak bij de ingang. De tweedehandswinkel, Try It Again, was gevestigd in een enorm groot winkelpand en maakte een rommelige en wat verlopen indruk. Op de stoep naast de ingang, voor de hoge glazen winkelpui, lagen bergen spullen die daar net waren afgeleverd. Een groene toiletpot stond rechtop tussen dozen vol winterjassen en plastic speelgoed. 'Wat is dit voor zaak?' vroeg Dellarobia. 'Een soort kringloopwinkel of iets van het Leger des Heils?'

'Nee, het is gewoon een commercieel bedrijf. In de advertentie staat dat ze ook zolderopruimingen en zo doen. Zo te zien moeten ze het vooral van de hoeveelheid hebben.'

Dellarobia vond het vreemd dat mensen afgedankte spullen aan een commercieel bedrijf gaven in plaats van aan een goed doel. Misschien werkten de bergen spullen die hier lagen wel aanstekelijk en kwamen mensen daarom hun eigen overtollige dingen brengen. Een soort stads equivalent van de illegale stortplaatsen die je hier en daar langs de weg zag. De universele magnetische aantrekkingskracht van troep.

Dovey was niet zo'n geboren rommelmarktsnuffelaar als Dellarobia, maar ze had gehoord dat hier hele rekken met zo goed als nieuwe designjurken waren, al zou je zo niet zeggen dat Vera Wang zich hier binnen zou durven te vertonen. Ze gingen door de stoffige ingang naar binnen en kwamen meteen bij een uitstalling van spullen die vijfentwintig cent per stuk moesten opleveren. Zoutvaatjes, niet bij elkaar passende maar prima borden, een kaasrasp, een paar gietijzeren steelpannen van het type dat Dellarobia nieuw nooit zou kunnen betalen. Ze zette kwaliteitskeukengerei ter waarde van een dollar in een leeg karretje en tilde Cordie in het uitklapbare zitje. Daarna liep ze verder langs de onafzienbare rij kasten met spullen voor een kwartje, stomverbaasd over al die koopjes.

'Waarom ziet het hier niet zwart van de mensen?'

'Kijk, mam, hier kun je een foto van papa in doen,' stelde Preston voor. Hij pakte een overdreven grote kanariegele portretlijst.

'Ja, je hebt helemaal gelijk,' zei ze. Preston liep verder naar een bandrecorder. Dellarobia bekeek een grote vleesschaal met een jusgoot in de vorm van een boom, precies zo een als haar moeder vroeger altijd gebruikte met Thanksgiving en andere familiefeesten, gelegenheden waarbij Dellarobia altijd het gevoel had dat hun gezin veel te klein was. Waarom hadden haar ouders niet meer kinderen gekregen? Als kind was ze nooit op het idee gekomen om dat te vragen en nu kon het niet meer. Wat ging er veel informatie verloren als er iemand stierf.

Cordelia had besloten dat ze uit het winkelwagentje wilde klimmen. Dellarobia tilde haar eruit terwijl Cordie wild met haar beentjes schopte, waarbij een van haar blauwe Crocs door de lucht vloog. Preston rende weg om hem te halen en deed hem weer aan de voet van zijn zusje. Dellarobia liet haar in het grote gedeelte van het wagentje staan, een compromis dat Cordie accepteerde. 'Wagetje mama wagetje mama,' zong ze. Ze greep de beide randen vast en bewoog wild heen en weer, waarbij haar lichte haar als een woeste nimbus om haar hoofd bewoog. Haar onnavolgbare garderobekeuze bestond vandaag uit haar favoriete gestreepte zomerjurkje met een corduroybroek eronder en een trui eroverheen. Dellarobia dacht aan de breiende vrouwen die op de berg kampeerden. Ze zag wel voor zich dat Cordie zich op een dag bij die sekte zou aansluiten.

Dovey liep de kwartjesafdeling uit en pakte een eindje verderop een paar zilverkleurige sandaaltjes met hoge hakken. Daarna liepen ze samen langs de rekken met bruidsjurken, de meeste in vorstelijk grote maten, alleen om even aan de satijnen en tulen stoffen te voelen en aan de met parels geborduurde lijfjes. Keurig gestikte naden, prachtige witte stof. 'Wat zien ze er nog mooi uit,' zei Dovey vol bewondering.

'Ja, duh. Zo'n jurk draag je ook niet zo vaak.'

'O ja,' lachte Dovey. 'Hé, zouden ze ook positiebruidsjurken hebben?'

'Haha. Dat zou wel handig zijn.'

Cordelia begon in het karretje een vreemde, snelle stampdans uit te voeren die een beetje op een fitnessoefening leek. Het kind leefde in winkels helemaal op. Terwijl ze langs de propvolle rekken met dameskleding liepen, riep ze steeds opgetogen: 'Die mooi, mama?' Dellarobia was niet op zoek naar iets voor zichzelf, maar zag wel een paar vintage jasjes met een verstevigde kraag en gevoerde mouwen. Uitstekende kwaliteit en bijna te geef, net als die gietijzeren pannen. De oudere spullen die je hier zag waren stuk voor stuk beter dan alles in de discountwinkel in Feathertown. Ze paste een corduroyjasje, mosgroen, een beetje Angie Dickinsonachtig. Ze voelde zich meteen alsof ze zelf ook van betere kwaliteit was. Ze besloot het jasje in de winkel een tijdje aan te houden. Haar dochter hield zich met één hand aan het winkelwagentje vast en stak haar andere hand uit naar elk gebloemd, felgekleurd of glimmend bloesje in de rekken, hield de hangertjes schuin en vroeg: 'Die leuk?'

'Ze heeft wel een eigen smaak,' merkte Dovey op. 'Dat moet je haar nageven.'

Dellarobia gaf haar dat na, maar vroeg zich wel af van wie ze het had. Preston interesseerde zich totaal niet voor kleren. Hij was al doorgelopen en stond bij de huishoudelijke apparaten alles uit te proberen, drukte op de knoppen van een blender, testte een broodrooster, en streek met een strijkijzer. Dat laatste moest hij bij Lupe thuis hebben gezien, niet bij haar. De strijkijzers waren hier ver in de meerderheid, een heel bataljon stond als puntige soldaten in het gelid. Ze snapte wel hoe het zat: de apparaten die je hier het meest zag, waren de spullen waar de mensen het makkelijkst afstand van deden.

Dovey was blijven staan en deed iets met haar mobieltje: waarschijnlijk had ze Felix een sms gestuurd over zijn portemonnee en was ze daarna op het idee gekomen om het weer in Daytona Beach te checken of zoiets. Dellarobia wist niet veel van internet, maar wel dat de informatiehonger van haar zoon hem er nu al naartoe trok. Sinds ze haar eerste loon had gekregen en haar allerlaatste sigaret had gerookt, had ze de achterstallige hypotheek betaald en een bankrekening geopend op haar eigen naam. Van het eerste was Cub op de hoogte, van het laatste niet. Hij wist niet eens precies wat ze verdiende. Dellarobia deed de financiën.

Ze liep achter Preston aan de hoek om naar een wereld vol huisraad, tamelijk willekeurig opgesteld en verbijsterend goedkoop. Op de linnengoedafdeling werden eenheidsprijzen gehanteerd en waren alle dekens, beddenspreien en gordijnen twee dollar per stuk, en lakens een dollar. Ze kon haar ogen bijna niet geloven. Elders betaalde je voor nieuwe lakens, zelfs van de slechtste kwaliteit, al een fortuin. Ze vond twee lakens voor Prestons bed, een set voor hun tweepersoonsbed en twee lakentjes voor het kinderbedje van Cordie. Zes dollar in totaal. Ze propte deze schatten in het winkelwagentje naast Cordelia, ook al vond die het niet zo leuk dat ze werd ingesloten. Dellarobia liet even de gedachte toe dat Cordie op een dag te groot voor het kinderbedje zou zijn, dat de kinderen te oud zouden worden om kleine intieme ruimtes te delen. Iedereen in hun kleine huis hield vast aan de enige illusie die ze zich konden veroorloven: dat niemand zou groeien, dat er nooit iets zou veranderen.

Dovey kwam met haar wagentje naar hen toe gereden. 'Wow.

Koop jij tweedehands lakens? Zonder te weten wie daarop heeft geslapen?'

'In tegenstelling tot de lakens bij jou thuis. Daarvan weet ik het wel.'

'Daar heb jij weer gelijk in,' zei Dovey. 'En een beetje chloor doet wonderen.'

Een oudere vrouw graaide in de lakens terwijl het jongetje naast haar de gladde polyester beddenspreien van een stapel trok en een complete waterval veroorzaakte. Zonder zelfs maar op te kijken bromde de vrouw: 'Hé, rotjong, moet oma je aan de vissen voeren? Moet oma je in de vuilnisbak gooien?' Dellarobia liep door zodat Cordie het niet kon horen. Niet dat zulke dingen nooit in haar hoofd opkwamen, maar toch. Dat zouden de accenten moeten vormen in de opvoeding, niet het behang. Een eind verderop stond een man met een getaande huid dekbedden open te vouwen om te voelen hoe zwaar ze waren. Hij pakte twee extra dikke, stopte ze in zijn karretje, waar verder niets in zat, en ging ermee naar de kassa. Een dakloze. De vrijemarkteconomie had de plaats ingenomen van de goede doelen en bediende niet alleen de gevers maar ook de ontvangers ervan.

'Moet je kijken,' zei Dellarobia. Tot haar stomme verbazing zag ze handgemaakte quilts en kleurige gehaakte spreien tussen de versleten dekens liggen, allemaal voor twee dollar per stuk. Ze vouwde een gehaakte sprei uit van prachtige blauwe en paarse tinten wol. 'Wat een werk moet dat geweest zijn, en nu ligt-ie hier tussen de rommel. Hoe kan iemand zoiets weggeven?'

'Misschien is oma doodgegaan,' opperde Dovey. 'En proberen de kinderen haar zo snel mogelijk te vergeten.'

Dellarobia redde de sprei door hem in haar wagentje te leggen. Dovey hield twee gehaakte stukken watermeloen als het bovenstuk van een bikini op haar T-shirt, maar legde ze terug toen Preston eraan kwam. Hij had een kussen bij zich in de vorm van een varken met een tutu.

'Ik dacht dat Cordie dit wel leuk zou vinden,' zei hij. Cordie pakte het ballerinakussen aan en slaakte een kreet die meteen de aandacht van de andere klanten trok.

'Weet je wat, Preston? Ik haal haar uit het wagentje en dan mogen jullie even samen rondkijken. Maar je moet wel bij haar blijven, oké?' Dellarobia wist zeker dat hij dat zou doen. Cordie sloeg haar armen om het varken en dribbelde achter haar broer aan. Dovey bekeek een plank met videobanden over fitness en afvallen. Daarnaast waren fitnessapparaten uitgestald, zo goed als nieuw en haastig weggedaan. Deze winkel was een museum van mislukkingen. Dellarobia klakte met haar tong. 'De goede voornemens hebben nog geen maand geduurd.'

'Kerstcadeaus,' stemde Dovey in. 'Van al die echtparen die dromen van een slanke, sexy versie van hun wederhelft.'

Cordie en Preston waren een meter of tien verderop wat hij de 'fitnessdingen' noemde aan het uitproberen. Dellarobia hoorde hem zeggen: 'Die koopt mama niet voor je, dat kunnen we niet betalen.' Ze hield een oogje in het zeil terwijl ze met Dovey langs louvredeurtjes en badkamerspullen kuierde. De indeling van de winkel was nogal ondoorgrondelijk.

'Kijk, iets voor jou?' Dovey zwaaide met een deegroller waar 'Mannentemmer' op stond.

'Dat ding zouden ze bij zo'n fitnessapparaat moeten verkopen. Zodat moeder de vrouw ermee kan zwaaien om pa aan het fitnessen te houden. Als extra garantie.'

Ze liepen het gangpad uit en kwamen bij een ontmoedigende wand vol krukken. Houten krukken, aluminium looprekken, dingen die de vorige eigenaren maar al te graag de deur uit hadden gedaan. Sommige waren nauwelijks gebruikt, overblijfselen uit een kort hiaat in de sportcarrière van een scholier, maar andere hadden handgrepen die glommen door het vele gebruik en rubberdoppen die versleten waren als de oudste schoenen. Degenen van wie zulke krukken waren geweest, zaten nu in een rolstoel of lagen in een kist.

Aan het einde van het volgende gangpad haalden twee studenten een kast leeg, waarschijnlijk omdat ze hem wilden kopen. Ze droegen een korte broek en teenslippers en het meisje had een tattoo van prikkeldraad om haar enkel. Waarschijnlijk gingen ze samenwonen, dacht Dellarobia. Ongetrouwd.

'Waarom lopen die kinderen midden in de winter halfbloot rond?' vroeg Dovey.

Dellarobia verbaasde zich over haar moederlijke toon. 'Misschien merken ze niet zoveel van de winter,' zei ze. 'Ze zijn waarschijnlijk nooit langer dan dertig seconden buitenshuis, alleen om even de auto in of uit te stappen.' Het jonge stel fascineerde haar. Er kwam een winkelbediende aan die tegen de twee begon uit te varen en de spullen met een overdreven vermoeide manier van doen terugzette in de kast. Dit gebeurde kennelijk dagelijks. Bij de kledingrekken stonden ook veel studenten. Dellarobia zag een meisje met een duur kapsel met highlights net zo'n groen jasje aantrekken als waar zij nog steeds mee door de winkel liep. Misschien hield ze het daarom wel aan, om met haar te wedijveren. Het meisje had een vette halsketting met fonkelende diamanten en waarschijnlijk werd haar studie betaald door haar pa. Zij zou ook best ergens anders kunnen winkelen.

Preston kwam aanlopen, op de hielen gevolgd door Cordie. Hij had een veel te zware koffer aan een handvat vast. Een diaprojector, zag ze aan het plaatje op de zijkant. Zo'n ding met een carrousel uit de prehistorie.

'Misschien kan dr. Byron dit wel gebruiken,' zei hij.

'Dat zou best eens kunnen! Weet je wat? We laten hem hier voorlopig staan en dan vraag ik het aan hem.' Ze keek op het prijskaartje. 'Tien dollar is niet zoveel. Vertel hem er maandag maar over.'

Prestons gezicht klaarde op. Hij mocht soms na school met Dellarobia mee naar het lab waar ze hem dan kleine klusjes te doen gaf waar hij dolgelukkig van werd. Dr. Byron scheen het niet erg te vinden, zelfs niet als Preston hem enthousiast begroette door zijn armen om zijn benen te slaan of om hem heen bleef hangen. En als een zeepok aan hem vastplakte. 'Ha, daar hebben we mijn vriend de zeepok, Barnacle Bill!' En dan kwam de voorzichtige reactie: 'Nee, Barnacle Préston.' Als ze die twee zo samen zag, kreeg Dellarobia allerlei ingewikkelde gevoelens waar ze niets mee kon, behalve proberen ze de kop in te drukken.

Naast de wand met krukken stond een groot rek dat vol handtassen lag: nepluipaard, rode met lovertjes, goudlamé. Het waren er zoveel dat je zou denken dat er op de wereld alleen maar vrouwen waren en hun geld. Cordie liet het kussen vallen en pakte een grote nepkrokodillenleren tas. Daarna dribbelde ze achter Preston aan, griste spullen van de onderste planken en stopte die in haar tas. Een winkeldievegge in wording. Toen ze weg waren, vroeg Dovey: 'Wie is er nog meer verliefd op doctor Vlinder, behalve Preston Turnbow en zijn moeder?'

'Hij is mijn baas, Dovey.'

'Ja, hij is je baas, en elke keer als zijn naam valt begin je te blozen.'

Ze gaf geen antwoord. Ze kwamen op de speelgoedafdeling, waar allerlei kinderen zonder hun ouders rondhuppelden. Preston en Cordie liepen langs een lange rij kinderzitjes en gingen er zo nu en dan voorzichtig in een zitten.

'Over hoe serieus hebben we het op een schaal van een tot tien?' vroeg Dovey. 'Dan is acht die sexy vriend van Cub die jou altijd houtsnippers kwam brengen, en negen die knaap die je de berg op lokte en voor wie je jezelf zogenaamd van kant wilde maken. En dan heb ik het nog niet eens over die gozer van Rural Incorporated.'

Een ambtenaar van de federale overheid, een houtsnoeier, een telefoonman die bijna nog een kind was: haar hele leven stonden er mannen voor haar in de rij die niets van haar vroegen. Haar moeders registratienummer, schatje, hoe kom je aan die mooie ogen, bij zulke vragen was het wel gebleven. Tot nu toe dan. Geen van die mannen had ooit gezien wie ze werkelijk was. Of zou kunnen worden. Dovey had het onderwerp aangeroerd waar Dellarobia niets over kon zeggen. 'Nul komma nul,' zei ze. 'Hij heeft een vrouw.'

'En klaagt erover dat die niet kan koken.'

'Niet echt. Eerlijk gezegd praat hij nooit over haar.'

'Geen spannende relatie dus.'

'Dat weet ik niet. Ik weet alleen dat hij niet zo gelukkig is.'

Dovey trok haar wenkbrauwen op. '*And there'll be happiness,*' zong ze, '*for every girl and boy.*' Clint Black, een beetje aangepast.

Dellarobia keek naar Preston, die een paar zwemvleugeltjes over de mollige armpjes van zijn zusje trok. 'Die moet je aandoen, dan kan je niet in het water vallen en verdrinken,' raadde hij haar aan. Cordie wapperde met de opgeblazen vleugeltjes en rende als een soort motvlinder in het rond. Toen bleef ze opeens staan en klom ze op een hobbelpaard.

'Ik heb geen zin in dit spelletje,' zei Dellarobia.

Dovey liep zonder iets te zeggen met haar winkelwagentje om een imitatietijgervel met treurige ogen heen. Dellarobia bleef in Speelgoedland, en vocht tegen onverklaarbare tranen terwijl ze langs onafzienbare rijen fietshelmen, buggy's en kinderzitjes liep. Elk kind in de winkel dat al kon lopen was hier, gooide met speelgoed, maakte voorzichtig plezier met vreemden. Oudere kinderen speelden de baas over de jongere, riepen: 'Pas op, maak dat niet stuk!' Of hoonden: 'Dat is voor baby's.' Ze keek in een kast met speelgoed voor een dollar en pakte een ding waarmee je het alfabet kon leren. De Kleine Professor heette het. Er zaten draaiknoppen aan waarmee je letters kon combineren met plaatjes. Echt iets waar Preston de hele dag mee zou kunnen spelen. Maar de naam beviel haar niet. Het ding kwam uit een ander tijdperk. Welke moderne ouders wilden dat hun kind een professortje genoemd werd? Hé, nerd! Wijsneus!

Er kwam een oma aan met haar kleinkind in een buggy. Het kind leunde naar voren en opzij en probeerde te grijpen wat het grijpen kon. Elk kind leek hier met z'n oma te zijn. Deze gaf haar kleinkind een plastic honkbalknuppel waarmee hij als een echte prof in het rond begon te meppen. Dellarobia vluchtte weg en vond Dovey met Cordie op haar heup bij een berg babypoppen waar een bord boven hing: KLEINE POPPEN 50 CENT, DE REST 1 DOLLAR. De kleintjes waren zoals gewoonlijk minder waard, dacht Dellarobia nijdig. Arme Preston. Als hij zijn klasgenoten niet snel zou inhalen, zou ze net als Cub schietgebedjes gaan doen voor een groeispurt. 'Hebbe? Hebbe?' riep Cordie toen Dovey poppen van de stapel pakte en liet praten. Er lagen ongelofelijk veel verschillende exemplaren. Er waren er niet veel die op echte baby's leken en sommige zagen er merkwaardig sexy uit, met fabrieksmatig opgebrachte oogschaduw en grote pruillippen. Cordie pakte de lelijkste van het stel en propte die op de kop in haar krokodillentas.

'Baby!' zei ze toen ze haar moeder zag, en ze haalde hem ter goedkeuring weer tevoorschijn. De pop had een aardappelhoofd, gemaakt van een volgestopte nylonkous waar met naald en draad ogen, een mond en wangen op genaaid waren.

'Sorry, ik heb je dochter een mismaakt kind gegeven,' zei Dovey.

'Moet je al die kleine borduursteekjes zien. Ongelofelijk!'

Dovey bekeek de pop nog eens goed en zette Cordie op de grond. 'Hester zou zoiets ook best kunnen maken. Ze maakt altijd van die wollen knutseldingen.'

'Ja, als ze wat kleinkindgerichter was.' Dellarobia stelde zich voor hoe goed haar eigen moeder een poppengezicht zou kunnen borduren. De oma die Cordie nooit zou leren kennen, de gemiste kans.

Vlak achter hen stond een houten krat van zes meter lang vol met truien voor vijftig cent waar veel mensen belangstelling voor hadden. De klanten verdrongen zich eromheen als varkens om een trog en graaiden in de truien. Het begon eindelijk winter te worden.

'O, moet je nou eens kijken!' Dellarobia trok een enorm knaloranje exemplaar uit de bak.

'Getver,' zei Dovey. 'Als je die voor Cub koopt lijken jullie samen net een zonnestelsel.'

Dellarobia lachte. 'Hij is niet om aan te trekken, maar op de berg zit een club meiden die monarchvlinders breien van de wol van oude truien.'

'Wat zeg je nou?'

'Ze halen oude truien uit om de wol te recyclen. Dat is hun passie.' Dellarobia probeerde te bedenken hoe ze die slonzige types moest beschrijven die op de berg vlak bij het onderzoeksterrein kampeerden. 'Ze komen uit Engeland,' zei ze. Dat was al iets.

'En ze zijn helemaal vanaf de andere kant van de oceaan gekomen om hier truien uit te halen?'

'Ja, inderdaad, ze zijn knettergek. Ze zullen wel geen kinderen hebben. Ze hebben ons op het nieuws gezien en zijn toen hierheen gekomen om te demonstreren tegen de houtkap. Inmiddels is het een demonstratie tegen de opwarming van de aarde. Ze zitten daar de hele dag kleine monarchvlinders te breien van hergebruikte oranje wol. En die hangen ze in de bomen. Ziet er best echt uit.'

Dovey keek sceptisch.

'Het staat op internet,' hield Dellarobia vol. 'Ze hebben me verteld dat ze een actie zijn gestart om de vlinders te redden, ze zamelen oranje truien in, halen ze uit en breien er vlinders van. Ze krijgen dozen vol truien, alles waar "vlinder" op staat wordt bij ons afgeleverd.'

'Dat moet ik zien.' Dovey pakte haar telefoon. 'Waar moet ik op zoeken?'

Dellarobia dacht even na. '"Breien voor de aarde",' zei ze. 'Of "Vrouwen breien de aarde". Zoiets.'

Dovey zette grote ogen op. 'Allemachtig,' zei ze. Ze stond naast de bak met truien en bekeek de internetpagina op haar telefoon. 'En dat gebeurt allemaal op jullie boerderij! Moet je kijken, ze hebben al meer dan duizend Vind-ik-leuks op Facebook!'

'Is dat veel?' Zoals gewoonlijk had Dellarobia het gevoel dat ze niet wist waar het precies over ging. Ze had tot nu toe honderdtien dollar bij elkaar gespaard voor een computer, maar ze durfde Dovey niet naar gangbare prijzen te vragen. Ze zou het waarschijnlijk toch niet halen voordat ze aan het einde van de maand geen werk meer had.

'"Breien voor de natuur", zo heten ze officieel. Ha, echte wildbreisters dus.'

'Ze zijn zelf ook tamelijk wild,' zei Dellarobia. 'Maar breien kunnen ze als de beste, je zou die kleine gebreide monarchen eens moeten zien die ze maken. Staan er ook foto's op?'

Dovey knikte langzaam en streek een paar keer over haar telefoon. 'Ja.' Ze keek nog even en borg hem toen op. 'Wat heb je me nog meer niet verteld?'

'Als je nog een oranje trui voor me vindt, vertel ik je alles.' Samen kamden ze de bak uit en vonden er negen, de een nog lelijker dan de ander. Het bleek een gouden idee van de breisters: niemand wilde meer oranje truien.

Dellarobia hield niets geheim, want ze had dat van die breisters pas gehoord toen er deze week een paar dozen met truien werden afgeleverd. Voor de rest hield ze zich alleen maar bezig met onderzoeken, meten en monsters nemen, en dat was niet iets waar Dovey in geïnteresseerd was. 'Volgens Hester heeft God voor een zachte winter gezorgd om de vlinders te beschermen,' zei ze. 'En een groep binnen de kerk denkt er net zo over. De vlinders wisten dat God hier voor ze zou zorgen en daarom zijn ze naar Feathertown gekomen.'

'Die schoonmoeder van je is niet goed snik,' zei Dovey.

Dellarobia kon die diagnose niet tegenspreken. 'Ik maak me eigenlijk een beetje zorgen om haar. Want het is een soort val. Als zij beweert dat God hierachter zit en ons iets ergs overkomt, dan zal ze moeten toegeven dat ook dat de wil van God was. Misschien is dat wel een dikke vette reden om slecht nieuws gewoon te negeren.' Zoals de opwarming van de aarde: als dat ook maar even ter sprake kwam, werd Cub meteen woedend, alsof het een soort verraad was.

Dovey raapte een paraplu met muizenoren op die in het gangpad op de grond was gevallen. 'Ze schijnen geld in te zamelen om de hele handel te verplaatsen.'

'Welke handel, de vlinders bedoel je?' Dat was nieuw voor Dellarobia.

'Ja,' zei Dovey. 'Naar Florida of zo. Ze willen ze vangen en dan verplaatsen. Die vent die dat heeft bedacht heeft een enorme vrachtwagen.'

'Wow. Aan zoiets had ik nog niet eens gedacht. Waar heb je dat gehoord?'

'Topix,' antwoordde Dovey. 'Dat is een site waar mensen uit de buurt iets op kunnen posten. Meestal onzinberichten, trouwens.'

'Dan staat er vast ook van alles over mij op.' Ze bekeek een fiets van acht dollar die nu nog te groot was voor Preston, maar perfect zou zijn voor de volgende kerst. Waar zou ze die zolang kunnen verstoppen? En hoe zou het over een jaar met ze gaan? Het duizelde haar opeens, ze werd overvallen door hetzelfde gevoel dat ze kreeg toen Ovid was begonnen over wat haar kinderen later zouden worden. Waarom vond ze het zo griezelig om op de toekomst te vertrouwen?

'Is dat zo?' ging ze verder. 'Wordt er over mij geroddeld?'

Dovey schudde haar hoofd. 'Denk maar niet dat jij het middelpunt van de wereld bent. Waarom is Hester eigenlijk zo gegrepen door die vlinders?'

'Dat weet ik niet. Bear en zij liggen erover in de clinch. Ik denk dat Hester de vlinders ziet als...' Dellarobia kon haar zin niet afmaken. Misschien een vorm van boetedoening voor een gezin dat ze naar de kloten zag gaan: een luie zoon, een lastige schoondochter, onverklaarbaar oninteressante kleinkinderen, een echtgenoot die onder de kerkdienst bij de Men's Fellowship zit en doet alsof het een kroeg is waar alleen het bier nog ontbreekt. Het ging Hester niet zozeer om het geld. Ze had een koffiekan aan het hek van het weiland gespijkerd met een bordje erbij waarop een toegangsprijs van vijf dollar werd gevraagd, wat de toeristen negeerden. Niemand had tijd om de toestroom van bezoekers in de gaten te houden. De boomknuffelaars, zoals Cub ze noemde.

Dovey schoot in de lach en Dellarobia keek om. De kinderen kwamen op haar af gestapt met een koffer uit dezelfde set, allebei roodgeruit. Preston had een middelgrote en Cordie had een klein valies. De lach op hun gezicht was ook identiek en heel breed.

'Gaan jullie op reis?' vroeg ze.

'Naar Afrika!' kondigde Preston aan.

'Affika!' gilde zijn zusje.

'Oké. Passen jullie op voor de leeuwen?'

Ze renden giechelend weg naar hun vliegtuig. Afrika, de onvoorstelbare plek waar trekvogels heen gingen, terwijl de mensen vroeger dachten dat die in modderige rivieroevers wegkropen.

'Volgens mij hoort er ook een moederkoffer bij die set,' zei Dovey.

'Dat zou wat zijn, zomaar wegwezen,' zei Dellarobia met een zwaar gevoel. Dovey had haar vraag ontweken. 'Waarschijnlijk zijn het dezelfde opmerkingen die ik in de kerk hoor. Dat geroddel dat op Facebook of waar dan ook staat. Dat ik het hoog in de bol heb.'

'Ze zijn gewoon jaloers,' gaf Dovey toe. 'Daar komt het allemaal op neer.'

'Wat heb ik dan dat zij zo graag ook willen? Moet je me zien, Dovey! Ik sta hier tussen de daklozen in een stapel dekbedden te graaien. Waar zijn ze dan zo jaloers op?'

Dovey haalde haar schouders op. 'Je bent wereldberoemd.'

'En wat heb ik daaraan? Ben ik rijk? Heb ik ergens iets over te zeggen?'

'Je hebt werk,' bracht Dovey naar voren.

Ze keerde zich naar haar vriendin toe. 'Is dát wat ze zeggen? Dat ik die baan heb omdat ik een of andere internetslet ben? Denken ze dat ik op m'n rug aan dat werk gekomen ben?'

'Hoho, niet zo overdrijven!' zei Dovey. 'Trouwens, je hebt nog steeds dat jasje aan dat je een halfuur geleden hebt aangetrokken. Je wilt vast niet ook nog winkeldiefstal op je cv hebben staan.'

Dellarobia trok het jasje uit en smeet het in een houten bak vol speelgoedballen. 'Jij weet waarom ik die baan heb. Ik heb een vreemde te eten uitgenodigd, iets wat ieder fatsoenlijk mens zou horen te doen. En dat is de enige reden dat Ovid Byron met ons bevriend is.'

'Dat weet ik ook wel,' zei Dovey ongemakkelijk.

'Jij was nog wel zo onder de indruk. Dat zei je die dag tegen me aan de telefoon.' Ze hadden nog grapjes gemaakt over de verleidster uit Tennessee, maar zo was het helemaal niet gegaan. *Vergeet de gastvrijheid niet, want hierdoor hebben sommigen zonder het te weten engelen onderdak geboden.*

Ze sloegen een pad in met uniformen en doktersjassen in allerlei kleuren: roze, groen, geel. Vrolijke feestkleuren. Voor medisch personeel dat de dodelijk gewonden terzijde staat. 'Waarom willen mensen zo graag beroemd worden?' vroeg Dellarobia, 'terwijl ze tegelijkertijd alleen maar de afschuwelijkste bagger willen horen over beroemdheden?'

'Ik denk omdat ze een pesthekel hebben aan wat zij zelf niet kunnen krijgen.'

'Iedereen wil ook graag rijk zijn, maar voor de rijken hebben mensen juist wel veel sympathie. Je zou Bear eens tekeer moeten horen gaan over de belastingverhoging voor miljonairs. Hij zegt dat ze voor elke cent keihard hebben gewerkt en dat hij in het leger is gegaan om dat te beschermen.'

'Goh. Dus hij was boordschutter in Vietnam om directeurssalarissen te beschermen?'

'Zoiets ja.'

'Typisch Amerikaans. We kijken kwijlend naar televisieprogramma's over de huizen en de kleding van de rijken. Dat is vaderlandslievendheid.'

'Ik niet,' zei Dellarobia. 'Ik heb geloof ik de pest aan rijke mensen.'

'Ja, troela, maar jij doet niet aan uitzonderingen, want jij hebt de pest aan iedereen.'

'Niet waar!' riep Dellarobia verbaasd uit. 'Ben ik echt zo erg?'

Dovey krabbelde terug. 'Nou, dat is een beetje sterk uitgedrukt. Je geeft mensen niet erg veel ruimte. Behalve mij dan. Ik schijn een levenslange vrijbrief te hebben.'

'Ik denk steeds dat ik nog wel zal leren om aardiger te worden als ik maar vaak naar de kerk ga. Bobby Ogle is ontzettend goed. En Cub is lief. Mijn kinderen zijn ook lief, meestal dan. Wat is dan mijn probleem?'

'Je bent bezeten door de duivel,' suggereerde Dovey. ''t Is maar een idee.'

Dellarobia pakte een wastafelset, een zeepbakje en een tandenborstelhouder, gloednieuw, nog in de doos. Twee dollar. Waarschijnlijk gekocht in de discountwinkel voor zestien. Waarom ging iedereen niet meteen hierheen? 'Maar even serieus, is het echt zo erg als je het thuis niet over alles eens bent? We zijn het misschien negen van de tien keer wel eens. Maar als ik dan over één onderwerp een iets afwijkende mening blijk te hebben, o man. Dan doen ze meteen alsof ik naar iedereen mijn middelvinger opsteek.'

'Kijk, dat is nu precies waarom mensen internetvrienden willen. Dan kun je mensen zoeken die precies hetzelfde zijn als jij. Dan kunnen je buren en je familie de pot op. Veel te lastig.' Doveys telefoon ging, maar dat negeerde ze. Ze lachte en zei: 'De ellende is alleen dat als je iedereen die het niet met je eens is wegfiltert, je misschien alleen nog een of andere gepensioneerde surfer in Idaho overhoudt.'

De achterwand van het enorme winkelpand stond helemaal vol met boeken. De planken kwamen tot aan het plafond, waar je er met geen mogelijkheid bij kon. Een peervormige man met een leesbrilletje en zwartgeverfd haar in een staart stond in het gangpad een dikke pil te lezen. Preston had de kinderboeken al gevonden. Hij keek zijn moeder smekend aan.

'Een dollar per boek,' las ze hardop van een bordje. 'We kunnen er maar een paar kopen, maar kijken kost niks.' Preston begon boeken van de planken te trekken als een klant die een minuut gratis mag winkelen. Samen met Cordie dook hij er gretig op af.

'Nou nou,' zei Dovey. 'Wat een stel boekenwurmen, zeg.'

Kleine wijsneusjes, dacht Dellarobia. 'Ja, jammer dat de bibliotheek gesloten is.'

Dovey keek haar verbaasd aan. 'Die in Cleary is anders nog steeds geopend. Niet dat ik daar wel eens kom, maar ik heb gehoord dat het een prima bibliotheek is. Komt vast door al die studenten.'

Dellarobia vroeg zich af waarom ze zo lang het gevoel had gehad dat Cleary verboden terrein was. Vijandig gebied, zoals haar schoonfamilie het beschouwde. Die ergerden zich aan de aanwezigheid van de hogeschool, alsof het onheil van de bevoorrechten zich over de hele stad had verspreid. In de jaren negentig scheen er een incident te zijn geweest waarbij een paar dronken jongens naakt op een paard door Main Street waren gereden. En dan was er natuurlijk de footballvete. Cleary High versloeg Feathertown steevast bij de onderlinge kampioenschappen. Door zulke bezwaren van haar schoonouders voelde ze zich altijd dom en betrapt, alsof ze opeens te kijk was gezet.

'Weet je?' vroeg Dovey opeens. 'Ik ben helemaal klaar met Facebook. Eigenlijk zou er een Assbook moeten bestaan. Veel eerlijker. Dan kon je daarop mensen op de hoogte brengen van het feit dat je geen vrienden met ze wilde zijn.'

'Of nog erger. Dat je schijt aan ze had.'

Aan het eind van de wand met boeken was een uitstalling van koffers en weekendtassen in allerlei soorten en maten. Daar hadden de kinderen hun koffers vandaan en ook weer teruggezet, keurig bij het grotere exemplaar dat er ook was, zoals Dovey al had voorspeld. De meeste zagen er gloednieuw uit. Opnieuw was Dellarobia bijna in tranen toen ze die ongebruikte koffers zag: een reis ter gelegenheid van een gouden bruiloft die was geëindigd op de intensive care, een huwelijksreis die om financiële redenen was afgezegd. Elke koffer en elke tas sprak van doorkruiste plannen en hoop die de bodem was ingeslagen.

Dovey scheen daar niet gevoelig voor. 'Weet je nog dat we stewardessen wilden worden?' vroeg ze. 'Maar die gaan eigenlijk nergens heen. Ze vliegen de hele dag rond, ze zijn 's avonds weer op de plek waar ze waren begonnen en ze hebben niets anders gedaan dan hapjes en drankjes naar chagrijnige passagiers brengen. Wie wil zoiets nou?'

Dellarobia vond dat dat erg veel leek op haar dagelijkse leven.

Preston kwam aanrennen met een boek, helemaal buiten adem. Hij deed het bij een bepaalde bladzijde open en vroeg wat daar stond. 'Waar is je zusje?' vroeg Dellarobia.

'Maak je geen zorgen, ze is bij onze boeken,' antwoordde hij.

'Je kunt haar niet zomaar alleen laten!' Ze keek op om te zien of Cordie daar nog was. Overal waren kinderen op wie niemand lette. Prestons boek was een deel uit een encyclopedie over dieren.

Zijn aandacht was getrokken door de wenkbrauwalbatros, de Koning van de Eenzame Oceaan. Preston nam deze informatie tot zich met een gezicht alsof hij dat eigenlijk altijd al wel had geweten, en sloeg een andere bladzijde op. 'De Tasmaanse duivel,' las ze voor. 'De voortplanting vindt plaats in maart en april.' Het boek zag er oud en curieus uit. Ze bladerde naar een hoofdstuk met de titel: 'Waarom is de natuur zo belangrijk voor Uw kind.' 'Herbert Hoover was een uitmuntend geoloog,' las ze hardop. 'Waarom worden wetenschappers tegenwoordig geen president meer?'

'Mag ik dit alsjebliéft hebben?' smeekte Preston.

'Het is wel een beetje ouderwets,' waarschuwde Dellarobia. Ze keek naar het jaar van uitgave. 1952.

'Maar het gaat over díéren!' bracht Preston naar voren. 'Die blijven altijd hetzelfde!'

'Het is niet duur,' kwam Dovey hem te hulp.

'Oké, het mag.' Dellarobia wilde dat haar zoon naar iets mooiers durfde te verlangen dan een tweedehandsboek over dieren. Dat gevoel was waarschijnlijk de reden dat niet iedereen hier kwam winkelen. Mensen schaamden zich ervoor om iemand te zijn die hier spullen moest komen kopen. Maar Preston rende dolgelukkig terug om zijn zusje te gaan redden. De peervormige man stond een stuk verderop nog steeds in hetzelfde dikke boek te lezen, dat hij zo te zien van plan was uit te lezen. Misschien kwam hij hier wel elke dag.

Ze liep met Dovey een gangpad met dierbenodigdheden in. Lege vogelkooien stonden als skeletten naast hamsterhokken met stilstaande loopwieltjes. Een kast vol oude, smerige aquariums leek een muur van holle glazen bouwstenen. De geesten van al die dode dieren in hun voormalige hokken deden haar denken aan de onzichtbare baby die zijn eigen huisje had gebouwd. De baby waar Cub en zij het nooit over hadden. Waar Preston en Cordie misschien nooit iets over te weten zouden komen.

'Verschrikkelijk,' zei ze tegen Dovey. 'Net een dierenkerkhof.'

'Welnee,' zei Dovey. 'Die dieren zijn gewoon het huis uit gegaan om te studeren.'

'O ja, tuurlijk. Waarom hebben wij dat eigenlijk nooit gedaan?'

Ze bleven staan bij een pruikenstandaard van wit piepschuim ter grootte van een hoofd dat alleen als hoofd herkenbaar was door het gezicht dat er met gekleurde stift op getekend was. Het was een onhandig maar zeer gedetailleerd getekend gezicht, tot en met de wimpers, de omtrekken van de mond en een paar sproetjes. Zo te zien het werk van een jong meisje. Een meisje dat een pruik nodig had gehad. Dellarobia zei het woord dat niemand ooit wilde horen: 'Kanker'.

Ze bleven zwijgend staan in afwezigheid van deze jonge tekenares die de pruik niet meer nodig had. Om een prettige of een onprettige reden. Niets blijft ooit hetzelfde, het leven kenmerkt zich door een staat van voortdurende beweging. Een basiswet uit de biologie. Zo had Dellarobia het tenminste geleerd, misschien te laat om het echt goed tot zich te laten doordringen. Ze was net als iedereen. Verlies was de vijand.

Ze schrok toen ze een zacht tikje op haar onderarm voelde. 'Jee, Preston!' Haar hand vloog naar haar borst. 'Ik hoorde je niet aankomen.'

Hij keek door zijn smoezelige brillenglazen naar haar op, schuldbewust, hoopvol, klaar voor de volgende stap. Typisch Preston. Hij hield hetzelfde boek omhoog, maar nu bij een plaatje van een afschrikwekkende vergroting. 'Uitvergrote kop van de gewone huisvlieg,' las ze voor.

'Cool!' Hij bladerde verder. 'Wat zijn dit?'

'Mieren,' las ze. 'Vliegende mieren.'

'Kunnen mieren vliegen?' vroegen Dovey en Preston tegelijk.

'De bruidsvlucht,' las ze hardop. Ze las het stukje vluchtig door om het te kunnen samenvatten. 'Op bepaalde tijden van het jaar zijn er gevleugelde mieren in het nest, mannetjes en vruchtbare vrouwtjes. Om onbekende redenen keren de andere mieren zich op een dag tegen de gevleugelde mieren, vallen ze genadeloos aan en jagen ze het nest uit. Ze testen hun vleugels voor het eerst tijdens de zogenaamde bruidsvlucht.' Ze keek naar Preston. 'Dit is een oud boek, ik denk dat ze tegenwoordig zouden zeggen dat de mieren gaan paren.'

Hij knikte ernstig.

'Na het paren scheurt het vrouwtje haar vleugels af en kruipt in een gat om een eigen nest te beginnen. Als ze een kleine groep werksters heeft voortgebracht, verandert ze in een eierlegmachine.'

Dovey huiverde. 'Jeetje. En ze leefden nog lang en gelukkig.'

'Hoe scheuren ze hun vleugels dan af?' vroeg Preston.

'Dat weet ik niet, schat. Maar we nemen het boek mee, dus dat zoeken we thuis wel op.'

'Nemen we deze dan ook? Dit is een ander boek dan daarnet, hoor.'

'Laat eens kijken.' Op de rug stond Deel 16. 'O jee,' zei Dellarobia. 'Dit is een hele serie, Preston. Een encyclopedie.'

'Dat wéét ik, mam, álle dieren staan erin!' Hij was tactvol genoeg om het 'duh' achterwege te laten.

'Ik denk niet dat we die alle zestien kunnen kopen.' Ze overwoog het wel, maar zestien dollar was te duur voor iets wat zo gedateerd was. Zeker nu ze spaarde voor een computer.

Preston keek zo verlangend naar het boek dat ze er een ellendig gevoel van kreeg. Wat onthield ze hem nu? En dat voor iets waar het misschien nooit echt van zou komen? Maar zoals gewoonlijk legde hij zich er meteen bij neer. 'Dan neem ik de albatros en de mieren,' verklaarde hij. 'Cordie wil graag de babyolifant en de hagedissen. Ieder twee, mag dat?'

Dellarobia haalde diep adem. 'Schat, ik denk niet dat ze die serie incompleet willen hebben.' Preston begreep niet wat ze bedoelde, dus ze legde het uit. 'Het wordt als één ding verkocht. Net zoals ze ook niet zouden willen dat je alleen het deksel van een theepot koopt en de theepot zelf niet. Snap je?'

'Nou, maar als het één ding is, dan kost het dus ook maar één dollar,' redeneerde hij.

Dovey keek Dellarobia met opgetrokken wenkbrauwen aan.

'Ja, technisch gezien heb je wel gelijk,' zei Dellarobia. 'Het is of het een of het ander. Ik kan het wel gaan vragen, maar ik denk niet dat de mensen van de winkel er ook zo over denken.' Toen ze zich voorstelde dat ze moest gaan afdingen en zeuren over de afgedankte boeken van een ander, zonk de moed haar in de schoenen.

'Preston kan overtuigen als de beste,' zei Dovey. 'Laat het hem zelf maar proberen.'

Dellarobia zag een angstige blik in de ogen van haar zoon verschijnen toen het tot hem doordrong wat Dovey voorstelde. Zijn kaarsrechte wenkbrauwen schoten omhoog en hij keek haar aan in de hoop dat ze hem eruit zou redden.

'Weet je, Preston, als ik het vraag, zeggen ze nee. Ze kennen mij hier niet, ze gaan me vast niet matsen. Maar jij bent een fantastische jongen die graag een eigen encyclopedie wil hebben, snap je? Als jij het vraagt, maak je veel meer kans.' Ze deed een paar passen naar achteren tot ze door het gangpad de kassa's kon zien. Achter de ene zat een forse jongen met tattoos op zijn armen, en achter de andere een oudere dame met een paardenstaart. 'Kom eens,' zei ze. Ze ging achter hem staan en legde haar handen op zijn borst. 'Welke denk jij?'

Hij koos de jongen met de tattoos, wat haar niet verbaasde. In zijn belevingswereld stonden oma's niet automatisch aan zijn kant. Dellarobia zei tegen hem dat hij zo veel mogelijk van de boeken mee moest nemen naar de kassa en daar zijn verhaal moest doen. Dovey en zij keken hem na terwijl hij door het gangpad met de torenhoge schappen liep, als een gevangene die zijn berechting tegemoet loopt.

'Wat een end, hè, naar de slachtbank,' zei ze tegen Dovey.

'Slik,' reageerde Dovey.

Dellarobia had al gezien dat de polsen van haar zoon als bonenstaken uit zijn mouwen kwamen en nu zag ze ook een groot stuk van zijn sokken tussen zijn schoenen en de zoom van zijn broek. Eindelijk kreeg hij een groeispurt. Prima timing: als ze hem mee kon lokken van de boeken naar de kinderkleding, kon ze hem goedkoop in een grotere maat kleren steken. Hij pakte met een zwaarmoedig gezicht een stapel van de gele encyclopediedelen en lette niet op Cordie, die boeken in haar krokodillentas propte en ze er weer uit smeet. Hij liep naar de kassa en stond een eeuwigheid te wachten achter een vrouw die een staande schemerlamp kocht en daar een of ander probleem mee had. De tattoojongen achter de kassa wekte de indruk dat hij echt naar haar luisterde. Dat leek een gunstig voorteken. Dovey en Dellarobia keken ademloos toe. Vanaf deze afstand konden ze het niet horen, maar ze zagen dat Preston de jongen zijn vraag voorlegde. De jongen pakte een van de boeken van hem aan en bekeek het zorgvuldig.

'Op de universiteit waar Pete en dr. Byron lesgeven sturen de studenten e-mails waarin ze een bepaald cijfer eisen,' zei Dellarobia zacht. 'Ongelofelijk, hè?'

Toen de jongen achter de kassa zijn oordeel velde, zagen ze dat Preston met zijn hele lichaam reageerde, een vuist maakte en die met een triomfantelijk gebaar naar beneden trok. Heel zacht hoorden ze hem dolgelukkig 'yesss' zeggen. Hij draaide zich om en keek langs het hele eind vol afdankertjes naar zijn moeder met een zelfverzekerde blik in zijn ogen die ze nog helemaal niet van hem kende. Ze voelde een steek van verlies. Wat zou hij het ver gaan schoppen. Misschien had zij wel hetzelfde in zich, dezelfde kaart van het grote geheel, maar had zij die alleen maar doorgegeven aan haar zoon en was hij erdoor ontwaakt. Hij had nu al de middelen en de wilskracht voor zijn reis.

In februari kwam er een vreemde mist opzetten. Volgens Hester was het een slecht voorteken, maar deze winter, die zo volkomen anders dan andere winters was, hadden de meeste mensen er schoon genoeg van om het over het weer te hebben, dus dit laatste bedrijf werd stilzwijgend begroet. Dellarobia vond het vooral vervelend dat er 's ochtends vrijwel geen zicht was. De wolken hingen laag over de bergen en wisten de toppen uit, waardoor het landschap vlak leek. Ze tuurde door de verrekijker de geelachtige roestbomen in de bergvallei af. De mistsluier vervaagde alle kleuren in het bos tot de uniforme vale tint van oude foto's. Ze zat in een tuinstoel, nog geen drie meter van de plek waar ze de monarchvlinders voor het eerst had gezien. De plek was nu onherkenbaar dankzij de draaicirkel die Bear hier had gemaakt en waar hij een laag grind op had uitgestort, zodat de auto's er gemakkelijker konden rijden. Ze was hier niet om toeristen te tellen, maar vanochtend waren er al zes geweest. Dit was het einde van de weg, althans het berijdbare deel ervan. Sommige toeristen parkeerden hier hun auto en liepen verder over het pad om een kijkje te nemen op het onderzoeksterrein. Anderen bleven in hun auto, wierpen door het raampje een blik om zich heen en reden weer terug naar huis.

Dr. Byron had haar verteld dat die mist geen mysterieus verschijnsel was, maar een voorspelbaar onderdeel van een warmtefront. Hij kon natuurkunde heel goed, in hapklare brokken, aan haar uitleggen. Warme lucht kon meer water bevatten, dat snapte ze wel. De plotselinge droge herfstdagen, het statische geknetter van haar kunststof pyjama op koude avonden, dat kwam doordat het water uit de lucht geperst was. Een glas koude ijsthee dat in de zomer aan de buitenkant besloeg en droop van het water, dat kwam door de warme lucht, die zo nat was als een spons. Dat snapte ze allemaal wel.

Een donkerrode SUV reed het hobbelige pad omhoog naar de draaicirkel en werd schuin geparkeerd. Ze keek naar het echtpaar dat uitstapte, een verzorgde vrouw van middelbare leeftijd en een broodmagere man op sportschoenen. 'Kijk, ze zijn er vandaag,' zei hij op een harde fluistertoon. Ze stonden hand in hand aan de rand van de afgrond te kijken, blij dat ze zo'n geluk hadden. Alsof de vlinders ook elders hadden kunnen zijn. Geen van de bezoekers had vandaag iets tegen haar gezegd, maar ze hadden allemaal hun vragen gesteld aan de man in kaki kleding die folders aan ze gaf en hun vroeg om een of andere gelofte te doen. Hij hoorde niet bij de Californiërs, zoals Carlos en Roger. Die waren naar huis gegaan, met hun kapotte kleren en hun vrolijkheid. Deze man was van een of andere organisatie in een stad waarvan ze nog nooit had gehoord, en hij was ook niet meer zo jong. Hij had wit haar, een hoed met een rand die je kon opklappen en enigszins loensende ogen achter dikke brillenglazen. Hij was hier ondanks al dat kaki niet in functie. Hij was gepensioneerd en had het als project op zich genomen om het land door te reizen en mensen te vragen die gelofte te doen, die Dellarobia nog niet had gelezen. Hij had haar die ochtend de oren van het hoofd gekletst met onsamenhangende verhalen over mensen die hij had ontmoet en vervelende confrontaties met wetshandhavers en wilde dieren. Het viel Dellarobia op dat de man, genaamd Leighton Akins, zelf steeds als held naar voren kwam in de verhalen die hij vertelde. Een teken dat hij niet uit het Zuiden kwam. Als iemand in deze streken een verhaal vertelde waarin hij niet zelf het mikpunt van spot was, of erger nog, waarin helemaal geen grappen voorkwamen, hielden zijn toehoorders het algauw voor gezien. Maar omdat Dellarobia niet weg kon, hoorde ze de man een tijdje aan, liet toen haar gedachten afdwalen, en zei ten slotte zo beleefd mogelijk tegen hem dat ze hier als bioloog aan het werk was en dat ze zich moest concentreren.

Ze moest de vlinders in de gaten houden en hun vlieggedrag in kaart brengen. De vlinders vertoonden tekenen van onrust en verlieten de roestbomen in aanzienlijke aantallen. Ze moest erg goed opletten om de kleine explosies van opvliegende vlinders te zien en de individuele vlinders daarna met haar verrekijker volgen terwijl ze als zwalkende stipjes verdwenen in de grijze lucht. Ze werd zenuwachtig van de zware verrekijker, die waarschijnlijk evenveel kostte als drie of vier maanden gas en licht en vast heel breekbaar was. Maar Ovid had hem om haar nek gehangen alsof het niks voorstelde. Een goedkoop sieraad, geen diamanten.

Hij wilde weten in welke richting de vlinders gingen, in welke aantallen, en of ze 's middags weer terugkwamen. Het kon zijn dat ze op zoek gingen naar water of nectar. Nadat ze alle ontberingen op deze onherbergzame plek hadden doorstaan, zouden ze door de warmte in plaats van door de kou kunnen sterven. Het zonnige, warmere weer waardoor ze uit hun winterslaap werden gewekt en gingen rondvliegen, zou de vlinders veel energie kosten, meer dan het koele, gelijkmatige klimaat van de bergen in Mexico. Ze zouden sneller door hun vetreserves heen zijn en verhongeren. Ovid had gevraagd of hier eind februari al iets in bloei stond, wat Dellarobia had nagevraagd bij Hester. Ranonkel, aronskelk, erigenia en misschien tandkruid, was haar verbluffende antwoord. Zouden die planten een bron van nectar voor de vlinders kunnen zijn? Dat wist Hester niet, maar ze verraste Dellarobia door aan te bieden om haar te helpen die bloemen te gaan zoeken. Dan konden ze de hypothese in het lab testen met levende vlinders.

Het echtpaar dat naar de vlinders kwam kijken nam een spervuur van foto's met een camera waarvan alleen al het geluid van de sluiter erg duur klonk. Ze maakten een vriendelijk praatje met Leighton over zijn gelofte en liepen toen het steile paadje naar beneden af om de vlinders van dichtbij te bekijken. Dat had ze al verwacht. Ze probeerde voor de lol aan de hand van lichaamsomvang en type schoenen te voorspellen welke bezoekers zouden doorlopen en welke zouden omkeren. Ze had het tot nu toe altijd goed gehad, behalve bij twee pubermeisjes die tegen alle verwachtingen in op naaldhakken de berg af gestormd waren.

Het SUV-echtpaar bleef niet erg lang; ze kwamen terug en reden snel weg, waarschijnlijk ontmoedigd door de mist. Vrijwel meteen daarna hoorde Dellarobia een ander voertuig aankomen waarvan het geluid niet op dat van een auto leek. Misschien was het een motor, al kon ze zich niet voorstellen welke gek er met een motor over dit steile grindpad omhoog zou proberen te rijden. Het klonk alsof de motor slipte en weggleed, en de bestuurder daarna weer voluit gas gaf. Toen kwam bij wijze van verklaring Dimmit Slaughter de bocht om. Ze had bij Dimmit op de middelbare school gezeten. Hij zette de motor op de standaard en stapte af, zonder helm, met een T-shirt dat zo strak om zijn dikke buik zat dat de letters heel ver uitgerekt werden, zoals op de titelrol van een griezelfilm. Hij sjorde zijn spijkerbroek omhoog en floot toen hij het uitzicht zag. Of iets anders. Ze probeerde niet naar zijn buik te kijken, hoewel die sterk de aandacht trok en ver uitpuilde boven zijn broek, waar hij zijn gele T-shirt heel onflatteus in had gestopt. Zoals mannen zo vaak deden. Hoe mannen zo trots met zo'n lichaam konden rondlopen was Dellarobia een groot raadsel. Het leek ze niet te kunnen schelen, terwijl vrouwen soms hun hele leven lang bezig waren met het camoufleren van tekortkomingen in hun figuur die met het blote oog nauwelijks waarneembaar waren.

'Zo zo, mevrouw Dell,' zei hij. 'Ik hoorde al dat je hier uithing. Waar is die Boer van je?'

'Die hangt hier niet uit,' antwoordde ze. Leighton Akins kwam aan met zijn geloftefolder, maar bedacht zich.

'En? Is het leuk hiero?' vroeg Dimmit.

'Ik ben aan het werk.'

Hij bekeek haar eens goed. Waarschijnlijk met dezelfde blik waarmee hij op een of ander akelig schermpje naar haar op internet had gekeken, waar ze halfnaakt op die schelp stond. 'Mooi,' zei Dimmit. 'Als je het kan krijgen.'

'Waar heb je het over, werk? Zou je eens moeten proberen. Voor de verandering.'

'Wie betaalt jou hiervoor, de regering?'

'En wie betaalt jouw invaliditeitsuitkering, Dimmit? De Kerstman?' Ze had gehoord over een rugblessure, een val uit het raam. Maar niet tijdens zijn werk. 'Ik word betaald uit een fonds,' zei ze tegen hem. 'Het Nationale Wetenschapsfonds.'

Hij raapte een broze monarch op uit de modderige berm naast het grindpad, liep naar haar toe en flipte hem met zijn duim op haar schrift. 'Alsjeblieft, wetenschapsfonds. Misschien kun je er een dialyse op uitvoeren om te kijken waaraan hij is doodgegaan?'

Leighton Akins keek geschrokken, maar Dellarobia was niet bang voor Dimmit. Cub en hij hadden ongeveer dezelfde kennissenkring. Ze was de laatste tijd misschien niet zo populair in het stadje, maar als Dimmit zich misdroeg, zou hij nog wel eens heel wat minder populair kunnen worden dan zij. 'Ik zie dat je een stuk gewichtiger bent geworden,' merkte ze op. 'Sinds ik je voor het laatst heb gezien.'

Hij legde zijn beide handen op zijn buik en gaf haar een knipoog. 'Ja, schatje, dat is de brandstoftank voor mijn *love machine*.'

Ze wendde haar blik af. Die zelfingenomenheid van Dimmit zou ze zo van hem willen overnemen, als ze dat lijf er maar niet bij hoefde. Alsof je elke dag zwanger was tot de dood je scheidde.

De mist was ingedikt tot een laaghangende wolk en ze had al een uur geen vlinderactiviteit meer waargenomen. Bij het onderzoeksterrein stond een thermoskan koffie op haar te wachten. Dimmit was echter naar Akins toe gelopen en ze blokkeerden het pad, dus wachtte ze tot hun ontmoeting voorbij was. Dat duurde niet lang. Akins legde uit dat hij mensen vroeg om een gelofte te doen waarin ze plechtig verklaarden hun leven zo in te richten dat ze het milieu zo min mogelijk belastten. Dimmit knikte ernstig, nam de folder aan, vouwde er een vliegtuigje van en liet dat door de mistige vallei naar beneden zeilen. Toen trapte hij zijn Harley aan, scheurde weg en liet het grind hoog opspatten.

'Dat is typisch Dimmit,' zei ze verontschuldigend tegen Akins. Ze zette haar vouwstoel tegen een boom. 'Ik ken hem al mijn hele leven. Bij sommige mensen kunt u het beter maar helemaal niet proberen.'

'Ik probeer het altijd,' zei Akins opgewekt. Hij had een rechte pony in zijn spierwitte haar en er zat een spleet tussen zijn voortanden. 'Daarom ga ik juist naar dit soort oorden in plaats van naar Portland of San Francisco. Mensen zoals jullie moeten ook gaan meedoen, net als iedereen. Misschien nog wel meer.'

Ze wist niet wat ze daarop moest zeggen, dus liep ze maar op haar leren boerenlaarzen het pad af. Mensen zoals jullie. Misschien nog wel meer. De vlammen sloegen haar uit. Ze dacht aan Dovey, die had gezegd dat zij de pest had aan iedereen. Dat was niet waar, maar het begon er wel een beetje op te lijken. Leighton Akins en dure outdoorspullen. Al die toeristen negeerden haar kennelijk omdat zij en de Dimmits van deze wereld 'mensen zoals jullie' waren. Ze liep naar beneden, het mistige bos in, een beetje gedesoriënteerd door de witte nevel. In het kale gemengde bos om het dichte sparrenbos heen tekenden oude, vreemd gevormde naaldbomen zich scherp af. Een eenzame specht schaterde. Het pad kruiste een stroombedding waarvan de oevers waren aangekoekt met monarchvlinders die vanaf het midden van het roestgebied waren weggespoeld en hier als vuilnis waren gedumpt.

Een eindje verderop zag ze de lange gestalte van Ovid Byron, die heuvelafwaarts liep en zijn eigen weg koos tussen de met vlinders bedekte stammen door. Ze versnelde haar pas om tegelijk met hem op het punt aan te komen waar hij weer bij het pad kwam, en struikelde bijna over een boomwortel. Ze vroeg zich af of hij het erg zou vinden dat ze haar post had verlaten. 'Hé!' riep ze. 'Ik kreeg wel trek in een beker warme koffie toen die zon wegging.'

Hij bleef op haar staan wachten, met zijn armen gekruist en een brede grijns met blinkend witte tanden. 'Twee zielen, één gedachte.'

'Ik heb nog iets heel bijzonders te vertellen,' zei ze toen ze hem had ingehaald. 'O, trouwens, mag Preston morgen na school hier komen? Dat is niet wat ik wilde vertellen, hoor.'

Zijn lach werd nog intenser, als koplampen die overschakelden op groot licht. 'Dat mag Preston zéker. Ik moet toegeven dat ik je echt benijd, Dellarobia. Wat een kind.'

'Dank je.'

'Maar het is prima. Ik heb een klein project voor hem bedacht.'

Haar hart maakte een sprongetje en ze hield haar mond dicht omdat ze vreesde wat er over haar lippen zou komen. Waarom had hij zelf geen kinderen? Wat was dat voor ruzie, voor conflict, voor vrouw? Ze liep achter hem aan over het pad, lette op waar ze liep en dacht aan het woord hoteldebotel.

'Dat bijzondere,' zei ze, 'is dat een man heeft aangeboden om de vlinders in zijn vrachtwagen naar Florida te brengen. Naar een of ander natuurpark, geloof ik, waar hij familie heeft.' Ze aarzelde, want ze realiseerde zich dat dit eigenlijk wel een bizar plan was. 'Ik dacht, ik zeg het maar even. Ik heb die man gisteren gebeld. Het gaat hem echt aan het hart. Hij wil graag dat de monarchvlinders het overleven.'

'Overleven,' herhaalde Ovid. Hoewel ze achter hem liep, merkte ze dat hij niet enthousiast was.

'Het is een stom idee. Sorry.' Een koude regendruppel viel op de rug van haar linkerhand.

'Maar wel erg aardig. Wie is die man?'

'Een vrachtwagenchauffeur, Baird heet hij. Hij woont in Feathertown. Hij bedoelt het echt goed. Maar het is een slecht idee.'

'In Feathertown,' zei Ovid. 'Ik vind het echt heel aandoenlijk, die goede bedoelingen, weet je dat?' Hij bleef staan en keek omhoog terwijl er nog meer druppels vielen.

'Begint het nou te regenen?' vroeg ze.

Hij knikte, richtte zijn wijsvinger als een pistool tussen de bomen door naar het blauwe doek boven de tafel op het onderzoeksterrein, en daar renden ze allebei door de plotselinge bui naartoe. Hij had wel iets van een hert zoals hij met zijn lange benen over afgevallen takken sprong. Ze kwam na hem aan bij het afdak, rillend, en trok de capuchon van haar sweater strakker om haar hoofd en de mouwen over haar handen heen.

'Waarom is het eigenlijk een slecht idee?' vroeg ze.

De regen kletterde hard op het doek. Hij leek te wachten op een gelegenheid om iets te zeggen. Ovid en Pete hadden op een regenachtige dag het afdak gemaakt door een touw tussen twee bomen te spannen en daar een stuk tentdoek overheen te leggen dat ze vervolgens hadden uitgespreid met behulp van touwen die ze door de metalen ogen in de hoeken haalden en ook aan de bomen vastbonden. Dellarobia had vol bewondering gekeken hoe ze dat simpele maar perfecte afdak maakten dat boven de triplex tafel en de vouwstoel leek te zweven. Daar stonden ze nu, Ovid en zij, in hun kleine huis zonder muren.

'Een dier is een optelsom van al zijn gedragingen,' zei hij na een tijdje. 'Zijn groepsdynamiek. Niet alleen maar zijn lijf.'

'Een monarchvlinder is een monarchvlinder door wat hij doet, bedoel je.'

Hij stond met zijn armen over elkaar naar het bos te kijken. Niet helemaal naar haar toe gekeerd, maar ook niet van haar afgewend. 'De interactie met andere monarchvlinders, zijn habitat, migratie, alles. De populatie functioneert als één geheel, als één organisme. Zo zou je het kunnen zien.'

Dat deed ze, vaak zelfs. Dit vlinderbos was een groot, stil, ademend organisme. Monarchvlinders bedekten de stammen als oranje visschubben. Soms bewogen de vleugels traag en eendrachtig. Toen Ovid en zij een keer te midden van dat alles aan het werk waren, had hij haar gevraagd wat de zin was van het redden van een wereld die geen ziel meer had. Continenten zonder vlinders, zeeën zonder koraalriffen, bedoelde hij. Wat als alle menselijke inspanningen er in feite op neerkwamen dat we een plekje vrijmaakten waar we konden parkeren? Hij had toegegeven dat dit bepaald geen wetenschappelijk verantwoorde denkbeelden waren.

De regen trommelde iets zachter op het dak. Het licht dat door het doek viel, wierp een vage azuurblauwe gloed over hen beiden. Het onderzoeksterrein was volkomen verlaten. Ze vroeg zich af of hij ook de intense atmosfeer van hun alleen-zijn voelde.

'Maar móéten ze wel weg? Kan dat hele organisme niet op één plek blijven?'

'Dat is een genetische kwestie,' zei hij. 'Je bent wie je bent door allerlei genetische combinaties. Dat geldt ook voor de vlinders. Die zijn afhankelijk van een bepaalde afwisseling tussen inteelt en kruisingen.'

Dellarobia herzag haar indruk van daarnet. Ovid was hier niet met haar alleen. Het werd niet zoals in de film. Hij was in de kerk, met zijn ideeën, in het gezelschap der schepselen. Bij hem steeg ze elke dag meer en meer boven zichzelf uit.

'Wat betekent dat precies, die afwisseling?' vroeg ze.

'Het grootste deel van het jaar is de genetische uitwisseling vrij lokaal. De zomergeneraties planten zich in kleinere groepen voort terwijl ze naar het noorden vliegen. Sommige zullen misschien maar een paar kilometer vanaf de plek waar ze zijn geboren paren en sterven. Maar daarna komt de hele populatie in de winter op één plek samen. De genenpool is dan maximaal gemengd.'

'Oké, dat snap ik. Net zoiets als wanneer je je oude spullen gaat ruilen in de tweedehandswinkel in je eigen stad, maar dan eens per jaar een internationale ruildag organiseert.'

Ovid lachte. 'Jij bent echt goed! Kon ik je maar college laten geven.'

Ze probeerde niet al te overdreven te glimlachen. Haar thermoskan koffie stond op de tafel, verborgen achter een paar plastic dozen en een regenjas. Ze zocht tussen de andere rommel naar hun twee vuile bekers, die tot de permanente uitrusting behoorden. Ze goot de achtergebleven restjes koffiedrab van de vorige dag uit de bekers en hield ze buiten het afdak om wat regenwater op te vangen, spoelde ze om en veegde ze schoon met de punt van haar hemd. Ze draaide de thermoskan open en schonk beide bekers in. Huishouden in een onzichtbaar huis. Ovid en zij dronken hun koffie zwart, dat hadden ze met elkaar gemeen.

Hij nam de beker aan, knikte als dank, en ging op een rechtopstaand stuk boomstam zitten dat ze als stoel gebruikten. 'We kennen geen enkel ander dier dat dat ook zo doet,' zei hij. 'Door dat systeem van lokale en universele genenpool ontstaat een soort superinsect. De populatie kan in een jaar wel vijf keer fluctueren. Dat is een verzekeringspolis tegen onverwachte omgevingsfactoren.'

Onverwachte omgevingsfactoren binnen bekende grenzen, bedoelde hij zeker. Hij dronk peinzend zijn koffie en staarde naar de regen. Hij had haar de enige tuinstoel gelaten, maar ze bleef staan. De lange slierten vlinders begonnen te druppen. De vlinders die helemaal onderaan hingen, draaiden langzaam in een onmerkbare wind, als een karikatuur van een opgehangen man. Een deel van een tros vlinders vlak bij het afdak viel plotseling op de grond, losgehakt van het grote beest. Vlinders op de grond hadden geen kans om met zulke regen omhoog te komen. Ze keek naar dit verse legioen van weggevaagden die er de tijd voor namen om te sterven.

'Is er vandaag verder niemand gekomen?' vroeg ze.

Hij schudde zijn hoofd.

'Ik heb een paar keer een bericht ingesproken voor Vern, maar hij belt niet terug. Het lijkt erop dat we onze vrijwilligers kwijtraken. Misschien hebben ze examens.'

'Niet iedereen kan het verdragen om dat uitsterven te zien.'

Ze zag dat de stof van het afdak begon door te druppelen op de plaatsen waar de regen zich in plasjes verzamelde. Het dak van hun onzichtbare huis begaf het. Wat zou het onder deze omstandigheden níét begeven? Ze gaf zich langzaam over aan zijn gevoel voor het weer als iets allesomvattends. Niet alleen als een zich veranderend uitzicht vanuit het raam, maar echter, op een andere manier echt dan het raam en het huis.

Tussen de gevallen massa vlinders waren er hier en daar een paar die hun vleugels openden en sloten terwijl ze door de druppels bestookt werden, en voor het laatst hun levendige oranje kleur toonden. *Raas, raas tegen het sterven van het licht.* Dat was het einde van een gedicht dat ze had geleerd van het enige lichtpunt in haar middelbareschooltijd, mevrouw Lake, die nu dood was. Dellarobia merkte opeens dat ze deze dag nauwelijks nog verdragen kon. Ze liep de regen in om een van de beklagenswaardige overlevenden op te rapen en nam hem mee onder hun afdak. Ze hield de vlinder vlak voor haar gezicht. Een vrouwtje. En gracieus, met dat tengere fluwelen achterlijfje en die zwarte ogen die zo groot en droevig waren. De proboscis rolde uit en daarna weer in als een veer. Ze voelde de hoekige puntjes van de lange, dunne poten die haar vingers vastgrepen. Ze hield haar hand op en de vleugels openden zich wijd. Een klein signaal.

'Dus jij behoort tot de mensen die dat wel kunnen verdragen. Die het uitsterven kunnen aanzien.'

Hij kwam niet helemaal los van zijn overpeinzing, van zijn wake of wat het ook was, maar vroeg: 'Wat zou jij doen als iemand van wie je houdt gaat sterven?'

Ze wilde niet echt over die vraag nadenken. Preston en Cordie, nee. Niet nog iemand die van haar wegging. Van de Cooks kon ze het zich wel voorstellen, maar ook nauwelijks. Hun zoon. Wat ze zou doen? Die beenmergtransplantatie, alles wat nodig was. Ze had wel eerder iets gemerkt van Ovids verdriet, maar nu raakte de aard van zijn verlies haar voluit. 'Ik zou al het mogelijke doen,' zei ze. 'En al het onmogelijke. Ik zou doorgaan, zodat mijn hart niet zou stoppen.'

De vlinder op haar hand bewoog weer en ze hield haar omhoog naar het licht. Op de glans van de vleugels zag ze elk krasje, als op een bekraste oude bril. 'Konden ze maar paren en eitjes leggen,' zei ze. 'Een paar maar. Ik bedoel niet dat we ze allemaal in een vrachtwagen naar Florida moeten brengen. Maar als ze deze ene winter nou zouden overleven?'

Hij keek op naar haar. 'Dat is niet mijn taak, Dellarobia.'

Daar dacht ze over na. Aan wie behoorde een diersoort toe? Zou daar iets over in de wet staan? Ze ging op de tuinstoel zitten en zag dat hij onrustig werd en naar de stapel onderzoeksaantekeningen keek die op tafel lag. 'Ik hoef geen dierentuin, ik ben hier niet om de monarchvlinders te redden. Ik probeer het teken aan de wand te begrijpen.'

Dat stak haar. 'Als jij ze niet redt, wie dan wel?' Ze wist wel een paar antwoorden: de wildbreisters, de jongens met hun plakbandkleren. Mensen die Cub en haar schoonouders niet als normale volwassenen beschouwden.

'Dat is een zorg van het geweten, niet van de wetenschap,' zei hij. 'De biologie, de wetenschap schrijft ons niet voor wat we moeten doen. Die vertelt ons alleen wat er ís.'

'Dat zal wel de reden zijn dat mensen er niet van houden,' zei ze, verbaasd over haar stekeligheid.

Ook Ovid keek ervan op. 'Niet van de wetenschap houden?'

'Sorry. Ik praat waarschijnlijk voor mijn beurt. Je hebt me uitgelegd hoe groot het allemaal is. Dat klimaatprobleem. Dat daardoor dingen veranderen waar we op rekenen. Maar sommige mensen zeggen dat je het gewoon moet vergeten. Mijn man, mensen op de radio. Dat het niet bewezen is.'

'We hebben het over dingen die wel heel duidelijk en echt zijn, Dellarobia. Waar wetenschappers het over eens zijn. Die mensen op de radio zijn neem ik aan geen wetenschappers. Waarom zouden mensen wonderolie willen kopen als ze medicijnen nodig hebben?'

'Dat probeer ik je duidelijk te maken. Mensen zoals jullie zijn niet zo populair. Misschien is jullie medicijn te bitter. Of misschien verkopen jullie het niet aan ons. Misschien hebben jullie ons afgeschreven omdat jullie denken dat wij het toch niet zullen snappen. Jullie kunnen beter op de kleuterschool beginnen en van daaruit verder werken.'

'Daar is het te laat voor. Geloof me.'

'Zeg dat niet, "te laat". Daar kan ik niet tegen. Ik moet aan mijn kinderen denken.'

Ovid knikte langzaam. 'Wij wetenschappers zijn niet altijd impopulair geweest.'

'Herbert Hoover was er ook een! Dat heb ik ergens gelezen.' Preston had al een spreekbeurt gehouden over zijn encyclopedie. En de vliegende mieren aan de klas laten zien.

Ovid keek geamuseerd. 'Ik bedoel recenter dan Herbert Hoover. Vijftien jaar geleden waren de mensen ook al op de hoogte van de opwarming van de aarde, althans in grote lijnen, wist je dat? In onderzoeken kwamen ze tot de conclusie dat het echt bestaat en een probleem is. Conservatieven, liberalen, allemaal. Maar nu is er een scheidslijn.'

'Ja, klopt. Zo gaat dat meestal. Net als bij kinderen in een gezin. Ze bakenen hun territorium af. Ze zijn het lievelingetje van de meester of ze zijn de rebel.'

'Denk je dat? Is het een kwestie van territoriumdwang? Hebben we onszelf verdeeld in de rustige, ontwikkelde wetenschapsgelovigen aan de ene kant en een stel strijdlustige heethoofdige klimaatontkenners aan de andere?'

Dellarobia had duidelijk het gevoel dat hij de kaarten niet helemaal eerlijk schudde. Hoe pasten de meisjes met hun wilde haren die in het bos vlinders breiden daar in?

'Ik zou zeggen dat er eerst teams worden gevormd en dat daarna de overtuigingen worden uitgedeeld,' zei ze. 'Het camouflageteam krijgt de wapens, de John Deere en de weckpotten, een harde hand van opvoeden en zelfredzaamheid. Wat het andere team draagt weet ik niet, iets duurs in elk geval. Zij krijgen recycling, geboortebeperking, caffè lattes en eindeloos veel kansen. Dat zijn de studenten die je een mailtje sturen om tegen je te zeggen dat ze een acht verdienen.'

Ovid keek verbijsterd. 'Wat? Je bedoelt dat het een soort strijd is tussen de boerenklasse en de burgerij?'

Ze keek hem aan. 'Dat was beslist niet wat ik zei.'

'Zoiets dan. Een van de twee teams heeft alle capaciteiten om het onontgonnen terrein te koloniseren. En het andere cultiveert een koppige gemeenschap die zich achter de ploeg schaart.'

'Huh?'

'Maar denk je niet dat er in deze wereld geen onontgonnen terrein meer is?'

'Misschien. Of nee. Dat hangt ervan af.'

'Echt?'

'Ja, als het tenminste waar is wat je zegt. Dat deze hele klerezooi eraan gaat. Want wat moeten we dan, opnieuw beginnen?'

Ovid zweeg. Ze wist dat het respectloos was om het zo te formuleren. Dit was voor hem de kerk, dit waren zijn kinderen. Wat hem 's nachts uit de slaap hield. 'Sorry,' zei ze. 'Ik bedoel alleen maar dat het milieu aan het andere team is toegewezen. Dat zulke zorgen niet voor ons soort mensen zijn. Volgens mijn man.'

Er verscheen een diepe frons op zijn voorhoofd. 'Boeren maken zich geen zorgen over droogte en overstromingen?'

'Denk jij dat dit allemaal op kénnis gebaseerd is? Kom op, wie heeft nu echt een keus?'

'Kennis is alles wat we hebben.' Ovid staarde haar aan en wist de indruk te wekken dat hij net zo naakt was als ze hem ooit had gezien. En dat was erg naakt. 'Iedereen heeft een keus,' zei hij. 'Je kunt een moeilijke waarheid onder ogen zien of ervoor weglopen.'

Ze schudde haar hoofd. 'Mijn man is geen lafaard. Ik heb gezien dat hij zijn hele arm in een hooipers stak waar een touw in vastgelopen was. Terwijl die machine aanstond. Hij probeerde het hooi te redden omdat het dreigde te gaan regenen. Hij en mijn schoonouders hebben het zes dagen per week hard te verduren en op zondag bidden ze in de kerk voor mensen die het écht zwaar hebben.'

Hij leek dit tot zich te laten doordringen, ook al kende hij waarschijnlijk niet zoveel mensen die een arm waren kwijtgeraakt bij het hooien als zij. 'Zulke posities krijgen mensen gewoon toegewezen,' zei ze. 'Als je je hele leven een slecht mens wordt genoemd, dan denk je dat je daar toch al de prijs voor hebt betaald en dat je dus maar beter door kunt gaan op de ingeslagen weg. Als ik een boerenkinkel in een pick-up ben, oké, dan zal ik er ook maar eens flink in rondscheuren.'

Ovid stond perplex. Misschien wist hij meer van vlinders dan van mensen.

'Het is niet leuk om te zeggen, maar de mensen vinden het niet zo'n goed idee dat iemand als ik hiernaartoe gaat om samen te werken met iemand als jij. Pete in het begin ook niet, volgens mij. Hij is wel over zijn twijfels heen gekomen, maar dat geldt niet voor iedereen.' Ze had eindelijk op de roddelsite gekeken waar Dovey het over had gehad, en daar was ze ontzettend van geschrokken. Dr. Byron was volgens allerlei mensen een bemoeizuchtige buitenlander. En volgens sommigen was Dellarobia zwanger van hem.

'Had je problemen met Pete?' vroeg hij.

'Nee, Pete is fantastisch. Bonnie en Mako ook, allemaal. Om de een of andere reden hebben jullie allemaal besloten om mij erbij te betrekken. Maar als ik jullie serveerster was geweest in de cafetaria, dan zouden jullie nooit tegen mij zijn begonnen over vlinderpopulaties en de roestgebieden. Mensen sluiten de andere kant buiten. Dat is aan beide kanten zo.'

Ze kon zich wel voorstellen dat ze met een schortje voor koffie voor hen inschonk aan zo'n vettig tafeltje in wijlen de Feathertown Diner. Misschien dat Ovid haar zelfs daar wel om haar mening zou hebben gevraagd. *Als ik alleen maar naar mezelf luister, leer ik nooit iets nieuws*, had hij die eerste avond gezegd. Dit was het moment waarop ze haar mond moest houden.

'Mensen zijn toegerust voor een sociale omgeving,' zei hij. 'Daar is geen twijfel over mogelijk, zo zijn we ontwikkeld. Signalen herkennen en in de groep blijven, dat zijn de belangrijkste overlevingsstrategieën van onze soort. Maar ik zie academici graag als de scheidsrechters. Omdat wij met beide partijen kunnen praten.'

'Dat zou misschien kunnen. Maar dat doen jullie niet. Je zegt zelf altijd dat het niet eens de bedoeling is dat het jullie iets kan schelen, dat jullie alleen maar meten en tellen.' Oké, zei ze bij zichzelf, nú hou je je mond.

'Daar zit wel iets in,' zei hij. 'Als wij te veel verwikkeld raken in het publieke debat, dan noemen onze collega's onze taal niet-precies, of te zeker. Te theatraal. Zelfs simpele woorden als "theorie" en "bewijs" hebben buiten de wetenschap een andere betekenis. Als we populair zijn en veel publiek hebben, worden we weggezet als tweederangswetenschappers.'

Hier verbaasde Dellarobia zich over. Als mensen zich ergens verstandig zouden gedragen, dan was dat toch zeker in kringen van hoger onderwijs. Hoewel 'tweederangswetenschapper' niet bepaald hetzelfde was als 'hoereren met de vijand'.

'Is dat waarom je niet met journalisten wilt praten? Want daar ben je wel erg goed in.'

Hij blies zóveel adem uit dat ze zich afvroeg of hij leegliep. 'Dat is een gevaarlijke weg om te bewandelen. Vooral voor ecologen, mijn vakgebied dus. Ecologie is de studie van biologische gemeenschappen. De interactie van populaties onderling. Het heeft niks te maken met het recyclen van blikjes. Het is een experimentele en theoretische wetenschap, net als natuurkunde. Maar als wij proberen om onze wetenschap begrijpelijk te maken voor buitenstaanders, gaan ze meteen op zoek naar een boodschap.'

'Dat snap ik wel,' zei ze.

'Als ik nog één zo'n slapjanus over het milieu hoor praten en het "de ecologie" hoor noemen, serieus, Dellarobia, dan ben ik in staat om die Mettlerweegschaal op z'n kop aan gruzelementen te slaan.'

'Wow.'

'In mijn vakgebied ligt dat namelijk nogal gevoelig.'

Je meent het, dacht ze.

De wolkbreuk was ten einde. De regen trok verder en nam de kou mee door de vallei. Ovid stond op van zijn houtblok en sloeg met zijn vlakke hand tegen het doek om de plas water weg te laten lopen die erop lag. Hij dronk zijn beker leeg en zette hem met een beslist gebaar op het tafelblad. 'Volgens mij kunnen we nu wel weer terug naar onze post,' zei hij. 'Ik moet naar het lab, ik wil een paar vrouwtjes ontleden om te kijken of ze al uit diapauze komen. Wat heb jij vanochtend gezien?'

'Ik heb er een paar zien rondvliegen,' zei ze. 'Vrij veel eigenlijk, vanochtend vroeg, vlak voordat de zon opkwam. De meeste vlogen in westelijke richting door de vallei.'

Hij stopte zijn handen in de zakken van zijn regenjas. 'Als het niet meer gaat regenen, zou het fijn zijn als je daar vanmiddag weer kunt gaan kijken. Ik ben benieuwd of ze weer terugkeren naar hun roestplek. Dit zijn waarschijnlijk korte uitstapjes om water of nectar te halen, niet het begin van de lentetrek. Maar we weten het niet zeker.'

Hij pakte de rode en witte koelbox waarmee ze de levende vlinders vervoerden, liep onder het afdak vandaan en ging op zijn hurken bij de afgevallen tros vlinders zitten. Hij koos vlinders die al dood waren om 's middags te gaan ontleden. Die stelden zich in elk geval nog ter beschikking aan de wetenschap. Dellarobia knielde naast hem om te helpen. Ze moesten de spullen ook gaan inpakken. Dit front zou nog veel meer regen brengen en waarschijnlijk ook stormachtige wind. 'Als ze dat doen, aan de lentetrek beginnen, waar gaan ze dan naartoe?' vroeg ze.

'Waar gaan ze dan naartoe,' herhaalde hij. Hij zweeg zo lang dat ze geen antwoord meer verwachtte. Ze pakte de stijve, broze vlinders, een voor een, en gooide ze aan de kant. De meeste waren al te lang dood.

Na een tijd zei hij: 'Een compleet nieuwe wereld tegemoet. Een die anders is dan die ze altijd heeft gevoed. Op de manier waar iedereen aan gewend is geraakt.'

Ze vond een levend vrouwtje dat nog flexibel was en zwak met de vleugels fladderde, en liet het in de koelbox vallen. Zulke koelboxen, ter grootte van een sixpack, werden ook gebruikt om organen van overleden mensen te vervoeren naar een ziekenhuis waar iemand op een transplantatie wachtte, misschien iemand wiens hart al uit zijn borstkas was gehaald. Dat had ze een keer op televisie gezien. Het leek haar een zware verantwoordelijkheid voor zo'n doodgewoon ding.

'En dat is niet goed, Dellarobia,' voegde hij eraan toe. 'Een compleet nieuwe wereld.'

'Dat weet ik,' zei ze. Een wereld waarin je op niets meer kon rekenen wat je ooit had gekend of vertrouwd, dat was geen plek waar je wilde zijn. Ze dacht dat ze dat wel begreep, voor zover het te begrijpen viel.

Ze was er niet op voorbereid om Leighton Akins weer tegen te komen, boven aan het pad, op het kleine stuk grond dat ze graag voor zichzelf had willen hebben. En hij zat nog wel in haar tuinstoel. Hij had van zijn plastic poncho een soort tent over zichzelf en de stoel gemaakt en leek in een dromerige toestand te verkeren. Hij sprong op toen ze hem begroette.

'Ik wilde net gaan,' zei hij en hij gaf haar de stoel terug. 'Ik zit zonder folders. Dat papieren vliegtuigje was de laatste. Maar ik wilde wachten tot het ophield met regenen.'

'Jammer,' zei ze. 'Ik had er graag een willen zien.'

'Ik heb er nog één,' zei hij. 'Maar die moet ik bewaren. Om te kopiëren. Is er een kopieerwinkel in dit stadje? Want daar zocht ik naar, maar ik vond nada.'

'Weet u de bank te vinden?' Ze ging zitten en moest toegeven dat het prettig was dat hij die droog had gehouden. De lucht klaarde op en ze zag beweging in het lagere gedeelte van de bergvallei. Ze speurde een mistig stukje af. Je moest er handigheid in krijgen, in het werken met zo'n verrekijker.

'De bank?'

'Ja. Daar hebben ze een kopieerapparaat. Dat gebruikt iedereen.'

'De bank. Wie had dat nou kunnen denken.' Meneer Akins bleef staan. Ze vroeg zich af waar hij 's avonds heen ging, voor zover hij hier tenminste niet bleef. Waarschijnlijk naar het Wayside.

'Dus het is een soort gelofte?' vroeg ze. Ze hield de verrekijker op de mistige vallei gericht en zocht naar de bewegende stipjes. Eindelijk zag ze er een. Eén vlinder. Toen drie. 'Wat worden wij dan geacht te beloven?'

Vanuit haar ooghoeken zag ze hem in zijn rugzak graven. 'Ik kan het u wel voorlezen,' bood hij aan. 'Het is een lijst dingen die je moet beloven om je $CO_2$-voetafdruk te verkleinen. Dat betekent dat je minder fossiele brandstoffen gebruikt. Om de schade te beperken van de uitstoot van kooldioxide.'

'Ik weet wel wat dat betekent,' zei ze.

'O-ké. "Duurzaamheidsgelofte",' las hij voor. 'De eerste categorie is Eten en Drinken. Zal ik de hele lijst voorlezen?'

'Ik kan er ook wel even naar kijken.'

Hij keek haar bedrukt aan en hield het papier vast alsof het zijn testament was. Dacht hij soms dat ze hem net als Dimmit een kunstje zou flikken en het papier zou lanceren? 'Oké, prima,' zei ze. 'Laat maar horen. Ik moet intussen wel naar de buit blijven kijken.' Ze had nu vijf vlinders in het oog die zonder duidelijke richting in het rond fladderden. Ze dacht aan de vliegende mieren in Prestons boek. Als Preston morgen meeging, moest hij niet vergeten om aan Byron te vragen hoe dat nu precies zat.

'Punt een. Neem een tupperwarebakje mee naar een restaurant voor de restjes, doe dit zo vaak mogelijk.'

'Ik heb al in geen twee jaar meer in een restaurant gegeten.'

'Jezus. Serieus? Waarom niet, als ik vragen mag?'

Ze had zin om hem boos aan te kijken, maar ze wilde die vlinders niet uit het oog verliezen. Cub haalde wel eens een hamburger als hij een vracht moest afleveren. Ze vond soms de bewijzen ervan op de grond van zijn vrachtwagen, en dan beloofde hij haar plechtig dat hij het nooit meer zou doen, als een man die betrapt was op overspel. Hij wist dat ze er het geld niet voor hadden. Maar nu ging het niet over Cub.

'Oké, punt twee,' zei Akins. 'Probeer altijd je eigen beker mee te nemen voor thee of koffie. Dat geldt dan zeker ook niet. Neem je eigen bestek mee, gebruik geen plastic wegwerpspullen, idem dito. Oké, deze dan. Neem onderweg je eigen hardplastic fles met water mee en koop geen flesjes bronwater.'

'Het water dat wij thuis zelf oppompen is prima, we kopen nooit flessen water.'

'Oké,' zei hij. 'Probeer minder vaak rundvlees te eten.'

'Ben je gek? Ik probeer juist váker rundvlees op tafel te zetten.'

'Waarom?'

'Omdat altijd macaroni met kaas niet goed is, daarom. We hebben wel lamsvlees, van onze eigen boerderij. Maar ik heb geen diepvries. Ik haal het altijd bij mijn schoonouders.'

Akins zweeg. Zijn donkere ogen zwommen als dikke kikkervisjes achter zijn brillenglazen.

'Dat was het?' vroeg ze.

'Nee. Er zijn nog vijf categorieën.'

'Laat maar horen.'

'Het hoeft niet, hoor.'

'Jawel. U bent helemaal hierheen gekomen. Om te vragen of wij willen meedoen.'

'Oké,' zei hij een beetje zenuwachtig. 'Dan ga ik maar naar Dagelijkse Behoeften. Probeer zo veel mogelijk tweedehands te kopen. Op Craigslist.'

'Wat is dat?' vroeg ze, hoewel ze een vaag vermoeden had.

'Craigslist,' zei hij. 'Op internet.'

'Ik heb geen computer.'

Leighton Akins herstelde zich snel. 'Of zoek een kringloopwinkel in de buurt.'

'Zóéken!' zei ze.

'Plan je autoritjes goed zodat je minder hoeft te rijden!' zei hij strijdlustig.

'Ja, wie doet dat dan niet? Met die benzineprijs van tegenwoordig.'

Hij zweeg weer.

'Wat zijn de andere categorieën?' vroeg ze.

'Thuis-kantoor-reizen-financiën. We hoeven het niet af te maken.'

Ze liet de verrekijker zakken en keek hem aan. Ze was die vlinders nu toch al kwijt. 'Doe maar Financiën.'

Akins las monotoon en gehaast voor: 'Zet aandelen en spaarfondsen om in sociaal verantwoorde investeringen, blablabla. Oké, Thuis en/of Kantoor. Laat oude computers recyclen. Zet de monitor uit als hij niet wordt gebruikt. Volgens mij is dit allemaal niet van toepassing.' Hij keek haar aarzelend aan. 'Huishouden?'

'Da's een goeie,' zei ze. 'Een huishouden heb ik wel.'

'Vervang gloeilampen door spaarlampen. Ga over op energiezuinige apparaten.'

Ze moest het nog met Ovid hebben over de elektriciteitsrekening, want die van februari was net binnen. Elektriciteit was in hun huishouden inderdaad een belangrijk punt. 'Sorry,' zei ze, 'als ik er iets voor moet kopen, kruis dan maar het vakje slechterik aan.'

'Maar door de besparingen verdien je dat weer terug.'

'Dat zal best.'

'Oké. Zet de thermostaat in de winter steeds twee graden lager en in de zomer steeds twee graden hoger.'

'Dan wat?' vroeg ze.

'Dan hij staat.'

'Dat is technisch onmogelijk. Dan moet je hem dus almaar lager zetten.'

Leighton vatte dit kennelijk op als weigering en kwam met de afmaker. 'Maar we hebben maar één planeet! Daar moeten we het samen mee doen!'

Ze knikte langzaam met wat ze zelf een lovenswaardige zelfbeheersing vond.

'Bijna klaar,' zei hij. 'Transport. Ga op de fiets of met het openbaar vervoer. Koop een voertuig met een schone motor. Sorry, je zei dat je niets wilde kopen. Zorg voor de juiste bandenspanning en laat je auto goed onderhouden.'

'De pick-up van mijn man is al aan zijn derde motor toe. Is dat goed genoeg?'

'Ja, absoluut.'

Ze had het gevoel dat Leighton Akins niet meer op zoek zou gaan naar de bank. Hij zou met zijn voertuig met schone motor wegrijden en Dimmit Slaughter en zij zouden een plekje krijgen in zijn anekdotes over de tegenslagen die hij had ondervonden.

'Oké, de laatste,' zei hij. 'Vlieg minder.'

'Vlieg mínder,' herhaalde ze.

Hij keek naar zijn papier alsof hij orders kreeg van een hogere autoriteit. 'Dat staat er. Vlieg minder.'

12

# Verwantschapssystemen

De drachtige ooien zagen eruit als wollige vaten op tafelpoten. Ze hadden zich verspreid voor hun graasontbijt en stonden in willekeurige posities in de modderige wei, maar bevroren allemaal in dezelfde aandachtige houding toen de vrouwen het weiland in kwamen lopen. Elke kop draaide in hun richting, elk driehoekig gelaat bekroond met de v van naar buiten gedraaide hoorns. Uit elk paar neusgaten dreef een dun horizontaal wolkje in het koude ochtendlicht, sporen van herkauwende adem. Alle aanwezigen wachtten op een teken voor de volgende zet, inclusief de collie aan Hesters zijde en Dellarobia. Ze had aangeboden om deze zaterdag te helpen met het vaccineren van de ooien en had geen idee wat er moest gebeuren. Hester schudde flink met de emmer met korrels en dat was het antwoord op alle vragen; de schapen kwamen langzaam in beweging. Hester floot naar Charlie, waarop hij in een wijde boog naar rechts de berg op rende, één bonk zwart-witte vreugde. De ouwe reus kon het nog steeds. Charlie was dertien en hoorde al langer bij de familie dan Dellarobia zelf. De schapen reageerden meteen op de druk die de hond op ze uitoefende en verzamelden zich.

'Achter je, Charlie,' riep Hester. Hij veranderde van richting en holde naar het hek achter in de wei. Een trio witte jaarlingen was daar op een grote kei geklommen, maar zodra de hond op hen af kwam, gaven ze hun spelletje op en sprongen eraf. Een stukje hoger in de wei hielden vier van de roodbruine ooien, die Hester moorits noemde en die door hun kleur bijna onzichtbaar waren in de modder, wel dapper stand. Charlie nam een wolfachtige sluiphouding aan en kroop centimeter voor centimeter in hun richting, waarbij hij zijn witte voorpoten om beurten een stukje verder zette, tot ook die vier capituleerden en zich bij de kudde voegden. De bonte massa voegde zich samen tot één stroom van wit, zwart, moorits en grijswitte badgerfaces die gezamenlijk met schokkerige bewegingen naar beneden draafden en die met hun waggelgang wel wat weg hadden van een niet synchroon afgestelde kudde hobbelpaarden.

Ze stonden hier in de wei omdat het er hoger was, maar na de stortbuien van afgelopen week was 'hoger gelegen' enkel nog een theoretisch voordeel. Dellarobia's kletsnatte huis vormde een treurige achtergrond, samen met de oude schuur die het lab bevatte en nu ook de schapen, als die een schuilplaats nodig hadden. De ooien leek de modder niet te deren; die werden enkel gedreven door hun zwangerschapsvraatzucht. Hun hoeven wierpen grote kluiten door de lucht terwijl ze Hester volgden, die hen naar de schuur leidde met de emmer schapenkorrels hoog boven hun koppen, een rattenvanger van Hamelen met paardenstaart en cowboylaarzen. Ze had Bear en Cub weten over te halen om de tot aan het middel reikende wandjes te repareren die het voorgedeelte van de schuur in twee hokken verdeelden en die door een muur werden gescheiden van het lab in het oude melkhok achterin. Toch hoorde Dellarobia soms het geritsel en geblaat van de ooien door de met plastic bedekte wand, vooral op lange regenachtige dagen als ze allemaal rusteloos binnen bij elkaar stonden. Hester wilde dat Cub nog lammerhokken zou maken, waar de jonge moeders met hun kleintjes droog en veilig voor trappelende hoeven apart zouden kunnen staan. Het lammeren zou eind maart beginnen. Over een maand, dus.

De geurige warmte van de stal drong zich aan Dellarobia op zodra ze binnenkwamen. De aanwezigheid van dieren had deze schuur, die lang had leeggestaan en altijd naar stof en stookolie had geroken, veranderd in een omgeving met de doordringende lucht van schapenkorrels en mest. Ze stapte over glanzende bergjes schapenkeutels die op de met hooi bedekte vloer lagen en eruitzagen als de inhoud van doosjes rozijnen die op het tapijt waren omgekeerd, een beeld dat ze dankzij Cordelia goed kende. Hester liet Charlie het leeuwendeel van het werk doen. Hij duwde de dieren naar voren als hem dat werd gevraagd en hield zich verder foutloos op de achtergrond. Charlie was de vader van Roy en de oudste van de twee collies. De kinderen waren gek op Roy omdat hij altijd mee wilde doen met hun gestoei en hun drukte, maar Charlie was ouderwets; die stond daarboven.

De ooien drongen ongeduldig het grote deel van de stal binnen en verdrongen zich om de voederplank waar Hester een tien meter lange lijn krachtvoer strooide. Deze geslepen ijslanders waren noeste werkers en wisten zelfs hartje winter aan eten te komen door de schors van paaltjes te schrapen en dood blad uit bomen te plukken. Cub en zij gooiden daarnaast ook elke ochtend hooi in de wei van balen die ze voor een schokkend hoge prijs uit Oklahoma hadden moeten halen omdat hun eigen magere oogst was beschimmeld, net als al het hooi in de wijde omtrek. Hun rundvee houdende buren waren deze winter een vermogen kwijt aan hooi en er zat voor hen niets anders op dan met verlies hun kalveren van de hand te doen. Dellarobia wist dat het jaren geleden Hesters beslissing was geweest om tegen Bears zin van rundvee over te gaan op dit zelfvoorzienende ras, en nu zagen de mannen daar eindelijk de wijsheid van in. Deze ooien kregen alleen extra mineralen en voedingskorrels omdat ze drachtig waren, en het was duidelijk dat ze dat extraatje vandaag hard nodig hadden; Dellarobia herkende hun hunkering nog goed van haar eigen zwangerschappen. In de winter waarin ze van Preston in verwachting was geweest, had ze in de vreemdste dingen trek gehad, zoals in kauwen op nat wasgoed.

De schapen roezemoesden, boerden, duwden elkaar opzij en gingen in een volgorde van dominantie staan die volgens Hester met familieverhoudingen te maken had. Bazige bruintjes noemde ze de vier moorits die als laatste binnengekomen waren en nu als eerste bij de trog stonden. Hester wees haar de moeder en drie dochters aan, alle drie uit andere jaren, die nu de leiders waren. De andere schapen wisten dat ze voor hen opzij moesten gaan. Hester rommelde in de grote metalen gereedschapskist waarin ze de diergeneesmiddelen vervoerde, zocht de benodigde naalden en buisjes uit voor de entingen die ze vandaag gingen geven. Dellarobia was graag in de buurt van de schapen. Ze vond het leuk om naar hun kleurverschillen te kijken, naar de vorm van hun hoorns en het laatste toefje wol op hun hoofd, dat het enige lichaamsdeel was dat nooit werd geschoren. Als ze tussen deze dames liep, weken ze langzaam uiteen als zwaar water en keken naar haar op met een zonderlinge rust in hun amberkleurige ogen, die mysterieus in tweeën werden gedeeld door hun horizontale zwarte pupillen.

Hester droeg Charlie op om bij de schuurdeur te blijven staan en Dellarobia om alle schapen in de ene stal op te sluiten, terwijl zij de repeteerspuit voltrok met de inhoud van een flacon entstof. Als je het vaccin laat in de draagtijd toediende, drong het tot de baarmoeder door en beschermde het de pasgeboren lammetjes tegen alle gruwelen die hun in de nieuwe wereld wachtten. Dellarobia was niet dol op naalden, maar ze had er zelf voor gepleit om de ooien hier te stallen waarbij ze haar vaardigheid in het omgaan met lastige situaties had benadrukt, dus ze besefte dat dit het moment was om haar lef te tonen, voor zover ze dat bezat. Ze hadden al samen de spullen voor noodsituaties bekeken die Hester voor haar had verzameld in een plastic emmertje dat ze aan een spijker aan een van de verticale balken van de schuur had opgehangen. Dellarobia was enigszins van haar stuk gebracht door de haastige uitleg van Hester bij de jodium, handdoeken en armlange plastic handschoenen, alles wat je nodig had voor het lostrekken van een vastzittend lam. Ze stond er versteld van dat Hester zoveel vertrouwen in haar had. Elke avond lazen Preston en Dellarobia in het handboek over het bijvoeren van drachtige ooien en vandaar verder naar onderwerpen als melkziekte en tweelingen in stuitligging, alles wat fout kon gaan. Preston leek rustig te worden van de overvloed aan informatie. Zijn moeders fantasie was echter zo afgesteld dat die met elk nieuw gevaar aan de haal ging om zich er zorgen over te maken en het uit elkaar te plukken, als een kraai een kadaver.

Hester gaf Dellarobia een groot stuk feloranje vetkrijt waarmee ze elk dier moest merken zodra het geënt was. Hester hanteerde de spuit; zij kneep in het v-vormige handvat om elke injectie door de wol onder de huid achter de schouder te krijgen. De schapen reageerden nauwelijks op de naald en leken Dellarobia's veeg over hun kont bij het merken erger te vinden. De feloranje vettige veeg over de ruwe wol deed haar denken aan wasco-ongelukjes op het woonkamertapijt. Soms greep ze bij de eerste poging mis en moest ze achter zo'n anoniem, wollig achterlijf aan in de zee van gelijksoortige lijven. Binnen de kortste keren liepen Hester en zij allebei door de donzige massa oranje bestreepte schapen achter de ongemerkte dieren aan te jagen.

Toen Hester de spuit bij moest vullen en een sigaret wilde roken, gingen ze naar buiten. Dellarobia schudde snel van nee toen Hester haar het pakje aanbood. Ze zag dat het oranje buitensnoer netjes om een haak gewikkeld zat en keek naar de rechthoek morsdood gras waar normaal gesproken de camper stond. Hij ging tegenwoordig in het weekend altijd weg. Hij had haar over een plaats verteld die Sweet Briars heette, waar hij andere wetenschappers ontmoette. De afwezigheid van de camper gaf haar het gevoel dat ze zelf ook uit het stopcontact was getrokken en niet meer vastzat, beroofd was van haar voeding.

'Vanaf half maart moet je ze goed in de gaten gaan houden,' zei Hester opeens. Ze drukte haar sigaret uit en haalde de spuit uit de holster. 'Ze kunnen je soms overvallen met een vroege worp.'

'Hoe nauw luistert dat?' vroeg Dellarobia. 'Moet ik dan hier in de stal gaan slapen?'

Hester bleef naar de flacon kijken terwijl ze de vloeistof opzoog. Ze had een rode bandana in haar haar en droeg een oud spijkerjasje dat er stijf uitzag, als karton. 'Dat kan. Je andere baan loopt tegen die tijd af, zei je, dus dan is het tijd voor een nieuwe.'

'Maar dan niet voor dertien dollar per uur,' zei Dellarobia zacht.

Hester keek verrast op en richtte haar ogen vervolgens snel weer op haar werk. Dus Cub had het haar niet verteld. Dat Dellarobia nu kostwinner was, salaristechnisch gesproken.

In het daaropvolgende uur trok de bijtende kou weg en vulde de stal zich geleidelijk met oranje bestreepte ruggen. Hester vroeg haar er een aantal weg te halen om beter te kunnen zien wat ze deed. Dellarobia zette de staldeur open en bleef erbij staan om hem te bewaken; ze duwde ooien terug naar binnen of joeg ze naar buiten als ze al waren gemerkt door ze bij de hoorns te grijpen, dicht bij de kop, zoals ze Hester had zien doen. De meeste van die dames waren een stuk zwaarder dan Dellarobia, maar ze wist enkele tientallen van de gewilligste types bij elkaar te drijven. Die stonden op een zenuwachtig kluitje bij de staldeur te wachten, nog in de openstaande schuur. Charlie bleef op zijn post in de lichte, open rechthoek van de deuropening, met een rustige, geconcentreerde blik en een roerloos lijf, als een bronzen standbeeld van alle hondendeugden.

'Genoeg, Charlie,' riep Dellarobia, opnieuw in navolging van Hester. Het gaf haar een vreemd gevoel van macht toen Charlie naar haar toe kwam en de ooien als magneten op een tegenovergestelde pool zo dicht mogelijk langs de verste muur van de schuur naar de deuropening vluchtten. De hond hierheen, de schapen daarheen, een ton lichaamsgewicht dat zij kon sturen. Ze hoopte dat Hester haar kinderlijke blos van trots niet zag.

Alleen de meest onwillige leden van de kudde waren nu nog over; schrikachtige, onberekenbare dames die Hester met haar linkerhand bij de hoorn moest grijpen, terwijl ze de spuit met haar rechterhand rondzwaaide. Ook opstandigheid was een familietrekje, vertelde Hester. Alles zat in de genen en kon naar goeddunken uitgeselecteerd of erin gehouden worden. 'Je mag nooit klagen over je kudde,' vond ze. 'Een kudde is niets anders dan het resultaat van je keuzes uit het verleden.' Ze vertelde Dellarobia dat ze ooien zonder hoornstompjes nooit hield. Ze had liever schapen met een handvat. Op dezelfde manier selecteerde ze lammeren uit met een kortvezelige vacht of een zwak karakter. Een grote witte ooi met een vlekkerige snuit, die Hanky heette, was een van de laatste weigeraars van het vaccinatieprogramma, en volgens Hester een typisch voorbeeld van zo'n verkeerde keuze. Er zijn er altijd een paar, zei ze, die je beter in de vriezer had kunnen stoppen.

'Als ik haar nou eens vasthoud en jij prikt,' zei Hester en ze drukte Dellarobia, die met het spartelende dier stond te worstelen, de spuit met het blauwe handvat in handen. Hester greep haar bij allebei de hoorns en gebruikte haar heup om Hanky tegen de stalwand vast te zetten. 'Nu,' gromde ze en dat was geen vraag. Dellarobia handelde zonder nadenken en mikte op de schouder, terwijl ze de aanwijs-knijpbeweging maakte die ze vandaag al zo vaak had gezien. Ze voelde de naald wegzinken en deinsde achteruit toen het grote schaap zich losworstelde en wegsprong, hard op de grond neerkwam, maar weer overeind krabbelde. Haar ogen draaiden weg, waardoor alleen het wit nog zichtbaar was.

'Dat was helemaal niet slecht,' zei Hester.

Dellarobia speelde in gedachten het gebeurde nog eens af alsof ze er van buitenaf naar keek: hoe ze zich in haar groene windjack met zwiepend rood haar vooroverboog om de injectie te geven. *Je hebt talent voor dit werk.* Dat deed ze tegenwoordig voortdurend. Zich voorstellen dat hij haar zag als ze achter het fornuis stond te koken. Als ze de kinderen in bed stopte en voorlas. Waarom wist ze niet, maar het gaf die routinehandelingen in haar leven zin.

'Hoe heb je al die doktersdingen geleerd?' vroeg ze aan Hester.

'Tja, hoe gaat dat? Dokter Gates komt alleen als zo'n dier al ligt te creperen en dokter Worsh komt zelfs dan nog niet. Allebei rekenen ze alleen al zestig dollar om uit de auto te stappen. Ik denk dat ik het zat werd om zestig dollar te betalen voor de mededeling dat ik een dood schaap had.'

Hanky had zich bij een groepje bij de hooiruif gevoegd en stond te loeren naar ontsnappingsmogelijkheden. Een daarvan zou zijn om over het tot het middel reikende schot van de stal te springen. 'Er zouden hier veel meer dierenartsen moeten zijn,' zei Dellarobia. 'Met al dat vee overal. Idioot, gewoon.'

'Mijn idee,' zei Hester. 'Werk zat. Worsh en Gates zijn oude mannen. De jeugd zou in de rij moeten staan om hun plek in te nemen.'

'Oeps.' Dellarobia haalde het waskrijtje tevoorschijn dat ze in haar zak had gestoken toen ze de buitengroep aan het selecteren was. 'We zijn vergeten om Hanky te merken.'

Hester lachte. 'Denk je echt dat we nog eens achter die duivelin aan zullen gaan?'

Halverwege de ochtend waren ze klaar en konden de ooien terug naar hun modderveld om bij te komen. Dellarobia zag nu ook dat ze zich naar verwantschap groepeerden. Er was een gat gevallen in de bewolking, een rafelige blauwe lap omringd door kil wit, waar ze het wel om zou willen uitschreeuwen van opluchting, hoe weinig het ook nog maar voorstelde. Deze laatste week regen had de mensen die hele oogsten en een groot deel van hun verstand aan een jaar vol miezer waren kwijtgeraakt nog verder tot waanzin gedreven. Watermarteling, noemden ze het op de radio. Vanochtend had ze een item gehoord over een man uit Henshaw die naar buiten was gelopen en zijn Smith & Wesson had leeggeschoten op zijn oude paard, omdat hij volgens hem een visioen had gehad waarin het dier in de modder aan het verdrinken was. Dat visioen kenden de meesten intussen wel. Dellarobia had nooit geweten dat je dankbaar mocht zijn voor zoiets eenvoudigs als droge witte sneeuw.

Ze liep met Hester door het hek boven in de wei waar de lege koffiekan voor vrijwillige bijdragen aan de paal gespijkerd zat. Als er iemand tijd zou hebben om bij het hek te gaan zitten, zou het misschien wel werken. En dan kon hij misschien ook foldertjes uitdelen, zoals Leighton Akins. Dellarobia bedacht wat ze in haar vragenlijst zou zetten: Wat denkt u van dit weer? Weet u het verschil tussen correlatie en causatie? Denkt u er wel eens over uw paard dood te schieten?

'Heb je ook wel eens dat je loopt te denken aan de zón?' vroeg ze hardop. Het was geen Hesterachtige vraag, dus ze verwachtte eigenlijk geen antwoord. Haar schoonmoeder had toegezegd haar te zullen helpen zoeken naar nectarbloemen die eind februari al zouden kunnen bloeien. Dat waren twee dingen die Dellarobia kansloos leken: winterbloemen en Hesters medewerking. Maar ze had toegezegd en hier liepen ze dan, op het pad naar boven, en zonder enig idee wat ze tegen elkaar moesten zeggen. Na een minuut bleef Hester op het grind staan en keek om zich heen.

'Já,' zei ze uiteindelijk nadrukkelijk.

'Aan de zon?' vroeg Dellarobia.

'Ja,' bevestigde Hester, die opeens van het gebaande pad afsloeg en naar beneden begon te lopen. Tot Dellarobia's verbazing liepen ze op een nauwelijks zichtbaar en steil paadje, overwoekerd, maar onmiskenbaar een pad. Ze had het nog nooit zien liggen in al die tijd dat ze hierboven was geweest.

'Ze zeggen dat dit wel eens blijvend zou kunnen zijn,' zei Dellarobia, waarna ze zichzelf meteen corrigeerde: 'Wetenschappers zeggen dat. Het weer zal nog verder van slag raken en niet naar het oude patroon terugkeren.'

Hester liep voor haar uit over het pad en reageerde niet. Het puntje van haar rode bandana wipte met elke stap mee.

'Op sommige plekken heerst nu droogte,' ploeterde Dellarobia voort. 'Daar hebben ze hun boerderijen moeten verlaten. Door het tekort aan regen, neem ik aan. Zoals in Texas. Daar staat van alles te koop wegens branden. Ik weet eigenlijk niet wat erger is, verbranden of verdrinken.'

'Verbranden,' zei Hester beslist. 'Dat lijkt me erger.'

'Maar al die gewassen die op het veld beschimmelen dan? En dat we hooi moeten kópen voor onze schapen? Je begint je toch af te vragen wie straks wie nog moet voeden.'

'En waar zeggen ze dat het door komt?' vroeg Hester.

Dellarobia dacht na over mogelijke antwoorden. Er waren geen simpele manieren om het door brand en overstromingen uiteen vallen van de wereld zoals ze die tot nu toe kenden te bespreken. Ze vond een geloofwaardig woord. 'Vervuiling,' zei ze. 'Als je de lucht maar lang genoeg vervuilt, krijg je op een gegeven moment de rekening gepresenteerd.'

'Klinkt logisch,' zei Hester.

'Waar gaan we heen?'

'Er is daar een dalletje dat meer zon krijgt, waar Cub en ik vaak zwavelzwammen gingen zoeken toen hij nog klein was. Daar heb ik die vroege bloemen wel eens gezien. Niet in dezelfde tijd trouwens. Zwavelzwammen heb je alleen in de herfst.'

'Wat zijn zwavelzwammen?'

'Eetbare paddenstoelen. Heel lekker. Net kip.'

Dellarobia herinnerde zich nog wel dat Hester boomschors en dergelijke ging zoeken voor haar verf, jaren geleden, voordat iedereen alleen nog maar felle nepkleuren wilde. Maar ze kon zich haar niet voorstellen als jonge moeder die met haar zoon ging schatzoeken. 'Waar heb je al die natuurdingen geleerd?'

'Van m'n oude moeder,' was haar enige antwoord, iets wat Dellarobia al vaker had gehoord. Ze wist maar weinig van Hesters familie. Ze waren arm geweest en waren allemaal overleden. Alleen een broer en een hele rits neven en nichten waren nog over in Henshaw, maar Hester was overgelopen naar Bears familie en leek die van haarzelf achter zich te hebben gelaten. De hemel werd een tikje lichter. Ze liepen door een groepje walnotenbomen met takken die als ellebogen gekromd waren en de walnoten van vorig jaar niet wilden loslaten. Als geraamtes die op het punt staan een balspelletje te gaan doen, dacht ze. De steile bodem was overal geërodeerd door de regens. Er liepen met bladeren beklede geulen van de berg af die de grond doorsneden tussen bergen slib door dat ze mee hadden gevoerd over de bosgrond. Tussen de plukken bladeren zaten dode monarchvlinders, maar in minder dikke lagen dan op de onderzoeksplek.

Dellarobia schrok toen ze een vrouw op hen af zag komen tussen de bomen. Twee vrouwen, ieder met hun armen vol takken. 'Hallo!' riepen ze.

Ze wist wel wie het waren, al had ze deze twee nog niet eerder gezien. De jongste had een mannenoverall aan met een trainingsbroek die aan de onderkant van de pijpen tevoorschijn piepte en ten minste twee lagen truien. De oudste droeg een jas die er normaler uitzag, maar haar haar hing in twee witte vlechten naar beneden, geen dracht die je dagelijks bij ouderen zag. Allebei hadden ze stijve wollen mutsjes op die kabouterachtig op hun hoofd stonden. Dellarobia stapte naar voren om hun een hand te geven, maar klopte in plaats daarvan vriendelijk op hun mouwen, aangezien ze hun handen vol hadden. 'Ik ben Dellarobia Turnbow,' zei ze. 'Dit is Hester Turnbow, mijn schoonmoeder.'

'Super!' zei de jongste en ze schoof de takkenbos naar haar ene arm, zodat ze met de andere Dellarobia's hand en die van Hester kon schudden. 'Dit is ook mijn moeder! Myrtle. En ik ben Nelda. We kwamen hier hout sprokkelen voor een kampvuur; hopelijk is dat geen probleem. Ons dalletje is intussen leeggesprokkeld.'

Allebei de vrouwen droegen handige vingerloze handschoenen, waarschijnlijk zelfgemaakt, maar wat Dellarobia het meest verrukte was hun Britse accent. Ze zou de hele dag wel naar die vrouw kunnen luisteren, als naar een radiozender. 'Hebben jullie het niet steenkoud?' vroeg ze. 'Met al die regen.'

Nelda barstte in lachen uit. 'We zijn doorweekt!' riep ze. 'Zeg maar gerust: verzopen katten! En het is ook nog best guur, hè?'

Dellarobia wist niet wat ze daarop moest zeggen. Ze vroeg zich af wat Hester van deze vrouwen vond, die beweerden dat ze de aarde door breien verbonden, trui voor uitgehaalde trui. Misschien kwamen ze intussen al niet meer alleen uit Engeland. Ze leken zich hier wel te vermenigvuldigen. Ze had met Hester overlegd over de afspraken die ze met hen zou maken, toen ze toestemming waren komen vragen om hun tenten te mogen opslaan, en ze had een postbusnummer aangevraagd voor de oranje truien, die nu met stapels tegelijk binnenkwamen. Er werd ook geld gedoneerd. De vrouwen betaalden zelf voor hun postbus en ook een bescheiden bedrag voor elke week dat ze hier kampeerden.

'Hester breit ook,' zei Dellarobia toeschietelijk. 'Je zou de truien eens moeten zien die ze voor mijn man heeft gemaakt. Ze kan kabels breien en dat soort dingen.'

'Wat vinden jullie dan van onze kleine vrienden?' Myrtle legde haar brandhout neer en groef in haar kleurige schoudertas, die in concentrische rode, gele en groene ruiten gebreid was. Ze trok er een lange, verwarde knoedel oranje en zwarte wol uit die aan houten naalden zat die wel wat weg hadden van reuzentandenstokers. 'Ha, hier is er een,' zei ze en ze haalde een complete gebreide vlinder tevoorschijn op ware grootte. 'Zo moet hij worden. Dat ziet er wat beter uit.'

Hester bekeek het werk van alle kanten. Dellarobia zag dat Nelda en Myrtle allebei oude leren schoenen aanhadden en niet de hightech schoenen die die outdoortypes meestal droegen. Alles zag er tweedehands uit. Dat was waarschijnlijk ook de bedoeling, besefte ze, en ze voelde zich traag van begrip: hun fashion statement was dat ze niets nieuws droegen. Ze waren hergebruikers. Eigenlijk net als haar gezin, maar er dan juist trots op.

'Dat doe je met breinaalden zonder knop en je neemt de tweede kleur steeds mee,' merkte Hester op.

'Ja!' antwoordden beide vrouwen met eenzelfde enthousiasme. Dellarobia had die gebreide vlinders al met honderden bij elkaar in de bomen zien hangen, maar had niet beseft hoeveel werk het was om ze te maken. Lijf en vleugels waren aan één stuk gebreid en de zwarte tekening was ingebreid. Ze moest aan Mako denken, die op school papieren vogeltjes had gevouwen voor de wereldvrede. De impuls om je handen bezig te houden en zo piepkleine antwoorden te geven op gigantische kwesties. Als het voeren van erwten aan een kind dat ondanks die hulp nog tientallen jaren honger zou hebben. Maar verkeerd was het niet.

'Jullie gebruiken ook zwarte wol,' zei ze. 'Hebben jullie geen zwarte truien nodig?'

'Die hebben we zat,' zei Nelda.

'Te veel zwart, nooit genoeg oranje,' zei Myrtle instemmend. Dellarobia zag dat ze niet in alles op elkaar leken: Nelda was mollig en had rode wangen, haar moeder was tenger. De gelijkenis zat hem in hun grote, felle bruine ogen en de manier waarop ze knikten, waarbij de kaboutermutsjes heen en weer wipten. Moeder en dochter samen op avontuur. Ze voelde dezelfde steek van verlangen als vaak in de kerk. Iedereen had een moeder en een God, die hoorden bij de standaarduitrusting.

Hester gaf het handwerkje terug. 'Ik snap alleen niet hoe het werkt,' zei ze.

'Ze zijn een groot succes!' zei Nelda. 'We krijgen er heel veel reacties op. Moet je zien.' Ze haalde een telefoon uit haar tas, raakte het schermpje met haar uit de handschoen stekende vingertoppen aan en las voor: '"Ga zo door, breiers, stop de wereldwijde gekte, succes!" Die kwam vanmorgen uit Australië. Of deze: "Zet 'm op, meiden! Groen moet je doen! Groetjes, Betty uit Staten Island." En er zijn er nog veel meer. Wil je ze zien?' Ze scrolde naar beneden en liet hun talloze berichtjes in blauwe letters zien en de foto's die Dovey ook had gevonden van de massa's gebreide vlinders die in de bomen hingen. De in het bos kamperende vrouwen stonden zelf ook op de foto's, met hun armen om elkaar heen geslagen, terwijl ze het vredesteken maakten, bewoners van hun eigen vrolijke wereld ondanks hun scherpe bewustzijn van het verval daarvan. Maar de telefoon zelf viel Dellarobia ook op. Er moest dus iemand thuis zijn die de rekening betaalde. Een vader of een man.

Hester leek nog steeds in diepe verwarring. 'Ik snap niet hoe jullie ze aankrijgen,' zei ze.

'Hoe bedoel je?' vroeg Myrtle.

'Bij de King Billy's,' zei Hester.

In de korte stilte die viel voelde Dellarobia een golf van beschermende gevoelens door zich heen slaan. De stoere, felle Hester mocht niet uitgelachen worden. Ze had die fout zelf ook kunnen maken. 'Ze zijn voor de sier,' zei ze voorzichtig. 'Als een soort knuffels. Ze zijn niet bedoeld om de vlinders warm te houden.'

Hesters ogen zochten die van Dellarobia en bleven er kort hangen.

'Het zijn emblemen,' hielp Nelda. 'Of symbolen, snap je? Zodat mensen over de hele wereld zich bewust worden van het droevige lot van de monarchvlinder.'

Hesters uitdrukking veranderde. 'Jullie zijn al net zo de weg kwijt als die vlinders. Misschien moet ik maar een paar hippiepoppen gaan breien zodat de mensen zich bewust worden van jullie droevige lot.'

'Goed plan!' jubelde Nelda, en Myrtle en zij barstten in eenzelfde tinkelende lach uit, nog een overeenkomst. Niemand was beledigd. Dat vergrootte Dellarobia's vage hoop, als een gat in de wolken. 'Doeg dan,' zei Nelda na een korte stilte. Ze pakte haar bos brandhout weer op en de twee vrouwenparen gingen elk hun eigen weg.

Dellarobia had een canvas tas bij zich met een stel lege cottagecheesekuipjes en een schepje. Bij elke stap maakte de tas een hol rammelgeluidje. Als ze bloemen vond, moest ze er een paar uitgraven en meenemen naar het lab om te kijken of het mogelijk voedselbronnen voor de vlinders konden zijn. Ze herinnerde zich dat Ovid deze plaats 'arm aan winterbloemen' had genoemd, ooit, lang geleden. Ze had zich toen beledigd gevoeld. Alsof één berg alles maar moest hebben. Wat een manier van denken.

'Denk je er wel eens over wat er zal gebeuren als dit allemaal verdwijnt?' vroeg ze aan Hester.

'Bedoel je met de mensen of de vlinders of wat?'

Dellarobia wist zelf ook niet precies wat ze bedoelde, afgezien van de onmogelijkheid om terug te keren naar wie ze vroeger was geweest. Degene die er op een dag op uit was getrokken om een bestaan af te schudden dat voor haar gevoel net zo groot was als zo'n plastic ei waarin panty's wel eens werden verpakt. Sinds die dag waren de afmetingen van haar leven van week tot week verdubbeld. De vraag was hoe ze dat allemaal weer terug moest zien te vouwen in de oorspronkelijke verpakking, maatje 36. 'De vlinders kunnen doodgaan,' zei ze ten slotte. 'Dat hebben wij niet in de hand. Het hoeft niet te gebeuren. Maar stel dat het wel gebeurt?'

Dat terugvouwen leek haar onvermijdelijk. Ze was niet langer wereldberoemd of een nationaal fenomeen. Ze was zelfs de laatste tijd niet meer zo beroemd in haar eigen stad. Mensen vergaten snel of gingen door met hun leven. Het enige waar ze nog enige invloed op had was haar gezin. Haar huwelijk. Veel groter was het niet. Ze kon makkelijk op dezelfde plek eindigen als waar het allemaal was begonnen en haar hart lanceren voor een gevaarlijke solovlucht achter een of andere man aan.

'Is Bear nog van plan om eind maart contact op te nemen met dat houtkapbedrijf?' vroeg ze.

'Dat wordt geregeld,' zei Hester.

'Hoe bedoel je?'

'Daar gaan we een gebedsbijeenkomst voor houden. Met dominee Ogle, na de dienst.'

'Morgen?'

'Nee. Morgen is de picknick. De zondag daarna.'

Picknick wilde zeggen dat iedereen wat meenam om te eten voor na de dienst, wat bij slecht weer niet buiten op kleden op de grond hoefde plaats te vinden. In de samenkomstruimte stonden genoeg tafels. 'Wie zijn "we"?'

'Iedereen van de familie die wil komen. Cub en jij ook.'

'Vindt Bear dat een goed idee?'

Daar gaf Hester niet meteen antwoord op. 'Het bedrijf is hierdoor meer waard geworden,' zei ze.

'Je zou van alles kunnen doen, als ze terugkomen. Ken je Lupe, die op mijn kinderen past?'

Er kwam geen antwoord. Rammel, rammel deden de kuipjes in Dellarobia's tas. Hester wist heel goed wie Lupe was. Dellarobia gaf het nog niet op. 'Zij en haar man hebben dat ook in Mexico gedaan. Volgens hen is het beter om mensen niet zomaar tot de overwinteringsplek toe te laten, maar ze op paarden mee naar boven te nemen. Om er een soort programma van te maken, zodat ze zich beter gedragen.'

Daar leek Hester over na te denken. 'Dat zouden we aan Rick Baker van de verzekering moeten vragen. Paarden. Ik denk niet dat hij dat goed zou vinden.'

'Ja, je zou iemand moeten hebben die kan rijden. Dan kun je entree heffen. Met dat geld kun je mensen inhuren. Er schijnt zelfs een regeling te zijn waarbij je geld krijgt als je de bossen niet omhakt.'

'Wie zegt dat?'

Daar gaf Dellarobia geen antwoord op. Wie denk je? 'Het is een of andere overeenkomst met bedrijven. Als zij de lucht willen vervuilen, moeten ze jou betalen om bomen te laten staan, voor het evenwicht.'

'Luchtkastelen,' zei Hester. 'Zo klinkt het.'

‘Dat zijn het ook,’ zei Dellarobia met een glimlach. Ze vond het leuk om Hester in verwarring te brengen. ‘Het gaat om de lucht.’

Ze werden tegengehouden door een omgevallen boom die schuin over het pad lag. Hester liet Dellarobia op het pad achter en liep twintig stappen naar het laagste einde van de boom, waarop ze ging zitten met haar gezicht naar de kant waar ze vandaan waren gekomen. ‘Even een rookpauze,’ zei Hester en ze hield haar pakje Camel Light als een juffrouw voor de klas omhoog. ‘Jij bent gestopt, toch?’

‘Leid ons niet in bekoring,’ zei Dellarobia en ze sloeg haar hand voor haar ogen.

Hester stak er een op en blies de rook omhoog. ‘Ik wist het wel.’

‘Dat ik zou stoppen? Hoe kwam je daarbij? Ik wist het zelf niet eens.’

‘Zo ben jij gewoon. Je neemt een beslissing en dan gebeurt het ook.’ Er scharrelde een briesje over de bosbodem dat de bruingrijze blaadjes aan de dunne bomen overal om hen heen liet ritselen. ‘Anders dan iemand anders bij jullie thuis,’ vervolgde Hester. ‘Die krijgt zo ongeveer één keer per jaar een idee waar hij dan vervolgens zo uitgeput van raakt dat hij moet gaan liggen.’

Dellarobia moest bijna lachen, maar deed het niet. Iemand moest het toch voor hem opnemen. ‘Waarom doe je altijd zo tegen Cub?’

‘Hoe?’

‘Alsof hij een kind is.’

‘Hij is ook mijn kind. En jij?’

Het stuk van de omgevallen boom dat over het pad hing kwam ongeveer tot borsthoogte bij Dellarobia. Ze sloeg haar armen over elkaar en legde ze op de stam alsof ze aanschoof voor een rodeo. Ze kon Hester zo niet zien, die zat links van haar in haar eigen territorium. ‘Cub heeft zo zijn talenten,’ zei ze tegen Hester. ‘Maar een vrouw ziet haar man zoals hij is. Jij bent zijn moeder, dat is anders. Jij hoort blind te zijn voor zijn fouten.’

‘Zie jij je kinderen dan niet zoals ze zijn?’

Daar dacht ze even over na. Cordelia was roekeloos, vrolijk, had een knap gezichtje waarmee ze vast aandacht zou trekken en was egocentrisch op een manier die wel eens blijvend zou kunnen zijn. Preston was ongelofelijk snel in het oppikken van feitjes en een tikje oenig met mensen. Hij zou later een gesloten type kunnen worden. 'Jawel,' gaf ze toe. 'Het zijn ook maar mensen, dat weet ik. Maar ik zou mijn leven geven voor mijn kinderen, Hester. Echt.'

'Dat weet ik,' zei ze. 'Ik ook.'

Wat een lef, dacht Dellarobia. Doen alsof ze voor wie dan ook haar leven zou geven. Ze zou haar eigen familie nog opstoken in de kachel als ze het koud had. En ze moest al helemaal niks hebben van haar kleinkinderen.

Hester sprak opnieuw vanuit haar bosje. 'Een kind hoeft niet over het water te kunnen lopen voor je. Je man wel.'

'Wat bedoel je daar nou weer mee?'

'Kinderen zijn zo klein bij hun geboorte. Maar toch hou je van ze, hoe hulpeloos en suf ze ook zijn, en dat blijft zo. Met een man krijg je die kans niet. Tegen hem moet je kunnen opkijken.'

'Ik ben een kabouter van een meter vijftig, Hester. Ik kijk tegen iedereen op.'

'Niet waar. Niet tegen Cub. Dat heb je nooit gedaan.'

Dellarobia voelde zich knock-out geslagen. Het beeld dat haar besprong was dat van Crystal een tijdje terug in de discountwinkel. Hoe ze naar Cub had gekeken toen ze met hem stond te praten. Hunkerend, ja, maar ook bewonderend, vol respect. En zeker tegen hem opkijkend. Hoeveel meer man zou Cub zijn als hij met een of ander lief, niet al te slim meisje getrouwd zou zijn voor wie Cub Turnbow haar held was. Dellarobia zag een peilloze afgrond van verlies voor zich. Om wat ze hem had ontnomen.

'Jullie passen niet bij elkaar,' zei Hester. 'Dat heb ik vanaf het begin tegen Bear gezegd. Wacht maar eens af, zei ik tegen hem. Die meid is veel te slim om te blijven.'

'Maar ik ben wel gebleven!' Dellarobia liep door het struikgewas naar waar Hester zat. 'Ik sta hier toch?'

'Ja!' zei Hester terug. 'Maar dat moesten we toen nog maar afwachten.'

'Wat een bullshit. Sorry voor mijn taalgebruik, Hester, maar ik sta even helemaal perplex.' Dellarobia stampte terug naar het pad en vertrapte de bladeren met veel geknisper. Haar canvas tas rammelde. Ze gooide hem op de grond; er zat toch niks breekbaars in. Was het maar waar. Ze was in een stemming om iets in duizend stukjes te stampen.

'Dus ik was niet goed genoeg voor je zoon? Is dat wat je bedoelt?'

'Nee, je weet dat dat niet zo is.' Hester praatte nu heel zacht. Ze sprak door de opstaande kale stammen van het bosje alsof ze achter de tralies zat en bezoek kreeg van God.

'Maar waarom heb je dan in godsnaam... Jezus, Hester. Heb je er nooit over gedacht om hier eerder over te beginnen? Meteen nadat we de baby hadden verloren of zo? Dan hadden we de handdoek meteen na zes weken huwelijk in de ring kunnen gooien en elk onze eigen weg kunnen gaan. Als jij me zo ongeschikt vond.'

'Daar mocht ik me niet mee bemoeien.'

Dellarobia zweeg. Ze hadden alleen maar geprobeerd te doen wat hoorde. Niet in het minst voor Cubs ouders. De wind maakte een hard en onophoudelijk sussend geluid in het bladloze bos onder de lage winterhemel.

'Maar ik heb je ook niet bepaald met open armen verwelkomd, wat je misschien niet is ontgaan,' zei Hester.

'Nee, dat was overduidelijk.' Dellarobia trok haar handschoenen uit, viste een zakdoekje uit haar zak en snoot haar neus. Ze overwoog om naar Hester toe te lopen, het pakje sigaretten uit haar handen te grissen en het in één keer op te roken.

'Als je wilde gaan, zou je toch wel gaan, leek me. En dan zou je de kleintjes meenemen.'

'Preston en Cordie?' Dellarobia draaide zich om en staarde haar aan. Kon dit echt waar zijn? Had Hester al die tijd verwacht dat ze hen kwijt zou raken? Het mens had de huwelijksgeloften zowat zelf uitgesproken, samen met Bear, en dat huis in elkaar geflanst voor de inkt droog was. Nou ja, laten bouwen, niet betaald. 'Je hebt een huis voor ons gebouwd,' zei ze.

'Dat waren we aan onze zoon verschuldigd.'

'En al die tijd dacht je dat ik al half buiten stond.'

'Was dat niet zo dan?'

'Nee!' Dellarobia verlengde de klinker tot twee lettergrepen, zodat het klonk als nee, sukkel. Ze dwong zichzelf langzaam te ademen en voelde zich verlamd. Het was een aardbeving, een verschuiving van voorheen begraven oppervlakten zonder dat er iets aan toegevoegd of van weggenomen was. Haar familie was nog steeds haar familie, een verbond van mensen die niets gemeen hadden en overleefden zoals ieder ander door dagelijks de andere kant op te kijken. Maar iemand had toch alles gezien.

Na die woordenwisseling zat er niets anders op dan door te lopen. Het pad liep omhoog naar de rotsachtige rug van een top die tussen de vlindervallei lag met zijn dompige, sombere sparren en een bredere kom aan de zuidkant boven Bear en Hesters huis. Het terrein was overzichtelijk vanaf hierboven, een lappendeken van bruin boerenland en een blauwgrijze muur van bergen die alles omsloten. De hemel brak steeds verder open en het werd bijna te warm voor een stevige wandeling in alle lagen winterwol die ze aanhadden. Bij het afdalen van de helling aan de zuidkant zag Dellarobia de zon schitteren op het sterk hellende dak van de boerderij van Bear en Hester in de diepte. Ze liepen door nog meer groepen van die dunne boompjes die hun blad bleven vasthouden om redenen die haar niet duidelijk waren, behalve dan om te reutelen als versleten longen bij het minste zuchtje wind. Het bos kende maar één kleur, bruin, en zag er voor het oog dood uit. Toch priemde elke stam op zijn eigen manier stellig omhoog. Ruw of glad van bast, allemaal reikten ze naar de hemel, wat er ook zou gebeuren. Hester zou de namen wel weten. Ze was een rijke bron van plantennamen zoals waterhennep en bosrank, die niemand van hun kennissenkring in het dagelijks leven ooit leek te gebruiken. Dat moest eenzaam zijn, dacht Dellarobia, om antwoorden te hebben op vragen die stuk voor stuk een natuurlijke dood leken te zijn gestorven. De bomen waren hier ieler en het bos was minder dicht, al was het nog steeds even gevarieerd als elke willekeurige groep mensen. Ze wist dat dit dal toen Cub klein was helemaal was gerooid. Dit was dus allemaal opgeschoten tijdens haar eigen periode op aarde. Die gedachte deed haar versteld staan.

Op de open plek ontwaarde ze een bloem, en een zacht 'o' ontsnapte haar. Hester moest hem ook hebben gezien; het enige vlekje wit in de winterdoodse monotonie, een enkel handjevol kransbloemen niet groter dan een schoen. Dellarobia knielde neer om hem beter te kunnen bekijken, de eeuwige drang van de bijziende, en zag dat elke bloem een aparte krans van bloemblaadjes vormde. Zwarte spikkeltjes dansten aan fijne draden die boven de kelk van de bloem uitstaken. Ze hadden geen groen blad, alleen de bloementrosjes op naakte roze stengels die recht omhoogstaken door de bij elkaar klonterende natte bladeren. Ze zagen er bijna griezelig uit, als een boeketje dat van gene zijde werd overhandigd, vanuit de dood.

'Dat zijn ze,' zei Hester. 'Ik dacht dat het er meer zouden zijn.'

'Er zijn er misschien ook wel meer.' Dellarobia was niet van plan deze uit te graven als het de enige afvaardiging was. Ze bleef op haar knieën zitten, via haar dijspieren verbonden met alle uren die ze in die houding had doorgebracht om dode vlinders te tellen, als in gebed of overgave. Ze durfde haar ogen bijna niet af te wenden van dit ene levende ding. Misschien verdween het dan wel.

'Mama noemde ze voorbode van de lente. Maar de officiële naam is erigenia.'

Dellarobia kon zich bijna niet voorstellen dat er mensen waren die de naam kenden, laat staan dat er mensen bestonden die daarover van mening verschilden, de naam van een bloemetje ter grootte van een Cheerio, dat hartje februari bloeide. Wie kwam daar hier nou naar zoeken?

'Ik zie er nog meer,' zei Hester. Dellarobia deed haar roze wollen sjaal af en legde hem in een ring om het eerste plantje om het niet kwijt te raken, maar Hester had gelijk, er waren er meer. Verspreid over de grijsbruine bosgrond telde ze drie, vier, een stuk of tien boeketjes. Toen haar ogen eenmaal wisten wat ze zochten, zag ze er steeds meer. Ze haalde het schepje uit haar tas en duwde het in de vochtige bosgrond, die nat en korrelig was onder het dekentje van dode bladeren. Terwijl ze in de ongastvrije tuin hakte, kwam de lucht in beweging en sloeg het experiment voor haar ogen op hol. De vlinders waren er al, de voedselbron was al gevonden. Ze zag twee felgekleurde zwervers aarzelend door het bos fladderen en ontdekte vlak bij Hesters schoenen het doffere oranje van gevouwen vleugels in rust op een groepje bloemen. King Billy zat nectar te zuigen uit de voorbode van de lente.

Bij alle ontwijkende en halve antwoorden was één vraag hardnekkig overeind gebleven en dat was waaróm. In Dellarobia's kindertijd was dat ene woord haar plagerig en dwingend blijven achtervolgen, als een zilveren dollar op de bodem van een wensput, smekend om opgeraapt te worden maar strategisch buiten haar bereik gelegd. Onbevredigende antwoorden krioelden in het water eromheen, daar grossierden volwassenen in: omdat je nog te klein bent, omdat het zijn tijd was, omdat dat niet hoort, omdat ik je niet heb opgevoed voor dat soort gedrag, omdat het te laat is, omdat de baby te vroeg kwam, omdat het nu eenmaal zo gaat in het leven, dáárom. Omdat Gods wegen nou eenmaal ondoorgrondelijk zijn.

Waarom de vlinders, waarom nu? Waarom híér?

Ovid had drie theorieën. Aanvankelijk nog niet. In het begin had hij zich nog verzet en net als ieder ander met non-antwoorden gestrooid: ontoetsbare hypotheses, te veel variabelen. Onkruidverdelgers, bijvoorbeeld. Het enige wat de monarchlarven aten was het blad van de zijdeplant, een plant die als onkruid gold. En ook insectenverdelgingsmiddelen, waarvan het gebruik hand over hand toenam nu de hogere temperaturen het door muggen overgebrachte West-Nijlvirus in de kaart speelden. Nieuwe weerpatronen hadden overal invloed op de trekroute. Of het nu door branden was of door overstromingen. Maar uiteindelijk wilde hij over een paar dingen wel toegeven dat er zekerheid bestond: het was veel te warm geworden op de Mexicaanse overwinteringsplaatsen. Door de klimaatverandering verplaatste het hele bos zich naar boven langs de berghellingen, een opwaarts glijden in slow motion, iets waar ze zich wel wat bij kon voorstellen. Bomen hebben zo hun behoeften. Arboreaal stoïcijns schoven ze steeds dichter naar de top en eenmaal daar konden ze niet opstijgen.

Maar dat verklaarde alleen waarom niet dáár. Niet waarom híér.

Zijn tweede theorie had te maken met de O.E.-parasieten die hij haar onder de microscoop had laten zien. Die belemmerden de vleugelontwikkeling en verkortten de levensduur. Vlinders die in hoge mate geïnfecteerd raakten door die parasiet konden niet ver vliegen. De jaarlijkse reis naar Mexico leek de meest verzwakte exemplaren uit te roeien, waardoor de populatie in haar geheel gezond bleef. Maar ten westen van de Rockies bevond zich een andere groep, een clubje buitenstaanders die ernstig geïnfecteerd waren en niet naar Mexico vlogen maar bescherming zochten tegen de winter in verspreide groepjes bomen langs de Californische kust. Ovid dacht dat die misschien een voorteken vormden van wat eraan zat te komen. Hogere temperaturen correleerden met stijgende infectiecijfers. Als de parasiet een kritiek niveau bereikte bij de populaties in het oosten, zou natuurlijke selectie misschien leiden tot korte migraties en gespreide overwintering overal, niet alleen in Californië. De hypothese was immens, met haar veelsoortige ketens van oorzaak en gevolg, waarvan slechts enkele toetsbaar waren. Met dat doel knipte ze kleine vierkantjes plakband, drukte die tegen de buik van honderd levende monarchvlinders en telde onder de microscoop de donkere parasietensporen die zich tussen de opstaande randen van de doorschijnende schubben hadden genesteld. Het kostte haar uren ingespannen turen, een hoofdpijn van ongekende proporties en een afspraak met de oogarts voor een nieuwe bril (wat allang had gemoeten). Het tellen van de microscopische puntjes op elke vierkante centimeter tape verschilde niet zo van het tellen van vlinders op vierkantjes bosgrond, behalve dat de aantallen steeds groter werden. Meten en tellen, daaruit bestond de taak van de wetenschap. Niet gokken of wensen. De mogelijke antwoorden waren oneindig en er mochten geen voorkeuren over worden uitgesproken: geen goed-omdat of niet-goed-omdat.

Dat begreep ze wel. Maar nog steeds bleef de vraag waarom niet dáár. En niet waarom híér.

Zijn derde theorie betrof de verwoesting in het 'voorjaarsareaal'; zo noemde hij een trechtervormig gebied op de kaart, dat zo goed als samenviel met Texas. Monarchvlinders die de winter in het Mexicaanse neovulkanisch gebergte doorbrachten hadden na het ontwaken uit hun verdoofde toestand een onbeheersbare voortplantingsdrift. De mannetjes werden door hun hormonen aangezet tot paren met alles wat ze zagen: een trillend blad of andere mannetjes om uiteindelijk de verzamelde massa vrouwtjes te bespringen, waarna ze verzadigd en uitgeput waren. Hun vrouwtjes gingen met volgestouwde eileiders op weg naar een niet-onderhandelbare deadline voor het leggen van een perfect getimed eitje op het eerste zich ontkrullende blad van een Texaanse zijdeplant, waardoor ze meebewoog op de heilige klok van een tikkende aarde. Dit, zei hij, en hij klopte op het scherm van zijn computer, betekende dat alles op één kaart werd gezet. Het voorjaarsareaal. Eeuwenlang onveranderlijk tot nu opeens het ritme haperde, overvallen door droogte en onblusbare branden. Door vuurmieren die noordwaarts optrokken en alle monarchrupsen opslokten die ze op hun weg tegenkwamen. Stel dat een handjevol vlinders op trektocht door een genetisch ongelukje net aan de goede kant van de noordrand van dit rijk van vuurmier en bosbranden belandde. Zo ver naar het zuiden in de herfst en niet verder, zei hij, en hij liet zijn lange vinger van het noorden van Texas naar Noord- en Zuid-Carolina gaan. Stel dat er hier en daar wat vlinders overwinterden, op deze plek van waaruit ze niet gedwongen zouden worden terug te keren door die woestijn. Een klimaatgordel langs de Biblebelt, aantrekkelijk vanwege zijn mildheid, maar met bergen die hoog genoeg waren om een insectenhart te laten afkoelen tot slaaptemperatuur voor de winterse wachtperiode. Stel dat er maar één zo'n plekje bestond. En dat ze daar al jaren kwamen, in kleine aantallen, beschermd door het bos, en de meeste zonder het te overleven. Tot een plotselinge natuurlijke selectie ten nadele van de Mexicaanse trekkers het merendeel van de populatie vernietigde en deze pioniers begunstigde, waardoor hun gen opeens de erfenis van een soort zou blijken te zijn.

De uitleg was verre van volledig. Een populatie was zo gezond als haar habitat. De noodzaak van winterse nectarbronnen vanwege herhaaldelijke onderbrekingen van hun winterslaap door warmteperiodes was een probleem, en dat gold ook voor de noodzakelijke aanwezigheid van de zijdeplant. Er waren altijd meer vragen. Wetenschap was een immer voortdurend proces, geen wedloop met een eindstreep. Hij waarschuwde haar dat dat een standaardconflict was. Er zouden altijd mensen aan een bepaalde eindstreep staan te wachten: journalisten met camera's, ongeduldige mensenmassa's die een winnaar wilden en tot hun verbijstering de wetenschappers aan zagen komen rennen, de streep passeren en doorrennen. Het was een wijdverbreid misverstand, zei hij. Ze concludeerden dat er dus geen wedstrijd was. Zolang we niet bereid waren te beweren dat we alles weten, veronderstelden ze dat we dus niets wisten.

Maar al waarschuwde hij haar voor dat voorbehoud, toch voelde Dellarobia dat haar levenslang opspelende ongeduld ging liggen. Hij beweerde niet dat Gods wegen ondoorgrondelijk waren. In plaats daarvan leek hij te geloven, net als zij, al had ze daar nooit met hem over kunnen discussiëren, dat al het andere in beweging was, terwijl God zich niet verroerde. God zat stil, volledig in rust, de zilveren dollar op de bodem van de put, de vraag.

Op weg naar de onderzoeksplek brak er een sparappelgevecht uit tussen de kleuters. Vooral de jongens stortten zich er met hart en ziel in, wat weinig verrassend was, maar de aanstichtster was een flink uit de kluiten gewassen, wild meisje in een versleten parka waarvan het nepbont in de capuchon samengeklit zat als een oud vervilt tapijt. Ze trok zich langs de stam van een spar omhoog en begon de rest te bekogelen zonder zich iets aan te trekken van de steeds dreigender wordende waarschuwingen van juf Rose dat ze meteen naar huis zou worden gestuurd met iets wat ze een roze briefje noemde. Dellarobia kreeg een heel nieuw beeld van juf Rose en van wat die dagelijks te verduren kreeg. Het meisje, Comorah, was het toonbeeld van een categorie kinderen van wie de ouders, indien van toepassing, niet onder de indruk zouden zijn van een roze briefje. Pas toen ze klaar was kwam ze naar beneden, met zwarte harsvlekken op haar kleren en handen, waarvan Dellarobia wist dat ze niet voor water en zeep zouden wijken. Ze kende dat kleverige spul maar al te goed. Preston leek zowel door de bliksem getroffen als bang voor Comorah en vond het steeds weer nodig haar te gaan vertellen dat de munitie bestond uit sparappels en geen dennenappels. Hij liet zich niet uit het veld slaan door haar onverschilligheid en liep steeds weer naar haar toe om het haar te vertellen, net zoals Roy overal zijn frisbee vol tandafdrukken mee naartoe sleepte om aan je voeten te leggen als je in de tuin aan het werken was, desnoods de hele middag.

Dellarobia bleef een beetje op afstand van haar zoon, nieuwsgierig naar het leefsysteem waarin hij dagelijks zonder haar functioneerde. Ze zag dat hij teruggetrokken maar niet verlegen was, dat andere kinderen naar hem toe kwamen hollen met hun bijzondere vondsten, zoals kevers, en dat hijzelf steeds in de buurt bleef van de gracieuze, zelfverzekerde Josefina. Zij was zijn maatje of zijn beschermster, dat was Dellarobia niet helemaal duidelijk. En misschien waren ze wel de enige twee kinderen met recht op een gratis schoolmaaltijd, al betwijfelde ze dat. Sommige kinderen leken uit welvarende gezinnen te komen, ze zag zelfs een mobieltje, en andere, zoals Comorah, liepen in spullen die al vele generaties lang meegingen. Maar Josefina en Preston leken een scheidslijn van rijpheid te vertegenwoordigen, zoals de automatische scheiding tussen zesdeklassers en de rest bij een schoolfeest. Dellarobia herinnerde zich hun spontane omhelzing, die eerste dag dat Josefina's ouders op hun veranda hadden gestaan. Met terugwerkende kracht zag ze er een element van bevrijding in.

Dellarobia voelde een ongebruikelijke afstand tot de kinderen;

neuzen afvegen en dreigen met roze briefjes waren taken die door de bekwame juf Rose werden afgehandeld en door de twee helpers die ze voor die dag had weten te regelen. Sommige kinderen wisten dat ze Prestons moeder was, maar bij dit uitstapje viel haar een speciaal aura van achting ten deel, ze had de Leiding, was een boven de juf staand soort individu dat blijkbaar op gelijke hoogte stond als de directeur of Dora the Explorer. De klas was duidelijk voorbereid. Dellarobia had nog geen ervaring op dit terrein en stond te kijken van het ontzag waarmee ze haar met grote ogen aanstaarden en de eerbied die uit hun houding sprak. Ze trokken niet voortdurend aan haar armen en benen, zeurden niet dat ze gedragen wilden worden en gebruikten haar kleding niet als zakdoek. Het had wel iets om de leiding te hebben.

Het uitstapje was begonnen in het lab, waar Ovid zich begrijpelijkerwijs zorgen maakte over de risico's. Het compromis dat hij voorstelde was om telkens acht kinderen tegelijk binnen te laten voor een korte uitleg terwijl ze stonden te wachten om in kleine groepen naar boven te worden gereden. Een van de helpers van de juf had een busje. Het vee dat hier het gebouw deelde met de wetenschap bleek een onverwachte concurrent te zijn. Schapen bleken oneindig veel interessanter voor sommigen dan het praatje in het lab, vooral als ze hun lichaamsfuncties uitoefenden. Ovid hield zich er goed onder. 'Dat is ook biologie,' zei hij kalm bij een bijzonder achtenswaardige uitstoot van methaangas. Daar had hij de jongens meteen mee aan zijn kant.

Het uitstapje was een idee van Dellarobia. Ovid en zij hadden al verschillende goedgemutste meningsverschillen gehad over het wantrouwen van gewone mensen jegens wetenschappers, en dit leek zo'n natuurlijk beginpunt voor de uitschakeling daarvan dat hij wel móést instemmen. Hij stond niet te springen om deze onderbreking van zijn werkzaamheden, maar kwam vanzelf op dreef als de vriendelijke docent die op hun eerste avond aan tafel naar Preston had gewezen en hem tot wetenschapper had uitgeroepen. Een moment, dat wist Dellarobia nu wel zeker, dat Prestons leven had veranderd. Je wist nooit welke seconde de zigzagflits zou worden die de scheidslijn zou blijken tussen voor en na. Ovid beantwoordde met oneindig geduld al hun vragen over wetenschappers (Laten ze graag dingen ontploffen? Kunt u ook mensen maken?) en zorgde zelf dat ze bij het onderwerp vlinders uitkwamen. Ze reageerden enthousiast zodra hij het onderwerp gif aansneed. Het feloranje van de vlinder en de woest gestreepte rups, de opvallende rakker van wie een groot opgeblazen foto aan de wand van het lab hing, was een voorbeeld van 'aposematische kleuring'. Die kleur is een stopsignaal, legde Ovid uit, waarmee ze andere schepsels waarschuwen hen niet op te eten omdat ze anders bijna zeker zullen moeten overgeven. Of zelfs doodgaan! Het ontroerde Dellarobia dat hij zich speciaal voor de gelegenheid had gekleed in een net overhemd met stropdas, zodat hij eruitzag als een hippe professor.

Vanaf het lab gingen ze in een langzaam voortbewegende zwerm op weg naar de overwinteringsplek, als bijen die volgens afspraak maar zonder duidelijke regels van de ene korf naar de andere vliegen. Dr. Byron beloofde daar rond het middaguur ook heen te zullen komen om nog meer vragen te beantwoorden en Dellarobia hoopte dat hij daarmee bedoelde dat hij er over een halfuurtje of minder zou zijn. In de tussentijd zou zij de teugels in handen hebben. Er gebeurde van alles op weg van het busje naar de onderzoeksplek. Afgezien van het sparappelgevecht dat overging in een kevergooiwedstrijd, werden er strijders geveld door geschaafde armen, waren er nog heel wat harsvlekken te betreuren en raakte er één winterjas op onverklaarbare wijze kwijt die niet meer werd teruggevonden. Broodtrommeltjes vielen voortdurend open op de grond. Drie meisjes meenden een beer of een hert te zien, wat tot langdurig gegil leidde. Maar niets van dat alles bracht juf Rose van de kaart, hun jonge juffrouw die met haar hippe bontlaarsjes, haar perfect in de krul zittende kapsel met highlights en haar ernstige gezichtsuitdrukking een aandoenlijk respect uitstraalde voor het belang van het kleuteronderwijs. Net als Ovids stropdas. Dellarobia voelde zich in haar gebruikelijke outfit voor een klassenuitje te eenvoudig gekleed. Een kleine jongen in een dik gevoerde witte jas, waarin hij op een michelinmannetje leek, bleef dicht bij haar in de buurt en raapte voortdurend de hoedjes van eikels op die hij bij haar in bewaring gaf. Hij had een verbazingwekkend talent om die dingen te vinden. Ze had er al een stuk of dertig in haar zak gestopt op het stukje van honderd meter dat ze hadden gelopen. Aangemoedigd door zijn aanwezigheid kwam een groepje dat bestond uit een aantal meisjes vlak achter Dellarobia lopen met het air van uitverkorenen. Hun wijsneuzerige leidster noemde de namen van planten die langs het pad groeiden, zonder er eentje goed te hebben: kool, waterspruit, hasjplant. Waar haalde ze dát nou weer vandaan?

Enkele kinderen zagen de vlinders al toen ze op de overwinteringsplek af liepen. Ze rekten stomverbaasd hun nek en sleepten hun hele publiek mee toen ze naar adem happend 'wow!' en 'vét!' riepen. Dellarobia hoorde ook een paar zachte vloeken, waarschijnlijk nageaapt van ouders of tv. Vlinderbomen, ingekapselde takken, stekelige stammen: ze probeerde het door hun ogen opnieuw voor het eerst te zien. Met cornflakes bedekte bomen. Was het maar een van die betoverende dagen dat de vlinders als herfstblaadjes ronddwarrelden, maar de kinderen, die van huis uit niet bekend leken met activiteiten buitenshuis, leken het nu al heel bijzonder te vinden. Behalve Preston en Josefina waren er nog maar twee die al eerder hierboven waren geweest, maar allemaal beweerden ze het al op tv te hebben gezien. Vandaag was het koud, er was geen beweging in de bomen en de winter had zijn tol geëist. Op deze plek hadden volgens Ovids schattingen aanvankelijk meer dan vijftien miljoen monarchvlinders gezeten, maar ze hadden zo'n zestig procent verlies geleden, waarvan een groot deel in de laatste paar weken. Ook nu vielen ze nog naar beneden en bijna aan een stuk door klonk het tikkende geluid van vallende lijkjes. Zo dicht bij het einde moesten ze letterlijk loslaten.

Op de kleine open plek van het onderzoeksterrein gingen de kinderen in een halve kring op hun kussens zitten, die uit twee met wol aan elkaar genaaide vierkanten waterdichte stof bestonden, speciaal voor dit uitstapje gemaakt. Er zaten ook touwtjes aan waarmee ze om het middel gedragen hadden moeten worden als een achterstevoren aangetrokken schort, maar dat bleek geen succes en dus had juf Rose ze van het busje hierheen gedragen en daarna de zelfgemaakte kussens aan de makers uitgedeeld om er eindelijk op te kunnen gaan zitten. Toen hun gevraagd werd naar mevrouw Turnbow te luisteren, leken de kinderen door de manier waarop ze aan dat verzoek gehoor gaven nog het meest op popcorn in een heteluchtoven, maar na een tijdje keken ze toch allemaal verwachtingsvol naar haar op, klaar voor het openbaringsmoment. Dellarobia, voor wie dit net zo nieuw was als voor hen, was een beetje zenuwachtig, maar deed haar best het verhaal zo goed mogelijk te vertellen. Dat een gestreepte rups later een oranje vlinder werd en dus eigenlijk hetzelfde dier was, net zoals een baby die een groot mens wordt nog steeds dezelfde is, ook al ziet hij er dan heel anders uit. Dat het bos van vlinders ook eigenlijk maar uit één ding bestond: de monarchvlinder. Ze legde uit dat de rups maar één plantje lustte, de zijdeplant, zodat dat plantje ook deel uitmaakte van dat ene ding. En ze vertelde hoe ze vlogen. Dat ze een geheime plattegrond in hun lijfjes meedroegen en ze het grootste deel van hun leven lekker bij hun vriendjes rondhingen, tot ze op een dag vanbinnen iets voelden kriebelen en ervandoor gingen. Wel meer dan duizend kilometer, wat voor zo'n vlindertje lichtjaren ver was, naar een plaats waar ze nog nooit eerder waren geweest. Waarschijnlijk wisten ze zelf niet eens dat ze dat konden.

Op een gegeven moment arriveerde Ovid. Ze voelde dat de aandacht van de kinderen veranderde en kreeg een kleur toen ze besefte dat hij achter haar mee had staan luisteren. Ze was net klaar met haar verhaal. Ovid, die er lang en prachtig uitzag in zijn das en overjas, heel anders dan in zijn dagelijkse werkkleren, klapte langzaam en welgemeend in zijn handen voor Dellarobia, waardoor ook juf Rose en de kinderen begonnen mee te doen. Hij zei dat hij er weinig aan toe te voegen had, behalve dat het niet zo goed was dat de vlinders hier waren. Het plekje waar ze anders woonden, in Mexico, was veranderd, er werden bomen omgehakt en het klimaat werd er steeds warmer, te snel naar hun zin. Hij vroeg de kinderen of er bij hen thuis wel eens iets was veranderd wat ze niet zo fijn vonden. Alle vingers gingen de lucht in. Dellarobia stelde zich verhalen voor over kapotte Transformers en pleegouderbureaus – kinderen van die leeftijd waren niet zo sterk in het onderscheiden van gradaties van verdriet – maar Ovid bleef bij het onderwerp van het milieu en de schade daaraan. Dieren die uit hun leefomgeving werden verdreven doordat mensen niet goed nadachten.

'Doordat ze luchtvervuiling veroorzaken,' voegde Dellarobia daaraan toe, in de hoop dat een neutraal woord problemen zou kunnen voorkomen, maar juf Rose had dat onderwerp al lang en breed behandeld in de klas.

'En wat zijn dingen die wij zelf kunnen doen om dat te voorkomen?' vroeg ze.

'Het licht uitdoen als we klaar zijn,' zei een jongetje.

'Onze lege bierblikjes oprapen,' zei een ander.

Juf Rose schoot in de lach. 'Wie z'n bierblikjes?'

'Van papa,' zei een ander, wat algemene instemming uitlokte.

Eerst durfden ze niet zo goed vragen te stellen, maar over die verlegenheid waren ze al snel heen. Ze wilden weten waar de vlinders aan doodgingen. Dellarobia wist wel een paar antwoorden, maar Ovid kon nog veel meer oorzaken opnoemen, waaronder auto's! Hij vertelde dat wetenschappers in Illinois hadden ontdekt dat daar in één zomer een half miljoen monarchvlinders door auto's waren platgereden. De kinderen leefden op bij het woord 'platgereden', maar er klonk toch een collectief 'aaaah' voor de aangereden vlinders. Een jongetje stak zijn vinger op, trok hem weer terug en stak hem toen toch weer omhoog en vroeg ten slotte: 'Bent u de president?'

Ovid lachte hartelijk. 'Nee, dat ben ik niet,' zei hij. 'Waarom denk je dat? Omdat ik een donkere huid heb?'

Het jochie leek oprecht. 'Omdat u een das om hebt.'

Ovid keek geschrokken. 'Maar er zijn zoveel mannen die een das dragen naar hun werk,' zei hij. 'Jouw papa misschien ook wel?'

'Nee,' zei het jongetje en Dellarobia zag dat Ovid dat even moest verwerken: nee, geen das of nee, geen werk of misschien wel nee, geen papa, punt. Het gesprek leek haar een productieve gedachtewisseling. De kinderen wilden nog veel meer over dr. Byron weten: of hij in het lab woonde en of die schapen daar van hem waren. Preston wachtte geduldig op zijn beurt en vroeg toen, enigszins uit de pas met de rest, of de vlinders net als vliegende mieren wegvlogen om nieuwe kolonies te stichten. Ovid zei dat het voor mieren anders was, omdat die normaal gesproken bij elkaar moesten blijven vanwege hun verwantschapssysteem. Hij zei dat insecten heel veel verschillende manieren van familieleven hadden en dat ze het daar nog wel verder over konden hebben terwijl ze hun boterhammen opaten, wat ze misschien nu maar eens moesten gaan doen.

Dat was een goede beslissing, aangezien er hier en daar al wat trommeltjes tevoorschijn werden gehaald. Het verbaasde Dellarobia hoe snel de kinderen zich weer hergroepeerden tot hun eerdere sociale groepjes: de Uitverkorenen, de Kevergooiers, de Gillers. Eén groepje aanbidsters liep juf Rose overal als een stel bruidsmeisjes achterna. Het jochie met de michelinmannetjesjas zocht de eenzaamheid op, alsof hij daar al sinds jaar en dag aan gewend was en bleef onderweg eikelhoedjes oprapen. En haar zoon, zag Dellarobia, liet Josefina keihard vallen voor de kans om over het vak te praten met dr. Byron. Ze zou Preston later nog wel aan zijn jasje trekken voor een gesprekje over vriendentrouw. Ze sprong snel in het gat dat hij achterliet. 'Ik weet het beste plekje voor een picknick,' zei ze, waarop Josefina dankbaar haar hand pakte. Het allerbeste plekje, de bemoste boomstam over de beek, bleek al bezet, dus liepen ze naar de bovenrand van de open plek en gingen op een glad stukje zitten onder een gigantische spar.

Dellarobia voelde zich opgetogen. Alles was boven verwachting gegaan. Ovid moest dit vaker doen, hij was duidelijk goed in pr, maar hij had ergens een blinde vlek, een onverklaarbare scheur in zijn zelfvertrouwen. En die scheur had zij gedicht. Het woord dat bij haar opkwam was 'vennootschap' en dat bezorgde haar een jubelgevoel en deed haar duizelen, zoals dat ging met dat soort gedachten in een leven waarin ze van Pontius naar Pilatus vloog. Hij zat daarbeneden op de boomstam met Preston, híj had het allerbeste plekje van allemaal, hij die haar gedachten beheerste als ze aan het werk was en thuis en waarschijnlijk ook in haar slaap. Hij zat met zijn broodtrommeltje op schoot en zeven kinderen om zich heen als eendjes in een rij, maar het was Preston met wie hij praatte. Ze hoorde hen kletsen over insecten en de verschillende soorten familiebanden. Ze zocht in haar tas naar haar boterhammen met tonijnsalade die ze vanochtend in alle haast had klaargemaakt, terwijl Josefina uit haar papieren tasje een volledige maaltijd tevoorschijn haalde die uit verschillende onderdelen bestond: tot lange, gele sigaren opgerolde tortilla's, het equivalent van de sandwich, met daarbij saus in een papieren kuipje met cellofaan erover en bruine bonen in een ander kuipje. In een grote hergebruikte zureroombeker zaten knapperige, driehoekige chips.

'Wow, jouw moeder is een kei,' zei Dellarobia, voordat ze bedacht dat dat misschien wel een wat onduidelijke manier was om zich uit te drukken tegenover een nieuwkomer in de taal. Maar Josefina bedankte haar en leek het te begrijpen. Haar Engels was hoorbaar vooruitgegaan. Lupe had gezegd dat het hielp dat ze met andere kinderen speelde. Dellarobia keek toe hoe Josefina haar uitgebreide lunch zonder verlegenheid op een papieren zakdoekje uitspreidde en vroeg zich af hoe het zou voelen om uit zo'n gezin te komen. Of welk gezin dan ook, anders dan dat waartoe zij behoorde. Ze kon nog zo'n drang voelen om weg te vliegen, maar altijd was daar die familie, de hele club met daaromheen een goedkoop hek van gaas dat lang geleden in een middag was neergezet. Haar Turnbow-dynastie. Waar ze om te beginnen al nooit had thuisgehoord, volgens Hester. Wat voor banden waren dat, wat bonden die dan samen? Ze zou zo makkelijk bij iemand anders thuis kunnen horen.

Josefina at haar maaltijd met een vork, maar stopte daar na een tijdje mee om haar zwarte haar naar achteren te strijken en op te kijken. Dellarobia was ontroerd bij het zien van haar keel, het kwetsbare bobbeltje van haar strottenhoofd, dat boven haar dichtgeritste ribfluwelen jasje uit kwam, en de onverklaarbare waardigheid van dit kind te midden van een leven in puin. Een huis dat weg was gegleden in een berg verschuivende aarde, ergens in een andere wereld. Dellarobia keek ook omhoog naar de duizeligmakende vlindertoren die aan de stam achter hun rug verankerd zat. Van boven tot onder zaten vlinders in keurige rijtjes aan de stam geprikt, als een verzameling windvaantjes. En zware trossen vlinders hingen aan de takken. 'Hoe noemen jullie die trossen?' vroeg Dellarobia.

'*Racimos.*'

Ze herhaalde het woord en probeerde het dit keer te onthouden. Ze had het al eerder gevraagd. Het klonk beter dan 'cluster' of 'zuil' of andere woorden die Ovid gebruikte. Duidelijker. 'Doet het je aan thuis denken om hier te zijn?' vroeg ze. 'Aan Mexico?'

Josefina knikte. 'In Mexico zeggen ze dat het kinderen zijn.'

'Maar de rupsen zijn de kinderen. Dit zijn de grote mensen.'

Josefina schudde snel met haar hoofd, alsof ze iets wilde wissen en opnieuw beginnen. 'Niet kínderen. Iets wat uit kinderen komt als ze doodgaan.'

Dat vond Dellarobia klinken als een horrorfilm, maar ze zag dat het belangrijk voor Josefina was, die haar vork had neergelegd. 'Ik weet het woord niet meer,' zei ze. 'Als een baby doodgaat, wat er dan uit komt.' Ze legde beide handen op haar borst met de duimen in elkaar gehaakt en liet ze fladderend als vleugels opstijgen. 'Het vliegt weg van het lichaam.'

Opeens begreep Dellarobia het. 'De ziel.'

'De ziel,' herhaalde Josefina.

'Denken ze dat een monarchvlinder de ziel is van een gestorven baby?'

Het kind knikte bedachtzaam en lange tijd staarden ze samen omhoog naar de kathedraal van gestaakte levens. Na een tijdje zei Josefina: 'Zoveel.'

Cub was brandhout aan het hakken bij Bear en Hester en belde om te zeggen dat hij daar bleef eten, maar Dellarobia ging niet op de uitnodiging in om ook te komen met de kinderen. Hesters bekentenis in het bos had een nieuwe en vreemd onverschillige bijklank gehad die nog nagalmde in haar oren. Niet alsof ze niet welkom zou zijn, maar alsof ze ongebonden was, en dat was iets anders. Ze voelde zich onzichtbaar en gewichtloos. Het was vrijdagavond. Ze zou iets klaarmaken wat zij en de kinderen lekker vonden, zoals soep en vissticks, en dan zouden ze een programma op televisie van het begin tot het einde kijken. Gesteld dat ze heelhuids thuiskwamen. Dovey zou de kinderen bij Lupe ophalen en mee-eten. De telefoon trilde op tafel, een sms'je van de wegpiraat: HEB ZE, KOM ERAAN.

Dellarobia reageerde meteen met: SMS TIJDENS HET RIJDEN ALS...

:-) kreeg ze per ommegaande op haar schermpje.

Dovey was geen visssticktype, maar zou nog grind eten als ze dan niet thuis hoefde te zijn, waar haar huisbaas/broer zonder duidelijke reden tegels aan het wegbikken was. Dovey ging nu écht verhuizen, zei ze, als de jongen die riep dat er een wolf was, maar naar wie niet werd geluisterd. Ze zou blijven zitten zolang Dellarobia's huis een surrogaatthuis vormde. En Cordie en Preston haar de mogelijkheid boden om surrogaatmoeder te spelen.

Dellarobia hoorde hen tot haar verbazing al heel snel de oprit op komen. Roy liep naar de voordeur en gaf een waarschuwingssignaal: oren omhoog, staart naar beneden; Dellarobia liep naar hem toe om door het glas van de ruitjes boven in de deur te kijken en zag tot haar schrik de witte jeep van *News Nine* op de oprit staan. Tina Ultner, in een witte jas met ceintuur, was al uitgestapt en kwam met gebogen hoofd aanlopen, met haar korenblonde zijden haar dat bij iedere snelle stap meedeinde. Dellarobia liet zich op de grond zakken, zodat haar gezicht op dezelfde hoogte was als dat van Roy en drukte haar rug tegen de deurpost. Er was geen tijd meer om naar de slaapkamer te rennen. Ze hoorde het holle tikken van vrouwenhakken op het trapje van de veranda en voelde het zonlicht verdwijnen toen Tina zich naar de ruitjes boog. Roy keek naar Dellarobia en hield zijn hoofd scheef, het vraagteken van de collie. Ze stak haar vinger op en Roy bleef roerloos zitten. Het huis voelde opeens als een atoomschuilkelder.

Klop, klop, klonk het afgemeten. En nog eens: klop, klop. Daarna stilte.

Roy keek van de deur naar Dellarobia. Hij likte langs zijn lippen en geeuwde, hondentaal voor zenuwen. Het keurige klopje klonk nog eens.

Opeens bedacht Dellarobia dat ze haar telefoon in haar zak had gestoken na Doveys sms. Goddank. Ze zette hem op de trilstand en toetste voorzichtig in: KOM NIET IN DE BUURT VAN HET HUIS.

Het antwoord van Dovey kwam onmiddellijk: ???

GA WEG. IK LEG T NOG UIT.

ZIJN ER AL. ACHTER DIE JEEP. WTF?

Tina belde aan. Roy geeuwde nog eens, maar kwam niet in beweging.

ZIT ME TE VERSTOPPEN. WEG!

Een minuut ging voorbij. Roy deed wat zenuwachtige glijpasjes naar voor en naar achter, dansend op het randje van zelfbeheersing. Dellarobia keek naar het schermpje tot het antwoord verscheen: PRESTON MOET PLASSEN. IK OOK. CORDIE HEEFT T AL GEDAAN. HEB JIJ LUIERS? VOOR ONS ALLEMAAL???

Nu wist Dellarobia het ook niet meer. Het kloppen was opgehouden. Er kwam weer een sms'je van Dovey. HELP, ZE ZIET ONS.

Vervolgens, tien seconden later: GEEN ZORGEN. IK REGEL T WEL. KOM ERAAN.

Dellarobia had geen enkel vertrouwen in die reddingsplannen van Dovey. En dit leed nog eerder schipbreuk dan de meeste. Ze hoorde Dovey vrij overtuigend uitleggen dat Dellarobia niet thuis was, tot Preston opeens de deur opengooide, waardoor Dellarobia en Roy onverwacht op het toneel zaten, op ooghoogte met een paar schitterende grijssuède laarzen. Dellarobia keek ernaar en richtte haar blik vervolgens naar boven, de neusgaten van Tina Ultner in.

'Dellarobia, hallo,' zei Tina en ze wachtte met het uitsteken van haar koele, kleine hand tot Dellarobia overeind was gekrabbeld. Tina had het hypnotiserende effect op haar van een verdovende drug. De lichte wenkbrauwen en gigantische, sprekende ogen, haar bovenaardse teint. Haar jas was winterwit, de kleur die ze had afgekeurd toen Dellarobia hem die eerste keer had aangehad. De kinderen vlogen naar binnen, gevolgd door Dovey en daarna ook Roy, zodat Dellarobia alleen met Tina achterbleef op de veranda.

'Ik doe het niet,' zei ze. 'Niet weer.'

'Moet je horen,' zei Tina, 'dit is iets heel bijzonders. Laat me even uitpraten. Het is voor een rubriek van ons die "De diepte in" heet. Er zijn maar heel weinig verhalen die daarvoor uitgekozen worden, alleen de onderwerpen die door de kijkers het meest werden gewaardeerd. Als we superveel reacties krijgen gaan we na zes weken terug voor een follow-up, om te zien hoe het is afgelopen.'

'Zes weken?' zei Dellarobia, die door verschillende vragen tegelijk werd besprongen. Zou Tina enig idee hebben hoe haar cameratrucjes Dellarobia's leven op zijn kop hadden gezet? Was het al zes weken geleden? En wat was er afgelopen? Was dit een diepte-interview? Ze moest aan Ovids klacht denken over de korte aandachtsboog van de media. De rolgordijnen van de woonkamer bewogen en Dovey kwam in beeld voor het raam, achter Tina's rug. Ze hield haar vingers gekruist voor zich, alsof ze een vampier probeerde te verjagen.

'Is dat Ron?' vroeg Dellarobia. De gedaante in de auto leek kleiner en blonder dan Ron, en met meer haar.

'Nee, dat is Ron niet,' zei Tina met enige schroom. 'Dat is Everett.'

'Oké, roep Everett. Pak alles wat jullie nodig hebben en kom met mij mee.' Dellarobia ging het trapje af en liep om het huis heen naar achteren, zodat Tina intussen haar spullen kon pakken. Ze wilde liever niet op het metalen deurtje van de camper kloppen, wat te intiem voelde, en was dus opgelucht toen ze zag dat er licht brandde in het lab. Ze leidde Tina met die mooie laarzen van haar door de smerige stal. Als Tina al gruwde van de omgeving, liet ze daar niets van merken, zoals ze daar met haar zoekende blik rondkeek alsof ze al die beelden voor later opsloeg, iets wat Dellarobia zich ook nog goed van de vorige keer herinnerde. Ze bleven voor de deur van het lab staan om op Everett te wachten, tijd die Dellarobia gebruikte om alvast wat achtergrondinformatie over dr. Ovid Byron te geven. Ze spelde de naam, zodat Tina hem in haar telefooncomputergeval in kon typen. Tina stond met gefronste blik naar haar schermpje te kijken en tikte er met tussenpozen maniakale roffels op met haar gemanicuurde nagels. 'Dat meen je niet,' zei ze ten slotte. 'Zit die man hier? In een schúúr?'

De nietige cameraman Everett kwam haastig aanlopen, druk in de weer met zwarte kabeltjes die hij uit de knoop haalde en in zijn jaszakken propte, en maakte in alle opzichten een slordige indruk, behalve dan met zijn kapsel, dat stijf in de lak als een helm op zijn hoofd zat. Hij wierp tot Dellarobia's genoegen een blik van puur afgrijzen op de vloer van de schuur. Dellarobia klopte op de met plastic bespannen deur, waarna het groepje naar binnen ging en Ovid zittend op een stoel aantrof, waar hij aantekeningen zat te maken. Om plaats te maken voor zijn leesbril had hij zijn veiligheidsbril omhooggeschoven als een sportduiker die even boven water was. De moed zakte Dellarobia in de schoenen toen ze de kwetsbare blik in zijn ogen zag nu hij zo overvallen werd. Hij stond op om Tina's uitgestoken hand te schudden en zette snel beide brillen af, waarmee hij blijk gaf van een kleine, verrassende ijdelheid die Dellarobia's angst alleen maar voedde. Tot haar verbazing zag ze hoe Tina haar eerdere moeders-onder-elkaar-saamhorigheid liet vallen en de volle kracht van haar charmes een andere kant op richtte. Wat een fantastisch lab, ongelofelijk; ze had zelf op school zo graag bèta willen kiezen, maar die wiskunde, hè... Na een kennismakingsgesprekje zei Tina dat ze de berg weer op zouden moeten om het shot met de rondfladderende vlinders op de achtergrond nog eens over te doen. Dat deden ze altijd bij deze rubriek, om de kijker visueel te herinneren aan het eerdere verhaal. Ovid vertelde haar dat de follow-up in dit geval inhield dat de meeste vlinders intussen dood waren. En dat het verder ook te koud voor ze was om te vliegen en al te laat op de dag. Tina klakte met haar tong. Ze waren wel van plan geweest om eerder te komen, maar er was een moord gepleegd, die heet van de naald verslagen moest worden.

Ze trommelde met haar witgerande nagels op de triplex tafel, terwijl ze naarstig om zich heen keek. 'Weet je wat?' verkondigde ze uiteindelijk. 'Het is wel best zo. We hebben al die schitterende beelden uit het vorige interview nog. We monteren de vlinders er gewoon wel tussen.'

Ovid keek haar gepikeerd aan. De vlinders uit de dood opwekken?

Tina stortte zich op de zoektocht naar een omlijsting voor wat zij 'een uitvoerbaar shot' noemde. De poster van de rups aan de wand was prachtig, mooie kleuren. Ze was zeer te spreken over Ovid in zijn labjas, maar minder over de rotzooi. De stapel aluminium bakjes van de meest recente lipidenanalyse moest weg. Tina deelde met een lichtelijk gekwelde uitdrukking schoonmaakbevelen uit, alsof het een enorme smeerboel was, terwijl er eigenlijk alleen maar wat spullen stonden: bekerglazen, blauwmetalen reageerbuisrekjes, opgestapelde rechthoekige plastic bakjes, computeruitdraaien. Alles was smetteloos. Dellarobia maakte op vrijdag altijd schoon. Ovid wilde het eerst eigenlijk niet hebben en raakte geïrriteerd door het heen en weer geschuif met zijn spullen. Toen Everett op de homogenisator af liep, snauwde hij dat hij daarvan af moest blijven. Tina liet een tinkelend lachje horen om er een grapje van te maken. Dellarobia kreeg opeens een flashback van dat tweetonige lachje en de vele gebruiksmogelijkheden ervan.

'Ik denk dat jullie nu maar beter kunnen gaan filmen,' zei Ovid.

Tina en Everett wisselden een veelbetekenende blik en ze sprong toe om een microfoontje aan Ovids revers vast te maken en het bijbehorende apparaatje in de zak van zijn labjas te laten glijden. Dellarobia zag hoe hij zijn ogen ten hemel sloeg terwijl Tina met hem bezig was, net zoals Preston deed als zij zijn stropdasje knoopte voor de kerk. Weg was de vriendelijke vertrouwelijkheid van de professor die een praatje kwam houden voor de kleuters. Tina poederde haar neus en jukbeenderen, klikte haar poederdoosje dicht en gaf Everett een knikje. Ze zette haar zalvende nieuwsstem op. 'Dr. Ovid Byron, u bestudeert de monarchvlinder al meer dan twintig jaar. Hebt u ooit eerder iets dergelijks gezien?'

'Nee,' antwoordde hij en hij zag eruit alsof hij wanhopig naar een ontsnappingsmogelijkheid zocht.

Tina wachtte. Ze leek op een etalagepop, vond Dellarobia, met diezelfde wasachtige huid en bloemsteelhouding. Toen ze zelf in de schijnwerpers had gestaan, was ze te overweldigd geweest om op te merken dat de vrouw verre van perfect was. De beenderen van haar gezicht zagen eruit alsof ze van steen waren onder de kleurloze huid en ze staken te veel uit. Ze oogde ongezond.

Tina begon nog eens opnieuw. 'Dr. Byron, u bent een van de meest vooraanstaande deskundigen ter wereld op het gebied van de monarchvlinder. We willen u dus graag wat vragen stellen over dit prachtige fenomeen. Ik heb begrepen dat de vlinders zich vaak in Mexico verzamelen voor de winter. Kunt u me in een notendop uiteenzetten wat ze nu hierheen heeft gebracht?'

Ovid lachte nu zelfs. 'In een notendop?'

Tina gaf een streng knikje ten teken dat hij door moest gaan.

'Dat past echt niet in een notendop.'

Dellarobia zag de deur opengaan. Dovey verscheen en kwam met de kinderen naar binnen geglipt. Dellarobia bewoog zachtjes hun kant op om Cordie op haar heup te tillen, zodat ze geen kwaad kon. Ze bleven met z'n allen bij de deur staan. Tina beende naar de tafel om een schaar met een blauw handvat en een rol tape uit de achtergrond van het shot weg te halen en rukte aan de kreukelige plastic stofhoes van de microscoop. 'Dit is geen filmset,' zei Ovid ongelukkig.

Tina wierp hem een blik toe en hij spreidde zijn handen. 'Dit is wetenschap.'

'Oké,' antwoordde ze. Ze keerde terug naar haar plaats en bereidde zich voor om weer uit de startblokken te gaan. Dellarobia begreep nu wat haar strategie was: het interview op verschillende manieren voeren, zodat het later in stukken kon worden geknipt.

'Dr. Byron, u doet al meer dan twintig jaar onderzoek naar de monarchvlinder en u hebt nog nooit zoiets als dit gezien. Het lijkt erop dat iedereen een ander idee heeft over wat hier aan de hand is, maar u zult het in elk geval wel met me eens zijn dat de vlinders prachtig zijn om te zien.'

'Dat ben ik niet met u eens,' zei hij. 'Ik word er erg treurig van.'

Tina's tanden werden zichtbaar. 'En hoe komt dat?'

'Hoe dat komt?' Hij streek met zijn hand over zijn gemillimeterde haar, een nerveus gebaar dat Dellarobia hem al eerder had zien maken, maar nog niet vaak. 'Het is het gevolg van een van slag geraakt systeem,' zei hij uiteindelijk. 'Wat we hier zien is een duidelijk geval van vernietiging. Op de gebruikelijke overwinteringsplekken in Mexico, in het voorjaarsareaal, in het hele migratietraject. Om dan te beweren dat de les die hierin schuilt schoonheid is, jezus... Hoe zei u dat uw naam was?'

'Tina Ultner,' zei ze op een andere, niet voor de camera bestemde toon.

'Tina. Om hier enkel schoonheid in te zien is wel heel oppervlakkig. Zeker in termen van berichtgeving lijkt me dat niet de juiste boodschap.'

'Volgens u is er een boodschap. Welke is dat dan?'

Ovid wierp Dellarobia een duidelijk paniekerige blik toe. Ze kreeg het Spaans benauwd. Hij was zo goed in uitleggen, hij had er zo lang voor gestudeerd, hij kon die kleine Tina met haar bottenneus makkelijk aan, had ze gedacht. Ze was gek geweest. Na een lange pauze probeerde Tina het nog eens. 'Dr. Byron, er gebeurt hier iets heel nieuws. De meesten van ons zijn vooral onder de indruk van de schoonheid van het fenomeen, maar,' ze hield haar hoofd theatraal scheef, alsof ze de last van een scherp inzicht voelde, 'denkt u dat het wellicht een teken is van een dieper liggend ecologisch probleem?'

'Ja!' riep Ovid uit. 'Een milieuprobleem zult u bedoelen. Verregaande milieuschade. We hebben hier te maken met een ecosysteem dat volledig ten onder gaat. Inderdaad. Heel goed, Tina Ultner.'

'Kunt u ons dan kort vertellen wat dat probleem precies inhoudt, dr. Byron?'

'Kort? Temperatuurveranderingen die abnormaal zijn voor het seizoen, droogte, verlies van synchronisatie tussen voedselzoekers en hun waardplanten. Alles is afhankelijk van het klimaat.'

Ze knipperde een paar keer. 'Hebben we het hier over de opwarming van de aarde?'

'Dat klopt.'

Tina maakte een gebaar met haar hand in neerwaartse richting naar Everett om aan te geven dat hij moest stoppen met filmen en bizar genoeg klikte tegelijkertijd haar eigen levendigheid uit. Met een doods gezicht liep ze door het lab, wellicht met enige heimwee naar de brandende autowrakken op de snelweg waar ze aan gewend was. Tina controleerde iets op de camera, liep toen terug naar haar interviewplaats en zei op gedempte toon: 'De studio heeft zo'n vijfhonderd e-mails gehad over die vlinders, bijna allemaal zeer positief. Is dit echt de kant die u op wilt met dit gesprek? Want ik denk wel dat u hiermee kijkers kwijtraakt.'

Ovid keek oprecht verbijsterd. 'Ik ben een man van de wetenschap. Wilt u echt voorstellen dat ik mijn antwoord verander om uw kijkcijfers op te krikken?'

'Helemaal niet,' zei Tina ijzig. Haar zelfbeheersing begon rafelrandjes te vertonen. Ze had de irritante gewoonte om haar bovenlip naar binnen te zuigen en door haar neus uit te ademen, waardoor Dellarobia tot de conclusie kwam dat deze vrouw waarschijnlijk inderdaad kinderen had. Nadat ze korte tijd naar de grond had gekeken, gaf Tina Everett een teken en richtte ze haar blik weer op de camera. 'Dr. Byron, ik zou het met u graag willen hebben over klimaatverandering. Het is natuurlijk zo dat niet alle wetenschappers het erover eens zijn dat dit een feit is en of de mens er een rol in speelt.'

Ovids wenkbrauwen gingen op vertrouwde wijze omhoog, bijna geamuseerd. 'Ik ben bang dat je de boot gemist hebt, Tina. Zelfs de meest onwillige wetenschappers hebben intussen al toegegeven dat de boel inderdaad aan het opwarmen is. Zo goed als iedereen intussen. Op een enkeling na bij wie er op de bovenste regel van zijn salarisstrookje een andere opvatting staat geschreven.'

Ze stak haar kaak naar voren, kreeg een gespannener blik en begon opnieuw. Haar geduld om na elke valse start opnieuw te beginnen was onvoorstelbaar. 'Dr. Byron, ik wil het graag even met u hebben over klimaatverandering. Veel milieudeskundigen beweren dat het gebruik van brandstof zorgt voor broeikasgassen in de atmosfeer.'

Hij trok zijn kin met zo'n vertoon van sceptische ontzetting naar achteren dat hij wel een geschrokken schildpad leek. 'Bewéren ze dat? Dat het verbranden van koolstof koolstof in de lucht brengt? Is dat een bewéring?' Zijn stem schoot zoveel octaven omhoog dat hij bijna piepte. 'Tina, Tina. Denk eens na voor je wat zegt. Alle steenkool die ooit is gedolven, bestaat uit koolstof. Alle oliebronnen, ook koolstof! Dat hebben we allemaal in de lucht laten verdampen. Wat eenmaal in de wereld is, blijft in de wereld, het doet geen póéf en is dan weg. Dat heet het behoud van massa. Dat was al ruim voor de tijd van Newton een uitgemaakte zaak.'

Tina knipperde één, twee keer. 'Wetenschappers zeggen dat ze de precieze effecten van de opwarming van de aarde niet kunnen voorspellen.'

'Dat klopt. Dat zeggen we, omdat we eerlijker zijn dan andere mensen. We weten dat er steeds meer bewijs binnen zal stromen. Dat betekent niet dat we het onderwerp tot nader order laten liggen. We poetsen tenslotte ook onze tanden zonder dat we precies weten hoeveel gaatjes we daarmee voorkomen.'

'Maar veel mensen zijn nog niet overtuigd. Wij zijn hier om informatie te krijgen.'

Hij sloeg zijn ogen wanhopig ten hemel en ontblootte zijn tanden in een grimas waarbij het puntje van zijn tong net zichtbaar was tussen zijn voortanden. Toen hij haar ten slotte weer aankeek, leek hem dat fysiek pijn te doen. 'Als je hier was om informatie te verzamelen, Tina, zou je me niet hier in mijn laboratorium staan te vertellen wat wetenschappers denken.'

Ze deed haar mond open, maar hij gaf haar niet de kans iets te zeggen. 'Waar de wetenschappers het niet over eens zijn, Tina, is hoe we onze geschoktheid moeten verwoorden. De gletsjers die de rivieren in Azië van water voorzien zijn aan het verdwijnen. Misschien kan een van jullie stagiaires dat voor je googelen. De poolkappen zijn aan het smelten. Wetenschappers noemden dat voorheen de kanarie in de mijn. Intussen zeggen ze dat de kanarie dood is. We drijven in een kano boven aan de Niagarawatervallen, Tina. Dat is een mooi beeld voor je kijkers. We zijn hier aan komen drijven, maar we kunnen, zelfs als jij eindelijk bereid zou zijn om serieus aan de slag te gaan, niet meer zomaar omdraaien om op ons gemak terug te peddelen. We zijn nu aangekomen op het punt waar we het gebulder al horen. Lijkt je dat een goed moment om het bestaan van de watervallen in twijfel te trekken?'

Tina zoog met wijd opengesperde ogen op haar bovenlip. Het effect was niet flatteus. 'Als dit de Niagarawatervallen waren had ik tenminste een mooie achtergrond,' zei ze. 'Ik kan hier niets mee als ik geen beeld heb.'

Ovids wenkbrauwen raakten zijn haarlijn zowat. 'Liggen ontastbare dingen buiten je bereik? Kunnen jullie bij de tv jullie fantasie niet eens wat meer gebruiken?'

Tina gaf geen antwoord.

'Verkiezingsuitslagen!' zei hij en hij zag er enigszins doorgedraaid uit. 'De aandelenkoersen! Dat zijn ook ontastbare zaken. En toch behandelen jullie die. Tot vervelens toe!'

Tina schudde haar haar nauwelijks merkbaar naar achteren en gebruikte een toon die ze waarschijnlijk als tiener had geperfectioneerd. 'Omdat de mensen dat belángrijk vinden.'

'Je hebt een taak, mens, en daar onttrek je je aan.' Ovid liet zijn hoofd naar voren zakken en vernauwde zijn ogen tot spleetjes, een houding die Dellarobia verbijsterde. Ze had nooit een straatvechter in hem gezien. Hij deed een stap naar voren en priemde zijn vinger als een steekwapen in de richting van haar borst, waardoor hij Tina dwong een even grote stap naar achteren te doen. 'Vuur is een uitstekend beeld, Tina. Net als aardbevingen en overstromingen. Die hele verrekte, smeltende Noordpool.' Ze kwamen terecht in het deel van het lab waar de spullen opgestapeld stonden die ze uit de weg hadden gezet. 'Hoe zal jij je over tien jaar voelen als er op een groot aantal boerenbedrijven op de wereld geen regenseizoen meer is? Mede dankzij jou?' Ovids lange vinger leek alles in beweging te brengen, hem naar voren en Tina achteruit, om de tafel heen.

Everett liet van zich horen. 'Jullie zijn niet meer in beeld.'

'Bemoei je er niet mee!' riep Ovid uit. Everett keek alsof hij een klap kreeg. 'Jij denkt dat dit alleen maar in Afrika of Azië gaat gebeuren,' zei hij tegen Tina. 'In een of andere plaats waar jij je niet druk om hoeft te maken.'

Opeens stak Tina een hand zijwaarts omhoog, alsof ze een of andere karatebeweging van plan was. 'Nu ga je te ver, vriend. Ik heb twee jongetjes uit Thailand geadopteerd.'

Ovid leek niet onder de indruk. 'En daarmee heb je je plicht wel gedaan? Nu kun je je carrière verder wel via het pad van de minste weerstand laten verlopen?'

'Je weet niet waar je het over hebt. Iedereen denkt altijd maar dat tv zo makkelijk is, maar het is keihard werken.'

'Overtuig me maar, Tina. Je laat een pr-bedrijf je teksten voor je schrijven. Diezelfde toko die zich er tien jaar mee beziggehouden heeft om twijfels uit hun duim te zuigen over de bewéring dat roken kanker zou veroorzaken. Leren jullie het dan nooit? Het is datzelfde klotebedrijf, Tina, The Advancement of Sound Science. Zoek het gerust op. Toen ze van de loonlijst van Philip Morris verdwenen, zijn ze rechtstreeks in de zakken van Exxon gedoken.'

Tina's moment van woede bleek alweer opgelost in ongerustheid. Ze stond met haar rug tegen de ijskast en zocht om zich heen naar een ontsnappingsroute. Ovid wendde zich met een ruk van haar af en liep het lab door, terwijl hij zijn witte jas losknoopte. 'Jullie zijn helemaal niet geïnteresseerd in echt onderzoek. Jullie laten je leiden door jullie sponsors.' Hij was zijn labjas al aan het uittrekken toen hij zich realiseerde dat die nog vastzat aan het microfoontje op zijn revers en het apparaatje in zijn zak. Hij trok de microfoon los en keek om zich heen, waarschijnlijk op zoek naar een plaats om hem neer te smijten. Bij gebrek aan een duidelijk doelwit keek hij naar Tina en hield het ding bij zijn mond.

'Hier komt mijn verklaring. Wat jullie doen is gewetenloos. Jullie werken mee aan misleiding van het publiek door een stelletje lamzakkerige leugenaars.'

Tina stak haar handen omhoog. 'Alsof ik dat woord op tv zou kunnen gebruiken.'

Ovid klemde de microfoon terug op zijn jas en wist een redelijke reconstructie tevoorschijn te toveren van zijn normale grijns, de tanden volledig ontbloot.

'Sorry,' zei hij. 'Jullie werken mee aan het misleiden van het publiek door een stelletje lamzakkerige hypocrieten.'

'O-ké,' zei Tina. 'We kappen ermee.'

Everett had zijn snoeren in no time opgerold. Tina had haar telefoon al aan haar oor toen ze wegliep. Haar stem steeg tot schrille hoogten buiten de schuur. De nieuwsjeep was waarschijnlijk de snelweg al op gescheurd voordat de dichte mist van verbijstering in het laboratorium was opgetrokken. Preston en Cordie stonden allebei te kijken met de grote ogen en sprakeloze uitdrukking van kinderen in de aanwezigheid van volwassenen die het spoor bijster raken. Dellarobia zag er zelf ook ongeveer zo uit, in afwachting van de terugkeer van een weer enigszins herkenbare versie van haar baas. Hij stond als een razende een stapel kartonnen dossiermappen op volgorde te leggen die in de chaos door elkaar waren geraakt en spullen bij elkaar te zoeken.

'Nou, dat ging goed fout,' zei hij ten slotte zonder op te kijken.

'Zo erg was het niet,' zei Dellarobia, die zich een idioot voelde.

'Ik had moeten proberen mee te werken. Dat is wat jij me altijd voorhoudt: een goede indruk maken. Laten zien dat we niet de vijand zijn. Ik weet dat dit belangrijk was. En ik heb het verknald.' Ze zag dat hij zijn dikke groene jas zocht, die op de grond was gevallen in de buurt van de ijskast. Ze raapte hem op en gaf hem aan hem.

'Maar alles wat je zei was waar. Technisch gesproken. Je hebt niets verkeerds gedaan.'

'Nee,' gaf hij toe, 'behalve dan dat ik ervoor heb gezorgd dat ze met die jeep van haar over de opnameband zal rijden. En niet maar één keer.'

'Maar dat is haar probleem,' zei Dellarobia. 'Al is het wel jammer. Ik baal er eigenlijk wel van dat niemand dit nu te zien zal krijgen.'

'Yo, mensen,' zei Dovey en ze hield haar telefoon omhoog. 'Komt voor de bakker, ik heb alles erop staan. Ik ben al aan het uploaden. YouTube.'

# 13
# Paarstrategieën

'Binnenkort is het feest,' zei Dellarobia. 'Vier maart.'

'Wát moet ik vieren?' vroeg Preston.

Ze lachte. 'Nee, het is vandaag vier maart. Vrijdag. Over precies een week ben je jarig. Dus dan hebben we wel iets te vieren.'

Preston grijnsde, maar zijn bebrilde gezichtje bleef naar de weg gekeerd. Ze keken in oostelijke richting, waar de bus en het eerste ochtendlicht vandaan zouden komen.

'Ik heb toch zó'n grote verrassing voor je, dat geloof je nooit,' zei ze. Hij grijnsde nog meer, maar probeerde zijn gezicht tegelijkertijd in de plooi te houden, alsof hij erg gespannen was. Ze zagen de zon boven de beboste heuvelruggen aan de horizon verschijnen. Eerst was het alleen een vormeloos vuur dat tussen de kale boomtakken gloeide, maar al snel nam dat een felle bolvorm aan waar ze niet rechtstreeks naar konden kijken.

'Vandaag ruikt het net als wanneer de lammetjes worden geboren,' zei hij.

'Ja, vind ik ook! Naar de lente.' Ze sloot haar ogen en snoof de geur op. 'Wat ruik je, aarde?'

Ze stonden samen de dag op te snuiven. Na een tijdje zei Preston: 'Volgens mij wormen. En nieuwe grasprietjes.'

'Ja, je hebt gelijk. Wil je dit jaar kijken als de lammetjes geboren worden?'

Preston knikte heftig.

'Je kunt ook wel met andere dingen helpen, hoor. Je hoeft er niet met je neus bovenop te staan als ze eruit komen.'

'Ik wil ze geboren zien worden,' zei hij.

Daar was ze al bang voor. Niet dat hij naar de kronkelende druipende komst van het leven zou kijken, maar ze wist dat hij in plaats daarvan de dood zou zien. Dat was het risico. 'Misschien moet je dan thuisblijven van school,' waarschuwde ze. 'Als een ooi eenmaal begint met lammeren, moet je bij haar blijven. We zullen juf Rose bellen, dan mag je vast wel thuisblijven.'

'We mogen het al weten, hoor,' zei Preston.

'Wat?'

'Dat baby's worden geboren uit de moeder.'

'O ja?'

'Ja. De grote zus van Isaac Frye heeft een baby gekregen op de wc.'

'O, Preston, echt waar? Hoe weet je dat?'

Hij haalde zijn schouders op. 'Geeft niks, hoor. Sommige meisjes moesten huilen toen hij dat vertelde, maar juf Rose zei dat hij moest ophouden en toen heeft ze ons er iets over uitgelegd. Over het gezinsleven.'

Opnieuw nam Dellarobia haar petje af voor zijn inspirerende juf Rose. 'En weet je daar nu genoeg over, voorlopig?' vroeg ze.

Hij haalde weer zijn schouders op. 'Ja hoor.'

Dellarobia vond het wel moeilijk om niet door te vragen over die zus van Isaac Frye. Ze kon zich de narigheid van dat meisje helaas maar al te goed voorstellen. Weer een zwangere puber die de knip op de badkamerdeur deed en de meedogenloze toekomst probeerde af te wenden. Ze vroeg zich af of het kindje echt op het toilet geboren was. En of het nog leefde. Preston zou zich vast niet kunnen voorstellen dat zijn eigen gezin was gesmeed door gebeurtenissen die nauwelijks fraaier waren.

Ze keken naar het rozige licht dat de zon in het oosten aan de onderkant van de wolken schilderde. Opeens wees Preston naar iets wat minder ver weg was. 'Kijk.'

Twee monarchvlinders dansten boven de weg. Een verrassend gezicht, zo vroeg op de dag, en het was ook geen gewoon gefladder, want ze beukten de hele tijd tegen elkaar aan. Ze gingen omhoog en omlaag alsof ze in een verticale luchtkolom opgesloten zaten. Toen bleven ze aan elkaar zitten en vielen fladderend op de weg. Het duurde maar even, daarna raakten ze weer los van elkaar en gingen verder met hun tango in de lucht.

'Vechten ze?' vroeg Preston. 'Of doen ze nou ook gezinsleven?'

De universele vraag. 'Dat weet ik niet precies,' zei ze.

Na een tijdje voegde ze eraan toe: 'Wow. Weet je wat?'

'Wat?'

'Misschien komen ze wel uit hun winterslaap. Dr. Byron heeft gezegd dat ik goed moest opletten of ik zoiets zag. Als ze wakker worden en gaan paren, dan is dat heel goed nieuws voor de monarchvlinders. En jij hebt het gezien, Preston. Als eerste!'

Ze keken naar het fladderende stel dat boven de weg op en neer bewoog alsof ze aan onzichtbare draden zaten. Áls dit een stelletje was, áls ze aan het paren waren, áls het vrouwtje de hielen lichtte en naar de frisse voorjaarsbergen vloog om het juiste ontvouwende blad te kiezen. Als. Dan.

'Dr. Byron zei dat de mannetjes een beetje gek gaan doen,' vertrouwde ze hem toe. 'Ze gaan af op alles wat beweegt en proberen dat vast te pakken.'

'Waarom?' vroeg Preston.

'Je weet wel. Vriendinnetjesgedoe. Zoenen!' Ze greep Preston vast en plantte kusjes op zijn hoofd, ondanks zijn protesten. Toen liet ze hem los.

Beide vlinders vielen weer op de weg, nu vlak bij waar zij stonden, en bleven even versuft en met opengeklapte vleugels liggen. De ene kroop langzaam op de andere en ze hupten een beetje heen en weer. Preston en Dellarobia kropen er zo dicht naartoe dat ze de onderste partner konden zien, waarschijnlijk het vrouwtje, dat haar lange zwarte onderlijf op een verwachtingsvolle manier uitstrekte. Zij is degene met de stijve, dacht Dellarobia, maar dat hield ze voor zich. Het mannetje bovenop gebruikte zijn onderlijf meer als een olifantslurf die hij wat heen en weer bewoog, op zoek naar zijn doel. Die zoektocht leek erg lang te duren en was merkwaardig erotisch. Erotisch genoeg om Dellarobia een wat ongemakkelijk gevoel te bezorgen nu ze op haar hurken op de weg zat en naar een copulatie keek in het gezelschap van een kleuter. Die gefascineerd toekeek.

'Waa!' zei hij zacht toen de verbinding lukte. Het was duidelijk te zien, een stekker in een stopcontact, en beide lijfjes verstijfden door de zichtbare energie. Heel even bevroren ze alle vier, moeder en zoon, vlinder en partner. Het mannetje begon te fladderen, nog steeds verbonden met het vrouwtje, en probeerde op te vliegen. Zijn behulpzame vrouwtje klapte haar vleugels open en stemde erin toe te worden opgehesen. Ze stegen wiebelig een halve meter omhoog, maar vielen weer omlaag. Daarna vlogen ze opnieuw op.

'Mam!' riep Preston. In de verte kwam de bus over de top van de heuvel aanrijden. Ze stuurde hem van de weg af en liep zelf iets naar voren, zodat ze als het nodig was de chauffeur kon waarschuwen. Maar de vlinderminnaars wisten los te komen van de grond en fladderden een grote esdoorn in. Ze liep achteruit, de berm in.

'Oké, kerel.' Ze bleef op een paar passen van haar zoon staan om hem niet in zijn waardigheid te krenken. 'Goed je best doen, vandaag.'

'Doe ik,' beloofde hij. Hij wachtte op het teken van de chauffeur voordat hij de weg overstak en instapte. Dellarobia vond de knipperende lichten van de schoolbus in de donkere ochtend altijd een beetje surrealistisch. Het gesis van de remmen maakte plaats voor een schor dieselgegrom en daar ging haar zoon weer de wereld in en liet haar achter met een vreemd verloren gevoel, verward door de verrassingen van die ochtend.

Ze stopte haar handen in haar jaszakken en probeerde haar aandacht op de dag te richten. Als dit het einde van de diapauze was, dan was het iets heel belangrijks. Ovid zou nog een paar vlinders willen ontleden, of, als het onverdraaglijk was om er nog meer op te offeren, een paar vrouwtjes onderzoeken op de spermapakketjes die bewezen dat de vlinders echt hadden gepaard. Ze kon bijna niet wachten om hem het nieuws te vertellen. Hij was er vandaag niet. Ze had zijn nummer niet, behalve het nummer waarvandaan hij haar in december had teruggebeld, waarschijnlijk vanaf zijn huistelefoon in New Mexico. Daar ging ze hem echt niet bellen. Ze had hem die ochtend heel vroeg horen wegrijden, met onbekende bestemming. Hij had alleen gezegd dat hij de hele dag weg zou zijn. Een of ander interview, waarschijnlijk, nu dat Ovid-en-Tinafilmpje zich als een virus verspreidde. Dovey had donderdag elk uur een update ge-sms't met het aantal keren dat de video was bekeken: honderden, duizenden, honderdduizenden hits. De mensen mochten dan hun twijfels hebben over wetenschappers: ze vonden het maar al te opwindend als er eentje een ijskoningin van een presentatrice aan stukken scheurde, en dan nog wel een met een behoorlijke reputatie. Ovid was geërgerd toen hij het filmpje eindelijk zelf zag en Dellarobia had met hem te doen, ze kende dat gevoel van te kijk staan. Maar in elk geval had hij goed gebruikgemaakt van zijn plotselinge roem. Hij was eerlijk geweest. De eerste woorden die Dovey op film had staan waren: 'Dit is wetenschap', en zo had ze het filmpje getagd. Ze zei dat het nu al de negende hit was als je googelde op 'wetenschap'.

Dellarobia liep haar huis in met een schuldgevoel toen ze Cubs sceptische blik zag, ook al was daar geen aanleiding voor. Het was geen onbekend gevoel. 'Ga je in je pyjamabroek naar je werk?' vroeg hij.

'Nee. Byron is er vandaag niet.' Hij had erop aangedrongen dat zij ook een dag vrij zou nemen, ze had al veel overuren gemaakt. Maar het vooruitzicht van een hele ochtend niet werken trok haar niet erg aan. Ze hing haar jas op in de gang en liep de keuken in. Cub had net Cordies slabbetje afgedaan en veegde de havermout van haar gezicht.

'Dus Cordie gaat niet naar Lupe?' Hij trok verbaasd zijn wenkbrauwen op.

Dellarobia spoelde haar koffiebeker om met warm water uit de kraan. Het was energieverspilling, maar de beker werd altijd zo koud als ze op de bus stond te wachten dat haar tweede kopje koffie meteen afkoelde als ze de beker niet eerst opwarmde. 'Sorry, dat had ik niet gezegd. Ik dacht er nog over om toch te gaan werken. Er moet nog best veel gebeuren, ook al is hij er niet.'

Cub maakte een spelletje van het schoonvegen van Cordelia's wangen en neus terwijl zij zijn hand probeerde weg te duwen. Uiteindelijk sloten ze een wapenstilstand en tilde hij haar uit de kinderstoel. 'Nou, ik ga naar ma,' zei hij. Hij rolde de mouwen van zijn flanellen overhemd naar beneden en veegde havermout van zijn buik. 'Ze heeft allemaal spullen die ik naar de kerk moet brengen voor de Voedselbank.'

Dellarobia nam een slokje van haar lekker hete koffie en leunde tegen het aanrecht. 'Weet je wat? Ik heb nog een stapeltje broeken waar Preston uit gegroeid is, die kan ik wel geven.' De mensen in Feathertown die het nodig hadden, konden bij de Voedselbank gratis levensmiddelen krijgen, en vanaf nu ook gratis kleding en winterjassen. Er was vooral behoefte aan kinderkleding. Voor sommige mensen was zelfs de tweedehandswinkel te duur. 'Wat geeft Hester?'

Cub haalde zijn schouders op, precies zoals zijn zoon tien minuten daarvoor had gedaan. 'Blikken eten, denk ik. Maar ze wil dat ik met de pick-up die ouwe klerenkast die boven staat naar de kerk breng. Ze hebben kasten nodig om die jassen in op te hangen.'

Dellarobia moest nog een beetje wennen aan het vooruitzicht dat ze iets ging weggeven. Ze nam de kleren die haar kinderen te klein waren altijd mee naar de winkel, waar ze dan een klein beetje korting kreeg op haar nieuwe aankoop. Nu ze erover nadacht, kon ze zich niet herinneren dat ze ooit eerder iets had weggegeven. Niet aan liefdadigheid in elk geval. 'Bedoel je die enorme kast in jouw kamer?' vroeg ze. 'Dat bakbeest?'

'Ja, ma heeft besloten om die aan de kerk te geven.'

'Zal ik je daar eens mee komen helpen?' bood Dellarobia onverwachts aan. Ze had iets met Cub te bespreken.

Cub lachte. 'Ja, mooie hulp zou je wezen, met zo'n zware kast.'

'Voor het betere denkwerk dan? Ik kan deuren voor je openhouden en zo. We kunnen Cordie een paar uurtjes bij Hester laten, dat overleven ze allebei wel. Ik moet alleen even die kleren bij elkaar zoeken, maar dat is zo gebeurd.' Dellarobia ging zich aankleden en kamde de kledingkast van de kinderen uit, waarin tweemaal zoveel kledingstukken zaten die te klein waren als dingen die nog pasten. Na een halfuurtje hadden ze vijf tassen vol spullen om weg te geven en vertrokken ze onaangekondigd naar Hester, met Cordelia en haar tas met speelgoed in hun kielzog. Hester was in de woonkamer en had de haspel tevoorschijn gehaald. Overal lag wol. Ze was druk bezig om er strengen van te maken en de lengtes te meten. Cordie zou daar niet goed bij van pas komen, dat was wel duidelijk, maar Hester gaf toe, en stuurde de ouders naar boven om de kledingkast op te meten en de dozen naar beneden te dragen die ze had ingepakt. Dellarobia liep achter Cub aan, die met trage tred naar de kamer liep waar hij zijn jeugd en de eerste maanden van hun huwelijk had doorgebracht.

In de kamer was niets veranderd, wat Dellarobia nauwelijks verbaasde. Er was hier ook niets veranderd ter voorbereiding op de grote mijlpalen die zij hier had beleefd. Ze huiverde toen ze de lintjes zag van de 4-H jeugdbeweging die met punaises aan de plafondlijst geprikt waren, de oude stripboeken, twee ongeopende colaflesjes die een aandenken ergens aan waren. Cubs footballtrofeeën stonden in de boekenkast, een rijtje kleine gouden mannen, allemaal versteend in dezelfde sprint, met de gehelmde kaak vooruit en de linkervoet van de grond. Ze wist dat ze er bedrieglijk massief uitzagen, maar ze wist dat die kleine atleten niet echt van brons waren, maar van plastic dat niets woog.

'Het zou me niets verbazen als Hester nog niet eens de lakens heeft verschoond sinds we hier weg zijn,' zei ze. Op het bed lag nog dezelfde witte chenille beddensprei, extreem dun en naar Dellarobia's idee erg karig vergeleken bij de quilts die elders in huis opgeborgen lagen. Maar dit was de sprei die ze hadden gekregen. Wat ze achteraf het raarst vond van haar leven hier als getrouwde vrouw, was dat ze alles maar had moeten accepteren: de sprei, deze kamer, eten om zeven uur. Cubs ouders in de aangrenzende kamer. Ze liet zich met uitgestrekte armen op het bed vallen. 'O jee. Weet je nog, dit bed?'

'Wat dacht jij dan?' Hij liep naar de kast en haalde de metalen rolmaat uit zijn zak. Het was een bakbeest van een kast, met twee eikenhouten deuren en een bewerkte kroonlijst. Was waarschijnlijk best iets waard. Dellarobia vroeg zich af wat Hester opeens bezielde om zo'n ding weg te geven. Ze deed alles om indruk te maken op Bobby Ogle.

'Ik heb me hier nooit echt een getrouwde vrouw gevoeld. En al helemaal geen pasgetrouwde.'

'Wat dan wel?'

'Ik weet het niet. Een kind. Klinkt misschien raar, maar ik voelde me meer een soort zus.' Ze lachte. 'Maar wel een hele zwangere.'

'Gaddamme,' zei Cub. 'Tien centimeter te lang voor de pick-up.'

Dellarobia keek naar het plafond. Oude huizen werden geacht je een warm gevoel te geven, maar hier was het alleen maar somber. Het grote raam zonder gordijnen hielp ook niet veel. Op het noorden, misschien kwam het daardoor. Vroeger hingen hier wel gordijnen, dat wist ze zeker. Ze herinnerde zich het patroon nog, logo's van de nationale footballteams tegen een blauwe achtergrond. Hester had daar zeker een lap van gekocht toen Cub nog klein was, toen hij een kleine *linebacker* was met grootse dromen. Raar dat die gordijnen weg waren.

'Volgens pa kan die kast uit elkaar,' zei Cub. Hij klonk geïrriteerd. Hij voelde met zijn vingers langs de spleet tussen de bovenkant van de deuren en de kroonlijst. 'De boven- en onderkant zouden los kunnen. Dan past hij wel in de wagen.'

Dellarobia stond op en liep naar de bureaustoel, het minst gebruikte meubelstuk in deze kamer. In het begin van haar huwelijk had ze steeds moeten zeuren dat haar echtgenoot zijn huiswerk moest doen. Ze schoof de stoel naar de kast en ging erop staan om de kroonlijst te bekijken. Ze tuurde tussen die lijst en de muur. 'Geef mij eens een schroevendraaier,' zei ze op licht commanderende toon. 'Er zit een lange haak achter waarmee de bovenkant vastzit. Als we de kast een stukje van de muur schuiven, kunnen we erbij. Als jij Hester om een paar dekens vraagt, kunnen we de kast naar voren schuiven zonder krassen op de vloer te maken.'

Cub hees zijn broek omhoog en sjokte weg, blij met een duidelijke opdracht.

Zware wolken joegen verontrustend snel door de lucht. Nadat Cub en zijn vader de kast in de pick-up hadden gehesen, legden ze er een zeildoek overheen, en inderdaad: voordat ze bij de Mountain Fellowship waren, sloeg de ijskoude regen al tegen de voorruit. Op Highway Seven moesten ze een tijd wachten voordat ze linksaf konden slaan omdat hun een hele stoet tegenliggers met de lichten aan tegemoetkwam. Misschien een begrafenis, of anders was het misschien het weer. Het knipperlicht gaf onvermoeibaar tikkend te kennen wat de bedoeling was.

'We zouden Bear dat ding niet hebben moeten laten tillen,' zei Dellarobia. 'Ik dacht dat hij een hartverzakking kreeg toen jullie halverwege de trap waren.'

'Neu, da's een taaie hoor.' Cub liet zijn armen op het stuur rusten.

'Dat dacht je.' Dellarobia had het gezicht van de man gezien, tot het uiterste gespannen, met uitpuilende aderen en strakgespannen pezen in zijn hals. Hij had net een vastgebonden paard in een brandende stal geleken.

Toen ze eindelijk bij de kerk waren, reden ze volgens instructies van Hester achterom en liepen naar binnen, waar Blanchie Bise en twee andere vrouwen de gedoneerde kleding aan het sorteren waren. Ze hadden rompertjes en babypakjes over een klaptafel met stalen poten uitgespreid, waardoor Dellarobia moest denken aan de babyshower die deze dames van de kerk lang geleden voor Dellarobia hadden georganiseerd. Een soort combinatie van babyshower-bruiloft-welkomstfeestje voor de verloren dochter, waar niet veel mensen op af waren gekomen. Zo'n strategisch welkomstfeestje voor zwangere zondaars werkte kennelijk goed voor types als Crystal, maar Dellarobia had sindsdien een pesthekel aan deze ruimte van de kerk gekregen, die haar altijd weer hetzelfde posttraumatische gevoel van paniek en afwijzing wist te bezorgen. Nu bleef ze in de deuropening staan om dat gevoel – god, na al die jaren nog – weg te werken, terwijl Cub verderop een overdreven lange discussie voerde met Blanchie. Dit was weer zo'n dag waarop Dellarobia's verleden zich als een hongerige straathond in haar vastbeet. Eindelijk kwam Cub weer naar haar toe. Hoofdschuddend. 'Ze willen dat we hem naar de Voedselbank brengen. We kunnen de dozen hier laten, maar ze hebben geen zin om twee keer met die klerenkast te sjouwen.'

'Zit wat in,' zei Dellarobia. 'Is daar wel iemand om ons te helpen sjouwen?'

Cub draaide zich om en liep terug naar Blanchie, want dat was hij vergeten te vragen. Helaas, kreeg hij te horen; Beulah Rasberry was daar vandaag alleen. Beulah kon met haar tachtig jaar en haar magere armen geen meubels sjouwen. Blanchie belde haar zoon op zijn werk bij Cleary Compressors en vroeg hem of hij in de lunchpauze naar Feathertown kon komen om te helpen met de kast. Hij kon er over een uur zijn.

'We kunnen hier wel wachten,' zei Cub, en hij liep terug naar de wagen. Dellarobia liep om naar de andere kant en stapte ook in. Cub zakte lui onderuit en leunde met zijn hoofd achterover. Hij had nog nauwelijks iets gedaan en hij was alweer zo slap als een vaatdoek. Dellarobia trok het handschoenenkastje open, dat volgepropt zat met gereedschap, werkhandschoenen, servetten en een verfrommelde kartonnen beker met een dekseltje en een rietje. Ze moest de klep hard aandrukken om hem weer dicht te krijgen. Cubs ademhaling vertraagde en klonk als het suizende geluid van de branding. Ze benijdde haar man wel eens om zijn aan-uitknop. Het vooruitzicht hier een uur te moeten zitten zonder iets te doen, zelfs geen stom tijdschrift te kunnen lezen, kwam haar als onmogelijk voor. Ze keek op haar mobiel en zag dat ze een sms gemist had, waarschijnlijk toen ze bij Hester waren. Het was weer zo'n kerkspreuk die Dovey ergens had gezien: VERBODEN VRUCHTEN ROTTEN HET SNELST.

Klopt, dacht Dellarobia. En je verslikt je in de pit.

Ze deed haar telefoon dicht en gaf Cub een por. 'Zullen we naar de Dairy Prince gaan?'

Hij ging rechtop zitten en keek geschrokken. 'Echt?'

'Ik zei niet dat we een bank gaan beroven. De Dairy Prince. We zijn al in geen twee jaar meer uit eten geweest.'

'Echt?' vroeg hij opnieuw.

'Nou, ík in elk geval niet.' Ze keek veelbetekenend naar het handschoenenkastje. 'Laten we een milkshake of zo nemen. Ik betaal wel. Kom op, zeg eens ja. Laat je vrouw eens gek doen.'

Gehoorzaam startte hij de motor en schakelde naar de eerste versnelling. Onderweg kwamen ze langs het witte huis waar Dovey woonde, waarvan de tuin volledig in beslag werd genomen door de autoverzameling van haar broers. Daarna reden ze door de doodse Main Street naar het centrum van Feathertown. De Fellowship Mission had kunnen kiezen uit een hele rij leegstaande winkels voor hun liefdadigheidsactiviteiten. Dellarobia probeerde zich te herinneren wat er in de andere winkelpanden had gezeten. Een drogist, een ijzerwarenhandel, de cafetaria waar ze had gewerkt. De stoffenwinkel, waar haar moeder al haar spullen had gekocht. Een kleine kruidenierszaak van een man met maar één arm die altijd snoepjes uitdeelde aan de kinderen, waarschijnlijk omdat hij hoopte dat ze dan minder bang voor hem zouden zijn. Meneer Squire. De mensen gingen tegenwoordig naar de Walmart voor alles wat vroeger in die winkels werd verkocht. Zelfs de Dairy Prince zag eruit alsof hier een bom was ontploft, met een stuk board dat voor een van de ramen aan de voorkant was gespijkerd en op het ooglapje van een zeerover leek. Cub was zo galant om te gaan bestellen. De ijskoude regen zette nu echt door. Hij kwam terug met een milkshake voor haar en een hamburger met friet voor zichzelf. Door de verleidelijke vettige geur die de cabine vulde wenste ze dat ze nog iets gekker had gedaan. Ze pikte zo nu en dan een frietje van hem terwijl ze naar de voorruit keken, die steeds meer besloeg. De regen trommelde op het dak en isoleerde de metalen capsule waarin ze zaten van de rest van de wereld.

'Nou, hebben we toch weer eens een afspraakje,' zei ze. 'Precies zoals we zijn begonnen.'

'Niet echt,' mompelde Cub, die net een grote hap had genomen. Ze wachtte tot hij zijn mond leeg had gegeten, benieuwd naar wat er volgens hem dan was veranderd.

'Er zit een andere motor in,' merkte hij eindelijk op.

Ze slikte een te grote slok ijskoude milkshake door, wat pijn deed in haar keel. 'Is dat alles?' vroeg ze toen de pijn was weggetrokken. 'Elf jaar getrouwd, en dat is alles wat er is veranderd, een andere motor?'

Hij concentreerde zich op zijn eten. Ze pikte nog een paar frietjes van hem en staarde door de beslagen voorruit. Alsof ze staar had. De stromende regen spoelde langs het glas en belemmerde het zicht nog meer. Haar vader was niet oud geworden, maar hij had last van staar gehad, door een of andere verwonding waar ze nooit het fijne van had geweten.

'Dus over al dat andere praten we maar gewoon nooit?' vroeg ze.

'Welk andere?'

'Alles. Waarom we eraan begonnen zijn. Die arme baby.'

'Waarom zouden we? Die is weg.'

'Die is niet wég. Het is niet iets wat er nooit is geweest. Dat kind heeft echt bestaan, Cub.'

'Maar daarna niet meer. En we hebben er toch ook meer gekregen? Je moet niet te veel aan vroeger denken.'

Door een verandering in de intensiteit van de regen doemden bepaalde vage vormen op: de rode rechthoek van het uithangbord van de Dairy Prince, een donkergroene afvalbak. Ze dacht aan hoe dat beperkte zicht voor haar vader geweest moest zijn. Zien zonder te zien.

'Dat is niet het verleden,' zei ze. 'Alles is veranderd en dat hoort er nu nog steeds bij.'

'Hoe bedoel je?'

'Godallemachtig, Cub! We hadden een condoom moeten gebruiken en dat hebben we niet gedaan. Dat kun je niet meer ongedaan maken. Kijk nou eens naar je leven. Je hebt een huis, een vrouw, Preston en Cordie. En dat allemaal omdat je mij per ongeluk zwanger hebt gemaakt toen we nog op school zaten.'

Cub keek gekwetst. 'Je praat alsof we anders niet getrouwd hadden geweest.'

Ze knipperde. 'Cub, denk nou na. Alsof jij mij ten huwelijk had willen vragen voordat dat gebeurde.'

Hij keek weg, naar de vormen die opdoemden en verdwenen in de regenvlagen. Dellarobia kon zich de innerlijke wereld van haar man wel voorstellen, waarin gebeurtenissen zichzelf bevestigden. Hun huwelijk moest wel goed zijn, want huwelijken waren nu eenmaal goed. Zo was dat nu eenmaal.

'Ik waardeer het dat je je verantwoordelijkheid hebt genomen, echt,' zei ze. 'Ik had helemaal geen familie, en opeens had ik die van jou. Maar jij was er ook nog, Cub. Snap je wat ik bedoel? We hadden elk een andere toekomst voor de boeg. Dat kun je toch niet ontkennen.'

Cub drukte zijn duimen in zijn ooghoeken en zijn ademhaling werd onregelmatig. Ze kreeg een rotgevoel, alsof ze hem wreed met een stok zat te prikken. Ze moest hem gewoon met rust laten. Wat ze altijd had gedaan, hem gewoon met rust laten. 'Ik dacht echt dat ik zou gaan studeren,' zei ze zacht, op vlakke toon. 'Jij zou een leuk meisje krijgen en een gezin stichten. Waarom kunnen we daar niet eerlijk over zijn?'

'Maar nu houden wij van elkaar,' zei hij. 'Daar gaat het om.'

'Weet ik. Zo zeggen mensen dat. Je kunt jezelf ertoe zetten om van iemand te gaan houden, dat is ons heel goed gelukt. Maar er is nog meer in het leven, Cub.'

'Wat dan?'

'Ik weet niet. Respect? Dat kun je niet zomaar oproepen. Met het pistool op de borst van iemand eisen. Of zoiets. Dat moet je verdienen. Net als je salaris.'

'Ik heb respect voor jou,' zei hij.

'Weet ik. En je bent lief voor me. Maar het is nooit… ik weet niet hoe ik het moet zeggen.' Ze perste haar lippen op elkaar en schudde haar hoofd. 'Het is net alsof ik de hele tijd bij de brievenbus op een brief sta te wachten. Jij komt elke dag langs en dan stop je er iets anders in. Een steeksleutel, of een milkshake. Geen verkeerde dingen, alleen wel de verkeerde dingen voor míj.'

Cub zat nu voorover met zijn armen en zijn hoofd op het stuur, stil van verdriet, met schokkende schouders. Dellarobia was verbluft. Door zijn reactie werd het echt. Het zou gemakkelijker geweest zijn als ze thuis was gebleven en dit gesprek niet had gevoerd. Ze boog zich naar hem toe en omhelsde hem onhandig. 'Het spijt me,' zei ze. 'Ik ben dankbaar voor onze kinderen. Maar ik ben niet wat jij nodig hebt.'

Zonder zijn hoofd op te tillen zei hij: 'Je bent veranderd, Dellarobia. Dat komt door dat gedoe op de berg. Ik wou dat ze hier nooit heen gevlogen waren.'

'Dat is niet zo. Het is al veel eerder begonnen. Ik heb het je nooit verteld, maar ik ben daar op een dag naartoe gegaan voordat iemand van die vlinders wist en toen heb ik ze gezien.' Ze had het gevoel dat ze geen adem kreeg, alsof ze door de lucht viel. 'Ik wilde weglopen.'

Hij ging rechtop zitten, wierp haar een voorzichtige blik toe en reikte naar het handschoenenkastje om een van de fastfoodservetjes te pakken die daarin gepropt zaten. Ze pakte er zelf ook een en ze snoten tegelijk hun neus, als een gezellig stel.

'Dat wist ik al,' zei hij na een tijdje.

'Hè? Wát wist je?'

Cub keek haar recht aan, al leek hem dat meer moeite te kosten dan hij kon opbrengen. 'Mijn moeder was erachter gekomen, ik weet niet hoe. Ze zei dat je van plan was om jezelf van kant te maken.'

Dellarobia's hart bonsde in haar oren. 'Zei Hester dat? Wanneer?'

'Ik weet niet, een tijd geleden. Ze maakte zich er zorgen over.'

Er kantelde iets in haar wereld waardoor niets meer hetzelfde leek. De vreemde biecht van Hester, de gedienstigheid van Cub. Ze voelde zich als een blinde die naar de deur tast. 'Dat was het niet,' kon ze alleen maar uitbrengen. Ze zweeg, was zich bewust van de drempel waar ze nu op stond. 'Ik wilde mezelf helemaal niet van kant maken. Dat was wel in het nieuws, maar het is niet waar. Ik was van plan om weg te lopen uit ons huwelijk, op een nogal stomme manier. Sorry. Uiteindelijk heb ik dat niet gedaan. Onderweg daarheen kwam ik bij die... wat het ook maar was, die vlinders, en daardoor werd ik wakker geschud. Ik kreeg het gevoel dat ik weer naar beneden moest gaan en de juiste beslissing moest nemen.'

'Wat dan?' vroeg Cub, niet zozeer boos als wel ontzet.

'Dat weet ik ook niet,' zei ze. 'Daar probeer ik nog steeds achter te komen. Misschien om eindelijk eens iets om de juiste reden te doen. In plaats van weer iets verkeerd te doen wat ik niet meer ongedaan kan maken. Want zo is mijn leven tot nu toe, Cub. Ik fladder maar wat dom van het een naar het ander.'

'Je bent verliefd op hem.' Cub beweerde het, vroeg het niet, waardoor zij verlost werd van de verplichting antwoord te moeten geven. Nu keek hij wel kwaad en tuurde fronsend naar de voorruit. Ze wilde dat het nu eindelijk eens ophield met regenen. Het leek wel het einde der tijden.

'Iedereen maakt wel eens een fout,' zei ze na een tijd.

'Volgens jou hebben wij niks gedaan als fouten maken.'

Ze knikte. 'Een fout kan je leven kapotmaken. Maar daardoor ben je geworden wie je bent. Het hoort er allemaal bij.' Ze voelde een vreugdeloze lach door haar borst trekken. 'Weet je wat Hester een keer tegen me zei toen we met de schapen bezig waren? Dat het geen zin heeft om over je kudde te klagen, omdat die het resultaat is van al je keuzes uit het verleden.'

Cub knikte traag. Dat begreep hij wel. Hij legde zijn handen op het stuur. Zo dadelijk zou hij de motor starten en dan zouden ze gaan. 'Ik kan er niks aan doen,' zei hij. 'Ik wou nog steeds dat ze hier nooit neergestreken waren. Die vlinders.'

Jij niet en die vlinders zelf ook niet, dacht ze. Was het maar waar.

Dellarobia lag in het donker en probeerde haar man niet zijn diepe en rustige slaap te misgunnen. Het kón niet zo makkelijk zijn als het leek om Cub Turnbow te zijn. Ze waren niet meer teruggekomen op hun gesprek in de pick-up en waren weer teruggegleden in een dag die vreemd onaangetast leek. Ze hadden de kast afgeleverd, Cordie opgehaald, en daarbij was Cub goedmoedig als altijd.

Het verdriet dat ze hem had getoond was niet verdwenen. Het zou in de lucht blijven hangen als het aftandse spook dat het altijd was geweest, zou haar blijven achtervolgen bij zelfs de allergewoonste dagelijkse dingen, onder haar huid kruipen, altijd bij haar zijn. Zonder dat Cub het in de gaten had.

Maar toch was er iets dat met hen meeging naar binnen, iets waardoor ze tijdens het avondeten met de kinderen allebei van streek waren, iets wat de lucht in de slaapkamer verkilde. Hij had welterusten gezegd alsof ze vrienden waren die ieder hun eigen weg gingen, was op zijn zij gaan liggen en was als een blok in slaap gevallen, terwijl zij naar het duister staarde en de rivier van haar wanhoop in kleine stroompjes opsplitste tot sommige bevaarbaar leken. Soms voelde ze zich even licht en vrij, dan kreeg ze zicht op een ontsnapping zoals ze al veel vaker had gehad. Je eigen glazen ingooien, had ze ooit gedacht, kon een gevoel van verrukking geven. Dat teniet werd gedaan door de immense en niet-onbelangrijke beperkingen van het gezinsleven. Ze weigerde om de eerste te zijn die iets deed. Als Cub in staat was om nog eens elf jaar huwelijk te doorstaan na de ongezouten waarheid die ze hem had verteld, dan kon zij dat ook. Misschien wilde ze wel niet dat Hester gelijk kreeg wat haar karakter betrof. Onder andere. En misschien leek ze meer op Cub dan ze dacht, en wilde ze zich gewoon neerleggen bij hoe het nu eenmaal was gegaan. Het huwelijk had een eigen gewicht, dat moest gerespecteerd worden. Ze keek naar de strepen licht die langzaam door het rolgordijn kropen terwijl de dag de leegte van de nacht opvulde. De enige impuls waarvan ze wist dat hij zinloos was en die haar verlamde was naar het raam te gaan en naar buiten te kijken. Om te zien of zijn camper terug was.

Hij had niet gezegd hoelang hij weg zou blijven. Ze zou nog wel de tijd krijgen om zich elk gesprek met Ovid dat ze zich kon herinneren weer voor de geest te halen, zoals ze altijd deed. Van die bezigheid kreeg ze vaak een ellendig en stiekem gevoel, net zoals van het met viezige muntjes spelen onder in haar tas. Dan dacht ze aan alle opmerkingen die ze anders had moeten verwoorden, haar onbezonnenheid, ingegeven door Dovey, waardoor ze hem deze week van bekendheid had opgedrongen. Het was niet verkeerd van haar geweest om Tina mee te nemen naar het lab voor een interview, maar ze had hem wel tegen de rest in bescherming kunnen nemen. In plaats daarvan had ze dat filmpje beschouwd als een moedige daad van Ovid. Een bewijs van zijn integriteit, had ze hem vaak gezegd, waarbij ze hem geen andere mogelijkheid liet. Ze vermeed de gedachte aan de egoïstische ondertoon van haar enthousiasme; dat het filmpje haar vrijpleitte van alle verkeerde dingen die in haar naam gezegd waren, met haar gezicht erbij. Er was geen prachtig wonder, geen kleinsteeds drama waarin zij de rol van Vlindervenus speelde, ze had part noch deel aan die leugen. De vlinders waren een symptoom van immense biologische schade, alle leukere opties kon je wegstrepen. Ovid moest dat rechtzetten, of hij nu wilde of niet. Dat was wat Dellarobia op het juiste spoor hield: dat hij haar nodig had.

Ze wachtte tot de cijfers op de wekker naar 7.00 uur sprongen en stond op, zonder uit het raam te kijken. Pas toen ze beneden koffie had gezet, stond ze het zichzelf toe om het rolgordijntje van het keukenraam open te trekken, en zag niets. Alleen de rechthoek van zijn afwezigheid. Nadat ze de kinderen Cheerios met melk had gegeven en een tijdje naar hun geklets had geluisterd – Preston had zijn robotpyjama nog aan en Cordie zat met een dekentje over haar hoofd en kom – stond Dellarobia het zichzelf toe om nog eens te gaan kijken. En opnieuw werd ze pijnlijk geraakt door het verlies. Een leegte, een amputatie. Hij zou wel boos op haar zijn.

Na het ontbijt ging Preston op zijn tenen staan en drukte zijn brillenglazen bijna tegen het keukenraam om de monarchpaartjes te tellen die boven de achterwei dansten en zich overgaven aan het gezinsleven boven de vreedzame, drachtige kudde. Hij was vreselijk opgewonden: ze werden wakker! Ze probeerde daarin mee te gaan, maar dat lukte niet; ze stond naast haar zoon voor het raam alleen maar stompzinnig te wachten. Ze pakte de braadpan voor de lamsbout die Hester hun gisteren had meegegeven. Ze zou het vlees de hele middag laten sudderen en ze zouden er de rest van de week van kunnen eten. Normaal gesproken zou ze ook daar een blij gevoel van hebben gekregen, van die vreugdevolle overvloed. Ze schoof de gordijnen in de woonkamer open, verbluft door haar apathische stemming, die zelfs door de heldere lucht niet opklaarde. Ze had het gevoel dat ze opgesloten zat in een luchtdicht huis, een gevoel dat haar overbekend was, en ze vroeg zich af wanneer ze alle zuurstof zouden hebben verbruikt. Met werktuiglijke bewegingen stofzuigde ze de slaapkamer van de kinderen, daarna de woonkamer. Cordie klom op de bank en keek over de rugleuning; ze had in de gaten dat het vandaag vooral om de ramen draaide.

Na een tijdje wees ze naar buiten en zei: 'Mama, kijk. Mefouw.'

De mevrouw droeg een korte winterjas met daaronder een lange rok en liep langzaam en met een opgeheven prachtig en groot hoofd langs de kant van de weg. Dellarobia zette de stofzuiger uit en ging op haar knieën naast Cordie op de bank zitten. Ze kwam naar hen toe, een slanke, gracieuze dame, die daar als een fotomodel op de catwalk van dit landschap liep. Ze leek wel iemand uit zo'n programma waarin mensen de meest fantastische outfits maakten van zijden zakdoeken en paardenbloempluis. Het grote hoofd was gezichtsbedrog; ze had een blauwe hoofddoek om die op een ingewikkelde manier om haar hoofd was geknoopt. Een hoofd in cadeauverpakking. De rok met veel plooien en een blauwe print wapperde als een gordijn voor een ventilator. Ze liep over het grind tussen de weg en de berm in een dromerig tempo, haar hoofd een beetje naar achteren op haar lange, gebogen hals. Het leek alsof de tijd geen vat op haar had. Er kwamen geen auto's langs, het vee keek niet op. Haar huid had de bruine kleur van een winterse wei, haar gezicht was een mysterieuze zin tussen de komma's van haar lange gouden oorbellen: een volstrekt onmogelijke figuur om uit het raam te zien. Dellarobia en de beide kinderen keken met grote ogen naar haar terwijl ze zonder aarzelen langs hun huis naar de achterwei liep. Ze renden alle drie naar de slaapkamer, waar Cub nog lag te slapen, en verdrongen zich voor het raam. De camper was terug. Hij was daar verschenen terwijl Dellarobia aan het stofzuigen was. De mevrouw liep er kalm heen. De mevrouw opende de metalen deur en ging naar binnen.

Na een paar minuten stonden ze allebei voor de keukendeur. Ze was bijna even groot als Ovid, uit hetzelfde hout gesneden, lenig en een tint donkerder dan hij maar met een ander accent. Haar stem klonk diep, honingzoet, zorgvuldig en met medeklinkers die zo duidelijk waren dat je haar tong tegen haar tanden hoorde. Haar naam kende Dellarobia natuurlijk al.

Juliet. Emerson. 'Ja, ik weet het,' zei Juliet met een zangerige lach. 'Ovid en Juliet, Emerson Byron. Iedereen zegt dat we klinken als een examen Engelse poëzie.'

Wat dat examen ook mocht inhouden: het was niet de oorzaak van Dellarobia's wanhoop. Ovid was opeens heel spraakzaam. Hij was haar gisteren gaan afhalen van het vliegveld in Knoxville, maar alles was misgelopen. Dellarobia kon de opeenvolging van ongelukkige gebeurtenissen bijna niet meer volgen. Een technische storing, een gemiste aansluiting, hij was helemaal naar Atlanta gereden om haar daar op te halen en pas 's avonds teruggereden. Ze waren ergens in het noorden van Georgia gestopt en hadden overnacht op de parkeerplaats van een Walmart. Preston en Cordie stonden vlak bij hun moeder en staarden naar deze nieuwe Ovid die zijn arm om de Mevrouw had geslagen.

'Juliet houdt niet zo erg van lange ritten in de camper,' zei Ovid.

'Hindert niet, ik heb net een klein stukje gewandeld om de benen te strekken,' zei ze, helemaal niet ongelukkig en, vond Dellarobia, met benen die al lang genoeg waren. Terwijl ze praatte, liet ze haar oogleden een beetje zakken, niet op een verlegen manier, maar edelmoedig, alsof ze de aandacht op iets anders hoopte te richten dan op zichzelf. Wat gezien haar uiterlijk onwaarschijnlijk was. Zelfs haar gesloten ogen waren prachtig en enorm, als bronzen tulpenbollen. Haar hoofddoek had een print van pauwenveren en was op een onnavolgbare manier met haar krachtige haar vervlochten.

'Bent u al eens eerder in dit deel van het land geweest?' bedacht Dellarobia te vragen.

'Nee, ik ben opgegroeid in het Zuiden, maar dan het vlakke deel.

Mississippi. Ovid heeft me helemaal niet verteld hoe mooi het hier is.'

'Nou, wees welkom,' zei Dellarobia.

Ze vroegen waar ze die avond uit eten konden gaan. 'Mijn vrouw heeft me door,' zei Ovid. 'Mijn vuilnisbak zit vol lege blikken varkensvlees met bonen en daar heeft ze uit geconcludeerd dat ik totaal verwilderd ben.'

'Niet verwilderd,' zei Juliet, die zijn accent een beetje nadeed. 'Je gedraagt je alleen als een typische vrijgezel in de wildernis.'

De beschuldigde stond met zijn arm om het middel van zijn vrouw alsof hij niet van plan was haar ooit nog los te laten. Ze leken wel twee wilgen die waren getroffen door de bliksem en met elkaar waren versmolten. Dellarobia zei dat je in Feathertown alleen in de Dairy Prince kon eten en bekende dat eventuele andere mogelijkheden buiten haar gezichtsveld lagen. En ze deed wat ze volgens de gangbare gastvrijheid kon doen, nog afgezien van de Bijbelse voorschriften; ze wees op de grote lamsbout in de braadpan op het aanrecht, die groot genoeg was om de gasten op te onthalen. *Want daardoor hebben sommigen zonder het te weten engelen onderdak geboden*, hoewel engelen, wist ze nu, wel het een en ander overhoop konden halen.

Ovid en Juliet hadden elkaar in Mexico City ontmoet op een congres over monarchvlinders. Hij was daar als vertegenwoordiger van de wetenschap, zij van de kunst. Ze was zelf geen kunstenares, vertelde ze meteen met een wegwuivend gebaar van haar gladde, hoekige pols met armbanden die de aandacht trokken. Een folkloriste, noemde ze zich, een woord dat Dellarobia meteen associeerde met die beschilderde houten armbanden. Ze leken op speelgoed dat je ergens op zolder vond, relieken van het pre-plastic tijdperk. Juliet bestudeerde kunst die gemaakt was door mensen die zichzelf niet als kunstenaar beschouwden, eerst mensen uit Mississippi, daarna uit Afrika en tot slot uit Mexico voor haar promotieonderzoek. Ze bestudeerde decoratieve objecten die door de eeuwen heen waren gemaakt door mensen die in de buurt van de roestgebieden van de monarchen verbleven.

'Het zou je verbazen als je ziet wat de monarchen voor ze betekenen,' vertelde Juliet. 'Zelfs tegenwoordig nog. Sommige mensen geloven dat het de zielen van gestorven kinderen zijn.'

Dellarobia was verbijsterd door de plotselinge verbanden. 'Een vriendinnetje van Preston heeft me dat ook verteld. Zij en haar familie komen daarvandaan.'

Ze had het gevoel dat haar hersens kookten, zoveel gebeurde er in haar hoofd. Maar met vier volwassenen en twee kinderen aan haar keukentafel was er geen ruimte voor iets anders, dus sneed ze het vlees en legde de plakken op de borden, met aardappelen en wortelen en jus, vlug, zodat het niet koud werd. In andere tijden zou Cub hebben opgemerkt: 'Mijn vrouw was vroeger serveerster', niet om te plagen, maar met de eerbied die een os heeft voor de luchtvaart. Zijn vrouw kon drie borden tegelijk dragen. Wat een bodemloze leegte zou ze voelen als ze om zoiets zou worden bewonderd. Maar Cub zei vanavond nauwelijks iets. Ze zag in zijn ogen dat het een klein beetje tot hem begon door te dringen hoe verschrikkelijk ongelukkig ze was. Hoewel ze gisteren uitgebreid had geprobeerd alles uit te leggen, had hij daarvan waarschijnlijk maar één klein deel onthouden, namelijk dat hij haar teleurstelde. Hij was de hele dag druk bezig geweest met het timmeren van de lammerhokken en had zich in de lege stal met zijn hamer afgereageerd.

Juliet was die avond door de achterdeur binnengekomen in een strakke spijkerbroek met hoge schoenen en een oogverblindende wijde tuniek in oranje, gele en zwarte kleuren en met een gele hoofddoek die weer anders om haar hoofd zat dan de vorige en meer haar liet zien. Dellarobia's blik ging steeds weer naar de talloze glanzende vlechtjes, zoals ze ook de mooie voering van een jasje kon bewonderen dat veel werk geweest moest zijn. Ovid en Juliet gaven haar iets wat riesling heette in een gedraaide papieren verpakking. Het bleek een fles wijn te zijn. Ze verontschuldigden zich omdat het niet goed bij lamsvlees paste en Dellarobia verontschuldigde zich omdat ze niets had waarmee ze de fles kon openmaken, waarop Ovid een kurkentrekker ging halen uit zijn huis in de tuin. Cub nam niet van de riesling, maar Dellarobia wel, een klein beetje. Hun mooiste glazen waren van dik blauw plastic. Preston vroeg of hij mocht proeven, wat niet mocht, en wilde er toen aan ruiken. Hij snoof diep en enthousiast aan het glas, maar kermde van afschuw: 'Blèh!'

'Jullie vinden ons vast een stel holbewoners,' zei Dellarobia, al had ze zelf niet het gevoel dat ze een hol bewoonde. Meer dat ze van een klif gestapt was, gisteren in de pick-up van Cub, en nog steeds viel. Elk vertrouwd gevoel hoorde bij iemand anders, bij een vroegere bewoner. Dit huis was wat het was, Ovid had het gezien, en ze kon met geen mogelijkheid voorspellen wat Juliet zou bekoren of tegenstaan. Ze verzamelde dus schilderijtjes die oude mannen op afgekeurde cirkelzagen hadden gemaakt, wat klonk als iets wat Hester op een rommelmarkt zou kunnen kopen. Juliet was zes of zeven jaar ouder dan Dellarobia, had een opleiding gevolgd, had gevoel voor mode en nog veel meer kwaliteiten die Dellarobia waarschijnlijk niet eens allemaal kon onderscheiden. Alleen haar gezicht al verdiende eindeloze aandacht. Ze had een brede, expressieve en enigszins gespierde mond met lippen die wat naar buiten krulden als ze praatte. Ze lachte met haar kin vooruit, als iemand die in een koor zong. Cub was pas laat aan tafel gekomen met haar dat nog nat was van de douche en was totaal onvoorbereid op iemand als Juliet. Hij bekeek haar met zoveel aandacht dat het waarschijnlijk onfatsoenlijk en voor zijn doen beslist ongewoon was. Vanavond zapte hij niet, maar bleef afgestemd op kanaal Juliet.

Dellarobia ging zitten met het laatste bord en gaf te kennen dat ze konden beginnen. Ovid en Juliet maakten tevreden geluiden en vonden het echt lekker, dat hoorde ze. Het was moeilijk om een dergelijk enthousiasme voor een maaltijd te veinzen. Ze herinnerde zich zijn terloopse opmerking over de kookkunst van zijn vrouw die ze niet erg loyaal had gevonden, maar nu begreep ze dat als Juliet erbij was geweest ze er waarschijnlijk van harte mee zou hebben ingestemd en erom zou hebben gelachen. Juliet had wel iets belangrijkers te doen. Dellarobia moest opeens weer aan de breisters denken.

'Trouwens, wist je al dat er op de berg mensen zitten die doen waar jij het net over had? Ze breien vlinders.'

Juliet bespaarde haar een gênante onnodige uitweiding. Ze wist al van het bestaan van de breisters af, ze volgde hun blog en stond rechtstreeks met ze in contact. Ze wilde hun werk fotograferen en ze interviewen, maar ze had niet eerder kunnen komen omdat ze moest lesgeven.

'Juliet heeft nogal een zwaar lesprogramma,' zei Ovid. 'Ze is de pakezel van de faculteit.'

'Assistent-professor,' zei Juliet met een verre van ezelachtige glimlach. 'Niet zo'n ster als deze meneer.'

'Ze heeft binnenkort een sabbatical,' vertelde Ovid.

'Klopt. Dan zijn we voor het eerst in de zeven jaar dat we getrouwd zijn de hele winter samen.'

'Ik vraag me af of ze me wel zal kunnen verdragen,' zei Ovid, waar Juliet weer zo oogverblindend stralend om lachte. Verdragen zou ze hem zeker, zoveel was duidelijk.

Juliet wist dingen over de monarchen die haar man niet wist. Dellarobia vroeg of ze de naam King Billy's kende, wat het geval was. Ze zei dat die uit de koloniale tijd kwam. De protestantse kolonisten was het opgevallen dat de vlinders de koninklijke kleur van hun prins hadden, Willem van Oranje, die later koning van Engeland zou worden. De naam 'monarch' sloeg op dezelfde koning.

'Dat heb je mij nooit verteld,' zei Ovid tegen zijn vrouw.

Juliets ogen knipperden weer in slow motion. 'Je hebt het me nooit gevraagd.'

'Zie je wel, Dellarobia, dat is dus mijn strategie. Ik omring mezelf met knappe vrouwen.'

Ovid droeg een wijd, gekleurd overhemd dat leek op de tuniek van Juliet en dezelfde geborduurde strook stof had in plaats van knopen. Dellarobia had nooit kunnen denken dat hij zo'n soort hemd bezat. Net zoals de keer dat hij een stropdas om had gedaan voor de kleuters, was hij ook nu een andere Ovid van wie ze niets wist. Hij had ook een jonggestorven vader, Alcidus Byron. Juliet had hem nooit ontmoet, maar was wel goed bevriend met Ovids moeder, Raquida, een krachtige vrouw die aan het hoofd stond van de posterijen op het eiland St. Thomas. Ovids liefste bezigheid als kind was in zee dobberen en naar de zeeschildpadden kijken die van het zeegras graasden. Juliet was degene die daarover vertelde. Hij had haar vaak mee uit snorkelen genomen, voor het eerst tijdens hun huwelijksreis. 'Als je die dieren ziet, kun je je alleen maar gelukkig voelen. Die schildpaddenmond lijkt altijd te glimlachen.' Ze deed het voor, bewoog haar hoofd langzaam van de ene naar de andere kant, alsof ze zeegras at in plaats van aardappelen.

'Als ik jullie schapen zie, moet ik vaak aan die schildpadden denken,' bekende Ovid. 'Ik zal de schapen wel missen. Vooral die ondeugende op de berg.'

Dellarobia was verbluft. Ze had nooit gedacht dat Ovid ook maar een greintje aandacht voor hun schapen had. 'Dit is trouwens Reggie, die we nu eten. Een van die ondeugende bruine dames. Maar dat is misschien niet zo netjes om in beschaafd gezelschap te vertellen.'

'Op Reggie,' zei Juliet, en ze hield haar beker omhoog. Preston proostte met zijn plastic beker en liet Cordie haar sappakje omhooghouden. Iedereen had honger en ze zaten een tijdlang zwijgend te eten, zelfs Cordelia, en Dellarobia hoorde tot haar genoegen een tijdlang alleen het getik van het bestek op de borden. Ze genoot van het boterzacht gestoofde vlees van Reggie en dacht aan de grazige weide en de zonnige dagen van Reggies bestaan.

'Wij mogen dit jaar namen bedenken voor de lammetjes,' zei Preston. 'Omdat ze bij ons geboren worden.'

'Hoe gaan jullie ze noemen?' vroeg Juliet.

'Mama wil er eentje Tina Ultner noemen.'

'Oeps,' zei Dellarobia. 'Misschien moet je dat maar niet op school vertellen, Preston.'

Ovid leek het wel te kunnen waarderen. 'Denk je dat ze niet erg zwaar op de maag zal liggen?'

'Misschien moeten we haar alleen maar kaalscheren,' zei Dellarobia.

'Dat filmpje op internet is trouwens fantastisch,' zei Juliet. 'Heb jij dat opgenomen?'

Dellarobia was verbaasd. 'Nee, Dovey, een vriendin van me. Dus daar had je over gehoord?'

'Wat dacht jij dan? Ik had het al gezien voordat Ovid mij belde. Vrienden van ons in Canada hadden de link gestuurd. Mijn man is een stér!' Ze sloeg haar armen om hem heen en knuffelde hem als een kleine jongen. En zo grinnikte hij ook. 'Zal ik eerlijk zeggen wat ik ervan vond? Ik vond het de beste presentatie die hij in jaren heeft gegeven. Dat heb ik sinds donderdag al een keer of vijftig tegen hem gezegd.'

Dellarobia's verbazing kreeg een nieuwe dimensie.

'Hij is zo terughoudend, hij zet zijn lamp onder de korenmaat.' Juliet gaf hem een speels tikje onder de kin. 'Nu krijgt hij vast een medaille van de klimaatwetenschappers.'

'Het Purple Heart,' zei Ovid.

'Gelukkig hoefde je er niet voor te sneuvelen,' zei zijn vrouw. Ze toostten op Tina Ultner.

Dellarobia vroeg zich af wat Ovid haar had verteld over zijn eerste etentje aan deze tafel. Over haar hersenloze geklets, haar opsomming van feitjes over de monarchen, de testikelballon aan de tafellamp. Haar koortsachtige schaamte leek achteraf vrij tam vergeleken bij de treurige opeenvolging van misvattingen over Ovid en haarzelf die nog zou volgen. Haar beeld van Juliet als indringster kwam Dellarobia nu als bizar voor. Het was moeilijk om ook maar de geringste sympathie op te brengen voor de verscheidene dwazen die ze was geweest. In tegenstelling tot de dwaas die ze waarschijnlijk nu was. Mensen klampen zich daar uit alle macht aan vast, dacht ze: de dwaas die ze nu zijn.

Door het onderwerp klimaatverandering werd de stemming enigszins bedrukt. Ovid bekende dat ze nog niet wisten waar ze hun sabbatswinter zouden doorbrengen nu het monarchensysteem onder invloed van branden en overstromingen dreigde in te storten. Zijn leven werd nu bepaald door de grillen van een hels ecosysteem. Dellarobia keek toe terwijl Cub zijn bord uiterst nauwkeurig leegat en oogcontact vermeed. Het was niet alsof hij iets tegen dit gezelschap had, maar hij gedroeg zich alsof ze er niet eens waren. Als hij die avond ook maar één ding had gezegd, kon ze het zich niet herinneren. Het leek haar onwaarschijnlijk dat hij iets tegen Ovid en Juliet had; hij deed zoals gewoonlijk niet veel moeite om tactvol te zijn en had al de hele dag lopen somberen. Zijn nukkige bui was overduidelijk merkbaar, als een blauwe plek op het voorhoofd van een van de kinderen waar ze gewoonlijk haastig de verklaring voor gaf aan mensen die ze in de winkel tegenkwam. Maar nu zat ze er afstandelijk bij, alsof deze gigantische miserabele echtgenoot niet haar verantwoordelijkheid was. We zijn gewoon de dwazen die we nu zijn, dacht ze: een toestand die onvermijdelijk verandert, en vaak in ongunstige zin. In een verlicht moment, aangewakkerd door twee slokjes riesling, zag ze de zinloosheid van het zich vastklampen aan het reddingsvlot, aan het gevoel dat ze gered waren omdat ze al het een en ander hadden doorgemaakt, en kwam ze tot een helder inzicht. Het was het moeilijkste om los te laten, dat zag ze wel in. Maar er was geen reddingsvlot, ze was gewoon de hele tijd al aan het zwemmen.

Ovid was Juliet iets aan het uitleggen wat hij de theorie van de territoriumgrens noemde. Dellarobia realiseerde zich met enige verwarring dat dat háár theorie was, ook al gebruikte hij termen die ze niet kende: klimaatontkenning functioneerde voor sommige mensen als een soort volkskunst, redeneerde hij, een manier om overleving op hun eigen manier te definiëren. Maar het was niet inheems, bracht Juliet ertegenin. Eerder een soort cargocult. Van buitenaf ingevoerd, uit commerciële overwegingen, via de conservatieve media. Maar inmiddels werd het volledig geïdentificeerd met de iconen van de lokale cultuur, en stond het dus niet meer ter discussie.

'Waar het om gaat,' zei Juliet, die haar elleboog op tafel liet rusten, waarbij haar prachtige pols doorboog onder het gewicht van die houten armbanden, 'is dat als je het hebt over identiteit, je dat niet zomaar uit mensen kunt wegredeneren. Het verdwijnt niet door de minachting van buitenstaanders, het wordt er juist door verhevigd.'

Dellarobia was zich plotseling sterk bewust van haar echtgenoot en haar linoleum. 'Christus aan het kruis,' zei ze zonder enthousiasme. 'De oorlogsvlag op spatborden, wetenschappelijk onbenul. Dat zijn wij.'

'Die theorie zit me wel dwars, Dellarobia,' zei Ovid, 'maar ik kan niet zeggen dat je het mis hebt. Ik heb al een hoop wetenschappelijke artikelen over dit onderwerp gelezen, maar wat jij zegt is veel duidelijker.'

'Ja, inderdaad,' zei Juliet, 'daar gaat het juist om, dat buitenstaanders het niet snappen.' Ze keek naar Dellarobia en bewoog haar hoofd een beetje van de ene naar de andere kant als een soort geheim meisjessignaal, alsof ze samenspanden. Dellarobia had de neiging daar niet op in te gaan. Juliet ging voor de lol naar rommelmarkten. Ze had de koraalriffen gezien, die volgens Ovid overal ter wereld verbleekten en stierven. Preston zou er nooit een te zien krijgen. Ze kreeg zin om ergens mee te gooien, maar niet nu, niet in haar eigen keuken. Ze stond op om de tafel af te ruimen.

Cordie was onder het eten heel lief geweest, als haar shirt omhoogtrekken en met haar navel spelen voor lief door kon gaan. En gekookte aardappelen fijnknijpen in haar knuistje zodat de witte aardappelpuree tussen haar vingers uit kwam. 'Lief' was een eufemisme voor stil. Maar bij Cordie kon er altijd heel snel een omslag plaatsvinden, en nu was ze opeens onrustig en toe aan haar badje en haar bed. Cub tilde haar onder haar oksels uit de kinderstoel en ging weg, met nauwelijks een hoofdknikje ten afscheid. Preston kwam intussen juist goed op dreef. Zijn wetenschapsroes, noemde Dellarobia dat. Hij vroeg Byron naar de vliegende mieren, want hij wilde al wekenlang weten hoe dat nu precies zat met die mannetjes, vruchtbare vrouwtjes en werksters. Ovid legde uit dat de vruchtbare vrouwtjes mieren waren met complete lichaamsdelen.

Preston zette zijn ellebogen op tafel, liet zijn kin op zijn handen rusten en keek Ovid aan alsof hij zich afvroeg of hij een grapje maakte. 'Bedoel je met poten en een kop?'

'Ja, onder andere,' zei Ovid. 'Plus alle dingen aan de binnenkant. Zodat ze geen helpers nodig hebben om te functioneren, zoals werksters of soldaatmieren. Een vruchtbaar vrouwtje is een dame die in haar eentje een nieuwe kolonie kan stichten.'

Preston liet dit tot zich doordringen en dacht na. 'Wacht,' commandeerde hij en vloog de kamer uit.

'Mag ik alsjeblieft even van tafel?' riep Dellarobia hem na.

'Mag ik alsjeblieft even van tafel?' riep hij vanaf de andere kant van het huis, waarna hij weer kwam aanvliegen en glijdend op zijn sokken tot stilstand kwam. Hij liet een geel boek op tafel ploffen: *Dierenencyclopedie Deel 15*. 'Hier staat dat monarchvlinders in de winter naar Florida gaan.'

'Florida en de Golf van Mexico,' hielp Dellarobia. Ze had hem het stuk over de monarchvlinder al erg vaak voorgelezen, maar het ergerde haar dat het zo'n volstrekt incompleet verslag was.

Ovid pakte het boek, zocht op in welk jaar het was verschenen en knikte. 'Dit was het verhaal zoals dat in 1952 bekend was. De wetenschap was toen ook al nieuwsgierig naar de vlinders. Niemand wist precies waar ze 's winters heen gingen.'

'Klopt niet!' zei Juliet. 'De houthakkers in Michoacán wisten het wel.'

'Behalve de mensen in een berggebied in Mexico wist niemand het,' corrigeerde Ovid zichzelf. 'Maar daar in die bergen wisten ze weer niet waar ze 's zomers bleven.'

'Dat klopt,' zei Juliet. 'Ze dachten dat ze daar kwamen om te sterven.'

'Ha, met instemming van mijn vrouw kan ik dus zeggen dat toen dat boek werd geschreven het hele verhaal over de monarchvlinder nog niet bekend was.'

'Wanneer hebben ze dat ontdekt?' vroeg Preston.

Tot Dellarobia's verbazing was dat tijdens Ovids leven. Hij was iets ouder dan Preston nu toen er in 1976 melding werd gemaakt van de ontdekking in de *National Geographic*. Een Canadese wetenschapper had zijn hele leven geprobeerd het mysterie te doorgronden. Hij bedacht een stickertje dat op de vleugels bleef plakken en zocht vrijwilligers om hem te helpen ze te volgen. Hij raakte het spoor vele malen bijster. Tot hij op een dag in de winter, toen hij al een oude man was, op twee bibberige benen een berg in Michoacán beklom en iets zag wat voor hem een visioen van de hemel moet zijn geweest.

Dellarobia luisterde naar dit alles terwijl ze de restjes uit de braadpan schepte en in plastic doosjes in de koelkast zette. Ovid kende nu nog hele passages van het artikel uit zijn hoofd. *Een trillend tapijt van vlinders bedekte de grond.* Hij zei dat hij nog precies wist waar hij was toen hij dat artikel las, en hoe hij zich voelde. Ze liet de borden in de gootsteen staan en ging weer zitten.

'Waar was je dan?'

'Voor het postkantoor, ik zat op een kreeftenkrat. Daar zat ik hele zaterdagen. Ik mocht van mijn moeder de tijdschriften lezen voordat ze naar de abonnees gingen. Ik was zó onder de indruk van de foto's in dat artikel dat ik door Crown Street rende, helemaal naar West End en over een zandweggetje dat Fortuna heette naar de zee vloog. Onderweg moet ik ergens een stok hebben opgeraapt, want ik herinner me dat ik onderweg steeds opsprong om met die stok tegen de takken te slaan en een spoor van bladeren achter me liet. Toen ik bij de zee kwam, wist ik niet wat ik moest doen, dus gooide ik de stok in de Perseverancebaai en rende weer terug. Het was de gelukkigste dag van mijn leven.'

Dellarobia wilde natuurlijk weten waarom.

'Ja, waarom,' herhaalde hij peinzend. 'Ik was net als elke andere schooljongen. Ik dacht dat alles in de wereld al was ontdekt. Dat alles al in mijn schoolboeken stond. Allerlei saaie feiten waar ik van in slaap viel. Maar op die dag ontdekte ik dat de wereld nog leefde.'

Juliet reikte over de tafel naar de fles riesling en schonk iedereen nog eens in. Ovid tikte met zijn duim op het boek. 'Elk jaar worden de boeken opnieuw geschreven, Preston. Iemand moet dat doen.'

'De monarchen komen uit hun diapauze,' schoot Dellarobia te binnen.

'Ja, we hebben gezien dat ze aan gezinsleven deden,' zei Preston. 'Op stráát!'

'O, écht waar?' Ovid klonk overtuigend enthousiast. Maar Juliet onthulde dat hij dat al wist, dat hij het meteen had gezien toen ze die ochtend hierheen gereden waren. Volgens haar was hij daar enthousiaster over geweest dan over het weerzien met zijn vrouw.

Ze kon zoiets gemakkelijk zeggen, met veel enthousiasme over de excentrieke kenmerken van haar man. Dellarobia verbaasde zich er die avond niet meer over dat Ovid in een nieuw iemand veranderd was. Ze begreep dat hij, nu zijn vrouw erbij was, zichzelf was geworden. Met het gevoel alsof er iets heel zwaars op z'n plaats viel, zag ze in wat een echt huwelijk was. Niet iets wat ze jarenlang had afgewogen tegen verboden vruchten, niet iets wat ze zou kunnen kwijtraken door te vluchten, door op een schip te springen dat onder een vreemde vlag voer. Ze kon het niet verliezen. Ze had het nooit gehad.

Eerst Bear, dan Hester, daarna Cub en Dellarobia: ze besefte dat ze op deze bank precies zo zaten zoals ze later ook op het kerkhof zouden liggen volgens het begrafenisplan waar ze elf jaar geleden geld in hadden gestoken. Dat Bear hier samen met zijn vrouw in de kapel zat en niet in de Men's Fellowship zat te roken was iets bijzonders, waarschijnlijk onderdeel van de afspraken waar Hester het een tijdje geleden over had gehad. Meteen na de dienst zouden ze in het kantoor van Bobby Ogle de kwestie van het kapcontract bespreken. Nu Dellarobia van dat voornemen wist, zag ze overal aanwijzingen die daarop leken te duiden. Het koor zong: 'Deez' aarde is een tuin, de tuin van onze Heer, al waar Hij wandelt in de koelte van de middag.' Het kon toeval zijn. Maar het was ook mogelijk dat Bear in de val werd gelokt.

Cub zat naast Dellarobia en hield haar beide handen vast, niet op de terloopse manier waarop hij anders altijd beslag op haar legde, maar smekend, met zijn vingers strak door de hare. Het voelde alsof haar beide handen vastzaten in de spijlen van een smeedijzeren hek. Ze duldde die gevangenschap, want hier had de ingewikkelde keten van haar zonden haar gebracht. De verwijdering die ze de vorige avond van Cub had gevoeld, leek deze ochtend te zijn geëxplodeerd zodra de rolgordijnen omhoog waren. Door de aanblik van zijn ogen in de spiegel terwijl hij zijn tanden poetste, van die reusachtige verdrietige man in zijn boxershort, was haar maag ineengekrompen en had ze zich moeten wegdraaien van het licht. Deze ochtend was ze ertoe veroordeeld Cub te verdragen als een kater.

'Mijn Heer zei tegen mij, vind je mijn tuin mooi?' zongen de koorleden ernstig, waarbij hun vele mogelijke conflicten verborgen gingen onder de woorden van het lied. 'Je mag in deze tuin wonen, als je het gras groen houdt, dan keer ik terug in de koelte van de middag.' In zijn preek waarschuwde Bobby voor het verlies van dankbaarheid om het wonder van het leven. Als God in alles is, vroeg hij, hoe kunnen wij Hem dan neerhalen? Liefde voor onze Schepper betekent ook liefde voor Zijn Schepping. 'Begrijpen wij wel wat die liefde inhoudt?' Hij keek vorsend naar zijn toehoorders. 'In de Bijbel staat dat deze heuvelen van God zijn. Dat hoogmoed een zonde is. Is het geen hoogmoed om de oogst der schepping louter als onze rijkdom te beschouwen, als iets wat wij voor eigen gebruik mogen kaalplukken?' Dellarobia zag een mogelijke openingsaanval op Bear, hoewel het ook bedoeld kon zijn als metafoor voor mensen die schulden maakten op hun creditcard. De tering naar de nering zetten was een belangrijk thema van Bobby.

Het verbaasde haar dat Bobby sinds de vorige week zijn baard had laten staan, althans de omtrek van een baard: geen snor, alleen een donkere rand die de onderkant van zijn gezicht als een handvat omcirkelde en de ronde vorm ervan accentueerde. Hij zag eruit alsof hij zich vandaag richtte op de millenniumgeneratie, met zijn spijkerbroek, een lang donkerrood overhemd en simpele zwarte sneakers, van een goedkope soort die ze altijd voor haar kinderen kocht. De witte zolen lichtten op terwijl hij over het donkere podium heen en weer liep.

'Hij spreekt tot ons als wij Hem de kans geven. Arme sloebers die we zijn. Wij weten allemaal wat het betekent om krap bij kas te zitten. Wij komen uit het Zuiden. Wij maken onszelf wijs dat macaroni met kaas een groente is.' Bobby grinnikte om de weerklank die hij bij de donkere zaal vond. 'En we zijn Amerikanen.' Opnieuw instemming. Als Bobby sprak, hield hij vaak zijn handen met de handpalmen omhoog voor zich, en schepte lucht omhoog om zijn punt te benadrukken. 'Wij willen de dingen die we willen en we willen ze nu meteen. Maar dat is nog geen excuus om het ene gat met het andere te vullen.'

Oké, creditcardschulden dus, dacht Dellarobia, maar in zijn afsluitende gebed vroeg Bobby aan de Heer om ons de zegen van Zijn Schepping te laten voelen en die met anderen te delen. 'Mogen wij deze bergen bezien die Uw thuis zijn en U in alles herkennen. De aarde is de Heer in al Zijn volheid.' Het was dus toch nog voor meerdere uitleg vatbaar.

De rest van de familie ging na de dienst naar het kantoor van Bobby als een stel trage dieren die in tegengestelde richting door een kudde sjokten, maar Dellarobia maakte een omtrekkende beweging naar de zondagsschool om te kijken of daar nog wel iemand op de kinderen lette. Ze probeerde uit de buurt te blijven van Brenda's angstaanjagende moeder, maar Preston gooide roet in het eten door te vragen of ze kwam kijken naar wat hij had gemaakt van lego, samen met ene Chad of Jad, een oudere jongen die ze niet herkende. De jongen haalde constant zijn snotterige neus op en had zo te zien een zak Cheetos achter de kiezen. De oranje kruimels zaten als vingerafdrukpoeder op zijn handen, zijn kleren en de legosteentjes. Dellarobia nam zich voor om Preston goed schoon te schrobben voordat hij iets at en liep toen haastig naar Bobby's kantoor, waar de rest van de familie al was gaan zitten. Nog steeds in de kerkhofvolgorde, viel haar op, en ze vroeg zich af of er wel een plekje voor de baby gereserveerd was, de enige van de familie die al was begraven. Ze bleef even in de deuropening staan, onder de indruk van de hoge ramen achter Bobby's bureau. Die lieten heel wat meer van Gods heuvelen zien dan ze ooit vanuit haar huis te zien kreeg.

Toen ze in de lege stoel tegenover Bobby's brede eiken bureau ging zitten, merkte ze tot haar verbazing dat Cub aan het woord was. 'Je hebt het grondwater,' zei hij, waarbij hij de punten die hij noemde op zijn vingers aftelde, 'en de modderstromen. Dat is echt een feit, pa, die modderstromen. Ik kan je zo laten zien waar ze bij de Food King hebben gekapt, daar is de hele berg naar beneden gekomen. Door al die regen. Dus wat als we weer zo'n nat jaar krijgen?'

'Gebeurt niet,' zei Bear, volkomen zeker van zijn zaak.

'Nou, ze zeggen anders dat het wel zou kunnen,' zei Cub zacht.

Dellarobia merkte dat ze iets belangrijks had gemist. Cub was al bij vier vingers en Bear keek kwaad en op zijn hoede, alsof hij een stomp in zijn maag had gekregen. Hij had dit vast niet van de kant van zijn zoon verwacht.

'Dit is het enige wat hij moet doen,' zei Hester op besliste toon tegen Bobby. Ze boog zich naar voren en legde een stapeltje papieren op zijn bureau. Waarschijnlijk het contract voor de houtkap, al kwamen sommige pagina's zo te zien uit Hesters printer, want Dellarobia herkende de vreemde naar blauw neigende kleur van de zwarte inkt. Hester wachtte altijd te lang met het vervangen van de cartridge. Bobby bladerde langzaam door het stapeltje en bekeek alles eens goed terwijl Bear allerlei juridische termen oplepelde. 'Wanprestatie als de verbintenis niet wordt nagekomen', of woorden van gelijke strekking. Bears zwarte jasje vertoonde horizontale vouwen op de schouders, en de kraag van zijn witte overhemd sneed in zijn vlezige nek. Hij leek een beetje op een hond die te kort gehouden werd.

Cub bestudeerde zijn nagels. Hester keek vrijwel voortdurend naar de ingelijste foto op Bobby's bureau, waarschijnlijk omdat ze wilde dat haar gezin ook zo goed gelukt was. Het was een vrij oude foto, Winnie Ogle had een paardenstaart met een wokkel eromheen en hun kinderen, een tweeling, waren nog maar peuters. Dellarobia had die twee meisjes laatst nog gezien toen ze op het kinderdagverblijf hielpen, pre-pubers die allebei gebukt gingen onder te veel metaal rond hun gezicht: een beugel, een bril en ronde oorbellen. Maar wel lieve, verantwoordelijke meisjes. Dellarobia liet haar blik door het kantoor dwalen. Het was sober, net als Bobby, met een simpel kruis aan de muur en een kolossale bijbel op een lessenaar, zó'n zware dat je je tenen wel kon breken als je hem liet vallen. Hij had een minder indrukwekkende modernere versie op zijn bureau staan, zag ze, tussen twee merkwaardige aardewerken boekensteunen die op vuisten leken. Alsof een of andere superheld de Heilige Schrift probeerde uit te persen. Misschien dat een van de leden van het kerkgenootschap ze had gemaakt. Dat gold voor wel meer dingen in Bobby's kantoor, viel haar op: de Kleenex-doos ging schuil onder een soort roze gehaakte theemuts, en naast de agenda op zijn bureau stonden drie houten Wijzen uit het Oosten die paperclips, stiften en post-its droegen. Dellarobia wist niet goed of ze dat kitscherig of wel toepasselijk vond. Als de Heiland in deze tijd geboren was, zou hij post-its dan niet ontzettend handig vinden?

Na een tijdje legde Bobby de papieren weer op zijn bureau en vouwde zijn handen. 'Er staat niets in dat contract wat jou schade kan toebrengen,' zei hij. Hij keek Bear recht in zijn ogen. 'Hester heeft gelijk. Als je dat voorschot terugbetaalt, ben je ervan af. Ze heeft het uitgerekend op die spreadsheet. Je kunt die lening afbetalen met het extra geld dat jullie deze winter verdienen en de rest van de lening kan opnieuw gefinancierd worden. En ik zou ook de suggestie van je zoon overwegen om het deel van de machines die je niet echt nodig hebt te verkopen om de toekomst van je werkplaats te verzekeren. Er zijn mensen in ons kerkgenootschap die jou maar wat graag opdrachten zouden gunnen. Aannemers en zo.'

Dellarobia zag dat dit Bear niet lekker zat, want hij wilde niet dat zijn werk ook maar enigszins de zorg van deze kudde zou zijn. Bobby zag dat kennelijk ook en schakelde subtiel over naar een andere versnelling. 'Je financiële zorgen kunnen opgelost worden. Dat lijkt me duidelijk. Dat stuk land is waardevol voor je familie zoals het er nu bij ligt.'

Ze was onder de indruk van de vaardige manier waarop Bobby tussen de klippen door laveerde. Toch klonk hij nog steeds als iemand van de bank die je aanvraag voor een lening ging afwijzen:

overdreven goedgunstig, op een manier die doet vermoeden dat hij je elk ogenblik kon laten vallen. Bear zat op het puntje van zijn stoel met zijn grote handen op zijn knieën en zijn ellebogen naar buiten gedraaid, ineengehurkt alsof hij elk moment kon opvliegen, misschien zelfs kon aanvallen. Waarschijnlijk vond hij op dit moment alles aan Bobby Ogle om razend van te worden. Dat nieuwe baardje, zijn bankmanagerachtige manier van doen, de manier waarop hij Hester in zijn ban hield.

'Ik ben anders niet van plan om dat geld terug te betalen,' zei Bear. 'Niet zolang daar bomen staan die ook omgehakt kunnen worden. Met alle respect, Bobby, maar die zijn geld waard en ik ben degene die daarover gaat.'

Bobby knikte, leunde achterover en vouwde zijn handen achter zijn hoofd. 'Je bedoelt dat jij dat bos wil laten omkappen omdat die berg van jou is en omdat jij degene bent die erover beslist. En het is mijn taak om je te waarschuwen voor de zonde van de hoogmoed.'

Cubs hoofd schoot omhoog alsof iemand hem bij zijn kin had vastgegrepen. 'Dat is waar, pa. Als de mens inhalig is en naast zijn schoenen gaat lopen, dan moet hij daarvoor boeten. Dat heb je zelf gezien.'

'Je moet ervoor boeten met je gezondheid en je geestelijke rust,' stemde Hester in. 'Je hebt toch gehoord wat Cub zei over dat grondwater. Als je niet volgens de regels leeft die de Here God voor deze wereld heeft opgesteld, dan zullen die regels uiteindelijk toch worden toegepast.'

'Mijn naam staat ook op de eigendomsakte, pa. Het is het land van onze familie.'

'Dat land is ons met een doel nagelaten,' zei Hester. 'En volgens mij niet om er een vuilnisbelt van te maken.'

Bobby en Dellarobia keken elkaar even aan, als buitenstaanders in deze familietwist. Misschien zou de familie het net zo goed onderling hebben kunnen uitvechten, maar Bobby deed het waarschijnlijk altijd zo. Door de aanwezigheid van getuigen stond er meer op het spel. Niet alleen de dominee, maar ook de situatie, de bergen die door het raam zichtbaar waren, de reusachtige bijbel met vijftien kilo aan hogere wetten. En Bear in zijn zondagse pak, dat speelde een niet onaanzienlijke rol. Hij was ouder en kleiner hier dan thuis in zijn werkkleding en had niet de beschikking over de instrumenten van minachting die hij gewoonlijk ter hand nam. De gedachte kwam in Dellarobia op dat hij waarschijnlijk in dat pak begraven zou worden. Bobby drukte hem nu op het hart dat hij geen kracht moest putten uit het doorzetten van zijn zin. Zijn kracht kwam elders vandaan. Bear, die kennelijk aan het eind van zijn Latijn was, reageerde door Bobby een bomenknuffelaar te noemen.

Bobby keek geamuseerd. 'Nou, en wat ben jij dan, Burley, een bomenbokser? Wat heb je tegen de bomen van de Heer?'

In zekere zin verliep de bijeenkomst net als die nepworstelwedstrijden op tv, dacht Dellarobia, waarbij er opeens, zonder duidelijke redenen, een winnaar werd aangewezen. Bear was opeens verslagen, Bobby straalde en ging de familie voor in gebed. Hester groeide van bewondering en straalde voor het eerst iets uit wat op moederlijkheid leek, iets waar ze haar nog nooit eerder op had kunnen betrappen. Jammer dat het niet haar eigen zoon was maar Bobby die ze zo hoog hield, en ook jammer dat Bobby er niets van merkte. Zijn blik gleed al naar de grote geopende agenda op zijn bureau waarin de vakjes die de dagen aanduidden waren volgekrabbeld met notities in verschillende kleuren inkt. Of misschien vergiste ze zich wel en liet hij zich daar niet door afleiden. Waar ze zich niet in vergiste was het minzame schouderklopje dat hij Hester bij het weggaan gaf. Hij deed zijn best, dat wist ze wel. Bobby's kudde was behoeftig en zijn taken waren veelomvattend.

Dellarobia ging de kinderen halen en nam ze mee naar de verlaten parkeerplaats waar haar stationwagen en de rode pick-up van Bear als de twee honden van de familie naast elkaar stonden. Bear had zijn ene hand op het dak van zijn wagen en stond met zijn andere hand door de lucht te maaien terwijl hij tegen Cub praatte en hem onderhield over de werking van een of andere machine. Een kloofapparaat. Cub en zijn vader hadden na de overstromingen van de afgelopen winter het hout van de omgevallen bomen verkocht als haardhout. Bear legde Cub uit dat iemand die hij kende een kloofapparaat voor een appel en een ei verkocht omdat er iets aan moest gebeuren. Zo'n gek die liever iets wegdeed dan het repareerde. Bear stond met een pitbullstem over de aankoop te praten en zijn gezicht was nog steeds een duidelijke graadmeter van zijn bloeddruk. Dellarobia vermoedde dat het laatste woord over de houtkap op de berg waarschijnlijk nog niet was gezegd. Ze keek naar hen: de beschuldigende vader, de berouwvolle zoon, en de moeder die drie meter verderop haar kleinkinderen stond te negeren en zich concentreerde op het uit de knoop halen van de riem van haar gele tas. Wat wáren dat toch voor mensen?

Er werd besloten dat er direct naar dat kloofapparaat gekeken moest worden en dat Cub met Bear mee moest voor het geval Bear het ding meteen wilde kopen en Cub moest helpen sjouwen. Het adres was ergens in de buurt van Cleary en het had geen zin om eerst de vrouwen naar huis te brengen.

'Hester kan wel met mij meerijden,' zei Dellarobia tegen Cub. 'Dan kun jij met je vader mee.'

'Zal ik?' vroeg Cub. 'Volgens mij is hij nog steeds kwaad.'

'Doe maar een kogelvrij vest aan,' adviseerde ze. De laatste tijd waren ze eraan gewend geraakt om zo te praten terwijl Bear binnen redelijke afstand was. De oude man was doof geworden door zijn lawaaiige machines en door zijn minachting voor gehoorbescherming.

'Zal ik Preston meenemen?' vroeg Cub. 'Dan moet pa zich wel inhouden.'

'Tuurlijk, ga jij maar mee, Preston! Mannenwerk!' Ze deed met het oog op de anderen alsof hij het soort jongen was die dat leuk vond. 'Heb je zin om met papa en opa mee te gaan om die kloofmachine te gaan bekijken?'

Preston deed alsof ze hem had voorgesteld om naar een openbare executie te gaan. Hij liep langzaam naar de mannentruck en slofte zo dramatisch met zijn schoenen dat de neuzen over het asfalt schraapten.

'Het is vast leuk,' zei Dellarobia tegen hem, terwijl zijn zusje zich kronkelend uit haar autostoeltje probeerde te wurmen waar Dellarobia haar in vast probeerde te zetten. Hester had ook al hulp nodig bij het instappen aan de passagierskant, want ze keek afkeurend naar de driepuntsgordel, alsof die anders was dan alle andere. Als geworstel met baby's en schoonmoeders vrouwenaangelegenheden waren, dan zou ze graag willen dat iemand anders dat van haar overnam. Ze zuchtte en reed het parkeerterrein af en de weg op. 'Dat was wat vandaag,' zei ze tegen Hester. 'Die bijeenkomst bedoel ik. Je zult wel trots zijn op Cub. Ik in elk geval wel.'

Cordie viel vrijwel meteen in slaap in haar stoeltje, zoals Dellarobia al had verwacht. Op de opstandige bui van daarnet volgde zoals gewoonlijk een stilte na de storm. Hester keek een beetje dromerig, alsof zij ook bijna in slaap viel.

'Je hebt het nu zeker wel druk,' zei Dellarobia. 'Met de organisatie van de activiteiten op de berg. Dat wordt al een echte onderneming.'

Hester keek ondoorgrondelijk, maar dat was typisch Hester. De schijn van geluk moest koste wat het kost vermeden worden. Dellarobia dacht aan de kwestie die ze nog met haar moest bespreken, en dat kon ze beter nu meteen doen, voordat Cordie weer wakker was. Zo'n gevoelig onderwerp. 'Cub zei dat je mij een tijdje geleden op het nieuws had gezien,' begon ze.

'Jan en alleman heeft jou een tijdje geleden op het nieuws gezien,' antwoordde Hester.

'Ja. Nou, hij zei dat jij iets had gezegd over dat ik zelfmoord wilde plegen.'

Hester was opeens klaarwakker.

'Maak je geen zorgen,' haastte Dellarobia zich te zeggen. 'Ik wilde alleen maar even zeggen dat dat helemaal niet waar is. Er is wel een hoop gebeurd de laatste maanden, dat klopt. Maar dat dus niet. Je moet niet alles geloven wat ze op tv zeggen.'

'Maar je zei het zelf,' protesteerde Hester. 'Dat lieten ze zien.'

'Weet ik. Dat was een truc van die verslaggeefster. Ze hebben iets met die opname gedaan, gemonteerd denk ik. Oké? Dat wilde ik alleen maar even zeggen.'

Hester keek alsof ze het betwijfelde, maar zei niets.

'Je gelooft me niet? Denk je niet dat ik dat niet zelf het beste weet?' Dellarobia sprak met stemverheffing, maar hield zich in en keek in de achteruitkijkspiegel naar Cordie. 'Dat ik zelf niet het beste weet of ik mezelf van kant wilde maken of niet?'

'Misschien niet,' zei Hester, waar Dellarobia woedend van werd. Dat mens had een groot autoriteitsprobleem. Na een stilte voegde Hester eraan toe: 'En dan heb ik het niet alleen over de laatste paar maanden.'

'Wat bedoel je daar nou weer mee?'

Ze reden zwijgend door de buitenwijk van Feathertown, waar de vogeldrinkbakjes van cement waren geleegd en omgedraaid voor de winter. Eenzame honden lagen in kleine voortuinen naar hun ketting te staren. Dellarobia zag even voor zich dat ze tegen een boom zou rijden, alleen om haar schoonmoeder een hak te zetten. 'Kan je me na tien jaar nou niet eens eindelijk als familielid accepteren?' zei ze na een tijd. 'Wat zou jou er dan van hebben kunnen overtuigen dat ik van plan was om te blijven?'

'Dat was mijn zaak niet, om daarvan overtuigd te wezen.'

'Cub en ik zijn misschien niet perfect voor elkaar, dat wil ik best toegeven. Maar mensen kunnen zich aanpassen.'

'Alsof ik dat niet weet.'

Dellarobia lachte schamper. 'Jij en Bear? Jullie moesten je ook aanpassen?'

Hester kneep op een vreemde manier haar ogen tot spleetjes. 'Jij weet niet waar je over praat.'

'Oké, dat klopt,' bond Dellarobia in. 'Vertel het me maar, dan weet ik het wel.'

Hester deed niet wat ze vroeg. Ze stonden nu op Main Street, waar ze moesten wachten tot een kilometerslange rij baptisten het zebrapad voor hun kerk overgestoken was. Waar zouden al die geredde zieltjes naar op weg zijn? Vast naar een extra parkeerterrein.

'Ik weet alleen dat jij en Bear niet om dezelfde reden zijn getrouwd als wij. Jullie hebben een tijd geleden je dertigste bruiloft gevierd en Cub is nog geen dertig. Dus jullie waren al getrouwd voordat hij om de hoek kwam kijken.' Dellarobia wist alleen dat ze dertig jaar getrouwd waren omdat er iets over in het kerkblaadje had gestaan. Meer aandacht was er niet aan geschonken.

'Klopt,' zei Hester. 'Net als jullie. Voordat Preston werd geboren.'

'Ja, maar...' Ze zag een opening in de rij baptisten, maar ze wierp een steelse blik op Hesters gezicht. 'Wat, bedoel je dat jullie er ook een verloren hebben? Vóór Cub?'

Het zebrapad was eindelijk vrij, maar nu moesten ze wachten voor het enige stoplicht van Feathertown. Ze waren al bijna bij de Dairy Prince toen Hester antwoord gaf. 'Niet verloren. Afgestaan.'

'Jee... Jullie hebben een baby gekregen en laten adopteren? Waarom in 's hemelsnaam?'

'Daar had ik mijn redenen voor.'

'Goh, Hester. Mag ik vragen wat die redenen dan waren?'

'Bear zat toen in dienst.'

'Ja, dat zal niet makkelijk zijn geweest. Maar dan nog. Hij zou weer terugkomen.' Ze probeerde zich een jongere Hester voor te stellen die in haar eentje zat te wachten. Ze dacht aan de jaartallen en kwam opnieuw tot de conclusie dat er iets niet klopte. 'Jullie waren nog niet eens getrouwd, toen Bear in Vietnam zat.'

Ze reden langs het huis dat erom bekendstond dat er het hele jaar door een uitgebreide kerstversiering brandde. Daarnaast was – heel handig – de vrijwillige brandweer.

'Ik wist nog niet zeker of ik met hem wilde trouwen toen hij in dienst ging. Mijn ouders zeiden dat ik het maar moest doen. Hij had deze boerderij al. Snap je? Hij was er helemaal klaar voor. Maar ik dacht dat ik niet...'

'Dat je niet van hem hield,' zei Dellarobia. Ze knikte, en voelde haar sympathie bij elk woord stijgen.

'Nou,' zei Hester, 'ik wist het gewoon niet zeker. We hadden nauwelijks met elkaar gepraat, en hij was altijd zo afstandelijk. Ik wist niet of ik echt van hem zou houden of niet.'

Dellarobia lachte even. 'Jullie hadden zo te horen wel iets anders te doen dan praten. Als je een kleine op komst had.'

'Nee.'

'Hoe bedoel je, je was toch zwanger?'

'Ik bedoel dat wij het nog niet hadden gedaan.'

'Hè, hoe had je het dan voor elkaar gekregen?'

Het bleef ruim een kilometer lang stil. Dellarobia herhaalde in gedachten wat Hester had gezegd, dacht erover na, en wenste toen dat ze haar reactie daarop kon inslikken. 'Sorry,' zei ze. 'Je bedoelt dat je wel zwanger was, maar niet van Bear.'

Ze reden weer een kilometer zwijgend door. Dellarobia kreeg na deze ontboezemingen een heel vreemd gevoel, alsof de auto opeens naar een andere werkelijkheid getransporteerd was. Misschien had ze beter met Cub mee naar die houtklover kunnen gaan kijken. Ze wist niet goed of ze wel over de ruige kant van Hester wilde horen, over haar andere leven. Ze was vast een kanjer geweest met haar flair, haar handgemaakte modestatements en haar tomeloze energie. Bear moest smoorverliefd zijn geweest. Een enthousiaste leuke meid uit een vervallen stacaravan aan de achterkant van de berg. Een man met een boerderij met een stuk land. Dellarobia realiseerde zich opeens iets wat ze nooit had verwacht: ze had alle reden om Hester sympathiek te vinden. Oppervlakkig gezien leek het alsof Hester en zij hetzelfde hadden meegemaakt.

'Heb je ooit ontdekt wie de baby heeft geadopteerd?' vroeg ze zacht. 'En was het een jongen of een meisje?'

'Een jongen.'

'Weet Bear het?'

'Alleen dat het is gebeurd. Hij zei dat hij wel wilde trouwen als er nooit meer over gesproken werd. Degenen die hem hebben geadopteerd, hebben geloof ik nooit geweten wie ik was. Of anders hebben ze het meegenomen in hun graf.'

'Al die tijd. Goh. Hij moet nu dus al ergens in de dertig zijn?'

'Er was vroeger een tehuis voor ongehuwde moeders in Knoxville.'

'Ben je daar geweest?'

'Had ik moeten doen. Mijn moeder zei dat ik weg moest gaan,

maar ik was zo stom om naar mijn nicht Mary in Henshaw te gaan, die heeft de baby toen aan mensen van de kerk daar gegeven. Ik dacht alleen aan mezelf. Dat ik bij mijn vriendinnen en mijn moeder in de buurt wilde blijven.'

'En die andere jongen, wie het ook was? De vader.'

'Die is er allang niet meer. Dood.'

'Pff, wat erg. Dus toen is de baby in Henshaw gebleven?'

'Ja, ik dacht dus niet na. Een stad zou beter zijn geweest. Hier weet je maar nooit hoe of je iets steeds weer tegenkomt.'

'Nou, zeg dat wel. Ik heb maatpakken die mijn moeder twintig jaar geleden heeft gemaakt aan een rek in de Second Time Around zien hangen. En daar ben ik best trots op. Dat ze zo mooi gemaakt zijn.' Ze keek opzij naar Hester en hield op met haar gekwebbel. Die vrouw voelde zich ellendig.

'Gaat het wel, Hester?' vroeg ze na een tijdje. 'Heb je hem soms gezien? Woont hij hier in de buurt of zo? Weet hij wie jij bent?'

Ze schudde nadrukkelijk haar hoofd. 'Hij weet het niet, Bear ook niet. Ze mogen het niet te weten komen. En ik kan helemaal niks beginnen behalve me erbij neerleggen.'

Dellarobia keek nog eens in de achteruitkijkspiegel. Cordie sliep nog steeds. Wat je tijdens een ritje van vijftien kilometer allemaal niet te horen kon krijgen. Toen ze de bocht om kwamen en Hesters brievenbus in zicht kwam, slaakte Dellarobia een zucht van verlichting. Ze waren er. Einde verhaal.

'Een mens kan soms best op het idee komen om er een eind aan te maken,' zei Hester. 'Ik had je dit allemaal niet verteld als ik me geen zorgen om jou had gemaakt. Het is niet gemakkelijk om met zoiets te leven. En ouder worden helpt niks, Dellarobia. Misschien weet je dan niet meer of je tien minuten geleden je hogebloeddrukpilletje hebt ingenomen. Maar iets van dertig jaar geleden waar je nog steeds spijt van hebt, dat vergeet je nooit. Dat blijft je altijd achtervolgen.'

'Tjonge, Hester, wat een verhaal. Dat is niet niks. Je hebt een zoon gehad. En je hebt gedaan wat jou het beste leek. Hij heeft nu vast een heel goed leven, waar hij ook is.'

Ze reed de oprit in, langs de brievenbus en de afzichtelijke plantenbak die haar herinnerde aan haar onaardige gedrag van een tijd geleden. Wat ons verbindt, dacht Dellarobia, en ons immer bij zal blijven. Maar daar stonden Roy en Charlie op het erf te wachten, daar waren de door de kou verflenste planten in de borders, het huis met de kale ramen boven, werk aan de winkel, onenigheid die moest worden opgelost. Zo slecht had Hester het toch niet getroffen. En toen drong het met zo'n onverwachte helderheid tot haar door dat ze op de rem trapte.

'O lieve god, Hester. Het is Bobby.'

## 14

# Een nieuwe wereld

Onverhoeds zakte de temperatuur onder nul en veranderden de regendruppels in kristallen, die geluidloos in het donker vielen en Dellarobia de volgende ochtend overrompelden toen ze Roy door de voordeur naar buiten liet. Snééuw. Roy stoof als een wolf door de dikke witte laag, snuffelde aan bergjes en maakte een wirwar van sporen bij het haastig achterlaten van zijn gele merktekens op alle belangrijke plekken van het erf. De hondenversie van post-its.

Op de ceders in de voortuin van de Cooks lag een dikke laag sneeuw en de hulststruik was in ijs verpakt, zodat het geheel wel een plaatje op een kerstservies leek. De grote esdoorn op de grens tussen beide boerderijen was minder betoverend: die liet met gelijkmatige tussenpozen takken vallen op de oprit, bam, bam, als een boze dronkaard. Het sprak vanzelf dat er geen school was. Dovey belde om een uur of acht om te melden dat ze onderweg naar de Cash Club halverwege had moeten omkeren. Zoals zij het beschreef klonk het geglibber van de auto's over de grote weg als een slowmotionballet voor voertuigen.

'Dit is zo bizar!' zei Dovey. 'Wie heeft er nou ooit gehoord van zo'n soort winter?'

'Niemand,' antwoordde Dellarobia.

Ze werd telkens weer naar het raam getrokken. Alles zag er zo schoon en getransformeerd uit, als een nieuwe start. Alle bouwvallige aspecten van de huizen en schuren in de omgeving waren verdwenen onder witte daken tegen witte velden. De brievenbus had een witte toupet. IJspegels vormden een franjerand langs het dak, waarvan de gigantische laatste helaas op een verstopte goot duidde. Die was een meter lang en hing iets naar buiten gebogen als het kromzwaard van een filmschurk, gevaarlijk bungelend. De ijspegel van Damocles. 'Kijk uit dat je daar niet onderdoor loopt,' waarschuwde ze Preston.

Vanaf de bank wierp Preston haar een blik toe die zei: 'Geen denken aan.' Cordie en hij zaten in hun pyjama onder een deken op de bank genesteld tekenfilms te kijken. En hier hadden ze nota bene de hele winter op gewacht. Een sneeuwdag moest je ten volle benutten.

Dellarobia liep naar het keukenraam om aan de andere kant naar buiten te kijken terwijl ze warme chocolademelk maakte voor de kinderen. Ondanks het biologische verraad van deze sneeuw werd ze geraakt door de schoonheid ervan. Zelfs een modderige wei met schapenkeutels kon in een schone lei worden omgetoverd. Ze bewonderde de wit besneeuwde stekelrand van de heggen aan de rand van de wei en de manier waarop de stammen van de grote bomen van de grond afgesneden waren, zodat het leek alsof ze als olifantspoten op de sneeuw stonden en niet eronder wortelden. De bergen in de verte hadden de wazige, gebroken witte kleur van een pluchen beest waar veel mee is rondgesjouwd. De hele ochtend lang vroeg ze zich af of er vlinders zouden zijn die dit hadden overleefd. En ze vroeg zich nu ook af, op een andere manier dan op voorgaande dagen, met een ondubbelzinnig verdrietig gevoel, of Ovid de berg al op was om dat te onderzoeken. Ze had zich neergelegd bij het idee dat Ovid met Juliet getrouwd was; niet dat ze enige keus had, nu ze hun huwelijk hier in haar achtertuin beleefden. Bepaalde bouwvallige aspecten van Dellarobia zelf waren ook undercover gegaan, leek het wel, net als de met sneeuw bedekte schuren. Sommige defecten loerden nog, maar voorlopig leek het duidelijk welke kant ze op moest. Ze had plannen gemaakt.

Ze bleef naar de schapen staan kijken, die niet van hun stuk gebracht leken door de verblindende witheid, misschien gewapend door voorouderlijke herinneringen aan IJsland. Cub was die ochtend vroeg snel even naar de schuur gegaan om ze hooi te voeren en nu hadden ze zich over het witte land verspreid om rustig te herkauwen. Hun spitse poten braken door het bevroren oppervlak en ze sleepten dikke, drachtige buiken mee die merkwaardige afdrukken achterlieten in de sneeuw, als een met gaatjes doorboord spoor van een meegesleepte zandzak. De kleur van de wol stak scherp af, vooral die van de zwarte en de moorits. Zelfs de witte schapen leken in de hagelwitte sneeuw niet meer wit, maar geel; de kleur van echte tanden in plaats van een reclamegebit. De meeste schapen bleven staan, viel haar op, hoewel hun poten onzichtbaar waren. Maar er waren er toch een paar die waren gaan liggen in kleine kommen van sneeuw waar ze onbewogen uitrustten in de schittering van een nieuw soort dag. Hoog op de heuvel lag een koolzwart schaap op een vreemde manier met de neus in de lucht. Als een zeehond met een bal op zijn neus: diezelfde kleur en houding, de neus recht naar boven.

'Cub!' riep Dellarobia. 'Kom eens.'

Cub kwam op zijn sokken aansloffen, gewillig en zonder haast. Hij zat samen met de kinderen tekenfilms te kijken. 'Wat is er?'

'Kijk eens even naar die ooi bij het hek. Die zwarte die haar nek zo raar strekt. Zie je die?'

Na een tijdje zag Cub haar ook.

'Volgens mij gaat ze werpen.'

'Dat is nog te vroeg,' zei Cub.

'Ik weet het, maar ze doet zo raar.' Terwijl ze stonden te kijken, krabbelde het schaap overeind en schudde de sneeuw van haar wol; zelfs van een afstand was dat een indrukwekkend gespierde siddering. Ze draaide een paar keer in een kringetje rond als een hond die zich voorbereidt om te gaan liggen en zakte toen weer neer. Opnieuw stak ze met een wijde boog haar neus in de lucht, als een circuszeehond. Als een oefenvideo voor veegymnastiek. Hoe je het ook bekeek, een ongebruikelijke beweging.

'Dat is te vroeg,' zei Cub nog eens. 'En het is daarbuiten verrekte koud.'

Dellarobia liet ongeduldig haar adem tussen haar lippen door ontsnappen. 'Ik vraag ook niet of het gelégen komt.' Ze zette het gas onder de pan met melk uit, die was aangebrand toen ze niet oplette. 'Maak jij dan maar warme chocolademelk voor de kinderen en geef ze ontbijt. Ik ga erheen.'

Ze rende naar boven om warme en waterdichte kleren aan te doen en haar laarzen aan te trekken en zag dat Cub haar aanwijzingen negeerde en was teruggegaan om naar de Backyardigans te kijken met een deken om alles behalve zijn gezicht geslagen, net als de kinderen. Dellarobia stampte de achterdeur uit en stond opnieuw versteld van de vernieuwde wereld. Het was abnormaal stil buiten, alsof het geluid zelf ook bedekt was met een deken die het had gesmoord. Dat zou wel door een of andere geluidsabsorberende eigenschap van sneeuw komen, nam ze aan. Onder haar schoenen klonk geknerp. Ze beklom de heuvel met een bocht, want rechtstreeks was onmogelijk, had ze gemerkt nadat ze verschillende keren was uitgegleden en op haar knieën terechtgekomen. Ze zette haar voeten dwars op de helling en maakte brede zigzagbewegingen door de wei omhoog.

De zwarte ooi bleek, toen Dellarobia hoog genoeg was, nog steeds op dezelfde plek te liggen. Aan de wentelingen die ze zo te zien in de sneeuw had gemaakt, was ze al een flinke tijd bezig met wat het ook was wat ze aan het doen was. Ze keek glazig en verveeld voor zich uit en leek niet verbaasd over Dellarobia's plotselinge verschijning.

'Wat is hier aan de hand, dame?'

De zwarte dame draaide haar neus opzij om Dellarobia met de horizontale pupil van één amberkleurig oog te bekijken. Haar adem wolkte in snelle, zichtbare stootjes de lucht in.

'Je maakt me niet blij, weet je dat?'

Na een minuut of twee, drie begon Dellarobia zich belachelijk te voelen. De ooi liet een flinke boer horen die van diep kwam en begon aan de tweede kauwronde van haar ontbijt. Normaler kon niet voor een schaap. Dellarobia deed tien stappen achteruit de heuvel af en toen nog eens tien, voor het geval het schaap haar voor de gek hield. Ze had Hester moeten bellen voor advies. De kou beving Dellarobia nu ze stilstond en joeg hevige rillingen door haar heen waar haar tanden van gingen klapperen. 'Had je dit niet even in de schuur kunnen doen?' vroeg ze.

Het schaap deed niets waar ze iets aan had. Het stopte zelfs met herkauwen. Dellarobia's blik gleed de berg op in de richting van het witte bos, de takken die doorbogen onder de zware sneeuwvracht, en de glinsterende, in ijs verpakte twijgen die glazen rietjes leken. Dit was geen land voor insecten. Het werkelijke verdriet van de dag overspoelde haar in golven, als braakneigingen, en botste met haar aanvankelijk goede humeur. Je kon het weer niet eens uitzonderlijk noemen. Waarschijnlijk was er ook niet zoiets in deze bizarre nieuwe wereld. Drie dagen geleden was het nog tien graden Celcius geweest. De voorjaarslucht van modder stond haar nog levendig bij. Ze had zo zeker geweten dat de winter voorbij was en dat ze het hadden gehaald. Zelfs Ovid dacht dat, aan het einde van de diapauze. Vanaf het punt waar ze stond in de besneeuwde wei zag ze een spoor van voetstappen vanuit Ovids camper naar het hek lopen. Hij was dus inderdaad al daarboven, misschien zij allebei wel. Zijn vrouw zou hem steun kunnen bieden bij zijn verdriet. De weg was nu een beschaduwde laan, versmald tot een tunnel door de besneeuwde overhangende takken.

Dellarobia zag ook de wirwar van diersporen die vaag zichtbaar waren op de heuvel: herten, konijnen. Vreemd om te bedenken hoe weinig ze eigenlijk maar wisten van alle bewegingen die hier plaatsvonden. De ooi trok weer haar aandacht met een vreemde, hoge grom en stak haar neus opnieuw in de lucht. Ze was aan de kleine kant, deze ooi; misschien was het de eerste keer voor haar. Waarschijnlijk had ze geen flauw benul en schoot ze in de paniekstand omdat het voelde alsof er een vrachtwagen op haar buik en blaas geparkeerd stond. Dellarobia wist nog precies hoe het voelde. Het schaap stond op, rilde, deed een paar stappen naar voren en floep, daar viel iets uit haar achterste. Een zwarte, natte substantie, die eigenlijk meer stroomde dan viel. Vruchtwater of bloed. Dellarobia voelde de bloedvaten in haar borst samentrekken toen ze de heuvel weer op stoof, terwijl ze de grootste moeite deed om zich de tekst te herinneren uit het boek over diergeneeskunde dat Preston en zij de laatste tijd niet meer ingekeken hadden. Vruchtwaterzak, placenta. Ze zakte op haar knieën in de sneeuw en schreeuwde het uit toen ze een lam zag. Zwart, merkwaardig plat in de sneeuw, niet bewegend in zijn doorzichtige zak: een minischapenkindje. De ooi liep erbij weg en snuffelde in de sneeuw, op zoek naar iets te grazen.

Dellarobia holde glibberend en schreeuwend om Cub de heuvel af in een rechtstreekse baan naar de achterdeur. Tot haar verbazing verscheen hij daar. Ze zat op haar koude achterste te hijgen, nog een meter of vijftien van het huis vandaan. 'Kom naar boven!' gilde ze. 'Haal die emmer met de noodspullen uit de schuur. Nee, pak handdoeken en warm water. Neem die warme melk mee van het fornuis.'

'Wat is er aan de hand?' vroeg hij.

'Jezus, Cub, doe het nou maar gewoon.' Ze liet zich op haar knieën rollen en klom het glibberige pad weer op dat ze zelf net had aangedrukt. Een perfecte sleeroute. Zonder ook maar overeind te komen bereikte ze het plasje lam weer en schold de moeder uit, die nu ongeïnteresseerd stond te kauwen op een afstandje van het ding dat heus niets met haar te maken had. Dellarobia gooide haar wanten uit en voelde aan het zwarte wezentje. De warmte ervan schokte haar; het was de temperatuur van de plek waar het een minuut geleden uit was komen glijden. Ze deed haar wollen sjaal af en boende het lam uit het melkwitte vlies en maakte daarna de oogjes en neusgaten schoon, maar ademen deed het niet. Het hing slap als een doek en toen ze het optilde, bungelden zijn pootjes slap onder hem. Dellarobia kneep haar ogen stijf dicht zodat de tranen erin niet zouden bevriezen. Het leek wel een speelgoedbeest, met die grote Yoda-oren en die perfect gevormde pootjes, die prille hoefjes en die glanzende zwarte krulletjes van zijn vacht. Ze had nooit gedacht dat Cub zo snel kon zijn. Luid puffend kwam hij haastig zijwaarts de heuvel op met keukendoeken over zijn schouder geslagen en een aluminium pannetje dat hij aan de steel vasthield. De melk. Als door een wonder wist hij daarmee overeind te blijven. Ze holde hem de laatste paar passen tegemoet om de pan en de handdoeken over te nemen. De melk was nog warm.

Welke andere man zou ooit zonder vragen precies doen wat ze hem opdroeg? Ze werd overspoeld door liefde en verdriet en nostalgie voor deze verbondenheid die nog niet eens tot haar verleden hoorde, terwijl ze een handdoek in de warme melk doopte en zag dat Cub het lam ontdekte. Ze zag zijn gezicht openvallen als een handschoenenkastje waarin hulpeloosheid en verdriet zaten gepropt. Misschien verloor ze de moed wel weer. Zo ging het altijd.

'Ik weet het niet, Cub, ik weet het niet,' zei ze steeds maar. Hester had voorspeld dat ze dit niet zou kunnen. Ze wreef het met krulletjes overdekte lijfje, boende hard, zoals ze de kinderen na hun bad opwreef, en warmde het lijkje met de doorweekte handdoek en haar eigen ademhaling. Ze blies in de vochtige neus en drukte op de buik om te voelen of er leven in zat, maar voelde helemaal niets. Het kopje hing slap, geen spoor van weerstand te bekennen. Het lijfje begon al koud te worden.

'Wáág het niet dood te gaan. Verdómme!' Ze draaide een droge handdoek om de glibberige achterpootjes om meer grip te hebben en strompelde overeind. 'Oké,' zei ze tegen Cub. 'Kijk uit en ga even naar achteren.' Ze stampte om zich heen de sneeuw plat, ging wijdbeens staan en begon te draaien; eerst aarzelend maar steeds sneller slingerde ze het lam rond. Bij de derde omwenteling zwierde het als een meisjespaardenstaart in een zweefmolen en voelde ze hoe ze zowat gelanceerd werd. Het geringe gewicht trok aan haar armen terwijl ze draaide en draaide en zich nauwelijks bewust was van haar eigen stem die een ritmische serie verwensingen uitstootte: 'Adem, godverdomme, kom op, adem!'

Toen ze op de grond viel, wankelde de wereld op zijn grondvesten. De takken van het bos achter haar slingerden donkerzwart en bemost. De zon die erachter opkwam was van een kristallen helderheid die achter en tussen de glazen takken door opdook en tevoorschijn danste.

'Jezus, wat moest dat voorstellen?' vroeg Cub na een tijdje. Of misschien hoorde ze nu pas wat hij vroeg. Hij zat naast haar op zijn knieën. Ze ging rechtop zitten.

'Hier, hou het tegen je huid. Om het op te warmen.'

Cub ritste zijn jack los en stopte het lam onder zijn sweater. Zijn gezicht vertrok even bij de aanraking met het koude slijm, maar hij bleef het diertje daar vasthouden.

'O, jezus, Cub. Waar zijn de kinderen?'

'Niks aan de hand. Het fornuis staat uit en ze zitten veilig voor de tv.'

'Heb je gezegd dat ze daar moeten blijven zitten? Zat Cordie iets te eten?'

'Niks aan de hand,' zei hij nog eens.

Dellarobia liet zich achterover in de sneeuw vallen. Een sneeuwengel in afwachting van toestemming van deze idiote wereld om te mogen landen. Even later ging ze weer zitten.

'Laat hem eens zien,' zei ze. Hij haalde het slappe geval tevoorschijn en ze hield het dicht bij haar gezicht om goed te kunnen kijken. 'Het hartje klopt, Cub. Ik zweer het.' Haast onmerkbaar flakkerde er heel even een hartslag door de vochtige bocht van het buikje tegen haar koude hand. Geen spierspanning, geen knippering van oogleden, geen teken van leven, maar wel die hartslag. Ze stak haar wijsvinger in het keeltje en schepte er taai slijm uit dat de nauwe, ribbelige schacht van het keeltje volledig verstopte. Ze voelde het schuurpapieren oppervlak van de tong. Heel zwak voelde ze het trekken aan haar vinger, zuigen. Dellarobia stootte een luide kreet uit die zowel voor pijn als voor een lach door zou kunnen gaan. Ze bond de achterpootjes opnieuw in de handdoek en stond op om het nog eens rond te zwieren.

Dit keer gilden ze er allebei bij, Cub om haar te smeken ermee op te houden. Maar dat deed ze niet, ook al voelde dit rondslingeren als moorddadig voor een moeder die wiebelige babynekjes had ondersteund en zachte fontanelletjes met haar handen had bedekt. Het eindeloos ronddraaien en slingeren van dat kleintje gaf haar een roekeloos gevoel tot ze haar evenwicht weer verloor. Hijgend lag ze op de grond. Cub keek zowel woedend als diep ongerust en vooral ervan overtuigd dat ze gek was geworden.

'Ga Hester bellen,' zei ze. 'Vraag haar wat je moet doen als een pasgeboren lam niet ademt.'

'Jezus, Dellarobia, waar ben je mee bezig?'

'Ik wéét niet waar ik mee bezig ben. Ga nou!' gilde ze.

Cub vluchtte weg. Dellarobia begon het lijfje weer te masseren en zag dat het een vrouwtje was. Ze stopte het onder haar trui en ging weer liggen tot de ergste duizeligheid voorbij was. Het leek niet onwaarschijnlijk dat ze vandaag iets zou vermoorden. Ze ging zitten en hield het in het kommetje van haar handen om het te bekijken. Heel zwak bewoog het – het bewóóg – en kwam het smalle kopje een beetje omhoog, waarbij de buitenmodel oren scheef hingen. Ze luisterde aan het buikje en hoorde heel zwak een ademhaling, niet piepend als bij kroep, maar verstopt, als bij een verkoudheid. Ze blies in de neusgaten, drukte nog eens op het buikje, nog eens, aangespoord door het vermoeden van een ademhaling. Ze wreef en masseerde en hield het warm tot Cub terugkwam en naast haar neerzeeg.

'Ma zegt dat als er geen teken van leven is als het eruit komt, dat het dan dood is.'

'En om dat te vertellen kom je helemaal hierheen.'

'Dat zei ze. Ze zegt dat je het bij de moeder in het stro in de schuur moet leggen. Als je het een tijdje dood bij de ooi laat liggen, schijnt dat goed te zijn.'

Dellarobia keek hem boos aan. 'Voor wie?'

'Sorry, geen idee.' Cub nam weer zijn toevlucht tot het vertrouwde terrein van wroeging en tekortschieten, zijn bestaansvoorwaarden, bekrachtigd door het huwelijk. Hij kon uit elk aanwezig materiaal een nederlaag boetseren als toevluchtsoord, maar deze keer weigerde Dellarobia daarin mee te gaan. Zij ging door. Ze kon het nog niet opgeven. De dood accepteren, ja, dat had ze gedaan, maar dit was een ander verhaal: er leven in brengen. Geen vaarwel maar een welkom schreeuwen; alsjeblíéft. Ze masseerde de zwarte krulletjesvacht tot haar eigen knokkels er roodgloeiend tegen afstaken, en toen ze even stopte probeerde het lam zijn kopje weer op te tillen. Het deed de oogjes open en keek. Het leven was aangekomen. Dellarobia begon te huilen, met gierende uithalen.

'Wat moeten we nu doen?' bleef Cub maar vragen.

Het warm krijgen, het tot drinken bewegen, zorgen dat de moeder het accepteert. Ze gaf Cub opdracht voederkorrels te halen en de moeder naar de schuur te brengen, terwijl zij het lam in huis opwarmde. Ze zouden die stomme ooi nu meteen melken, want de biest was van levensbelang. De darmen van een pasgeboren lam staan maar een paar uur open voor het ontvangen van de antilichamen van de moeder, had ze ergens gelezen. Ergens hadden ze nog wel een fles. Maar in plaats van op te springen bleef Dellarobia als een vuist om het lam gebald zitten, met Cubs armen zo strak om haar heen dat ze nauwelijks adem kon halen. De snikken in zijn omvangrijke borst teisterden hen allebei als het tegenspartelen van een angstig dier. Zij snikte ook, om niets, leek het. Het was allemaal vergankelijk, de rechte witte hoeken van huis en haard, alles. Dit ene kleine leven betekende niets op de lange termijn, het zou worden opgegeten.

'Het was niet allemaal voor niets,' zei ze steeds maar, terwijl ze hem vast bleef houden. Sommige dingen hadden ze wel goed gedaan, dat wist ze zeker. De kinderen. En om al het andere huilden ze, een versmolten rouwklacht die bodemloos voelde. Om de jaren van dingen die niet hadden bestaan, vluchtfantasieën zonder vlucht. Niets anders eigenlijk dan weglopen op je eigen twee voeten. Ze voelde de tranen bevriezen op haar gezicht.

'Hoe weet je zoiets nou?' bleef hij maar vragen. Ze vertelde hem dat ze nooit zeker wist hoe ze iets wist. Lezen, feitjes opslaan, of gewoon gokken, als dat de enige keus was. Preston en zij hadden gelezen over het rondzwieren van een pasgeboren lam. Maar nooit van haar leven had ze verwacht dat ze dat ook ooit een keer echt zou doen. Veel dingen lijken onmogelijk als je ze nog nooit hebt gedaan.

Ze maakte zich los uit zijn armen om haar man in de ogen te kunnen kijken. 'Dit gaat ons allemaal doodsbang maken,' zei ze. 'Jou en mij. Maar we zullen het toch moeten doen.'

'Misschien,' zei hij.

'Niet misschien, Cub. Echt.'

Ze wisten overeind te komen en schuifelden langs de glibberige helling naar beneden om elk hun eigen taak uit te voeren. Met haar jas om het lam heen geslagen volgde Dellarobia het hek, zodat ze zich ergens aan vast kon houden. Ze dacht aan alle keren dat ze met Cub langs dit hek had gelopen en kamperfoelie en doornstruiken had uitgetrokken om het te kunnen repareren. Maar het onkruid was er nog steeds, dat was duidelijk te zien. Het groeide overal om de wei heen en kronkelde om het prikkeldraad, de paaltjes en de kale bomen. Met zijn glazige, in ijs gehulde stengels leek het onkruid, dat zijn seizoenen lange heimelijke groei in een plotselinge onthulling van ontzagwekkende, kille schoonheid toonde, steviger dan het hek zelf.

Ze voelde Prestons hand in de hare glijden terwijl ze bij het fornuis pannenkoeken stond te bakken. Ze had besloten het hem vandaag te vertellen, voor de bus kwam, en niet morgen op zijn verjaardag. Ze dacht dat hij nog in bed lag en schrok dus van de koude hand. Haar hart sloeg over van de ogen die ernstig naar de hare opkeken. 'Wat is er, schatje?'

Hij trok aan haar hand. Ze zette het vuur uit en volgde hem naar zijn slaapkamer, waar Cordie rustig ademend in haar kinderbedje lag te slapen. Ze knielde naast Preston neer op zijn onopgemaakte bed en keek uit het raam om te zien wat hij zag: een afgesplitste vlinderkolonie in de dode perzikboomgaard van de buren.

Ze wist wat het was, ondanks het feit dat ze het niet had verwacht. Ovid had haar gewaarschuwd dat ze op zoiets bedacht moest zijn, hoe onwaarschijnlijk het ook was, maar niet dáár, in die miezerige jonge boompjes waarvan de toppen nu naar beneden bogen als Charlie Browns kerstboom. En waarvan de takken nu overdekt waren met helderoranje. 'Jemig, Preston,' zei ze; ze keek hem met open mond aan en kroop van het bed af. 'Moet je zien hoeveel het er zijn. Trek je laarzen en je jas aan, dan gaan we kijken.'

'De wederopstanding en het leven' schoot maar steeds door haar hoofd, een vanzelfsprekend risico met dat soort woorden, terwijl ze Preston in dikke lagen wol inpakte en ze samen het erf over knerpten. De boompjes leken weer tot leven te zijn gekomen, weder opgestaan. Ingepakt in de zieltjes van dode kinderen. Het was geen gemakkelijke wandeltocht door de wei. Preston moest zich aan haar vastklampen bij het stampen door dikke lagen smeltende, instortende sneeuw. Soms zakten ze er helemaal door tot aan de zwarte, doorweekte grond die als ondiepe plasjes onder in hun voetafdrukken bleef staan. Waar moest dat allemaal heen als het zou smelten? Maar de diepe sneeuw bleef liggen en het wit ervan verblindde hen ook nu weer, zelfs in de ochtendschemering.

Nog oogverblindender waren de monarchen. Hier, in het open landschap zonder de camouflage van het bos, zonder dat ze zich ergens achter konden verschuilen, leek het alsof een andere wereld deze had aangeraakt en oranje had afgegeven. Ze kon geen schatting maken van het aantal vlinders in deze trossen; misschien waren het er een paar duizend. Ze was nog steeds niet erg goed in schatten. Het was geen miljoen, dat wist ze wel, en als dit de enig overgeblevene waren, dan was dat niet genoeg. Er was een grotere genenpool nodig om ze te laten voortbestaan. En de dood zat ze nog steeds op de hielen, zag ze aan de donkere spikkels van lijkjes waarmee de besneeuwde grond bestrooid was als aardappelpuree met peper. Misschien waren dit mannetjes die al hadden gepaard, die hun DNA al hadden doorgegeven. Ovid had haar foto's laten zien van afgesplitste kolonies in Mexico waar de vlinders in maart wegvlogen van hun roestplaats en zich verzamelden in de dalen en voorafgaand aan hun vertrek neerdaalden op daken en heggen en akkers met uitgedroogde maisstengels. In theorie betekende dit dat ze klaar waren om weg te gaan. In de tot nu toe bekende wereld betekende het dat in elk geval.

Preston had zijn kussen van het uitstapje met de klas meegenomen, zodat ze op de sneeuw in de dode perzikboomgaard konden gaan zitten kijken naar de vlinders. Dellarobia had een regenjas meegenomen om op te zitten. Ze kozen een plekje onder een kleine boom hoog op de heuvel, van waaruit ze zowel boven als onder zich vlinders zagen. Ze had zichzelf nooit toegestaan zich hier een voorstelling van te maken. Na de sneeuwstorm van dinsdag had

Ovid haar verteld dat ze nog steeds in de bomen zaten, een paar miljoen vlinders, vastgevroren aan de takken onder een deken van sneeuw. Waarschijnlijk zouden ze loslaten als het ging dooien, als een afgeworpen huid. De afgelopen twee dagen was hij bezig geweest met het inpakken van het lab en dat voelde alsof hij een huis leeghaalde na een sterfgeval in de familie. Beslissen wat je wilde houden, wat je weg zou geven. Dat ze dit zouden overleven was onmogelijk, zei hij, gezien de sterfte onder al die sneeuw. Je had een massa variatie en mislukkingen en herstel nodig, minimaal een miljoen stuks, dacht hij, om genoeg te hebben voor de overleving van een soort. En de dieren die twee aan twee Noachs ark op gingen dan, had ze gevraagd, en hij had gezegd dat die na het verlaten van die boot al na een stuk of twee misvormde generaties zouden zijn uitgestorven door inteelt. Zijn bitterheid was begrijpelijk. Terwijl ze zijn laboratorium onttakelden, bemerkte Dellarobia bij hem leegte waar eens verwondering was geweest. Ze zag een inktzwarte toekomst voor zich. In een heel korte tijd had hij haar beroofd van levenslange illusies die ze nu al miste. De ark van Noach en betere tijden in het verschiet. Ze merkte dat ze nog steeds duimde voor dit splintergroepje dat van de onveilige berg naar beneden was gekomen om neer te strijken in een zieke boomgaard.

Ze waren zo prachtig, dat was het. Het moeilijkst was het om niet toe te geven aan het troostrijke gevoel dat ze boden. Preston en zij keken omhoog naar hun sprietige vlinderboompje. De meeste vleugels waren nog roerloos, maar een paar gingen er langzaam open toen de stralen van de zon arriveerden. Een week geleden had ze de zon om zeven uur zien opkomen en vandaag was hij al veel vroeger. Dellarobia kreeg pijn in haar buik van de snelheid waarmee alles ging. Vandaag was de dag. Elke dag was de dag.

'Mama,' zei Preston met een zenuwachtig stemmetje. 'Missen we de bus zo niet?'

'Als we hem missen, dan missen we hem maar. Dan breng ik je wel. Juf Rose vindt het heus niet erg als je een keertje te laat komt. Je bent morgen jarig!'

Preston leek in het geheel niet overtuigd. Dellarobia voelde zich wanhopig worden bij het idee dat haar wereldse macht nu al werd afgetroefd door die van juf Rose. Ze gaf het nog niet op.

'We blijven hier gewoon zitten en dan roepen we als hij langsrijdt naar de kinderen: "Toedeloe, sukkels!"' Ze riep het hard, tegen niemand, maar haar zoon schaamde zich zichtbaar voor haar. Ze kietelde hem en hij verstrakte, maar ontspande meteen daarna en begon eindelijk te lachen.

Nog meer vlinders klapten hun zeiltjes open en dronken het licht in. Ze leken hier donkerder dan in het bos, een dieper oranje, eerder rood. Veranderlijk in het licht. Ze zag dat er veel meer vlinders aan de oostkant van de bomen zaten, waar het eerste zonlicht viel, ook al waren de vlinders hier waarschijnlijk gisteravond pas gekomen. Voor zieltjes van dode kinderen waren ze niet slecht in vooruitzien. Ze dacht aan Josefina's handjes die bij haar borst vandaan fladderden. En het kleine zwarte lam dat knipperend zijn oogjes opende, zijn eerste adem haalde en haar de hare benam. Ze hadden de moeder zover gekregen dat ze het had geaccepteerd, nadat Dellarobia het zware werk had gedaan. Preston gaf het nog steeds elke dag een paar flesjes als extraatje. Hij wist dat ze er nog niet waren.

'Ik moet je nog wat vertellen.'

Zijn blije verwachting leek zo volkomen dat ze vanbinnen iets voelde knappen. Als een bloempot die buiten was blijven staan in de vrieskou, net zoiets doms dat je vergeten was. Pas later herkende ze het als hoop, net op het moment dat het woord zelf buiten haar bereik wegzweefde, als een hoofdpijn die je had genegeerd en die weer voorbij was gegaan. Ze keek naar beneden, naar alle sneeuwbultjes waar het smeltwater doorheen stroomde, een miniatuurriviertje in een bos van witte, kegelvormige, besneeuwde onkruidplanten die op minidennenboompjes leken. Een miniatuurwereld die wegsmolt.

'Eigenlijk heb ik meer dan één nieuwtje,' zei ze. 'Eén is niet leuk, dus daar beginnen we maar mee, dan zijn we ervan af. Het tweede is fantastisch, dat is je cadeau, een dag te vroeg. En het derde is...

ik weet het niet. Nogal schokkend. Ben je er klaar voor?'

Hij knikte ernstig, waardoor de rode pompon op zijn wollen muts mee wipte. Zijn pony werd lang en kwam onder de voorkant van zijn muts uit.

'Weet je nog wat Josefina zei over de monarchvlinders? Dat baby's als ze doodgaan in een vlinder veranderen?'

Er verscheen een frons op zijn voorhoofd. 'Is dat echt waar?'

'Nee, dat is maar een verhaaltje dat mensen hebben verzonnen om zichzelf te troosten. Wat ik je wil vertellen is dat een daarvan van ons is. Wij hebben een baby'tje gehad dat dood is gegaan.'

Hij keek haar doordringend aan. 'Waar is dat dan?'

Dat was typisch Preston, meteen de gps-coördinaten willen weten. 'Op het kerkhof,' zei ze. 'Daar is zijn grafje, zonder steen. Maar weet je, Preston, dat was jouw broer. Hij kwam eerst, lang voor jou. Dus dat hoor je te weten.'

Beneden op de weg begonnen er auto's langs te komen. Mensen die naar hun werk gingen, hun leven weer opstartten. Preston keek ernstig, maar niet echt verdrietig. Waarschijnlijk trok hij die ernstige blik voor haar, besefte ze. Dit was niet zijn verdriet.

'Weet je nog dat ik je elk jaar het verhaal vertel van de dag dat je werd geboren? Hoe we naar het ziekenhuis gingen en alles? En soms vertel ik je dan nog iets, toch? Hoe ik aan het stofzuigen was onder het bed en min of meer vast kwam te zitten en papa moest roepen omdat mijn vliezen waren gebroken?'

Hij knikte.

'Morgen vertel ik die verhalen weer. Dan eten we taart en zo, samen met papa en Cordie, als je thuiskomt uit school. Maar ik wilde je ook vertellen over de baby die vóór jou kwam, want als die er niet was gekomen en weer was weggegaan, was er ook geen Preston geweest. Hij heeft de weg voorbereid bij papa en mij, zodat ik jou later in mijn buik kreeg en jij op je verjaardag werd geboren. Snap je?'

'Niet echt,' zei hij.

'Ik weet het. Dat heb je soms. Maar je hoeft er niet verdrietig over te zijn. Ik vertel je gewoon het hele verhaal. Er zijn zoveel mensen die niet meer leven, zoals mijn papa en mama en die kleine baby, die allemaal meegeholpen hebben om jou hier te krijgen. De andere baby heeft ons een cadeau gegeven en dat was jij.'

Preston ontweek haar blik.

'Tadaaa! En daar was Preston!' Ze wist hem een piepklein lachje te ontlokken. 'Oké, en nu dan de fantastische verrassing, je grote cadeau van mij. Ik bedacht opeens dat ik het je vandaag al wil geven, een dag te vroeg. Ik heb het nog niet ingepakt. Het zit in mijn jaszak. Pak maar.'

Ze hield haar zak voor hem open. Hij keek haar sceptisch aan en stak zijn hand met handschoen langzaam in het binnenste van haar zak, alsof er iets met hondsdolheid in zou kunnen zitten.

'Wow! Een podgeval!' gilde hij en hij hield het gladde tabletachtige dingetje dicht bij zijn gezicht. Hij trok een van zijn wanten met zijn tanden uit en liet meteen zijn kennis van zaken zien waarvoor Dellarobia een halfuur les van Dovey nodig had gehad: hoe hij hem aan moest zetten, de icoontjes op het scherm moest aanraken, over het scherm moest vegen om de plaatjes te bewegen. Hoe je in de rivier van kennis moest hengelen om je eigen vis eruit te halen.

'Het heeft een toetsenbordje,' zei ze, 'zodat je je eigen zoekwoorden in kunt typen.' Maar dat wist hij ook al. Ze kon zich niet voorstellen dat er kinderen op school waren die zo'n ding al hadden. De maandelijkse kosten zouden haar grootste uitgave worden na de huur.

'Is hij echt voor mij?' vroeg hij.

'Gedeeltelijk. Ik bewaar hem voor je als je op school bent en als je thuis bent is hij van jou. Je eigen computer. Je kunt zo vaak je wilt op internet. Binnen redelijke grenzen. Maar als hij overgaat moet je hem aan mij geven, want het is ook mijn nieuwe telefoon.'

'Is je oude kapot dan?' vroeg hij. Hij had hem koud negentig seconden en nu werd hij al vrekkig. Ze lachte.

'Geef hier, ouwe stinker. Ik heb drie maanden moeten sparen om jou online te krijgen, maar we zullen wel moeten delen.' Hij overhandigde de telefoon met een goedmoedige grijns, het soort kind dat al donders goed wist dat je niets voor niets krijgt.

'En verrassing nummer drie,' zei ze. 'Ik heb een nieuwe telefoon nodig, omdat we gaan verhuizen.'

'Verhuizen? Waaaa! Echt niet.'

'Echt wel. We krijgen een flat in Cleary met tante Dovey. We hebben hem al bekeken. Er is een slaapkamer voor haar en een voor Cordie en mij en een soort serreachtige kamer die helemaal voor jou is. Je krijgt een speciaal soort bed dat overdag een bank is en 's nachts een bed. En nu komt de grootste schok van je leven. Ben je er klaar voor?'

Hij knikte aarzelend.

'Ik ga studeren. In de herfst zitten we samen op school. In Cleary. Dan kunnen we samen ons huiswerk doen.'

'Op dezelfde school?'

'Nee. Een andere. Dat zie je vanzelf wel. Dr. Byron is zo ongelofelijk aardig geweest om met de professoren van CCC te gaan praten. Hij is echt een superheld. Ze hebben een baan en alles voor me geregeld. Ik ben er een keer geweest toen jij op school zat.'

'En wat word je dan?'

'Ik ga in een lab werken, net als nu, alleen niet in een schuur. Het is een werkstudie. Ze betalen me en intussen kan ik studeren. Het verdient niet zo heel veel, dus ik zal ook nog wel wat anders moeten doen, in een restaurant werken of zo. Dat zien we nog wel. We zullen wel vaak bonen met rijst gaan eten, denk ik.'

'Net als bij Josefina thuis?' vroeg hij geïnteresseerd.

'Eh, ja,' zei ze verbaasd, want ze had het niet letterlijk bedoeld. Hoppa, weer een item van de lijst van de gelofte van Akins waar ze zich niet meer druk om zou hoeven maken. Als die lijst de aanstormende toekomst was, zoals hij had verklaard, waren haar kinderen haar al een heel stuk voor. Talent voor zuinigheid: aanwezig.

'Maar wat wórd je dan?' vroeg Preston.

'Bedoel je "als ik groot ben"? Dat weet ik nog niet. Er is te veel keus. Misschien dierenarts. Zodat mensen zestig dollar betalen om me alleen maar uit mijn auto te zien stappen.'

Preston keek haar met zijn tong onder zijn onderlip aan, beducht op voordegekhouderij. Ze kon hem geen ongelijk geven gezien het palet aan ongeloofwaardigheden dat ze hem zojuist had voorgeschoteld.

'Oké, serieus?' vroeg ze. 'Een soort wetenschapper, denk ik. Net als jij. Wij zijn uit hetzelfde hout gesneden.'

'Blijf je dan nog wel mijn mama?'

'Zeker weten. Je kunt me niet ontslaan.'

Prestons stem zakte naar een ander niveau toen hij iets nieuws bedacht. 'Waar slaapt papa dan in de flat?'

'Papa blijft hier. Cordie en jij gaan af en toe bij hem op bezoek.'

Preston keek naar haar alsof ze gek was geworden.

'Nee, niet op bezoek, dat bedoel ik niet. Jullie wonen hier ook, dit blijft jullie huis. In het weekend en na school. En dan kun je opa en oma nog heel vaak zien. En de lammetjes.'

'En is het dan ook nog jouw huis?'

'Nee, ik woon in de flat. En jullie zijn nu eens hier en dan weer daar. Jullie gaan migreren, net als de vlinders. Van afwisseling word je sterk. En als Cordie en jij dan groot zijn, kunnen jullie alles aan.' Dit was wel wat te hoog gegrepen voor hem, besefte ze. Maar van de andere kant, het was wel Preston. En hij vond het maar niets. Hij had nog steeds zijn ene want uit en begon met zijn duim heen en weer te wrijven over de ribbels van zijn bruine broek, wat een ritsend geluid maakte.

'Waarom moet je in een flat gaan wonen?' zei hij. 'Papa vermoordt je, als je niet uitkijkt.'

'Wat zeg je nou? Je papa doet nog geen vlieg kwaad. Hij weet dit allemaal al en hij vindt het prima.'

'Waarom?' hield Preston vol, zonder haar aan te kijken. Steeds weer haalde hij zijn duim over zijn ribfluwelen knie waarbij hij dat geluid maakte, alsof hij op een instrument tokkelde. Ze kwam sterk in de verleiding om een 'er liggen betere dagen in het verschiet'-verhaal te verzinnen. Maar iedereen dacht altijd maar dat kinderen de waarheid niet wilden horen. Daar begon het allemaal mee: het oneindige verhaal.

'Dat zal ik je vertellen,' zei ze. 'Dat papa en ik getrouwd zijn was eigenlijk een beetje een ongelukje.'

Prestons wenkbrauwen hoekten omhoog, bezorgdheid gecombineerd met onwaarschijnlijke wroeging. Met dat gezicht en het haar dat voor zijn bril was gezakt leek hij precies op zijn vader. Dat was zo gruwelijk. Die wetten van de biologie. Dat gezicht zou haar blijven achtervolgen. Ze bedacht dat het eigenlijk ook geen gelukkige woordkeuze was: 'een ongelukje'. Hij zou autowrakken voor zich zien of kleuters die in hun broek hadden geplast.

'Het was ook weer geen ramp, liefje, dat is het hem nou net. Papa en ik hebben jou gemaakt en Cordie. Expres, omdat we dat zo graag wilden. Dat gedeelte was dus juist heel goed.'

'En die dode.'

'Ja,' zei ze, blij verrast dat het al bij hem opkwam om dat broertje te claimen, die dode. In gedachten draafde ze meteen door naar verboden terrein: de vriendelijke en invloedrijke oom, de lieve tweelingnichtjes. Ze had nog maar net het ene geheim onthuld en het volgende diende zich alweer bijna aan. Dellarobia betwijfelde of ze net zolang zou kunnen zwijgen over de Ogles als Hester, maar dat zou zich vanzelf wel wijzen. Haar kinderen hadden familie, dat was het belangrijkst. Verwantschapssystemen.

'Waarom was het een ongelukje dat papa en jij trouwden?' vroeg hij.

'Mensen doen voortdurend verkeerde dingen, Preston. Volwassenen. Dat zul je wel merken. Je zult versteld staan. Er zit een soort spulletje in onze hersenen waardoor we alleen maar kunnen denken aan wat er recht voor onze neus staat. Ook al weten we dat er later nog iets gaat gebeuren waar we ook aan moeten denken. We worden gefopt door onze hersenen. Die zeggen: je moet nu tegen dit ding vechten of ervoor vluchten. Niet aan morgen denken, joh.'

Hij hield op met het getokkel op zijn knie en leek erover na te denken.

'Als ik je één ding zou mogen leren, Preston, dan zou het dat zijn. Denk bij alles wat je doet aan de gevolgen voor later. Maar weet je, dat zeggen alle ouders tegen hun kinderen. En we volgen onze eigen goede raad niet eens op.'

Hij zat roerloos en zwijgend naar de sneeuw te staren.

'En weet je wat nog meer? Volwassenen zullen nooit toegeven wat ik net heb gezegd. Het komt er zo'n beetje op neer dat ze in hun eigen bed plassen zonder te zeggen dat ze iets verkeerds hebben gedaan. Zelfs niet degenen die vinden dat ze megagoede topmensen zijn. Die zeggen gewoon als ze daar liggen: "Hé, ik heb die troep niet gemaakt, iemand anders heeft in dit bed geplast."'

Een piepkleine glimlach trok zijn mond scheef, als een ladder in een kous.

'Cordie en jij gaan nog heel wat narigheid meemaken, dat kan ik je wel vertellen. Jullie krijgen gewoon geen keus. Jullie moeten wel anders worden.'

Op dat moment kwam de glanzende gele patroonhuls van de schoolbus beneden in de verte aanrijden. Hij bleef voor het huis wachten, voor het geval Preston nog tevoorschijn zou komen, maar zijn moeder en hij hielden zich verdekt opgesteld op hun plekje in de sneeuwwei. Ze zwaaiden niet en lieten niets van hun spijbelarij merken, en ten slotte hervatte de bus zijn vaste route. Ondanks alles, het naderende einde van de wereld, gaf dat Dellarobia een voorgevoel van vreemd geluk. De zon was nu echt op en de hemel was helder, wat deed vermoeden dat er een grote verandering zat aan te komen. Klompjes sneeuw vielen uit de bomen langs de weg, lieten stilletjes los en daalden als versnipperde papieren zakdoekjes uit de grote esdoorn bij de oprit neer. In het bos achter hen hoorde ze een stil en gestaag tikkelend geluid van vallende ijsnaaldjes. Ze zaten midden in een smeltende wereld. Ze zag Prestons ogen naar hun huis dwalen en kon zijn gedachten lezen als een boek: mama, papa, flat, et cetera; alles begon door te dringen. Het verlies of de nieuwe indeling van alles wat hij ooit had gekend en vertrouwd. Dapper als hij was huilde hij niet, maar zijn mondhoeken wezen wel naar beneden en zijn ogen stonden strak.

'En als ik liever wil dat alles blijft zoals het is?' vroeg hij.

'O, man. Dat is het verraderlijkste deel. Dat willen volwassenen ook. Dat is precies de reden dat ze in bed plassen en blijven liggen. En dat is geen grapje.'

Zijn ogen schoten weg van de hare om het eindoordeel te vermijden.

'Het wordt nooit meer zoals het was, Preston. Dat moet je hardop voor me zeggen, oké? Als je het één keer zegt, krijg je je computertje.'

Hij keek haar aan om te zien of ze het echt meende en zei het toen: 'Het wordt nooit meer zoals het was.'

'Oké.' Ze gaf het hem. 'Je bent een reus.'

Op vrijdag verwachtte ze allebei de kinderen rond twaalven weer thuis, Preston uit school en Cordie en haar vader terug van Hester, waar ze heen waren gegaan zodat zij de verjaardag van haar zoon kon voorbereiden. Maar ruim daarvoor werd ze naar buiten getrokken door het water. Er stond nog een taart in de oven en er was nog een hoop te doen, maar toch liep ze in een staat van aangezwengelde nervositeit de keuken uit, alsof ze opeens te groot was geworden voor haar vel. De radio had al de hele ochtend de vreemdste berichten uitgebraakt, op alle zenders. Overstromings- en weerwaarschuwingen, rampen. Iets onbevattelijk ergs in Japan, brand en overstroming.

Buiten werd ze verrast door een waterige helderheid. De grond was sponzig van de smeltsneeuw en zakte vreemd onder haar voeten weg. De berghelling aan de overkant van de weg was aan de noordkant nog volledig door sneeuw bedekt in zijn eigen blauwige schaduw, maar aan deze kant zette de zon hem in het licht en was de hele berg sneeuw in een stortvloed aan het wegsmelten. Elk kanaal dat door de lange natte winter in de helling was uitgesleten zat tot de rand toe vol met water en het teveel stroomde over de hele breedte van de wei naar beneden. Ovid was een weekend weg met zijn camper, bijna voorgoed weg, en de schapen hadden zich in de schuur teruggetrokken, geschrokken van de overlopende berghelling en het ongewone geraas. Ze was hier helemaal alleen. Water stroomde over de punt van haar laarzen, even helder en koud als het ijs dat het kort tevoren nog was geweest, het maakte haar voeten gevoelloos en de kletsnatte kracht van de verdrinkende aarde drukte het gras in de hele wei plat. Lange onkruidstengels staken hier en daar boven het water uit om meteen weer te worden neergeslagen, zwaaiend als skeletarmen.

Haar voeten zakten dieper weg en het water stond haar nu al tot de knieën. Ze voelde de stroming aan haar benen trekken en begreep hoe gevaarlijk de situatie was. Dit was waar ze woonde. Haar telefoon zat in de zak van haar sweater, maar ze zou niet weten wie ze in zo'n geval moest bellen. Ze ging op weg naar hoger gelegen grond en sopte naar een plaats waar ze op een bult in het hoge deel van de wei zou kunnen staan, niet ver van de plaats waar ze het lam had gered. Dat schaap had een neus gehad voor goede plekjes. Het was het hoogste punt van de wei en nu ze erheen was geklommen was het een soort mini-eilandstaatje. Ze werd hier volledig omringd door stromend water. Toen ze zich omdraaide om naar de zuidkant te kijken, kwam het hele gebied haar ogen tegemoet als één fel reflecterende vlakte. Een oceaan, bespikkeld en golvend over ondergelopen rotsen en rillen, spoelend en stijgend waar ze bij stond. Ze voelde zich opwindend roekeloos, alsof ze op zee was. Misschien wel net als Columbus op zijn schip, in een hoek gedreven en diep in de schulden na een leven lang bedelen om geld. Het was de enige manier om op een vermoedelijke ramp af te stevenen aan de rand van de tot dan toe bekende wereld. Als er iemand was die dat kon begrijpen, was zij het wel.

Op de berg achter haar vlogen kraaien een voor een de kale bomen in, vormden zwarte vlekken tussen de kluwens van takken en voegden hun waarschuwingskreten bij de sombere klanken van die dag. Weg, weg, krasten ze. Om haar heen een dode wereld die leerde spreken in onwelluidende, onverdraaglijke klanken. De toplaag van de wei, de magere winstmarge van de boerderij, de grond zelf spoelde van haar weg, en toen het water weer over haar laarzen sloeg, bewoog ze met voorzichtige stappen achteruit de sterke stroming in op zoek naar een betere plaats. Kille angst zorgde dat ze aan niets anders meer kon denken dan voortbewegen. Eén verkeerde stap en alles kon voorbij zijn. Even dacht ze aan de schapen in de stal, maar ze concentreerde zich toen snel weer op haar eigen twee voeten waarmee ze voortschuifelde naar boven om een vroegtijdig einde te voorkomen. Tot haar grote vreugde voelde ze even later de afrastering achter zich, dat koude vangnet van gaas. Ze draaide zich om en greep het met beide handen vast om zich aan voort te trekken naar boven. Bij het hek boven in de wei aangekomen zette ze de punten van haar schoenen erin en klom ze eroverheen naar het hoger gelegen deel waar ze weer op droge grond stond, aan de rand van het bos. Ze keek schattend naar een groepje middeljonge bomen en besloot dat die stuk voor stuk wel sterk genoeg zouden zijn om haar te dragen, mocht het zover komen. Daarna draaide ze zich om en keek weer naar beneden.

Tot haar verbijstering stond het water nu al tot op de veranda en de drempels van haar huis. De fundering en het betonnen trapje waren al niet meer te zien en de tuin was op mysterieuze wijze verdwenen. De borders waren opgelost in de weg en elke herinnering aan de indeling van de omgeving was uitgewist. De hele ochtend had ze geluisterd naar het water dat door de enorme metalen duiker onder de weg door raasde, dat zijn donderende dreigementen van overstroming als een echo bij die van de radio had gevoegd. Nu was dat geraas verzwolgen en was de duiker zelf overstroomd, en de weg was één grote modderstroom. Er dreef daar iets, een splinterige v-vormige verzameling hout die langzaam vanuit het westen langskwam. Een stuk van een dak, gokte ze, op zijn kop. Het bewoog zich met zo'n bedachtzame, ongehaaste doelgerichtheid dat het leek alsof het toegaf aan een soort drang om op reis te gaan. Ze zag dat haar auto ook aan die roep gehoor gaf en zich voorzichtig zonder chauffeur in oostwaartse richting begon te verplaatsen.

Ze begreep wat het inhield wat ze zag, maar moest gewoon blijven kijken. Haar kinderen waren elders, bij Hester en op school, en moesten dit op andere manieren tegemoet treden. Ze begreep dat er niets anders op zat. Maar voorlopig was haar fascinatie groter dan ordinaire angst en voorzichtigheid. Ze bedacht dat ze hier maanden geleden ook had gestaan, op haar hooggehakte laarzen en in vuur en vlam, en zich hier opeens had omgedraaid naar de plek die ze was ontvlucht. Ze herinnerde zich dat ze het donkergrijze dak en de witte hoeken van haar huis had afgezocht naar sporen van verandering of overgave, die toen niet zichtbaar waren. Nu waren ze overduidelijk. Een van de hoeken van het huis leek schuin omhoog te komen terwijl ze keek, waardoor het bouwwerk een kleine maar zichtbare hoeveelheid centimeters verschoof op zijn fundering. Dit keer moest ze het wel zien. Het hele geval zou binnen afzienbare tijd van zijn verankerde trap en fundering van betonblokken wegdrijven en zo bedaard als een oceaanschip vertrekken. Dan zou het niet langer meer een huis zijn, maar een onbuigzame, rechthoekige ballon met gevelplaten en dakpannen en door weer en wind afgebladderde deuren, onwaarschijnlijk sereen en drijvend op het bevel van de opwaartse druk van de binnenin opgesloten lucht. De ramen zouden leeg blijven staren naar het omkiepende uitzicht bij het traag omrollen van het hele bouwwerk in de stroming.

En zelfs nu verzamelden zich nog zwarte vogeltjes op de enkele hoger gelegen plekken die nog boven het water uitstaken. Ze pikten in de modder naar verdronken regenwormen en stilden een onwaarschijnlijke en onaannemelijke honger om in leven te blijven. Dat moesten wel spreeuwen zijn. De dag was absurd mild en helder. Vorige week had ze de puntneusjes van de narcissen al uit de grond zien steken en Preston had hyacinten zien opkomen in de tuin, de overspoelde, verdwenen tuin, de tuin die nu ergens anders was. Ze was vergeten dat ze die bollen ooit had geplant. Ze vond de stompe groene bladbundeltjes net schildpadsnuitjes die uit een onderwereld opdoken.

Een paar spreeuwen lieten een gemeenschappelijke strijdkreet horen en scheerden laag over de wei weg. De mens is voor het ongeluk geboren zoals vonken uit het vuur omhoog spatten, dacht ze; woorden uit het boek Job, gemaakt voor een wereld die in vuur en water uit elkaar viel. Tussen de zwarte vogels zag ze flakkerende vuursteentjes licht, hetzelfde vuur dat haar, toen ze het voor het eerst zag, zo finaal van haar stuk had gebracht. Nu was het onweerstaanbaar. Ze was hierheen gekomen om naar de vlinders te kijken. Sinds gisteren had ze ze al zien wegvliegen uit hun trossen in de dode perzikboomgaard en zich over de ceders en de struiken aan de kant van de weg een eindje naar beneden zien verspreiden. Elke modderige bult die nog niet was ondergelopen was ermee bezaaid. Waar ze ook keek, overal zag ze de verzamelde vlinders op de snel in aantal afnemende, boven het water uitstekende plaatsen: ze vormden borstelige rijen op boomtakken en de bovenste rand van het gaas, zaten in bosjes op stukken drijfhout en bespikkelden zelfs in de verte het glimmende dak van haar auto. Oranje wolken twijfelaars hingen in de lucht erboven. De feloranje vlek van hun weerspiegeling gloeide op het golvende oppervlak van het water, waar ze niet afzonderlijk in afgetekend stonden maar als één grote massa samenklonterende, verschietende kleur, als een laag drijvende olie, alleen dan kleuriger, meer als lava. Zoveel.

Ze durfde bijna niet omhoog te kijken uit angst haar evenwicht te verliezen maar deed het toch, sloeg haar ogen op om ze te zien overvliegen. Niet slechts een paar, maar wolken, een dierenluchtmacht die in formatie vloog, alsof ze ten oorlog trokken. Vlak boven haar en hoger stroomden ze allemaal in dezelfde richting, naar beneden, alsof de overstroming ook op andere hoogten plaatsvond. De hoogste waren vage slierten stipjes, ellipsen. Ze stond te kijken van hun aantallen. Misschien wel een miljoen. De scherven van een verwoeste generatie waren als een hartslag blijven kloppen in de bomen, bedekt onder de sneeuw, geladen met weerstand. Nu knipperde de zon open boven een lange, onmogelijke tijd, en hier was de exodus. Ze zouden op andere velden bijeenkomen en andere risico's nemen, waarschijnlijk niet beter of slechter dan de hare.

De lucht was te helder en de bodem te onbetrouwbaar om lang naar boven te blijven kijken. In plaats daarvan richtte ze haar ogen op het spattende vlammenspel van de vleugels die in het water weerspiegeld werden, waar vuur en vloed zich mengden. Over de door witte bergen geflankeerde watervlakte vlogen ze naar een nieuwe wereld.

# Nawoord

In februari 2010 veroorzaakte hevige regenval een overstroming en aardverschuiving in het Mexicaanse stadje Angangueo. Dertig mensen vonden de dood en duizenden raakten hun huis en middelen van bestaan kwijt. Bij buitenstaanders was de stad vooral bekend vanwege de spectaculaire kolonies monarchvlinders die in de omgeving overwinteren. Momenteel zijn de herstelwerkzaamheden in de stad in volle gang en elk najaar komt nog steeds de volledige populatie van Noord-Amerikaanse monarchvlinders naar diezelfde bergtoppen in Centraal-Mexico gevlogen. De plotselinge verhuizing van deze overwinterende kolonies naar de zuidelijke Appalachen is een fictieve gebeurtenis die enkel op de pagina's van dit boek plaatsvindt.

De rest van het biologische verhaal, zoals de overstroming van Angangueo, berust helaas wel op waarheid. Het beschrijven van de biotische gevolgen van klimaatverandering is een taak die veel talent, en niet te vergeten moed, vergt van de deskundigen op dat gebied. Ik heb velen van hen om advies gevraagd bij het schrijven van dit fictieve verhaal binnen een aannemelijk biologisch kader. De meeste dank ben ik daarbij verschuldigd aan Lincoln P. Brower en Linda Fink, die hun huis, laboratorium, onderzoeksgegevens en, het meest indrukwekkend, hun verbeeldingskracht zo gul ter beschikking stelden. Het enthousiasme waarin zij meegingen in de speculaties van een romanschrijfster was enorm, net als hun wetenschappelijke toewijding aan de wereld en het leven daarin. Als er ondanks de deskundige begeleiding van dr. Brower en dr. Fink nog fouten zijn blijven staan, is dat geheel en al aan mij te wijten.

Verder bedank ik Bill McKibben en zijn collega's van 350.org voor het belangrijkste werk ter wereld, waaraan nooit een einde komt. Zijn boek, *Eaarth*, heeft me veel inzicht gegeven, evenals *Four Wings and a Prayer* van Sue Halpern en *Requiem for a Species* van Clive Hamilton. *The Illustrated Encyclopedia of Animal Life*, onder redactie van Frederick Drimmer (1952), was een gelukkige vondst. Ik bedank Rob Kingsolver en Robert Michael Pyle voor hun aanmoedigingen in een vroeg stadium en voor het publiceren van werk van vele andere entomologen, onder wie Sonia Altizer, Karen Oberhauser, William Calvert en Chip Taylor, oprichter van Monarch Watch. Francisco Marín was een onverschrokken metgezel bij het onbeschrijflijke in Angangueo en het onaardse in Cerro Pelón. Dr. Preston Adams was de eerste die tegen mij zei dat ik een wetenschapper was. Dat ben ik nooit vergeten.

Voor hun doordachte commentaar op het manuscript en voor hun steun die voor mij van onschatbare waarde is geweest bedank ik Terry Karten, Sam Stoloff, Frances Goldin, Steven Hopp, Lily Kingsolver, Ann Kingsolver, Virginia Kingsolver, Camille Kingsolver, Jim Malusa, en op de eerste plaats, van begin tot eind, Judy Carmichael. Steven en Lily hebben bergen beklommen en dalen doorkruist. Margarita Boyd leverde spiritueel inzicht, en Rachel Denham opende deuren. Walter Ovid Kinsolving schreef de fraaie genealogie waaruit ik vrijwel alle voor- en achternamen heb gehaald die (in andere combinaties) in deze roman staan, en die afkomstig zijn uit de stamboom van mijn eigen familie. Voor het enthousiasme waarmee ze er altijd weer voor mij zijn, van schaapscheerdag tot en met boekpublicatie, bedank ik mijn familie. Weet dat ik er ook helemaal voor jullie ben.